LE MEILLEUR DU LIVRE
LES MEILLEURS DES LIVRES

SÉLECTION DU LIVRE

PARIS - MONTRÉAL - ZURICH

PREMIÈRE ÉDITION

Les condensés figurant dans ce volume
ont été réalisés par The Reader's Digest
et publiés en langue française avec l'accord
des auteurs et des éditeurs des livres respectifs.

© Sélection du Reader's Digest, SA, 2012.
31-33, avenue Aristide-Briand, 94110 Arcueil.

© Sélection du Reader's Digest, SA, 2012.
Räffelstrasse 11, « Gallushof », 8021 Zurich.

© Sélection du Reader's Digest (Canada) Ltée, 2012.
1100, boul. René-Lévesque Ouest, Montréal (Québec) H3B 5H5.

Tous droits de traduction, d'adaptation et
de reproduction réservés pour tous pays.

Imprimé en Allemagne *(Printed in Germany)*
ISBN 978-2-7098-2457-6.

ÉDITÉ EN SEPTEMBRE 2012
DÉPÔT LÉGAL EN FRANCE : OCTOBRE 2012
DÉPÔT LÉGAL EN BELGIQUE : D-2012-0621-133

299 (6-12)
81.299.0

Patricia MacDonald
Une nuit, sur la mer

Une croisière dans les Caraïbes tourne au cauchemar. Une jeune femme disparaît, sans doute tombée par-dessus bord après avoir trop bu : mort accidentelle, selon la police. C'est la mère de la victime, Shelby, qui avait offert à sa fille et à son gendre ces vacances de rêve. Un cadeau fatal. Rongée par la douleur, par le doute et par un sentiment de culpabilité, Shelby refuse de s'en tenir aux conclusions de l'enquête. Elle pressent un tout autre scénario, un scénario effroyable… À ses risques et périls, elle décide de mener ses propres recherches.

Page 9

Sylvain Tesson
Dans les forêts de Sibérie

Sylvain Tesson, écrivain voyageur toujours en quête de nouveaux horizons, choisit un jour l'immobilité et s'installe, de février à juillet 2010, dans une cabane au bord du lac Baïkal. Il a pour seuls compagnons des livres, le silence, le froid, la beauté et l'immensité des paysages, quelques mésanges et deux chiens. Il nous fait ici le récit d'une vie quotidienne rude et solitaire mais libre, et, surtout, d'une aventure intérieure intense. Et si le bonheur était là, dans cet ermitage loin de l'agitation du monde ? Un « appel de la forêt » inspiré, une ode à la nature.

Page 155

Marina Lewycka
Des adhésifs dans le monde moderne

Georgie Sinclair, journaliste installée depuis peu dans le nord de Londres, broie du noir à la suite de problèmes conjugaux. Par hasard, elle fait la connaissance d'une voisine, une vieille dame juive excentrique. À plus de quatre-vingts ans, Mme Shapiro habite une grande demeure délabrée pleine de chats. Sensible à la solitude de Georgie, elle l'aide, à sa façon, à reprendre confiance en elle. De son côté, Georgie se retrouve en première ligne pour défendre l'indépendance de sa nouvelle amie et préserver l'avenir de sa maison…

Page 283

Frédéric Lenormand
La baronne meurt à cinq heures

En cet hiver 1733, la baronne de Fontaine-Martel est retrouvée assassinée dans son hôtel parisien. Elle hébergeait gracieusement le déjà célèbre philosophe Voltaire, très affecté par ce drame : il craint de se retrouver à la rue ! De plus, des indices inquiétants le laissent supposer qu'il pourrait être la prochaine victime du meurtrier. Peu confiant dans l'efficacité du lieutenant général de police René Hérault, il prend en main l'enquête avec l'aide providentielle de la jeune marquise du Châtelet, femme de sciences qui s'y entend tout autant en déductions qu'en séduction.

Page 467

Une nuit, sur

Traduit de l'américain par Nicole Hibert

la mer

Shelby Sloan a accepté avec enthousiasme de s'occuper de son petit-fils Jeremy pendant que sa fille unique, Chloe, et son gendre Rob font une croisière à bord d'un paquebot. C'est alors qu'elle reçoit un coup de fil. On lui annonce l'impensable : Chloe a disparu. Elle serait passée par-dessus bord : des caméras de surveillance l'ont filmée, ivre, titubant dans les coursives. Shelby refuse cette explication. Sa fille ne buvait pas et les preuves font défaut. Et si Chloe avait été assassinée ? Ou si elle vivait encore ? Shelby est prête à tout pour découvrir ce qui s'est réellement passé cette nuit-là, sur la mer.

Prologue

PRAJIT SINGH ne voulait pas de problèmes pendant ses heures de travail. Il avait besoin de temps, de concentration. Jusque-là la soirée avait été calme. Tant mieux. Les automobilistes arrivaient, entraient pour aller aux toilettes et payer leur essence et repartaient. Des gamins traînaient autour du distributeur, au fond du magasin, à siroter des glaces à l'eau, des mères surmenées passaient prendre une brique de lait pour le petit déjeuner. Les personnes âgées achetaient des journaux et les pauvres des billets de loterie. Entre deux clients, Prajit bûchait. Il était en fac de médecine, croulait sous le boulot. Il avait toujours un manuel ouvert sous le comptoir. Des représentations du système veineux, des lobes cérébraux, ou bien d'affreuses photos de maladies dermatologiques dépassaient de l'étagère sous la caisse enregistreuse. Prajit jonglait avec les horaires, les responsabilités et les desiderata des autres. Il avait tellement l'habitude d'être exténué, surchargé, que maintenant cela lui paraissait presque normal.

La porte de la boutique s'ouvrit, un jeune homme entra. Cheveux courts, chemise en denim bleue, l'air énervé. Un de ces types blancs, privilégiés de naissance sous prétexte qu'ils sont des mâles américains de souche anglo-saxonne, et qui paraissent mécontents de la marche du monde. Le client s'approcha de la caisse et régla sa note d'essence. Prajit le remercia poliment. L'autre répondit par un grognement, puis s'éloigna dans la première allée, se dirigeant vers le fond du magasin où on rangeait la bière. Prajit se replongea dans sa lecture. Ce soir, il potassait les maladies de l'appareil gastro-intestinal.

Soudain, ça commença. Une prise de bec. Aussitôt, Prajit se remémora les deux gars qu'il avait vus se faufiler dans la boutique, dissimulés sous la capuche de leur sweat, la tête couverte d'un bonnet. Eux aussi s'étaient dirigés vers le rayon des bières. Prajit les avait oubliés. Il leva les yeux vers le miroir de surveillance placé au-dessus de la vitrine réfrigérée et constata que les deux gamins et le type raide comme un piquet se cherchaient des noises.

Prajit en fut démoralisé. Non, pas ce soir. Il était tard. Il voulait juste terminer son service et rentrer chez lui. Bientôt, Prajit serait interne, il travaillerait sept jours sur sept à l'hôpital et non plus dans un magasin ouvert vingt-quatre heures sur vingt-quatre. Ses nuits d'employé ne seraient plus qu'un mauvais souvenir.

Prajit entendit un cri et jeta un coup d'œil au miroir. Monsieur le citoyen modèle avait bousculé un des jeunes, et il ne s'en tiendrait pas là. On était bon pour la bagarre. Prajit sortit de derrière son comptoir.

— S'il vous plaît, s'il vous plaît! s'exclama-t-il. Si vous voulez acheter quelque chose, passez à la caisse, je vous prie.

Son appel à la civilité se noya dans les vociférations et les jurons. À contrecœur, il se dirigea vers l'allée. Pourquoi les gens qui n'avaient rien de mieux à faire que se castagner échouaient-ils toujours ici, dans cette boutique?

— S'il vous plaît. Si vous souhaitez acheter…

— Si vous *suitez ach'ter*, railla le voyou d'une voix traînante.

Prajit leva haut les mains en signe de capitulation.

— Je vous en prie, monsieur. Je vous demande simplement d'apporter vos achats au comptoir. Je ne veux pas de problèmes.

Le voyou n'était pas aussi jeune que Prajit l'avait cru au premier abord. Un début de barbe dure lui noircissait les joues, ses yeux étincelaient de rage.

Le Blanc à la chemise bleue lui faisait face.

— Tu te trouves marrant? Cet homme essaie juste de gagner sa vie, et il n'est pas payé assez cher pour supporter les types dans ton genre. Rends-nous service, barre-toi.

Prajit fut atterré et étrangement réconforté. Il avait mal jugé le client à la chemise bleue. Voilà que cet homme prenait sa défense. On croit connaître la nature humaine, et parfois on se fourvoie complètement.

Le type à la chemise bleue tenta d'écarter le plus petit des deux voyous encapuchonnés. L'autre l'insulta. Le client ne répondit pas mais leur fit un doigt d'honneur.

Le plus grand sortit un flingue de son sweat.

Les yeux de Prajit s'arrondirent.

— S'il vous plaît, messieurs, dit-il. Calmons-nous. Je ne voudrais pas être forcé d'appeler la police.

Le plus petit, le plus silencieux, se tourna et le regarda droit dans les yeux. Prajit comprit alors, trop tard, qu'il avait commis une erreur. Les mots se bloquèrent dans sa gorge.

— Non, non…, tenta-t-il de dire. Je ne voulais pas vous…

Puis il entendit la détonation.

1

LE son de la télé, la voix de l'animatrice d'une émission de midi annonçant ses prochains invités, s'insinuait dans la salle de bains où Shelby Sloan, appuyée au large meuble-lavabo à dessus de marbre, se penchait vers le miroir pour appliquer du mascara sur ses cils. Elle s'était levée tard, avait fait quelques courses et du vélo fitness au club de sport. Maintenant, elle était douchée et prête à partir. Elle considéra d'un œil critique son visage savamment maquillé. À quarante-deux ans, elle avait une peau éclatante, sans une ride. Son épaisse chevelure blonde qui tombait en boucles sur ses épaules demeurait l'un de ses meilleurs atouts. À vingt ans, quand elle était une mère célibataire qui trimait et avait à peine de quoi payer le loyer, elle pensait qu'à quarante ans elle aurait l'air d'une vieille sorcière. Mais, malgré des années de travail, de cours du soir, à élever son enfant et se priver de sommeil, le temps avait ménagé son apparence.

Un coup frappé à la porte de l'appartement la fit sursauter. « Sans doute Jen, pensa-t-elle, qui a une question de dernière minute à me poser. » Jennifer Brandon, sa meilleure amie, était décoratrice d'intérieur ; elle travaillait chez elle, dans le même immeuble que Shelby, sur le même palier. Elle devait arroser les plantes et relever le courrier pendant que Shelby serait chez Chloe. Toutes deux célibataires, elles se voyaient souvent. Shelby lissa le pull en cachemire qu'elle portait sur un pantalon.

— J'arrive ! cria-t-elle.

Elle consulta sa montre. Elle n'avait pas intérêt à prendre du retard.

Elle ouvrit la porte et découvrit devant elle Talia Winter, sa sœur aînée. Talia ne se perdait jamais en amabilités.

— C'est ma pause-déjeuner. Je t'ai appelée au Markson, annonça-t-elle. (Elle parlait du grand magasin de Philadelphie où Shelby était directrice des achats du département prêt-à-porter féminin.) On m'a dit que tu étais en vacances.

— Oui, depuis ce matin.

— Tu ne répondais pas au téléphone.

Avec un soupir, Shelby pria sa visiteuse d'entrer. Effectivement, elle négligeait souvent de décrocher quand elle voyait le nom de sa sœur s'afficher sur l'écran de son téléphone : elle n'appelait que pour un seul motif – Estelle, leur mère. Talia habitait toujours la maison familiale délabrée du nord-est de Philadelphie, avec leur mère alcoolique à qui, six mois auparavant, on avait diagnostiqué une cirrhose en phase terminale, mais qui ne pouvait prétendre à une greffe, car elle refusait toujours de renoncer à l'alcool. Talia, célibataire, avait passé sa vie adulte à pourvoir aux besoins d'Estelle Winter – une femme qui, du plus loin que Shelby se souvienne, avait brillé par son absence quand elle ne semait pas la pagaille dans leur existence.

À grands pas, Talia traversa le vestibule et s'immobilisa dans le salon spacieux, qu'elle balaya d'un regard scrutateur. Elle repéra le sac de voyage posé sur un fauteuil recouvert de suède gris.

— Tu vas où en vacances ? demanda-t-elle.

Talia, à cinquante ans, en paraissait soixante. Ses cheveux courts, sagement coiffés, grisonnaient. Elle était en tenue de travail, un tailleur-pantalon en polyester, mal coupé, et un banal chemisier bleu, sans doute achetés dans un supermarché. Mais cette apparence ordinaire était trompeuse. Talia dirigeait le labo d'informatique à l'Université de Pennsylvanie, au centre-ville. Titulaire d'un doctorat, elle était considérée comme une spécialiste de l'intelligence artificielle. Elle avait toujours été intellectuellement brillante et d'une nullité abyssale en matière de relations humaines.

— Je te l'ai dit, déclara Shelby en s'efforçant de garder son sang-froid. Chloe et Rob partent en croisière. Je m'occupe de Jeremy pendant leur absence.

— Il faut que tu viennes voir maman. Son état empire de jour en jour. Hier, elle ne m'a pas reconnue.

— Je suis désolée, Talia, mais je ne peux pas. Je t'ai prévenue depuis des mois. J'ai offert cette croisière à ma fille et à son mari pour Noël. Ils s'y préparent depuis des semaines. Et moi, j'ai hâte de passer ces quelques jours avec mon petit-fils.

— Je ne cracherais pas non plus sur des vacances, rétorqua Talia, sarcastique.

— Tu n'as qu'à en prendre. Ça te ferait du bien.

— Avec maman dans cet état? Je ne pourrais jamais la laisser entre les mains d'étrangers.

— Ce ne sont pas des étrangers. Elle connaît parfaitement ses gardes-malades. Elle les voit tous les jours.

Talia la regardait comme si elle n'avait rien entendu.

— Tu peux amener le gamin, si c'est ce que tu veux. Après tout, c'est son arrière-petit-fils.

Jamais, eut envie de crier Shelby. Jamais je n'obligerai Jeremy à l'approcher. Cependant mieux valait ne pas répondre. Elle ne se libérerait jamais totalement de cette toile, tissée de culpabilité et de sens du devoir, qui retenait Talia prisonnière dans cette maison lugubre, auprès de leur mère délirante. Mais elle résistait de son mieux. Depuis qu'on savait Estelle condamnée, elle contribuait financièrement – il fallait bien payer les gardes-malades – et lui rendait visite pour la forme, mais c'était tout. Apparemment, Talia avait l'intention de sacrifier sa vie pour leur mère. Shelby ne se laisserait pas entraîner aussi loin. Talia avait choisi, c'était son affaire.

— Je n'amènerai certainement pas un gamin de quatre ans voir quelqu'un qui est à l'article de la mort.

« Et qui, en plus, sera ivre », pensa-t-elle.

— Pourquoi tu ne contactes pas Glen? Peut-être qu'il viendrait la voir.

— Glen… Super, ricana Talia.

Leur frère cadet, Glen, quoique d'une intelligence aiguë, était sans emploi, sans objectif et sans domicile fixe. Frisant la quarantaine, il avait encore de nombreux amis qui lui offraient un canapé pour la nuit ou lui permettaient de garder leur maison quand ils s'absentaient.

Il venait souvent à l'improviste et persuadait Talia qu'il s'inquiétait pour leur mère et lui était infiniment reconnaissant d'assumer l'intendance. Shelby le soupçonnait de jouer la comédie.

— Écoute, Talia, il faut que j'y aille.

Sa sœur la dévisagea.

— Pourquoi tu ne prends pas le gamin ici ?

— Le gamin ?

— Ton petit-fils.

Talia avait, à l'aveuglette, touché un nerf sensible. Shelby aurait préféré garder son petit-fils chez elle, dans son confortable appartement. Mais sa fille Chloe avait solennellement déclaré qu'elle refusait de chambouler la vie de Jeremy, aussi Shelby avait-elle accepté de s'installer dans leur petite maison mitoyenne de Manayunk.

— Son école est tout près de leur maison, dit-elle. C'est plus pratique, voilà tout.

— Moi, j'ai l'impression qu'elle n'a pas assez confiance en toi pour te confier son gosse. Quoi qu'il en soit, je ne sais pas pourquoi j'ai perdu mon temps à venir ici. J'aurais dû deviner.

« Moi non plus, je ne sais pas pourquoi tu es venue », songea Shelby en attrapant son sac de voyage.

— Je te suis.

CHLOE était dans la rue, devant sa maison à la façade en stuc gris. Elle avait demandé à Shelby d'être à l'heure, afin qu'elles aillent ensemble chercher Jeremy à l'école maternelle. De cette façon, Shelby connaîtrait l'itinéraire à suivre chaque jour, durant la semaine où Chloe et Rob seraient en croisière.

Comme à l'accoutumée, Shelby eut un élan de tendresse et d'anxiété à la vue de l'expression si sérieuse de sa fille. Chloe avait de longs cheveux qui ondulaient autour de son visage ovale, semé de taches de son. Elle était mince, résultat d'années de jogging quotidien et d'une alimentation saine. Elle portait sa tenue d'infirmière, car elle travaillait à mi-temps dans un cabinet de gynécologie et d'obstétrique. À vingt-quatre ans, Chloe était le portrait de son père, Steve, un client que Shelby avait rencontré dans le café de South Street où elle était barmaid, l'année du bac. Shelby et Steve s'étaient mariés le jour de la Saint-Valentin, à l'hôtel de ville. Steve avait pris la poudre d'escampette peu après, alors que Shelby était enceinte.

En apprenant la grossesse de sa fille, Estelle lui avait conseillé d'avorter. Shelby ayant refusé, Estelle s'était désintéressée de sa deuxième fille et de l'enfant. Shelby s'était jetée dans le boulot et les cours du soir pour élever sa fille. Elle avait décroché ses diplômes, grimpé les échelons et obtenu un salaire coquet. Une fois, elle avait par inadvertance entendu Franny, la meilleure amie de Chloe, demander pourquoi elles ne pouvaient jamais jouer chez Chloe. Celle-ci avait expliqué que sa mère n'était jamais à la maison parce qu'elle préférait travailler. Encore aujourd'hui, le souvenir de ces paroles la blessait. Les années passant, elle avait économisé assez d'argent pour s'installer loin de ce quartier difficile, et Chloe avait commencé à comprendre pourquoi sa maman travaillait autant. Mais ses mots d'enfant, si douloureux, restaient gravés au fer rouge dans son cœur.

Elle trouva une place libre dans la rue. Puis elle rejoignit sa fille à qui elle ouvrit les bras. Chloe l'étreignit énergiquement, très vite, et s'écarta.

— Il faut y aller, dit-elle.

— J'espère que je ne suis pas en retard. Talia m'a fait une visite impromptue.

Chloe leva les yeux au ciel. Talia avait toujours vécu comme si sa nièce n'existait pas.

— Qu'est-ce qu'elle te voulait ?

— Me culpabiliser au sujet de ma mère, évidemment.

— Elle a réussi ?

— À ton avis ? Dis, chérie, j'ai besoin d'aller aux toilettes.

— Et Jeremy ?

— Je n'en ai que pour une minute.

— Il croira que je l'ai oublié.

Shelby lut l'angoisse dans les yeux de sa fille. Chloe s'évertuait à être une mère parfaite. Quand Jeremy était bébé, elle l'avait nourri de purées préparées de ses mains, conduit chez le médecin dès qu'elle le trouvait pâlichon ; en outre, elle tenait sa maison avec un goût de l'ordre et de la propreté frisant l'obsession. Elle ne travaillait qu'à mi-temps dans un cabinet médical afin que Jeremy ne soit pas obligé de rester des journées entières à la crèche.

— Mais non, chérie, nous avons largement le temps. N'aie pas peur pour lui.

Chloe poussa un petit soupir et, précédant sa mère, regagna le perron de la maison étroite et basse qui, à l'instar de ses voisines, avait été construite sur la colline dominant Main Street, à Manayunk. Cette partie de la ville, de même que les rives de la Schuylkill, avait jadis été un quartier ouvrier. Depuis quelques années, il avait la cote auprès des jeunes possédant plus d'énergie que d'argent. Rob Kendrick, travailleur social, avait acheté la maison avec Lianna, sa première épouse. Leur fille Molly avait huit ans lorsque Lianna, qui souffrait de migraine, avait consulté un neurologue réputé, Harris Janssen.

À l'époque, Chloe était réceptionniste au cabinet du Dr Janssen. Elle assista aux débuts de la liaison entre la patiente et le médecin, et finit par offrir au malheureux mari de Lianna conseils et réconfort. Lianna divorça pour épouser le neurologue. À présent, elle habitait avec Molly et Harris dans la banlieue chic de Gladwyne.

Peu après, Chloe et Rob se marièrent dans l'intimité, et Chloe s'installa dans la maison de Manayunk. Elle effaça les moindres traces de l'ancienne vie de Rob, hormis dans la chambre de Molly que Rob lui interdisait de toucher, afin que sa fille la retrouve intacte lors de ses séjours. C'était dans la chambre de Molly que Shelby dormirait.

La maison, comme toujours, était impeccable, les murs ornés des ouvrages en patchwork que Chloe avait réalisés de ses mains. « Impossible de deviner qu'un enfant vit ici », pensa Shelby. Elle ne s'attarda pas dans les minuscules toilettes. Chloe se précipita vers sa voiture, garée le long du trottoir, et s'assit à la place du passager. Shelby ouvrit la portière du conducteur.

— Tu ne veux pas qu'on prenne ma voiture, chérie ?

Chloe lui lança un regard incrédule.

— Tu n'as pas de siège enfant, maman. Un petit garçon ne peut pas monter dans une voiture qui n'a pas de rehausseur.

— Oui, bien sûr. D'accord.

Shelby repoussa divers paquets et s'installa au volant. Elle était sidérée, comme souvent – l'intérieur de la voiture était un vrai capharnaüm. Ce véhicule semblait être le seul endroit où la maniaquerie compulsive de Chloe n'avait pas cours. Les sièges avant et la banquette arrière étaient encombrés de bouteilles d'eau vides, de briques de jus de fruits, d'emballages alimentaires et de journaux.

— Tu ne préfères pas conduire ? demanda Shelby en jetant un regard vers sa fille.

— Je t'indiquerai par où passer. Il faudra bien que tu conduises ma voiture cette semaine, puisque tu ne peux pas prendre Jeremy dans la tienne. Pas sans rehausseur.

— Je ne le ferai pas. Promis.

— Donc tu dois t'habituer à cette voiture.

— Je pense que j'y arriverai sans trop de difficultés.

— Chaque voiture est différente.

— Ma chérie, il ne s'agit pas d'un avion qu'il me faudrait piloter. Ce n'est qu'une automobile.

— Je me sentirai mieux en sachant que tu l'as déjà conduite, insista Chloe.

— Bien sûr, d'accord.

Shelby capitula et mit le contact.

— Tu prends la première à droite et ensuite tout droit pendant un kilomètre, jusqu'à notre église. Tu la connais.

Shelby acquiesça. Elle savait en effet que l'école maternelle de Jeremy était aménagée dans l'entresol de l'église. Mais entendre Chloe parler de « son » église lui paraissait toujours bizarre. Elle ne lui avait pas donné d'éducation religieuse, cependant, quand Chloe avait épousé Rob, elle avait adopté sa foi. Les parents de Rob étaient missionnaires en Asie du Sud-Est, il avait grandi dans un milieu où la religion tenait une place majeure. Shelby respectait leur choix même s'il était très éloigné de ses propres convictions. Elle regarda de nouveau sa fille.

— Tu es contente de partir en croisière ?

— Ce sera agréable de partir un peu, admit Chloe.

— Ne pas travailler, ne pas préparer les repas pendant une semaine.

— Un break ne sera pas du luxe. Pas à cause de Jeremy, mais… Rob et moi, nous n'avons jamais de temps pour nous. Je crois que nous en avons besoin.

— Tu devrais faire appel à moi plus souvent. Tu sais que je suis ravie de garder Jeremy.

— Et moi, je sais à quel point ton métier est prenant, rétorqua Chloe.

— Tu ne m'avais pas dit que Molly, à présent, était assez grande pour faire du baby-sitting ?

Chloe haussa les épaules.

— Pas si grande que ça. Elle n'a que treize ans. Je dois aller la chercher, ensuite la ramener dans leur beau manoir et faire la causette avec Lianna. Ce n'est pas vraiment une partie de plaisir.

— Je m'en doute…

— Et puis, maintenant, Lianna est enceinte. Et, naturellement, il a fallu qu'elle choisisse le Dr Cliburn, maugréa Chloe, mentionnant l'obstétricien qui l'employait. Par conséquent, je suis obligée de la voir aussi au cabinet. J'espère juste qu'elle ne jettera pas son dévolu sur Cliburn.

— Allons, la taquina Shelby en souriant.

— Oh ! elle en serait capable. Elle mène les hommes par le bout du nez, ils la trouvent tous tellement… parfaite. Même après ce qu'elle a infligé à Rob – le quitter pour le Dr Janssen –, il refuse qu'on émette la moindre critique à son sujet.

— Elle est la mère de Molly. Rob en tient compte, c'est un très bon père, objecta gentiment Shelby. Pour ses deux enfants. Tu as de la chance. Beaucoup d'hommes s'en ficheraient.

— Mon père, par exemple, dit Chloe d'une petite voix amère.

L'absence de père avait grevé sa vie, ce dont Shelby se sentirait à jamais coupable.

— Je dis simplement que tu as épousé un homme bien.

— Par là, coupa Chloe, désignant un bâtiment en briques jaunâtres dont le faîtage s'ornait d'une grande croix. On y est.

Shelby se gara le long du trottoir où attendaient d'autres parents. Chloe regardait fixement la rue, les yeux vides, les doigts entrelacés sur les genoux. Elle portait une veste en cuir usé, trop grande, pardessus sa tenue d'infirmière. Elle paraissait menue et fragile.

— Ça va, chérie ?

Chloe ne répondit pas.

À cet instant, les portes de l'école s'ouvrirent, et les enfants déferlèrent. Shelby scrutait leurs frimousses. Soudain, elle reconnut Jeremy. Et lui aperçut sa grand-mère.

— Shep ! s'écria-t-il gaiement.

Quand il avait commencé à parler, il déformait son nom qu'il prononçait « Shep ». C'était resté. Jeremy accourut, ses cheveux blonds tombant sur son front. Il serrait dans la main un dessin aux couleurs éclatantes.

— Le voilà ! s'exclama Shelby.

— Je sais, maman, répondit Chloe. C'est mon enfant, je le connais.

2

L E soir, dès le retour de Rob, Chloe sortit du four un ragoût
maison.

— Il en restera largement assez pour demain, dit-elle à Shelby
tout en dressant le couvert dans la petite salle à manger.

— Ne t'inquiète pas, répondit Shelby, qui grimaça un sourire. Je
n'oublierai pas de le nourrir.

Chloe alluma les bougies sur la table, évitant le regard de sa mère.

— Je n'aime pas qu'il mange des plats tout préparés. Je sais que,
quand j'étais petite, c'était plus simple pour toi à cause de ton travail,
mais Jeremy a l'habitude des aliments frais.

Shelby inspira à fond et s'exhorta à ne pas se vexer. « En effet,
songea-t-elle, en matière de cuisine, j'ai souvent opté pour la facilité. »
Chloe n'avait pas dit ça par méchanceté.

Rob, un blond aux traits accusés, aux yeux bleus et doux, se lavait
les mains dans la cuisine. Il les rejoignit, desserra sa cravate et débou-
tonna le col de sa chemise en chambray. Il portait toujours une cravate,
malgré son jean, quand il travaillait au centre pour personnes âgées.

— Dis donc, ta mère sait s'occuper d'un enfant. La preuve, tu es
une belle réussite.

Rob tira la chaise de sa belle-mère pour l'inviter à s'asseoir.

— Une très belle réussite, répéta Shelby en riant, mais cela
n'amusa pas Chloe qui piqua un fard.

— À table, dit-elle. Jeremy, tu viens ?

— Je me mets à côté de Shep ! clama le garçonnet qui grimpa sur
la chaise près de sa grand-mère.

Après le dîner, Rob proposa d'emmener Jeremy dans Main Street,
chez un marchand de glaces, pendant que Chloe faisait les bagages.
Shelby suivit sa fille dans une petite chambre et s'étendit sur le lit,
appuyée sur un coude. Chloe prit les valises dans la penderie, puis des
vêtements soigneusement pliés. Shelby l'observait. Elle s'était fait tellement de souci, à tort, pour l'avenir de sa fille. Chloe, renonçant à
l'université, avait suivi une formation de secrétaire médicale, commencé à travailler, rencontré un homme plus âgé qui voulait refaire
sa vie, et s'était retrouvée enceinte. Shelby redoutait de la voir finir

seule avec un bébé, sans ressources ni diplômes, une situation qu'elle-même avait connue avant de se sortir de l'ornière et de réussir dans son métier. Chloe lui serinait qu'elle se trompait, que sa vie serait différente. Ça marchait bien pour elle, professionnellement et dans sa vie familiale, et Shelby avait désormais la conviction que Rob était un garçon bien.

Chloe plaqua une robe d'été contre sa poitrine.

— Je ne sais pas si le jaune me va. Je suis si blanche. Et ces taches de rousseur…

— Toutes les couleurs te vont à merveille.

— Oh! maman, soupira Chloe, qui replia la robe et la mit à l'écart.

— Tu t'es acheté des tenues pour la croisière?

— J'ai ce qu'il me faut.

— Je sais, mais je t'ai donné un peu d'argent pour que tu t'offres une ou deux jolies choses.

— J'ai utilisé cette somme pour faire réparer la chaudière.

— Ma chérie, tu aurais dû me le dire, j'aurais payé la…

— Tu as été suffisamment généreuse avec nous, maman. Je suis très bien comme je suis.

Shelby se leva et noua ses bras autour de sa fille.

— Bien sûr que tu es très bien. Tu es parfaite.

— Non, je suis tout sauf parfaite.

Shelby scruta le visage triste, sombre, de sa fille.

— Arrête. Quelque chose ne va pas, chérie? Tu as l'air… si lointaine.

— Non, ça va. Je… je ne suis pas habituée à voyager. Je ne voudrais pas que nos vacances soient gâchées, voilà tout.

— Eh bien, je veux que tu profites de cette croisière et que tu n'aies aucun souci. Jeremy et moi, nous nous amuserons beaucoup. La semaine sera trop courte.

— Je sais, balbutia Chloe, les yeux humides. Je sais que je peux compter sur toi.

— Et tu as raison, dit Shelby.

Elle serra Chloe contre elle, un court moment, puis elle la libéra.

TRÈS tôt le lendemain matin, Chloe et son mari partirent pour l'aéroport dans le pick-up de Rob. Ils atterriraient à Miami où ils embarqueraient à bord du paquebot.

Les jours suivants passèrent à toute vitesse. Quand Jeremy sortait de la maternelle, ils allaient à la bibliothèque ou au terrain de jeux du jardin public, à quelques minutes de marche de la maison.

À trois jours du retour de Chloe et Rob, Shelby goûtait donc pleinement ces moments en compagnie de son petit-fils. Assise sur une balançoire, dans le pâle soleil d'avril, elle regardait Jeremy grimper en haut du toboggan, dévaler la rampe, recommencer sans se lasser. Pour tous les deux, semblait-il, rien d'autre n'avait d'importance.

Le mobile de Shelby sonna, un nom s'inscrivit sur l'écran. Talia. Elle décida de ne pas décrocher. Talia attendrait.

— Shep, regarde-moi. Regarde, Shep !

— Je te vois, lui répondit Shelby. Il est haut, ce toboggan.

— Drôlement haut, corrigea-t-il. Je peux remonter ?

— Vas-y. Je te regarde.

Quand le soleil déclina, ils rentrèrent à la maison. Shelby prépara à son petit-fils des hot dogs et des haricots pour le dîner, ensuite ils se régalèrent de dessins animés jusqu'à l'heure du bain. Elle lui lut son histoire favorite, lui fit un gros câlin et le borda dans son lit. Sur la pointe des pieds, elle redescendit au rez-de-chaussée ranger la cuisine. Elle se souvint alors de Talia. Elle composa le numéro professionnel de sa sœur.

— Bureau du Dr Winter.

— Talia ?

— Non, je suis son assistante, Faith.

Shelby l'avait déjà eue au bout du fil. Faith avait largement dépassé la trentaine, poursuivait toujours ses études et veillait à ce que rien ne cloche dans l'organisation du laboratoire.

— Oh, bonsoir, Faith. Puis-je parler à Talia ? Je suis sa sœur, Shelby.

— Non, ce soir elle donne un cours. Elle sera là dans une heure environ.

— Dites-lui simplement que j'ai téléphoné, voulez-vous ?

— Je n'y manquerai pas.

En raccrochant, Shelby avait meilleure conscience. Elle s'était contrainte à contacter sa sœur, mais n'avait pas eu à discuter avec elle.

Dans la soirée, elle se doucha puis se sécha les cheveux et les démêla. En pyjama et peignoir, elle gagna la chambre. Elle s'étendit sur la courtepointe, posa son mobile sur la table de chevet, comme à son habitude, alluma la télé et, bientôt, fut absorbée par un film. Ce fut ainsi que, vaincue par la fatigue de la journée, elle s'assoupit.

La sonnerie du mobile la réveilla en sursaut. La télé diffusait les infos locales du matin. « Combien de temps ai-je dormi ? » se demanda-t-elle. Six heures dix, indiquait sa montre. Le numéro, sur l'écran de son téléphone, ne lui évoquait rien.

— Allô ? dit-elle.

— Shelby, c'est moi, Rob.

— Rob ! s'exclama-t-elle, alarmée.

— Il est arrivé… quelque chose. Il est arrivé un malheur. On a fait demi-tour… on est à Saint Thomas, dans les îles Vierges.

— Qui est à Saint Thomas ? Qui est ce « on » ? Où est Chloe ? Passez-la-moi, je veux lui parler.

— Justement, répondit-il d'une voix sourde.

— Comment ça, « justement » ?

— Chloe… elle a disparu.

Shelby avait les doigts gourds, les pieds gelés.

— Je ne comprends pas.

Rob toussota. Les mots jaillirent.

— Moi non plus, croyez-moi. Hier soir, je participais à un tournoi de Trivial Sport, j'étais dans une équipe qui… enfin, peu importe. Chloe s'est un peu… énervée, et elle est partie, en disant qu'elle allait… se trouver une autre distraction. Quand je suis retourné dans notre cabine, après le tournoi, elle n'était pas là. Je suis redescendu sur le pont, je l'ai cherchée, mais sans résultat. Finalement, j'ai alerté un steward qui a prévenu le capitaine, et ils ont fouillé le navire. Ils n'ont pas eu plus de chance que moi. Et maintenant, on regagne le port le plus proche. C'est-à-dire Saint Thomas. Ils ont dit… ils pensent qu'elle a dû passer… par-dessus bord.

— Par-dessus bord ? chuchota Shelby.

— Le capitaine a averti la police de Saint Thomas, la garde côtière patrouille depuis plusieurs heures.

— Par-dessus bord ? Elle est tombée à l'eau ?

Shelby se redressa et fit les cent pas dans la chambre.

— Je n'y comprends rien. Chloe…

— Moi non plus, je ne comprends pas. Écoutez, je vous rappelle dès que j'ai du nouveau, promis. Il faut que je vous laisse. Ne bougez pas. Je vous tiendrai au courant.

Shelby avait déjà pris sa décision.

— Je viens.

— Ce n'est pas possible, Shelby. J'ai besoin de vous à la maison, auprès de Jeremy.

— Ce dont vous avez besoin, je m'en fiche! riposta-t-elle. Chloe… c'est mon enfant. Je ne peux pas… il faut que je vienne.

— Et votre petit-fils?

Shelby se représenta Jeremy, dormant à poings fermés dans son lit, et elle en eut le cœur brisé.

— Dites-moi qui peut l'accueillir.

— Appelez Lianna, soupira-t-il. Ça ne les dérangera pas, elle et Harris. Et Molly le dorlotera. Elle l'adore.

— J'arrange ça, décréta-t-elle. Je leur confie Jeremy, et j'arrive. Si on la retrouve d'ici là…

— Je vous avertis, bien entendu, marmonna-t-il.

Shelby coupa la communication et s'efforça de ne pas envisager le pire. Dans l'immédiat, elle devait mettre Jeremy en sécurité, acheter un billet d'avion et partir. Et tenter de ne pas réfléchir.

Elle parcourut les numéros d'urgence que Chloe avait notés sur un Post-it placardé sur le réfrigérateur. Elle hésita. Il était bien trop tôt pour téléphoner, mais Harris Janssen était médecin. Ils avaient probablement l'habitude d'être dérangés à n'importe quelle heure. Elle composa le numéro. On décrocha, un homme grogna « allô? ».

— Je suis désolée de vous appeler si tôt. Lianna est là? bredouilla Shelby.

— Une minute, répondit son interlocuteur, d'un ton plus intrigué que fâché.

— Oui? articula la femme, méfiante.

— Lianna, vous ne me connaissez pas, balbutia Shelby. Je suis désolée de vous importuner à cette heure. Je suis Shelby Sloan. Ma fille, Chloe, a épousé Rob…

— Oh… oui. Que se passe-t-il?

— Rob vient de me téléphoner…

— Ils sont en croisière.

— Oui et… apparemment, Chloe aurait… disparu. On pense qu'elle est peut-être… tombée à la mer.

— Ô mon Dieu!

Shelby entendit le mari demander ce qui n'allait pas.

— La femme de Rob a disparu. Elle serait tombée à la mer.

— Bonté divine! s'exclama Harris.

— Qu'est-ce qu'on peut faire pour vous aider? interrogea Lianna d'un ton résolu.

Shelby se sentit soulagée.

— Je suis confuse, mais Rob m'a suggéré de faire appel à vous. Je veux partir immédiatement là-bas, à Saint Thomas. La police côtière recherche ma fille, et je veux être sur place. Mais mon petit-fils…

— Amenez-le chez nous. Nous veillerons sur lui.

— Oh, ce serait formidable…

— Pas de problème. Vous savez où nous habitons?

Avant que Shelby ait pu répliquer, Lianna lui donnait l'adresse et le plus court chemin pour y parvenir.

Shelby gagna la chambre de Chloe, ouvrit le deuxième tiroir de la commode. Elle sélectionna deux tee-shirts et refit ses bagages. Dans la buanderie, elle prit des habits de Jeremy qu'elle avait lavés et pliés, les mit dans un sac avec quelques jouets, et remonta à l'étage pour réveiller son petit-fils.

— Jeremy, murmura-t-elle. Allez, mon ange, il faut se lever.

Il fronça le sourcil, cligna les yeux.

— Pourquoi?

— Tu vas rester chez Molly quelques jours.

— Toi aussi, tu viens chez Molly?

Shelby hésita.

— Non, mon ange, je ne peux pas. Je dois partir.

— Pourquoi? demanda-t-il, cette fois avec colère.

Elle avait décidé, tandis qu'elle lui préparait ses affaires, de ne pas lui expliquer que sa maman avait disparu. Comment le lui faire comprendre, alors qu'elle-même ne comprenait pas? En outre, c'était trop tôt. Inutile. Il s'avérerait peut-être qu'il s'agissait d'un horrible malentendu.

— Ta maman et ton papa ont besoin de mon aide, alors je pars les aider. Et toi aussi, tu dois les aider en allant chez Molly et en étant bien sage. Tu peux faire ça?

Jeremy fit la moue.

— Bon… d'accord, grommela-t-il.

— Bravo, tu es un grand garçon. Et maintenant, vite, on s'habille. Molly nous attend.

De fait, c'était la pure vérité. Lorsque Shelby atteignit l'imposante demeure en pierre dans l'élégant et verdoyant Gladwyne, elle vit Molly derrière la porte vitrée, en pantalon de survêtement avachi, tee-shirt à l'effigie des Jonas Brothers et lunettes à monture violette, qui scrutait anxieusement l'allée. Ses longs cheveux bruns étaient tirés en queue-de-cheval, et son visage lunaire criblé de boutons d'acné.

Shelby se gara, souleva Jeremy, qui s'était rendormi, de son siège. Elle le tint contre sa poitrine, il était chaud, son petit corps s'abandonnait. La jeune adolescente s'approcha.

— Molly ?

Elle opina ; avec précaution, Shelby déposa Jeremy dans les bras en berceau de sa sœur. Un couple apparut sur le seuil. Shelby reconnut aussitôt Lianna, Chloé la lui avait souvent décrite : une belle femme, mince, aux traits délicats, aux cheveux noirs et aux immenses yeux couleur d'encre. Pieds nus, elle s'était enveloppée dans un peignoir. Derrière elle se tenait Harris Janssen, le neurologue qui l'avait chipée à Rob. Lui ne correspondait pas du tout à ce qu'attendait Shelby. Harris était trapu, pas très grand. La calvitie le guettait, il avait une figure toute ronde et les dents de la chance. Il était en tenue de week-end : large pantalon en velours côtelé et pull jaune pâle. Chloe disait que le Dr Janssen était la bonté même.

Harris fut le premier à lui tendre la main.

— Vous êtes sans doute la mère de Chloe. Quelle fille adorable !

— Merci. Elle m'a souvent parlé de vous.

Lianna prit le sac de vêtements et de jouets que Shelby sortait de la voiture.

— Je suis certaine d'avoir oublié des choses, mais s'il vous manque quoi que ce soit…

— Molly a la clé de la maison, dit Lianna. Nous nous débrouillerons.

— Je ne sais comment vous remercier. Rob ne voulait pas que je vienne, mais il faut que je sois là-bas.

— Ne vous inquiétez pas pour Jeremy. Nous prendrons soin de lui.

Shelby acquiesça, se tourna vers Molly qui tenait toujours Jeremy.

— Merci, Molly.

Shelby se pencha sur son petit-fils endormi, l'embrassa en pleurant et rejoignit sa voiture.

3

APRÈS l'atterrissage à Saint Thomas, Shelby appela Rob sur son mobile; il lui suggéra de venir en taxi au poste de police. Comme elle le questionnait sur les recherches, il l'interrompit :

— Nous en parlerons quand vous serez là.

Sur quoi, il raccrocha.

Shelby sortit du terminal climatisé et fut littéralement agressée par l'atmosphère suffocante, tropicale, des Caraïbes. Elle se faufila jusqu'à la station de taxis, où une grosse femme noire en blouse lavande endiguait le flot de clients. Considérant le modeste bagage de Shelby, elle désigna, impassible, une voiture.

— Quel hôtel? demanda-t-elle avec un accent chantant, tout en consultant ses documents pour voir qui elle pouvait caser dans le véhicule avec Shelby.

Celle-ci se rendit compte qu'elle n'avait même pas pensé à un hôtel.

— Ma fille a disparu, déclara-t-elle, les larmes aux yeux.

Son interlocutrice se radoucit.

— Où allez-vous, madame?

— Au poste de police.

La femme héla un chauffeur auquel elle parla. L'homme, avec douceur, débarrassa Shelby de son sac qu'il rangea dans le coffre de son taxi. Shelby s'assit à l'arrière et le chauffeur démarra.

L'homme coupait par d'étroites ruelles pour éviter la route desservant le port. Shelby aperçut au passage plusieurs énormes paquebots de croisière amarrés là. Son cœur se pétrifia. Lequel de ces géants avait-il emporté Chloe? Les gens à bord semblaient de la taille de fourmis, et la coque, des ponts jusqu'aux eaux turquoise, plus escarpée qu'un glacier. Le taxi monta à l'assaut d'une colline, Shelby ne vit plus les bateaux du port et en fut soulagée. Les rues étaient belles et pittoresques, bordées de bâtiments colorés aux volets clos, de palmiers et d'une profusion de fleurs. Un paradis tropical et raffiné que le taxi quitta bientôt pour stopper devant un immeuble moderne, en béton beige et saumon.

— C'est là, madame, dit le chauffeur.

Pendant que Shelby réglait la course, il s'extirpa de son siège et sortit le sac du coffre. Il le lui tendit d'un air grave.

— Je suis très triste de ce qui vous arrive, madame. Je prierai pour vous.

Elle hocha la tête. Les jambes flageolantes, son sac en bandoulière, elle monta les marches menant au poste de police.

Une réceptionniste se leva, sitôt que Shelby eut décliné son identité, et l'entraîna jusqu'à une porte close à l'arrière du bâtiment. Là, assis à un bureau, un homme robuste jouait les cerbères.

— Voici la mère de la jeune femme disparue, lui dit la réceptionniste.

Aussitôt la mine sévère du gardien se radoucit. Il se redressa.

— Venez, madame.

Cramponnée à son sac de voyage, Shelby le suivit et franchit la porte. Si elle avait douté du sérieux des investigations, le spectacle de la salle où elle pénétra l'aurait rassurée et terrifiée à la fois. Des dizaines d'officiers de police et d'hommes en civil discutaient autour de bureaux, devant des cartes et des tableaux muraux, des tables lumineuses verticales. On y avait affiché des photos agrandies de Chloe dans sa robe d'été jaune, des clichés manifestement pris à bord du paquebot par un professionnel. Chloe avait le teint hâlé, ses longs cheveux ébouriffés par le vent. Devant ces images, Shelby pressa les deux mains sur sa bouche pour étouffer un cri.

— Shelby!

Elle se retourna et découvrit son gendre. Il était grisâtre sous les néons, une barbe naissante lui mangeait les joues. Ses grands yeux clairs étaient ternis par l'épuisement, rougis par les larmes.

— Rob! s'exclama-t-elle.

Elle posa la seule question qui comptait pour elle, mais devina la réponse avant même qu'il ouvre la bouche.

— Rien, murmura-t-il. Je suis désolé.

L'expression affligée de Rob, brusquement, mit Shelby en rage.

— Comment serait-elle tombée à la mer? Enfin, Rob, ça ne se produit pas comme ça.

— Notre cabine avait un balcon. Ils ont trouvé sa sandale sur le vélum en dessous.

Shelby ne pouvait plus respirer. Elle sut instantanément que l'image de cette sandale, perdue pendant la chute, la hanterait jusqu'à la fin de ses jours.

— Vous devriez vous asseoir, lui dit Rob.

Un quinquagénaire à la peau sombre, en chemisette d'uniforme, les rejoignit.

— C'est la mère de votre femme?

— Oui, répondit Rob. Elle vient d'arriver. Shelby, je vous présente le chef de la police de Saint Thomas, M. Giroux. Voici ma belle-mère, Shelby Sloan.

— Enchanté… Madame Sloan, j'aimerais m'entretenir avec vous, dans mon bureau.

— Je vous suis? demanda Rob.

— Non. Pourquoi ne pas nous attendre là?

C'était un ordre, pas une suggestion. Le chef de la police guida Shelby en la tenant par le bras, comme si elle était aveugle. Ils entrèrent dans un grand bureau ensoleillé où deux autres hommes, assis, parlaient à voix basse. Des plantes tropicales aux feuilles luisantes s'alignaient sur la tablette de la fenêtre. Les deux types se redressèrent à l'entrée de Shelby.

— Madame Sloan, je vous présente M. Warren DeWitt du FBI et le capitaine Fredericks, qui commande le navire.

Le capitaine Fredericks ôta son couvre-chef et salua Shelby d'un hochement de tête. L'agent DeWitt lui serra la main.

— Je vous en prie, madame Sloan, asseyez-vous, lui dit Giroux.

Elle s'exécuta, avec précaution.

L'agent du FBI et le capitaine se rassirent. Shelby fixa son regard sur l'agent DeWitt, un barbu musculeux, en veston et cravate.

— Pourquoi le FBI? demanda-t-elle d'une voix ténue.

— C'est la procédure normale, madame Sloan. Saint Thomas est sous notre juridiction, puisque l'île est un territoire américain. Le capitaine Fredericks a contacté le chef de la police, M. Giroux, lorsqu'il s'est avéré que votre fille n'était plus à bord du navire. Ensuite Giroux a demandé l'aide du Bureau ainsi que de la police côtière.

Shelby le regardait toujours fixement.

— Je ne comprends pas. Il y a eu… crime?

— Nous l'ignorons, répondit l'agent DeWitt. Il s'agit plus probablement d'un accident.

— Vous parlez comme si elle était… comme si Chloe était…

Elle ne put se résoudre à achever sa phrase.

— Les recherches se poursuivent, intervint Giroux avec sollicitude.

Le capitaine Fredericks, un homme maigre, tanné par le soleil, aux cheveux du même blanc que son uniforme, toussota.

— La police côtière, expliqua-t-il, a envoyé sur les lieux un Falcon HU-25, un hélicoptère Dauphin et deux patrouilleurs. Ils cherchent votre fille depuis que j'ai prévenu les autorités de sa disparition.

— Ça fait combien de temps ? murmura Shelby.

L'agent DeWitt fronça les sourcils.

— Eh bien, nous avons été alertés ce matin vers cinq heures trente. Mais nous présumons qu'elle est tombée entre vingt-trois heures et minuit. D'après les déclarations de votre gendre, il a regagné la cabine aux alentours de minuit. Quand il s'est aperçu que votre fille n'était pas là, il est ressorti la chercher. Il a alors demandé de l'aide à un steward. Ensuite, comme ils ne la trouvaient pas, ils se sont adressés au capitaine. Celui-ci a ordonné de fouiller le navire.

— Vous avez fait demi-tour, pour essayer de la trouver ? demanda Shelby au capitaine.

Il acquiesça.

— Quand nous avons eu fouillé tout le navire, oui, nous avons effectivement fait demi-tour.

— Quand vous avez eu fouillé le navire ? Combien de temps cela vous a pris ?

— Trois heures environ.

Shelby le dévisagea.

— Vous avez laissé ma fille en pleine mer et vous avez continué ? Pendant trois heures ?

Le capitaine ne broncha pas.

— Nous ne faisons jamais demi-tour quand un passager est porté disparu, à moins qu'on ne l'ait vu tomber à l'eau. Ces navires sont gigantesques, il arrive souvent qu'une personne soit portée disparue alors qu'elle est à bord. C'est la politique de la compagnie.

Une pensée tordit brutalement l'estomac de Shelby.

— Il y a des requins… ?

Fredericks cligna des paupières.

— La police côtière continue ses recherches. Ils la retrouveront peut-être. Je suis vraiment désolé.

— Désolé? s'écria-t-elle. Ça ne me suffit pas.

— Madame Sloan, intervint l'agent DeWitt, j'ai plusieurs questions à vous poser. Pouvez-vous me suivre, s'il vous plaît?

— Bon, d'accord, marmonna Shelby.

Elle se leva et sortit avec l'agent du FBI dans un large couloir où s'alignaient, sur la droite, des box vitrés. Il y avait là une foule de gens, assis par terre sur la moquette ou appuyés contre le mur. Manifestement des Américains, à en juger par leur tenue décontractée. La plupart, hommes et femmes, étaient bronzés, en short. D'autres, pareillement vêtus, étaient déjà dans les box, face à des policiers. Shelby jeta un regard à DeWitt.

— M. Giroux et ses hommes interrogent encore les passagers du paquebot, déclara-t-il, répondant à la question muette de Shelby. Ainsi que les membres de l'équipage.

Hochant la tête, Shelby le suivit dans un petit bureau. Il ferma la porte, s'assit à la table, vis-à-vis d'elle, joignit les mains.

— Je sais que c'est très pénible. Je comprends que cela vous soit intolérable, mais votre coopération nous est véritablement indispensable.

— Je ferai de mon mieux.

— Parfait. Bien... Avez-vous parlé à votre fille durant ces derniers jours? Vous a-t-elle téléphoné?

— Oui... deux ou trois fois. Elle a un fils. Il a quatre ans. Jeremy. Elle aimait bien entendre sa voix.

— Comment vous a-t-elle paru?

Shelby fouilla sa mémoire.

— Elle paraissait... normale.

— Joyeuse? Elle passait de bonnes vacances?

Shelby acquiesça.

— Et son mari? Ils s'entendaient bien?

— Chloe et Rob? Oui. Une minute. Pourquoi m'interrogez-vous sur Rob? Vous ne croyez pas...

— Nous n'avons aucune raison de suspecter votre gendre. Pour être franc, nous avons des images de vidéosurveillance. Il a bien participé, comme il l'affirme, au Trivial Sport. Pour l'instant, nous penchons pour l'hypothèse de l'accident.

— Mais c'est absurde! Comment peut-on tomber par-dessus bord accidentellement?

— C'est vite fait, pour une personne en état d'ébriété.

Shelby le dévisagea longuement, stupéfaite.

— En état d'ébriété ? Vous pensez que ma fille était ivre ? ajouta-t-elle avec un petit rire amer.

— Elle ne serait pas la première à…

— Vous ne connaissez pas ma Chloe. C'est une obsédée de la santé.

L'agent DeWitt soutint son regard.

— Madame Sloan, êtes-vous consciente que votre fille avait un problème avec l'alcool ?

Shelby en fut sidérée. Une gifle en pleine face.

— Ce n'est pas vrai. Absolument pas !

— Une caméra de vidéosurveillance l'a filmée en train de jouer au bingo, dans la soirée. À un moment, elle s'effondre et tombe de son siège. Deux autres couples, qui étaient à la même table de bingo, ont dû l'aider à regagner sa cabine. Elle était incapable de marcher.

— Non, ce n'est pas possible.

Shelby essayait de se représenter Chloe complètement ivre. Chloe ? Non… Cela ne lui ressemblait pas.

L'agent DeWitt soupira, tapotant de l'index des documents devant lui.

— J'ai là les déclarations d'un barman du navire. Apparemment, elle lui a commandé sept vodkas. Cela s'est reproduit tous les soirs, depuis le début de la croisière.

Shelby se sentit rougir violemment.

— Vous ne saviez pas, dit-il.

— Ma Chloe ?

— Vous n'étiez pas au courant de son… problème.

— Son problème ? répéta-t-elle, sidérée, totalement désorientée.

— Elle ne vous en a jamais parlé ?

— Non…

Elle s'efforçait, mentalement, de faire coïncider cette information avec l'image immuable qu'elle avait de son enfant. Une fille employée par un médecin, si attentive à sa santé, sa maison si bien rangée, ses méticuleux travaux d'aiguille. Chloe, une alcoolique ? Non.

— Vous étiez proche de votre fille ?

— Oui, elle était toute ma vie.

— Elle a peut-être voulu vous épargner.

C'était possible, effectivement. Car quand Shelby la trouvait irritable ou déprimée, Chloe refusait de l'admettre.

— Mais pourquoi? Pourquoi aurait-elle bu? Elle était heureuse, protesta-t-elle.

Il haussa les épaules.

— C'est une maladie.

Shelby fixa le vide devant elle, les joues en feu. Combien de fois avait-elle ricané lorsque les gens tentaient de mettre le comportement d'Estelle Winter sur le compte de la maladie? Shelby avait toujours considéré que c'était un choix. La maladie, on ne peut pas y échapper. C'est dans les gènes. Un héritage. Que sa mère avait peut-être transmis à sa petite-fille. Mais Chloe ne ressemblait pas à sa grand-mère.

— Vous ne comprenez pas. Interrogez mon gendre. Jamais Chloe ne…

— C'est justement votre gendre qui nous a informés.

— Rob? Que vous a raconté Rob?

Il secoua la tête.

— Vous n'avez qu'à le questionner. De toute façon, nous ne fondons pas nos conclusions uniquement sur ses déclarations. Nous avons les dépositions de plusieurs personnes qui l'ont vue boire énormément durant la croisière. Nous devons donc, selon moi, partir de l'hypothèse que ses capacités diminuées ont provoqué sa chute. Nous présumons qu'elle est sortie sur le balcon, s'est penchée par-dessus la balustrade et a basculé.

Lentement, Shelby se mit debout.

— Il faut que je parle à mon gendre.

Elle quitta la pièce. Le couloir grouillait toujours de monde.

— Hé! rouspéta un type bedonnant en tee-shirt. On va être bloqués ici combien de temps?

— Nous faisons aussi vite que possible, déclara l'agent DeWitt. Merci à tous pour votre patience.

— J'suis en vacances, moi! tonna le bonhomme. On veut remonter à bord du paquebot et continuer.

Shelby baissa le nez et commença à s'éloigner.

— Hé, qu'est-ce qu'il vous a demandé? lui lança le type en tee-shirt.

— Ils recherchent un témoin, balbutia Shelby.

— Écoutez, vous autres! dit-il d'une voix tonitruante. Si

quelqu'un a vu cette nana tomber à la flotte, rendez-nous service : crachez le morceau, OK ? Qu'on puisse foutre le camp d'ici.

Shelby le regarda droit dans les yeux.

— Cette nana est ma fille.

Le râleur tressaillit.

— Désolé, marmonna-t-il.

Shelby se détourna. Les gens dans le couloir bondé s'écartèrent pour la laisser passer. Tous la considéraient d'un air circonspect.

Shelby s'éloignait quand, lui touchant le bras, une femme l'arrêta. Sèche comme une brindille, elle avait des cheveux bruns et ternes, des yeux rayonnant de bonté. Elle portait un corsage à ramages, une jupe évasée bleu clair et des tennis immaculées. Un homme en chemisette à carreaux, qui aurait pu être son jumeau, se tenait près d'elle.

— Vous êtes la maman de Chloe ? demanda la femme.

Shelby opina, essuyant ses larmes.

— Ne faites pas attention à ce monsieur. Certains individus devraient avoir honte. Ils ne comprennent donc pas que c'est grave ?

— Et comment ! approuva son compagnon.

— Je m'appelle Virgie Mathers, et voici mon mari, Don. Nous participons à cette croisière parce que nous fêtons notre cinquantième anniversaire de mariage. Nous avons joué au bingo avec votre fille. Elle était vraiment charmante. Tellement douce. Elle nous a parlé de son fils. Peggy et Bud étaient là, eux aussi.

La vieille dame désigna un homme d'âge mûr, robuste, au crâne déplumé. Une femme dodue, à l'expression gentille, se cramponnait à son bras et s'appuyait sur une canne. Elle hocha vigoureusement la tête.

— Une fille adorable. Elle s'amusait un peu, voilà tout.

Bud haussa les sourcils.

— Elle était sacrément imbibée.

— Veux-tu bien te taire, Bud ! Tu n'en sais rien. Elle a pu avoir un malaise. Toi aussi, tu as eu le mal de mer sur ce paquebot.

— Ça, oui, admit-il.

— C'est donc vous qui avez essayé de l'aider ? demanda Shelby.

Don Mathers, courtoisement, balaya d'un geste la question.

— Nous n'avons pas fait grand-chose. Juste la raccompagner à sa cabine. Nous étions très contents de l'aider.

— Absolument, acquiesça son épouse.

— Quelle horreur, quand même, dit Peggy. Une si jeune femme. Avec un mari et un enfant.

— Affreux, renchérit son mari d'un ton solennel.

Virgie referma ses doigts froids et osseux sur la main de Shelby.

— Allons, il ne faut pas renoncer, pas encore. Peut-être qu'on la retrouvera.

— Madame et monsieur Ridley ! l'interrompit l'agent DeWitt, désignant Bud et Peg.

— Il veut nous parler, dit anxieusement Bud. On ferait mieux d'y aller.

— Merci, dit Shelby aux Ridley.

Bud dégageait le passage pour sa femme qui, appuyée sur sa canne, traînait la jambe.

— Nous prierons pour Chloe, lui répondit Peggy.

Virgie tapota le bras de Shelby.

— Et nous prierons aussi pour vous.

— Merci, bredouilla Shelby.

Baissant le nez, elle s'éloigna à grands pas. Elle fut interceptée par Giroux alors qu'elle regagnait le QG des opérations.

— Je veux parler à mon gendre, lui déclara-t-elle.

— Dans l'immédiat, on est en train de l'interroger.

Shelby jeta un regard circulaire.

— J'attendrai. J'ai simplement besoin de m'asseoir.

— Madame Sloan, pardonnez-moi de vous le dire, mais vous paraissez exténuée. Et vous n'avez sans doute rien avalé. Nous avons réservé des chambres pour vous et pour votre gendre, dans un petit hôtel de la ville.

— Non, je vais bien, s'obstina-t-elle. Je préfère rester ici.

— Je vous contacterai s'il y a du nouveau, dit-il avec fermeté.

Elle implora son secours.

— C'est ma fille…

Giroux lui prit la main.

— Je comprends, lui dit-il. J'ai moi aussi une fille. Je ferai le maximum pour votre fille. Mais, dans l'immédiat, vous devriez partir.

Sans lui laisser la possibilité de protester davantage, Giroux fit signe à l'un de ses subordonnés.

— Darrell, conduisez Mme Sloan à La Maison sur la Mer. Christophe l'y attend.

Il se retourna vers Shelby.

— Quand nous en aurons terminé avec votre gendre, je vous l'enverrai. Je vous verrai tous les deux demain matin. À la première heure. Maintenant, Darrell va vous emmener à l'hôtel. Allez-y, cela vaut mieux.

Le jeune policier acquiesça d'un hochement de tête et indiqua d'un geste la sortie.

Engourdie, Shelby saisit son sac et suivit son guide.

4

SUR la banquette arrière de la voiture de patrouille, Shelby regardait par la vitre. Le jeune policier ne roulait pas vite. Le soir était tombé, pourtant le soleil s'attardait à l'horizon ; la mer était argentée, le ciel zébré de violet et de rouge sang. Dans les rues assombries, entre les hauts troncs gracieux des palmiers, on apercevait d'élégantes boutiques aux grilles en fer forgé, des restaurants chatoyant de lumières et qui côtoyaient de modestes cottages couleur pain d'épice.

Darrell s'arrêta devant une maison en bois dont le rez-de-chaussée était occupé par un café et les étages ceinturés de balcons aux balustrades blanches ornées de jardinières débordant d'éclatantes fleurs exotiques. Une enseigne au-dessus du café annonçait : La Maison sur la Mer. Darrell descendit du véhicule et sortit le sac de Shelby du coffre.

— Nous y sommes, lui dit-il en lui ouvrant la portière.

Un homme grand, au teint moka, qui portait des dreadlocks, vint saluer Darrell. Il avait le visage large et des touches de gris à la racine des cheveux.

— Christophe, voici Mme Sloan.

Le sourire du dénommé Christophe reflétait tant de gentillesse que Shelby dut détourner les yeux pour ne pas éclater en sanglots.

— Votre chambre est prête, dit-il d'une voix chantante.

— Merci, murmura-t-elle.

Elle remercia également le policier, puis empoigna son sac et suivit son hôte dans le hall de l'hôtel où régnait une agréable fraîcheur. Il lui tendit une clé.

— Deuxième étage, chambre 204. Je vous monte votre sac ?

Elle refusa d'un geste, prit la clé.

— Si vous avez besoin de quoi que ce soit…

Elle hocha la tête et se dirigea vers l'escalier faiblement éclairé menant à l'étage.

LA chambre était monacale, grossièrement badigeonnée de jaune tournesol. Une courtepointe rouge et moutarde recouvrait le lit étroit flanqué d'une table de chevet sur laquelle était posée une lampe au pied en céramique. De l'autre côté de la pièce, une petite commode, un bureau peu solide et un fauteuil où Shelby abandonna son sac. Elle ouvrit la porte-fenêtre qui occupait la majeure partie d'un mur. Un balcon dominait la rue éclairée par des réverbères.

La brise tropicale enveloppait Shelby qui, soudain, regretta de n'avoir pas auprès d'elle quelqu'un sur qui s'appuyer. Entre les bâtiments, elle voyait le port. C'était là, quelque part dans cette mer, que sa fille s'était égarée. Cette idée lui brisa le cœur et, ne pouvant plus contenir son angoisse, elle laissa échapper un gémissement de douleur et de chagrin.

Soudain, on frappa à la porte. Sa plainte se mua en cri, la peur la submergea.

— Madame Sloan ?

Elle alla ouvrir. L'hôtelier, Christophe, se tenait sur le seuil avec un plateau – un bol de soupe à l'appétissant fumet, un verre de vin et une corbeille de pain.

— Mais je n'ai pas…

— Giroux m'a ordonné de veiller à ce que vous mangiez, déclara-t-il d'un ton ferme.

Il franchit le seuil et alla poser le plateau sur la petite table du balcon.

— Et voilà. La soupe, ça passe tout seul.

Shelby, perturbée, chercha son porte-monnaie. Christophe, devinant ce qui la tracassait, ressortit dans le couloir.

— Je vous en prie, acceptez notre hospitalité. Vous vivez une épreuve épouvantable. Quand vous aurez quelque chose dans l'estomac, peut-être que vous vous sentirez un peu mieux…

L'odeur de la soupe, de fait, réveillait son appétit. Elle inclina la tête.

— Merci. Vous êtes très gentil.

Christophe agita la main.

— Si vous avez besoin de quoi que ce soit, appelez la réception.

Shelby referma sa porte et s'installa sur le balcon, contemplant le plateau, simple et joli. De nouveau, ses yeux s'embuèrent. Elle respira à fond, rompit un morceau de pain à la croûte dorée qu'elle trempa dans le bol. Elle le grignota, puis saisit la cuillère et mangea.

De nouveau, on toqua timidement à la porte.

— Shelby, vous êtes là ? demanda une voix familière. C'est Rob. Je peux entrer ?

Elle eut une hésitation avant d'aller ouvrir. Son gendre, blême, mal rasé et les cheveux en bataille, s'appuyait contre le chambranle comme pour ne pas s'effondrer.

— Il y a du nouveau ? interrogea-t-elle.

Il fit non de la tête.

Shelby lui tourna le dos, retourna sur le balcon, se rassit. Au bout d'un moment, Rob pénétra dans la chambre et referma la porte. Il la rejoignit sur le balcon, posa la main sur le dossier de la chaise libre.

— Je peux ?

Elle opina.

— Vous avez mangé ? lui dit-elle.

Il haussa les épaules.

— On m'a donné un sandwich au poste de police.

Shelby prit un autre morceau de pain.

— Ils ont dit quelque chose ?

— Non… Mais je crois qu'ils vont opter pour l'hypothèse de l'accident. Ils pensent que Chloe est tombée par-dessus la balustrade du balcon.

— Parce que vous leur avez dit qu'elle avait un problème d'alcool, coupa Shelby, dardant sur lui un regard noir.

— Je sais que c'est terrible pour vous, pourtant c'est vrai. Vous n'êtes pas obligée de me croire. Ils ont les tickets des consommations qu'elle a payées.

— Deux ou trois verres en vacances, ce n'est pas de l'alcoolisme, rétorqua-t-elle sèchement. Or vous avez laissé entendre qu'elle était alcoolique avant la croisière.

— Elle l'était. En réalité, je pensais qu'elle avait arrêté de boire. Elle assistait aux réunions des AA. Mais, de toute évidence, elle avait rechuté.

— Chloe n'est pas aux Alcooliques Anonymes. Elle m'en aurait parlé.

— Désolé, mais elle assistait bien aux réunions. Elle était alcoolodépendante.

— Non, s'obstina Shelby. Ça ne ressemble pas du tout à Chloe. Elle ne se laisse jamais aller. Elle tient à ce que tout soit… absolument… parfait.

— C'était une illusion, qu'elle avait trop de mal à entretenir.

— Je ne vous crois pas !

— Croyez ce que vous voulez, répliqua Rob d'un ton las.

Ils restèrent assis face à face, dans un silence furieux, embarrassant. Puis Rob poussa un soupir.

— Je conçois que ce soit un choc pour vous, Shelby. Ça l'a été pour moi aussi, je vous l'assure, quand je m'en suis aperçu. Pendant un moment, j'ai eu des soupçons, mais… Et puis, il y a de ça… oh ! environ un an, elle est allée récupérer Jeremy à une fête, et elle n'est pas rentrée à la maison. Il neigeait, j'étais inquiet, je l'ai appelée sur son portable, mais elle n'a pas répondu. Je suis parti à sa recherche. J'ai trouvé la voiture en travers sur le trottoir, devant un bâtiment abandonné. Chloe était affalée sur le volant. Jeremy pleurait dans son siège.

— La voiture a pu déraper, et Chloe s'est cogné la tête.

— Elle était ivre, répondit Rob, catégorique.

— Avec Jeremy dans la voiture ? s'écria Shelby dont les yeux jetaient des éclairs. Non. Pas Chloe ! Je n'y crois pas. Elle ne ferait rien qui puisse nuire à son enfant, jamais de la vie.

Rob était au bord des larmes.

— Vous pensez que je ne le sais pas ? C'est justement à cause de ça que j'ai compris la gravité de la situation. Je l'ai mise face à la réalité, et elle m'a tout avoué. Elle cachait la vodka dans des bouteilles d'eau. Elle buvait au bureau, et quand Jeremy était à l'école. C'est un miracle qu'il ne soit rien arrivé de pire. Longtemps, je lui ai interdit de prendre la voiture avec Jeremy. Ensuite, elle a rejoint les Alcooliques Anonymes. Elle m'a juré qu'elle était sobre.

— Mais pourquoi ne m'a-t-elle rien dit ?

— Elle avait tellement honte ! Elle ne se confiait à personne. Sauf aux gens des AA, je suppose. Et encore, elle s'arrangeait pour choisir des groupes qui se réunissaient loin de la maison. Elle allait dans une église de la vieille ville. J'ai tenté de lui expliquer que demander de l'aide n'était pas un signe de faiblesse. Mais elle avait honte. Elle m'a obligé à lui promettre que je me tairais. Elle n'ignorait pas ce que vous pensiez de l'alcoolisme de votre mère. Chloe voulait votre approbation. Elle ne voulait pas vous paraître faible.

— Elle n'était pas faible, dit Shelby. Elle s'imposait une discipline de fer. Elle était très sportive. En fait, je pense qu'elle a pu survivre à cette chute. Demain, je compte monter à bord du paquebot et voir de mes yeux où ça s'est passé.

Rob secoua la tête.

— Le navire est reparti. Il fait route vers sa prochaine escale.

— Ce n'est pas possible, murmura-t-elle, médusée.

— Si. Les passagers ont payé cher pour cette croisière.

— Et vous les avez laissés partir ?

— Le commandant n'avait pas besoin de mon autorisation, rétorqua-t-il froidement. Il applique le règlement, qui est parfaitement légal. Fredericks me l'a expliqué.

La fureur de Shelby redoubla.

— Vous vous foutez qu'elle ne soit plus là, n'est-ce pas ? Vous êtes même content qu'elle ait disparu. Et qui vous le reprocherait ? Après tout, vous êtes débarrassé de votre femme alcoolique.

Elle regretta ses mots sitôt qu'ils eurent franchi ses lèvres. Rob demeura un instant figé, silencieux, puis il se leva.

— J'ai besoin de me reposer un peu. La journée de demain sera longue.

— Rob, je suis désolée, balbutia-t-elle, honteuse d'elle-même. Je suis injuste.

— Peu importe. Tout cela est injuste. Mon univers s'écroule, dit-il d'une voix éraillée.

Shelby fondit en larmes.

— Je n'aurais pas dû vous accuser de cette façon.

— Je m'accuse moi-même. Je ne l'ai pas protégée.

— Demain, peut-être, il y aura du nouveau, dit-elle sans y croire.

— Je passerai vous chercher dans la matinée, nous retournerons au poste de police.

— Si vous apprenez quoi que ce soit cette nuit…

— Oui, bien sûr.

Ils échangèrent un long regard douloureux.

— À demain, dit-il.

Shelby verrouilla sa porte et regagna le balcon. Elle se rassit, contemplant la nuit. En bas, dans la rue, une jeune fille chantait. Son chant s'envolait entre les palmes des arbres.

Elle enfouit son visage dans ses mains. Les larmes coulaient entre ses doigts. La chanteuse s'éloigna dans la rue, sa voix faiblit et, peu à peu, se tut.

Le lendemain, ils arrivèrent au poste de police de bonne heure et trouvèrent Giroux en pleine conversation avec l'agent DeWitt. Lorsqu'ils pénétrèrent dans la vaste salle, où cinq ou six policiers travaillaient, le silence se fit. Tous les observèrent un moment, avant de reprendre leurs occupations.

— Comment avez-vous trouvé votre hôtel? demanda Giroux. Christophe vous a bien accueillie?

— Oui, merci, répondit Shelby d'une voix sourde.

— Nous devons discuter avec vous de certains points.

— Si vous voulez bien nous suivre, dit l'agent DeWitt.

Giroux désigna une salle d'interrogatoire où tous s'engouffrèrent. DeWitt ferma la porte. Un ordinateur était allumé sur une table. Giroux les invita à s'asseoir. Il déclara d'un ton aimable mais ferme :

— Je suis dans la pénible obligation de vous annoncer que les recherches n'entrent plus dans le cadre d'une mission de sauvetage. La police côtière a suspendu ses opérations…

— Oh! non, gémit Rob.

— Quoi? s'exclama Shelby.

Comme s'il n'avait pas entendu, Giroux poursuivit :

— Il s'agit maintenant, officiellement, d'une mission de récupération qui ne nécessite pas l'intervention des garde-côtes. La police locale peut s'en charger.

Shelby le dévisagea.

— Qu'est-ce que cela signifie?

L'agent DeWitt se mit à tripoter la pointe de sa cravate.

— Pour être clair, nous considérons que votre fille n'a pas survécu.

— Mais vous ne pouvez pas abandonner! s'écria Shelby.

— Madame Sloan, soupira Giroux. C'est une terrible épreuve, j'en ai conscience, néanmoins vous devez comprendre qu'on ne retrouvera pas votre fille vivante. Et même, on ne la retrouvera sans doute pas du tout.

— Si vous arrêtez les recherches, c'est sûr ! riposta Shelby. Et vous, ajouta-t-elle, s'adressant à son gendre, vous comptez rester assis là ? Faites quelque chose, bon sang !

La colère flamba dans les yeux de Rob.

— Je ne suis pas magicien, Shelby. Si je pouvais la ramener, je le ferais.

Shelby ne l'écouta pas, elle le détestait.

— Et si nous engagions des gens pour poursuivre les recherches, à nos frais ? Je paierai volontiers.

— Madame Sloan, l'interrompit Giroux. Je ne peux pas vous en empêcher, mais elle a disparu en mer voici près de trente-six heures. Il est impossible de survivre aussi longtemps dans l'eau. Vous gaspillerez votre argent pour rien, je dois vous en dissuader.

— C'est mon argent. Si je désire engager quelqu'un…

— Bon, coupa le chef de la police d'un ton apaisant. Je ferai en sorte que plusieurs bateaux poursuivent les recherches, pendant une période que vous définirez. Je vous préviens, ça vous coûtera une fortune, mais je peux les contacter.

— Eh bien, foncez !

— Je vous le déconseille, dit l'agent DeWitt. Les vedettes garde-côtes ont fouillé un secteur d'environ mille quatre cents kilomètres carrés, ils l'ont passé au peigne fin avec le matériel le plus sophistiqué qui existe.

— Oui, mais…, s'entêta Shelby.

Giroux et DeWitt échangèrent un coup d'œil.

— Vous n'êtes pas forcée de prendre votre décision immédiatement, dit Giroux. Réfléchissez, et ensuite contactez-moi. Si vous le souhaitez toujours, l'opération sera lancée en un rien de temps.

— Par ailleurs, je ne suis pas du tout satisfaite de vos conclusions. Vous ne savez même pas comment elle est tombée à l'eau. Il ne suffit pas d'affirmer qu'elle était ivre et qu'elle a basculé dans le vide.

— C'est notamment pour ça que nous sommes ici. J'ai quelque chose à vous montrer, dit Giroux.

Il approcha l'ordinateur posé sur la table.

— M. Kendrick a vu ça hier. Je veux que vous le voyiez aussi.

Il appuya sur une touche du clavier.

Des gens déambulaient devant un café. Il fallut à Shelby un moment pour reconnaître la jeune femme aux longs cheveux ondulés, en robe bain de soleil, accoudée au bar.

— Chloe, s'exclama-t-elle. Où avez-vous eu ces images ?

— Cela a été filmé par la caméra de surveillance sur le pont Lido du paquebot. Regardez ce qu'elle fait.

Chloe, après avoir jeté un coup d'œil autour d'elle d'un air coupable, parlait au barman, qui saisissait une bouteille sur une étagère, derrière lui, et la servait. Elle lui tendait sa carte, vidait son verre d'un trait. Il n'avait pas plus tôt pris la carte qu'elle lui faisait signe de la resservir. Il s'exécutait.

— Eh bien, quoi ? Elle a bu un verre, dit Shelby, dédaigneuse.

— Si vous y tenez, nous pouvons la regarder en siffler deux autres, rétorqua l'agent DeWitt.

Shelby se sentit rougir.

— Avançons, dit Giroux.

Il afficha une autre image : des gens attablés, en train de bavarder, des cartes numérotées devant eux. On repérait facilement Chloe, installée dans le fond de la salle, très raide sur son siège. Une femme accompagnée d'un homme se penchait pour lui adresser la parole – Shelby reconnut Virgie et Don qui lui avaient parlé la veille au poste de police. À l'évidence, ils essayaient de lier conversation avec Chloe. Elle répliquait, agitait une main molle.

L'autre couple que Shelby avait rencontré, Bud et Peggy, les rejoignait. Peggy appuyait sa canne contre la table. La discussion continuait. Chloe avait les paupières lourdes et, soudain, d'un geste large, heurtait la canne qui tombait sur le sol. Mortifiée, elle se levait, vacillante, se penchait pour la ramasser sans parvenir à l'attraper. Le mari de la boiteuse s'en saisissait ; Chloe, à l'évidence, bredouillait des excuses, mais il secouait la tête, l'air de dire que ce n'était pas grave. Il reposait la canne contre la table, hors de portée de Chloe.

La partie de bingo se déroulait, tous cochaient des numéros sur leurs cartes, hormis Chloe. Elle dodelinait de la tête, s'obligeait alors à se secouer. Finalement, elle n'avait plus la force de lutter et basculait en avant, les bras écartés, envoyant cartes et marqueurs valser par terre. Ses voisins de table étaient visiblement inquiets. La vieille dame l'agrippait par l'épaule, lui parlait à l'oreille. Chloe bougeait mais ne relevait pas la tête.

Shelby se détourna.

— Ça suffit, dit-elle.

Giroux actionna l'économiseur d'écran.

— Nous avons d'autres séquences. On y voit ces gens l'aider à regagner sa cabine. Elle n'arrive même pas à tenir debout. Naturellement, nous n'avons pas d'images d'elle dans la cabine – les cabines sont des espaces privés – mais nous pouvons supposer que, quand ces personnes charmantes l'ont laissée seule…

— D'accord, coupa Shelby. D'accord. Et maintenant ?

— Vous rentrez chez vous, et vous vous souvenez d'elle telle qu'elle était lors de périodes plus heureuses, conseilla Giroux.

— Je ne peux pas, gémit Shelby.

— Je regrette que nous ne puissions pas faire plus, dit Giroux.

— Je comprends, rétorqua Rob, qui lui serra la main. Merci. Pour tout. Merci d'avoir essayé.

Giroux opina gravement. Shelby se leva de sa chaise. Elle murmura humblement :

— Oui, merci…

— Nous vous présentons nos plus sincères condoléances, déclara Giroux. L'un de mes hommes va vous ramener à l'hôtel.

Pesamment, ils quittèrent la salle et sortirent dans la rue. Rob s'immobilisa, Shelby s'adossa au mur, étourdie par la chaleur tropicale.

— Donc, vous n'êtes pas favorable à la poursuite des recherches, l'accusa-t-elle.

Il fit non de la tête.

— Si j'avais assez d'argent, je dirigerais moi-même les opérations. Je pourrais sans doute vendre la maison, par exemple. Mais je dois penser à mes enfants. À leur avenir. C'est ce que Chloe aurait voulu.

— Vous êtes si… résigné, constata-t-elle avec colère.

— Je suis ici depuis plus longtemps que vous. La réalité s'est peu à peu imposée à moi.

Le policier se gara le long du trottoir, ils montèrent dans la voiture. Le trajet de retour à l'hôtel se fit en silence et, dès leur arrivée à La Maison sur la Mer, Shelby et Rob se séparèrent sans se dire un mot.

Shelby s'étendit sur le lit et réfléchit à la possibilité d'organiser des recherches. Giroux et DeWitt ne lui avaient pas menti, elle le savait. Il n'y avait plus d'espoir. Et ce serait ruineux. Elle n'était pas démunie, mais pas riche non plus, loin de là. Elle avait ses économies pour sa retraite. Au bout d'un moment, elle se releva et appela le poste de police. Elle eut aussitôt Giroux en ligne.

— Je souhaite reprendre les recherches. Avec un hélicoptère, des bateaux.

— Ça risque de vous coûter plusieurs milliers de dollars.

— S'il vous plaît, arrangez ça pour moi. Je paierai.

— Nous lancerons la machine. Retournez en Amérique auprès de votre petit-fils. Je vous tiendrai informée, vous avez ma parole.

— Je compte sur vous.

SHELBY et Rob avaient réservé à bord des mêmes vols – d'abord un petit appareil qui se posa à Miami puis un autre avion à destination de Philadelphie. Ils n'étaient pas côte à côte, mais Rob l'attendit poliment à Miami et, en silence, ils s'installèrent dans un bar de l'aéroport.

— Vous avez parlé à Jeremy ? lui demanda enfin Shelby. Il est au courant ?

— Non. Franchement, je ne sais pas comment le lui annoncer.

Shelby opina. Elle se remémora les cruelles accusations qu'elle lui avait lancées. Mais il était évident que la disparition de Chloe le terrassait. En une semaine, il paraissait avoir vieilli de vingt ans.

— Vous savez, Rob, j'ai beaucoup réfléchi, ça va être très dur pour Jeremy. Je me demande s'il ne vaudrait pas mieux pour lui que je reste chez vous. Un certain temps.

Rob la dévisagea avec circonspection.

— Chez nous… vous voulez dire à la maison ?

— Seulement pendant quelques jours. Bien sûr, maintenant que Chloe n'est plus là, je me rends compte que je ne suis peut-être plus la bienvenue.

— Non, ce n'est pas ça. Mais… vous avez votre travail. Chloe m'avait parlé de votre nouveau patron, tout ça. Elle disait que vous étiez préoccupée.

Albert Markson, l'homme qui avait embauché et formé Shelby, qui lui avait permis de grimper les échelons, était brutalement décédé un mois auparavant. Son neveu et successeur, Elliott, plus jeune et beaucoup moins accessible, n'avait pas mâché ses mots : chaque employé, chaque poste serait réévalué.

— J'avoue qu'à présent je m'en fiche totalement.

— Je comprends, soupira Rob. Il ne faudrait quand même pas que vous perdiez votre travail.

— Le boulot peut attendre. Mais, bien sûr, si vous pensez que je vais vous déranger…, dit Shelby, percevant le malaise entre eux.

— D'accord, dit-il tout à trac.

— Vous acceptez que je reste chez vous ?

Il haussa les épaules.

— Pour Jeremy.

— C'est ce que Chloe aurait voulu que je fasse, je crois.

Il ne répondit pas.

Ils ne se parlèrent quasiment pas en revenant de l'aéroport. Devant la maison, toutes les places de stationnement étaient occupées. Rob s'arrêta en double file.

— Vous n'avez qu'à descendre. Je vais me garer plus loin.

Shelby s'extirpa du véhicule. Elle saisit son sac et Rob démarra. La porte bleu ardoise s'ouvrit sur la fraîche pénombre du vestibule. Elle entra et s'immobilisa, submergée par le souvenir de Chloe.

Rob la rejoignit quelques minutes plus tard, traînant les bagages.

— Il vaut mieux que je range tout ça, dit-il. Jeremy sera là d'un instant à l'autre.

— Comment ça ? Nous n'allons pas le chercher ?

— J'ai appelé Lianna quand nous avons atterri à Philly, répondit-il sans la regarder. Elle a proposé de le ramener.

Shelby sentit son estomac se contracter. Elle n'était pas prête. Elle ne voulait pas entendre Rob annoncer à son petit garçon que sa maman était partie pour toujours.

On frappa à la porte.

— Les voilà, dit Rob.

Mais deux hommes en veston et cravate se tenaient sur le perron, exhibant leur carte de police.

— Oui ? fit Rob.

— Je suis l'inspecteur Ortega, monsieur. Et voici mon coéquipier, l'inspecteur McMillen. Pouvons-nous vous déranger une minute ?

— Et en quel honneur ?

— Rob ! le rabroua Shelby – il en avait certes assez de la police, mais ce n'était pas une raison pour se montrer grossier. Je vous en prie, messieurs, entrez.

Les deux hommes s'avancèrent dans le salon.

— Ce ne sera pas long, mais nous aimerions que vous examiniez cette photo, dit le plus jeune.

Il leur tendit la photographie d'un type aux cheveux courts, aux yeux vides. Le genre de cliché – de face et de profil – qu'on voit dans les commissariats.

— Vous reconnaissez cet individu?

— Non, qui est-ce? questionna Rob.

— Il se nomme Norman Cook. Il s'est récemment évadé, alors qu'il travaillait avec une équipe de prisonniers à l'entretien d'une route près de Lancaster. Il a volé une voiture qu'il a ensuite abandonnée dans un parking municipal. On a trouvé à l'intérieur du véhicule un ticket de Parcmètre émis dans votre quartier. Nous quadrillons le secteur, au cas où quelqu'un le reconnaîtrait et pourrait nous aider à le localiser. Nous avons affaire à un individu potentiellement très dangereux.

Les sourcils froncés, Rob examina plus attentivement le cliché.

— Non, je n'ai jamais vu cet homme.

Le policier se tourna vers Shelby.

— Désolée…

— OK, fit Ortega. Restez à l'affût. Si jamais vous l'apercevez, s'il vous plaît, avertissez-nous. Ce type est violent.

— Nous n'y manquerons pas, dit Rob.

Les flics s'éloignèrent et allèrent sonner chez les voisins.

Shelby emporta son sac dans la chambre de Molly.

Tandis qu'elle rangeait ses affaires, elle entendit la porte d'entrée s'ouvrir et une voix juvénile qui appelait :

— Papa?

Shelby passa sur le palier, en haut de l'escalier.

Molly se tenait sur le seuil, hésitante. Sans même saluer Shelby qui descendait les marches, elle s'avança et lança par-dessus son épaule :

— Maman, grouille!

Rob apparut et lui tendit les bras. Molly se jeta contre lui, la joue pressée sur sa poitrine.

— Je suis désolée, papa, bredouilla-t-elle.

Rob caressa tendrement ses cheveux.

— Je le sais, ma chérie, merci.

Shelby se campa sur le perron, scrutant l'obscurité. Lianna avait ouvert la portière arrière de sa voiture garée en double file, les feux de détresse allumés. Harris Janssen, qui était au volant, sortit et adressa un geste amical à Shelby, puis désigna d'un air interrogateur le véhicule de patrouille, qui n'avait pas bougé.

Shelby le rejoignit.

— Un détenu évadé a pris un ticket de Parcmètre dans le coin. La police cherche quelqu'un qui l'aurait vu.

— C'est rassurant, grimaça Harris.

— La vie dans les grandes villes, rétorqua Shelby avec un sourire forcé.

Lianna se redressa et fixa sur elle son regard sincèrement compatissant.

— Je suis vraiment navrée.

Shelby sentit les larmes affluer, ne tenta même pas de les ravaler.

— Merci. Et je vous remercie aussi d'avoir pris soin de Jeremy pour me permettre de partir là-bas.

— Nous l'avons fait avec plaisir.

Lianna s'écarta de la portière arrière, murmura :

— À propos de Jeremy, je dois vous prévenir que…

Shelby voyait les petites jambes de Jeremy, dans la voiture ; il donnait des coups de pied au dossier du siège avant. Harris se pencha dans l'entrebâillement de la portière.

— Alors, bonhomme ! dit-il en débouclant la ceinture de sécurité. Tu es à la maison.

Il souleva le garçonnet, le serrant contre sa poitrine. Jeremy, par-dessus son épaule, vit Shelby et cligna les paupières.

— Bonjour, mon ange.

Shelby tendit les bras, mais Jeremy se recula d'un bond et lui asséna un coup de pied.

— Non, Shep, je te veux pas. Je te veux pas. Je veux ma maman !

En pleurs, il s'agrippait à la veste de Harris, qui le tenait fermement.

— Je suis navrée, dit Lianna à Shelby, de sa voix sourde et rauque. C'est ce que je voulais vous dire. Une bénévole, à l'école, lui a dit pour Chloe. Je me demande quelle mouche l'a piquée.

Jeremy cachait son visage contre l'épaule de Harris.

— Il est bouleversé, dit Harris. Laissez-moi le porter à l'intérieur.

— Je m'en charge, décida Shelby.

Lorsqu'elle s'approcha, Jeremy la frappa de ses menottes crispées. Indifférente à ses coups de poing, de pied, Shelby prit son petit-fils des bras de Harris Janssen.

— Pose-moi par terre! brailla-t-il.

Elle étreignit plus fort le bambin qui la cognait. Molly avait empoigné les sacs contenant les vêtements et les jouets de Jeremy.

— Dis, Jeremy, tu veux laisser quelques-uns de tes jouets, pour la prochaine fois que tu viendras? proposa-t-elle gentiment à son frère.

— Non! Tu m'embêtes!

— Tu reviendras nous voir bientôt, déclara Harris.

— Nan! vociféra le garçonnet.

— On t'aime, Jeremy, lui dit Molly d'une petite voix.

— Merci, Molly, répliqua Shelby. Merci à vous tous.

Jeremy se tortillait pour se dégager des bras de sa grand-mère.

— Jeremy, je ne te lâcherai pas, lui murmura Shelby. Shep est là, maintenant. Et papa. Tu as beaucoup manqué à ton papa. Écoute-moi bien: ton papa et moi, nous allons rester avec toi. Tout ira bien.

Lianna et Molly remontèrent en voiture. Harris Janssen s'assit au volant et éteignit les feux de détresse. Quand il démarra, Lianna et Molly agitèrent la main.

— Au revoir, Jeremy, dit tristement Lianna.

Brusquement, le petit garçon se raidit. Il suivit la voiture des yeux, jusqu'à ce que les feux arrière disparaissent, puis se mit à sangloter.

— Je veux ma… man!

Shelby le serra de toutes ses forces. Son cri et sa souffrance la transpercèrent comme une flèche.

Rob la rejoignit et voulut prendre son fils. Jeremy se déroba, braquant sur son père un regard furieux.

— Pourquoi elle est partie, maman? Pourquoi elle est tombée dans l'eau? demanda-t-il.

— Je ne sais pas, fiston, murmura Rob.

Jeremy lui tourna le dos et se pelotonna contre Shelby.

— Tu l'as pas ramenée à la maison. Il fallait que tu la ramènes à la maison.

Shelby, assourdie par le sang battant à ses tempes, n'osa pas regarder Rob.

— J'aurais dû la ramener ici, murmura-t-il. Oui, je sais.

LES jours suivants, ce fut un déluge d'appels téléphoniques, de visites d'amis et de voisins. Les bouquets de deuil envahissaient la maison.

Shelby retournerait au bureau, elle n'aurait pas le choix. En un peu plus d'une semaine, les recherches avaient épuisé la moitié de ses économies, sans l'ombre d'un résultat.

Là-dessus, Talia appela pour se plaindre que leur mère était maintenant incohérente. Shelby ne comprit pas immédiatement que sa sœur ignorait la disparition de Chloe. Quand elle lui eut expliqué ce qui était arrivé, Talia raccrocha brutalement, comme si on l'avait insultée. Deux jours après, Shelby reçut une carte de condoléances, signée « Talia et maman ». Aucun signe de Glen.

Rob, lui, reprit son travail, allant et venant tel un zombie. Shelby garda Jeremy à la maison quelques jours puis, comme son gendre insistait, le ramena à l'école maternelle. Rob avait raison, elle en convenait. Jeremy avait besoin de se divertir.

Le samedi après leur retour, en fin d'après-midi, alors que Shelby explorait le réfrigérateur, en quête d'idées pour le dîner, Rob annonça qu'il emmenait Jeremy, Molly et sa copine Sara au Pizza Hut. Ensuite ils iraient voir le dernier Disney. Rob lui demanda poliment si elle désirait les accompagner, elle refusa sous prétexte qu'une soirée tranquille lui ferait du bien. Elle se campa sur le perron, agita la main pour leur dire au revoir, en essayant de sourire. Cependant, dès que la voiture se fut éloignée, elle sentit le désespoir la submerger. Shelby n'avait aucune illusion quant à son rôle dans leur existence. Jeremy était son petit-fils, certes, mais il avait son père et sa sœur.

Elle s'examinait dans le miroir, dans la chambre de Molly, ne sachant pas comment échapper à son malheur, quand la sonnette retentit. Soupirant, elle descendit et alla ouvrir. Elle découvrit devant elle une inconnue. Une femme de son âge aux cheveux frisés, gris. Elle portait un imperméable mal coupé.

— Madame Sloan ? interrogea-t-elle.

— Oui, répondit Shelby, suspicieuse.

— Je m'appelle Janice Pryor. Je suis ici au sujet de votre fille. Je souhaitais vous parler de ce qui lui est arrivé.

— Vous étiez sur ce paquebot avec elle ? questionna Shelby dont le cœur, maintenant, cognait.

— Non, mais je connais bien ces « accidents » qui surviennent durant ces croisières, et je pense qu'on vous a peut-être mal orientée. Puis-je entrer pour que nous en discutions ?

Dans l'esprit de Shelby s'était déclenchée une sirène d'alarme.

— Excusez-moi, je suis très occupée.

— S'il vous plaît, dit Janice Pryor, écoutez-moi. Ma fille aussi a disparu à bord d'un navire de la compagnie Sunset Cruise.

Shelby crispa les doigts sur la poignée de la porte, les yeux écarquillés. Janice Pryor, devant son expression stupéfaite, hocha la tête.

— Je peux entrer ?

— CES patchworks sont magnifiques, déclara Janice Pryor.

Elle s'installa dans un fauteuil du salon, admirant les ouvrages colorés qui décoraient les murs, accrochés à des tringles horizontales.

Shelby demeurait plantée dans l'encadrement de la porte.

— C'est ma fille qui les a faits.

— Elle avait l'art d'assembler les couleurs.

Shelby regarda les patchworks. Elle avait laissé entrer Janice Pryor dans la maison, n'était-ce pas une terrible erreur ? Néanmoins, la fille de cette femme était morte de la même façon que Chloe ; voilà qui attisait sa curiosité.

— Asseyez-vous, je vous en prie, dit Janice. Je sais combien vous devez être épuisée.

Soudain, Shelby ressentit effectivement, de façon aiguë, la fatigue.

— Oui, je suis fatiguée, admit-elle. Je m'occupe de mon petit-fils. Ce soir, son père l'a emmené au cinéma.

— Oui, je sais. Je les ai vus partir, dit Janice.

— Vous nous espionnez ? s'exclama Shelby, médusée.

— Non, pas du tout ! Shelby… Vous me permettez de vous appeler Shelby ? Vous n'avez rien à craindre. J'ai suivi l'histoire de votre fille. Je connais donc l'existence de votre gendre et de votre petit-fils. Je désirais simplement vous parler tête à tête. De mère à mère.

Shelby n'en fut pas calmée pour autant.

— Écoutez… je suis sincèrement navrée que vous ayez perdu votre fille… comme moi, mais cela ne crée aucun lien entre nous.

— Vous pensez probablement que je suis une dingue, mais ce n'est pas le cas, je vous assure. S'il vous plaît, ajouta Janice, montrant le canapé.

Shelby hésita puis, très raide, se posa au bord du coussin.

Janice prit son portefeuille et en extirpa une photo. Le portrait d'une jeune fille blonde aux yeux brillants.

— Mon Elise avait dix-sept ans. Elle a fait une croisière avec sa classe de terminale. Elle a disparu, tombée à l'eau la troisième nuit de la croisière. Il y a dix ans de ça.

Shelby baissa la tête.

— Je suis désolée, murmura-t-elle.

— Vous savez comment on m'a expliqué ce qui lui était arrivé ? enchaîna Janice, véhémente. On m'a dit qu'elle s'était enivrée et avait fait une chute fatale.

Shelby sursauta.

— C'est aussi ce qu'on vous a dit pour Chloe, n'est-ce pas ?

— Eh bien… oui, en fait.

Janice opina.

— C'est toujours ce qu'ils racontent.

— Ce n'est sans doute qu'une coïncidence, objecta faiblement Shelby. Je crains que… je l'ignorais, mais il semble que ma fille avait un problème d'alcool.

— Qui vous a dit ça ?

— Elle avait ce problème depuis un certain temps, commenta Shelby, sans répondre à la question de son interlocutrice.

Celle-ci croisa les bras sur sa poitrine.

— La compagnie de croisière voulait me convaincre que ma fille était alcoolique. Mais Elise n'avait jamais bu une goutte d'alcool. Elle détestait le goût de l'alcool.

— Les tropiques…, bredouilla Shelby. On y boit ces coktails fruités, tellement sucrés. On ne sent même pas qu'ils sont corsés.

— Non ! s'exclama Janice, frappant l'accoudoir de la paume. Ce n'est pas comme ça que les choses se sont passées. Cette version des faits est une fable inventée par eux dans l'unique but de nier leur responsabilité. Ma fille a été assassinée par l'un de leurs employés. Ils ont embauché un prédateur sexuel sans vérifier ses antécédents.

Shelby fronçait les sourcils.

— Comment le savez-vous ?

— Mon mari a consacré tout son temps à enquêter. Jour et nuit. Il a fini par en perdre son emploi. Ensuite il a eu une attaque, et maintenant il est en maison de repos. Mais il a découvert la vérité. Il a trouvé.

— Un prédateur sexuel?

— Oui. Trois arrestations. Une condamnation. Il s'était chaque fois attaqué à de jeunes adolescentes.

— Et… ils ont arrêté ce type pour le meurtre de votre fille?

— Pas exactement. Écoutez, je ne suis pas là pour parler d'Elise.

Elle fouilla dans son grand sac, y prit plusieurs feuillets.

— Voilà, je vous ai imprimé ça.

Elle tendit les papiers à Shelby.

Réticente, Shelby feuilleta les documents. Ils étaient répartis en plusieurs séries, agrafées, portant l'en-tête OVERBOARD, « par-dessus bord ». Chacune concernait une personne, disparue en mer, et dont on racontait l'histoire.

— Qu'est-ce que c'est?

— Overboard, c'est le nom de notre organisation. Et ça, ce sont les cas sur lesquels vous pouvez vous documenter en consultant notre site web. Nous sommes les proches de gens qui ont disparu durant une croisière ou sont morts à bord d'un de ces paquebots. Ils sont très nombreux.

Shelby parcourut les documents.

— Des suicides. Des accidents.

— Les compagnies ne veulent pas de mauvaise publicité. Elles feraient n'importe quoi pour l'éviter. Il ne faut pas que les gens sachent la vérité. Balancer quelqu'un d'un paquebot, c'est le crime parfait.

— Pardon?

— Mais oui. Si personne ne vous voit le faire, c'est imparable.

Shelby frissonna.

— Une minute, attendez…

Janice se pencha vers elle.

— Réfléchissez un peu. Combien de temps s'est écoulé avant que le navire stoppe puis fasse demi-tour pour rechercher votre fille?

— Des heures, avoua Shelby dans un soupir.

Janice opina avec brusquerie.

— Exactement! Le paquebot ne change pas de cap avant des heures. On ne retrouve jamais les corps.

— Ne dites pas ça!

— Excusez-moi, j'ai oublié. Vous espérez toujours.

Shelby entendit la pitié, et la pointe de mépris, dans la voix de sa visiteuse.

— Qu'attendez-vous de moi?

— Premièrement, soyez persuadée que vous n'êtes plus seule. Deuxièmement, je veux que vous rejoigniez notre mouvement. Que vous découvriez notre site. Lisez les histoires des autres. Vous comprendrez ce que je veux dire. Nous espérons être assez nombreux pour exercer une influence.

— Une influence sur quoi? interrogea Shelby, toujours aussi sceptique.

— Eh bien, par exemple, la façon dont on enquête sur ces drames. C'est une honte. Comme si une personne qui tombe à la mer était un désagrément mineur.

— Le capitaine m'a dit que, sur ces paquebots, les fausses alertes étaient monnaie courante.

— D'accord, mais quand il s'agit bien d'une disparition, ils s'en moquent. Les compagnies refusent d'ébruiter que des passagers meurent durant ces croisières. Cela nuit à leur image. Dans les journaux, on essaie d'étouffer ces drames.

— Je l'ai remarqué pour Chloe, convint Shelby.

— Nous voulons que les dirigeants des compagnies rendent des comptes sur ce qui se produit à bord de leurs navires. Sur le manque de sécurité et… leur réaction inadéquate lorsqu'un meurtre est commis. Bien sûr, c'est difficile dans la mesure où jamais personne n'est accusé de ces crimes. Pas de cadavre, pas de crime. Pas de poursuites judiciaires.

— Je ne vois pas où vous voulez en venir.

— Nous souhaitons les frapper là où ça fait mal – au portefeuille. Intenter une action collective en justice contre ces puissantes compagnies de croisière.

Shelby eut un mouvement de recul.

— Oh…

Enfin, elle comprenait.

— Je n'ai pas l'intention de traîner qui que ce soit en justice, coupa-t-elle en se levant. Si quelqu'un est à blâmer pour la mort de ma fille, c'est moi. Je leur ai offert cette croisière, à elle et à son mari. Sans moi, ils n'auraient jamais mis les pieds sur ce navire. Et ce n'est pas tout : je voyais régulièrement ma fille, or je ne me suis pas aperçue qu'elle avait un problème d'alcool. Pourtant, elle l'avait, ce problème. Elle a trop bu et elle est tombée à la mer. Accuser la compagnie de croisière ne me la ramènera pas. Je demande simplement qu'on me laisse seule avec mon chagrin.

Janice se redressa à son tour. Elle considéra tristement Shelby.

— Quand vous aurez lu ce que nous publions sur notre site, peut-être changerez-vous d'avis. N'hésitez pas à me contacter. Vous avez mes coordonnées là-dessus…

— Oui, très bien.

— Encore une chose. Il serait préférable de ne pas parler de ma visite à votre gendre. Il était à bord avec Chloe. Il pourrait être… impliqué…

Shelby était furieuse. Cette inconnue osait accuser Rob ?

— Bon, ça suffit, dit-elle. Je n'en écouterai pas davantage.

Janice s'attarda un instant sur le seuil.

— Je ne m'attendais pas que vous me remerciez d'être venue. Mais je vous souhaite de ne plus rejeter la faute sur vous-même et Chloe, de découvrir le véritable coupable.

— Bonsoir, madame Pryor.

Shelby referma la porte. Elle attendit, écoutant les pas de la femme s'éloigner, puis vérifia par la fenêtre que la voiture démarrait.

Une fois que le véhicule eut tourné au coin de la rue, elle saisit brutalement le paquet de documents abandonnés sur le fauteuil et les mit à la poubelle. Elle se sentait salie, éclaboussée.

Elle verrouilla la porte d'entrée. Cependant, elle songea qu'un verrou ne suffisait pas à garantir sa sécurité. Si un être malfaisant voulait s'introduire dans la maison, il trouverait toujours un moyen.

5

DANS la chambre de Molly, Shelby alluma son ordinateur portable et tapa « Overboard ». Le site s'afficha sur l'écran. Shelby se mit à lire. Elle était fascinée par ces histoires, comme ces badauds qui se pressent sur les lieux d'un accident. Mais, là, elle était à la fois le badaud et la victime. Si ceux qui avaient raconté leur drame sur le site envisageaient une action en justice, cela ne transparaissait pas à travers leurs témoignages. Au contraire, leurs récits étaient empreints de frustration, de peine et d'incrédulité.

Dans deux ou trois cas, les gens se refusaient tout simplement à accepter la réalité, en l'occurrence leurs proches partant en croisière pour tenter de soigner une dépression et, pour finir, abandonnant leurs affaires soigneusement rangées dans leur cabine, accompagnées d'un billet d'adieu. D'autres cas exigeaient une enquête criminelle. Une des victimes, par exemple, était une dame d'âge mûr qui n'appréciait pas le petit ami de son fils, riche et débauché. Elle acceptait cependant de partir en croisière avec eux, aux frais dudit petit ami, et disparaissait à jamais du navire.

L'une des histoires les plus étranges était, de fait, la disparition d'Elise Pryor. Il y avait effectivement à bord du navire sur lequel voyageait Elise un steward déjà condamné pour agression sexuelle sur de jeunes adolescentes. La police enquêta et conclut finalement qu'on manquait d'éléments concrets pour mettre l'homme en examen. Le steward fut congédié pour avoir falsifié son CV, et débarqué à Miami. Après quoi, on perdit sa trace.

Shelby, au fur et à mesure de sa lecture, partageait de plus en plus la rage des Pryor. Elle avait subi la même perte, on lui avait servi le même mensonge. Maintenant qu'elle se remémorait ces journées atroces à Saint Thomas, il lui semblait qu'on s'était avant tout ingénié à gommer le problème de la disparition de Chloe. Or quelle meilleure manière que de rejeter la faute sur la victime? Prétendre que, dans son ivresse, elle était tombée à l'eau.

Assommée par la révélation de l'alcoolisme de Chloe, elle avait gobé ce que lui racontaient les officiels. À présent, elle était honteuse d'avoir accepté de considérer que sa fille était responsable de sa propre mort. « Non, se répéta-t-elle. Je dois découvrir s'il n'y a pas eu autre chose. Mais comment? »

Engager un détective privé? Cela lui paraissait vain. Elle ne connaissait les détectives privés que par les séries télévisées et les thrillers. Soudain, une idée lui vint. Elle avait dans son entourage Perry Wilcox, le chef de la sécurité des magasins Markson, un type charmant qui, durant quinze ans, avait été inspecteur à la brigade criminelle de Philadelphie.

« Perry m'expliquera comment m'y prendre, songea Shelby, ou du moins m'indiquera quelqu'un de confiance. » Elle s'empressa de chercher son adresse mail, rédigea avec soin un message explicite. Un moment après l'avoir envoyé, elle reçut une réponse de Perry qui lui donnait rendez-vous à son bureau le lundi matin. « Je ne suis pas sûr de pouvoir vous être utile, écrivait-il, mais comptez sur moi pour essayer. » « Cela lui suffit pour l'instant », décréta-t-elle.

L<small>E</small> lendemain matin, Shelby buvait son café en lisant le *Philadelphia Inquirer* à la table de la salle à manger, quand Rob et Jeremy rentrèrent de l'église. Le petit garçon courut se blottir contre sa grand-mère, qui tourna vers Rob un regard alarmé.

— Beaucoup de questions sur sa maman, expliqua son gendre. Les gens ne font pas ça méchamment.

Shelby frictionna le dos de Jeremy et murmura :

— Comment c'était, le film, hier soir ?

Il marmonna une réponse incompréhensible, cachant toujours sa figure. Rob se servit une tasse de café.

— Les enfants ont adoré. Molly voulait rentrer avec nous et dormir ici, mais je l'ai déposée chez son amie Sara en sortant du cinéma.

Le sous-entendu n'échappa pas à Shelby – elle gênait. Jeremy se recula soudain, déclara :

— On a vu un petit chat.

— Vraiment ? Où ça ?

— Il courait entre les maisons. Derrière.

— Il y est peut-être encore. Pourquoi tu n'irais pas voir ?

— Je vais voir, papa ?

— D'accord. Mais tu restes dans le jardin.

Jeremy fonça vers la porte et sortit dans le jardinet. Shelby le suivit des yeux. Le moment lui parut opportun pour évoquer ses projets.

— Je vais rentrer chez moi ce soir. Je dois passer au bureau demain.

— Ah oui ? fit Rob, sans dissimuler que c'était pour lui une bonne nouvelle. Parfait.

— Ce n'est que pour demain, annonça-t-elle. Ensuite je reviens ici. Vous pouvez trouver quelqu'un pour garder Jeremy, demain après l'école ?

Les traits de Rob s'affaissèrent visiblement, cependant il se ressaisit aussitôt.

— Bien sûr. Je demanderai à son institutrice, Darcie. Elle m'a proposé son aide.

— Tant mieux.

Elle n'avait pas l'intention de l'informer de son plan : convaincre Perry Wilcox d'enquêter sur la disparition de Chloe. Et elle préférait ne pas trop s'interroger sur les raisons qui la poussaient à éviter le sujet.

— J'imagine que j'abuse de votre hospitalité. Mais je ne pense pas que Jeremy soit encore prêt à me voir partir.

Il haussa les épaules.

— Si vous le dites.

SHELBY n'était pas repassée chez elle depuis qu'elle avait posé ses bagages dans la maison de Chloe, avant la croisière. Le chagrin l'assaillit lorsqu'elle entra. L'appartement, avec son panorama sur le fleuve miroitant dans la nuit, était aussi élégant et net qu'à l'accoutumée. Mais, en posant le pied dans le vestibule, elle se demanda – un automatisme – si elle aurait ou non un message de Chloe sur le répondeur. Ce fut ce qui la terrassa : il n'y aurait plus de message, ni aujourd'hui ni jamais. Elle eut honte de sa solitude, comme si elle avait échoué à se bâtir une existence qui ait un sens.

Elle dormit mal. Le lendemain, elle se leva tôt et prit tout son temps pour s'habiller. Elle arriva aux magasins Markson, où elle avait rendez-vous avec Perry, avec une demi-heure d'avance, monta au quatrième étage et gagna son bureau. Son assistante, Rosellen, au teint café au lait, coiffée de tresses africaines qui lui tombaient sur les épaules, était diplômée de la Wharton School, l'école de finance la plus prestigieuse des États-Unis. Elle leva le nez et eut une expression de surprise et de réel plaisir qui réconforta Shelby.

— Je ne savais pas que vous veniez aujourd'hui ! s'exclama-t-elle, se précipitant pour l'étreindre chaleureusement. Je suis désolée pour Chloe.

Shelby la remercia.

— Vous auriez dû m'avertir de votre visite, la gronda Rosellen. J'ai une liste longue comme le bras de gens qui veulent vous parler.

Jusqu'à cet instant, Shelby n'en avait pas eu vraiment conscience, mais elle ne se sentait pas prête à reprendre le collier. Elle considéra le bureau, les dossiers et les portants appuyés contre le mur, chargés de vêtements, les étiquettes pendant aux manches.

— Je ne suis là pour personne, dit-elle. Je suis passée uniquement parce que j'ai rendez-vous avec Perry Wilcox.

— Le type de la sécurité?

Shelby opina, sans s'expliquer davantage.

— Comment ça marche? Vous vous débrouillez parfaitement sans moi, je présume?

— On se croirait dans une maison de fous, avoua Rosellen, s'asseyant au côté de Shelby sur le long canapé, face à la table basse où s'entassaient des magazines de mode. Elliott Markson... disons qu'il fourre son nez partout.

— Je suis navrée.

— Ne vous inquiétez pas pour ça, répliqua Rosellen d'un ton résolu. Je gère la situation. Tant que vous n'êtes pas prête à revenir, ne vous faites aucun souci pour le travail.

— Merci, dit Shelby en se relevant. Bon, il faut que j'aille voir Perry.

Elle longea le couloir menant au bureau du responsable de la sécurité. Perry Wilcox l'y attendait. Il n'avait pas encore soixante ans, pourtant il paraissait plus âgé avec ses cheveux clairsemés soigneusement peignés en arrière, ses lunettes à monture argentée. Il désigna un fauteuil à Shelby, referma la porte.

— Je ne me suis pas roulé les pouces depuis que j'ai reçu votre courriel, Shelby. Personnellement, je n'ai guère d'expérience dans ce genre d'enquête, mais j'ai discuté avec plusieurs de mes anciens collègues qui ont été de bon conseil.

— Que suggèrent-ils?

Perry s'assit à sa table.

— Pour commencer, je veux vérifier les antécédents de tous les membres de l'équipage. Je réclamerai également des copies des vidéos de surveillance.

— Je les ai visionnées. La police me les a montrées à Saint Thomas.

— Sans vouloir vous offenser, vous n'étiez pas en état de savoir ce qu'il fallait regarder sur ces images. Je vais aussi demander à la compagnie une copie des facturettes de Chloe et de son mari. Cela nous indiquera ce qu'ils ont acheté, quels endroits ils fréquentaient à bord du paquebot.

— D'accord.

— L'un des inspecteurs que j'ai eus au téléphone m'a soumis une idée : vous pourriez peut-être promettre une récompense en échange de renseignements.

— Mais la police a interrogé tout le monde. Si quelqu'un avait eu des informations, il les aurait gardées pour lui ?

— Ces navires peuvent embarquer plus de deux mille cinq cents passagers. Les policiers ne les ont pas tous interrogés, c'est impossible. Et rien ne délie davantage les langues que la perspective d'empocher un peu d'argent.

— Ça, c'est sûr. Sur quel support publier cette promesse de récompense ?

— Dans l'idéal, il faudrait adresser un courriel à tous les individus figurant sur le manifeste, la liste des passagers. Il serait utile de l'avoir pour d'autres raisons. Vous pourriez éplucher cette liste et vérifier s'il n'y avait pas à bord quelqu'un qui était lié à votre fille, qui était peut-être en conflit avec elle, ou qui aurait eu un motif de s'en prendre à elle. En dehors de son mari, naturellement.

Shelby le dévisagea.

— Vous le soupçonnez ?

— À l'évidence, son mari était la seule personne, à notre connaissance, qui aurait pu lui vouloir du mal. Voilà pourquoi nous avons besoin de cette liste. Au cas où vous y repéreriez un nom qui vous évoque quelque chose.

— Oui, ça me semble pertinent. Mais, cette liste, nous l'aurons ?

— Ce sera difficile. La compagnie refusera probablement de nous la communiquer. Ils s'abriteront derrière le prétexte de la confidentialité. Mais la police de Saint Thomas l'a peut-être exigée et obtenue. Je les interrogerai à ce sujet.

— M. Giroux, le chef de la police locale, a été très gentil. Il a essayé d'agir.

— G-I… ? épela Perry, griffonnant sur son bloc-notes.

— R-O-U-X. Nous avons fait le tour ?

— Je dois vous poser une question, répondit Perry, hésitant. Votre gendre sait-il que vous souhaitez rouvrir l'enquête ?

— Je ne lui en ai pas parlé, répliqua-t-elle, détournant le regard.

Une expression sagace se peignit sur les traits de Perry.

— Savez-vous si, à Saint Thomas, il s'est soumis au détecteur de mensonge ?

Shelby écarquilla les yeux.

— Non, je l'ignore.

— Je le demanderai à M. Giroux quand je l'appellerai.

Shelby était tiraillée entre l'envie de creuser ce sujet et le refus de connaître son opinion.

— Avons-nous une petite chance de découvrir ce qui est vraiment arrivé à Chloe ?

— Évidemment. Maintenant, essayez de ne pas vous tourmenter, ajouta-t-il en se levant. Je vous avertirai dès que j'aurai du nouveau.

Shelby ouvrit son sac, y pêcha son carnet de chèques.

— Très bien, c'est parfait. Je vous laisse un chèque d'acompte et, quand ce sera terminé, vous n'aurez qu'à me donner votre facture.

— Ah non, non ! protesta-t-il en levant la main. Pas de rémunération, puisque je traiterai cette affaire comme s'il s'agissait d'une mission concernant les magasins Markson. Vous êtes une employée éminente de cette société. C'est ce que M. Markson aurait voulu.

« *Albert* Markson », rectifia mentalement Shelby. Elle n'était pas du tout certaine qu'Elliott partagerait ce point de vue.

— Vous êtes sûr ? Je serais heureuse de vous rétribuer, Perry.

— Je n'aimerais pas qu'on pense que je cherche à mettre du beurre dans mes épinards à vos dépens. Que cette histoire reste entre nous, d'accord ?

Shelby se leva à son tour. Ils échangèrent une poignée de main.

— Je ne vous remercierai jamais assez.

— C'est le moins que je puisse faire. Vous avez perdu votre unique enfant.

Le reste de sa journée s'écoula dans une sorte de brouillard. En quittant les magasins Markson, Shelby fit des courses au centre-ville. Elle rejoignait sa voiture quand elle reçut un texto de Talia. « GLEN À LA MAISON. APPELLE-MOI. »

« Glen », pensa-t-elle avec lassitude. Avait-il de nouveau des ennuis ? Il était souvent en délicatesse avec la justice, ce qui se soldait généralement par des vitupérations indignées contre les flics. Ses visites à la maison étaient rares. « L'état de notre mère a dû empirer », pensa Shelby. Elle était à proximité de l'université. Elle décida de se rendre directement au labo de Talia pour lui parler de vive voix.

Le parking de l'Université de Pennsylvanie étant bondé, Shelby fut obligée de se garer loin du labo d'informatique. La façade du bâtiment était essentiellement en verre. Shelby pénétra dans l'immeuble et descendit les marches conduisant au labo et au bureau de Talia.

Une femme mince aux cheveux mal coupés était installée devant un ordinateur. Shelby toqua à la porte grande ouverte.

— Oui ? fit la femme en levant les yeux.

— Faith ? Je suis Shelby, la sœur du Dr Winter.

— Oh, bien sûr, dit Faith avec un sourire. Entrez donc. Elle devrait arriver d'un instant à l'autre.

Elle désigna un fauteuil, où Shelby s'installa.

— Vous paraissez très occupée.

— Je le suis, je dois terminer cette recherche. Mais le temps me manque en permanence.

— Je ne voudrais pas vous déranger. J'attendrai dans le couloir.

— Non, restez donc ici, vous ne m'embêtez pas du tout.

Shelby opina et observa les étudiants qui allaient et venaient dans le couloir. Elle ne couperait pas à une visite à sa mère, elle le savait. Heureusement, la présence de Glen rendrait la corvée moins pesante. Elle aimait bien son frère, malgré ses défauts.

À cet instant, Talia apparut, en pantalon à taille élastique, cardigan et chaussures à semelle de caoutchouc. Elle avait le front plissé, son expression habituelle. Shelby se redressa.

Talia parut surprise.

— J'ai eu ton texto, dit Shelby. À propos de Glen. Qu'est-ce qui se passe ? Maman va plus mal ?

— Son état est stationnaire. Mais quand il a téléphoné l'autre soir, je lui ai conseillé de venir la voir. Avant qu'il soit trop tard. C'est aussi valable pour toi. Je suis fatiguée de te le répéter.

— Tu m'accompagnes ? soupira Shelby.

— Quand j'aurai terminé. Pour le moment, j'ai du travail.

— Glen et toi, vous ne vous êtes pas manifestés… depuis que Chloe…

L'agacement se peignit sur le visage de Talia.

— Je ne peux pas tout planter là comme ça. Nous avons des programmes à lancer.

— Et ça ne peut pas attendre ?

— Le monde n'est pas régi par ton emploi du temps.

SHELBY frappa à la porte de la maison où elle avait grandi. Leur quartier était une bizarrerie dans cette ville : des rues entières de pavillons. Lorsque leur père était encore en vie et enseignait les maths au lycée, cette enclave constituait un petit paradis pour les jeunes couples. Depuis le décès de M. Winter, le secteur avait été colonisé par les immigrés russes ; sur les panneaux, on lisait maintenant des inscriptions en anglais et en caractères cyrilliques. Si l'on fermait les yeux et ouvrait les oreilles, on pouvait se croire à Moscou. Talia faisait le minimum pour entretenir la demeure familiale et ne se souciait absolument pas d'esthétique, si bien que la maison paraissait beaucoup plus lugubre et délabrée qu'elle ne l'était en réalité.

Ce fut Glen qui l'accueillit. Il n'avait pas encore quarante ans, pourtant sa tête hirsute grisonnait. Il portait plusieurs couches de tee-shirts sous un gilet, un jean délavé et troué.

— Shelby ! s'exclama-t-il en la serrant dans ses bras. Je suis désolé pour Chloe. Quand j'ai appris ça, j'ai été épouvanté. Je l'adorais.

Shelby poussa un soupir. Il n'avait jamais souhaité son anniversaire à Chloe, ni assisté à un seul de ses galas de fin d'année, à l'école, mais parfois il débarquait à l'improviste, avec un bouquin chipé dans une librairie, ou un jouet déniché dans une association caritative quelconque. Sans doute était-il sincère en affirmant qu'il aimait Chloe – à sa manière.

Glen balaya d'un coup d'œil la rue paisible.

— Où est notre D^r No ? plaisanta-t-il.

Shelby ne put s'empêcher de sourire.

— Toujours dans son labo.

— Vite, dépêche-toi d'entrer avant qu'elle déboule à califourchon sur son balai. Je nous ai acheté une bouteille de vin et des trucs à grignoter.

— Toi, tu as acheté à manger ?

— Mais oui.

Glen la précéda à l'intérieur. La salle à manger, encombrée de matériel informatique, de paperasses et de dossiers, avait été transformée en bureau pour Talia. Ils passèrent dans la cuisine. Sur le comptoir trônaient une bouteille débouchée, un morceau de cheddar dans son emballage plastique et des crackers.

Shelby s'assit sur un tabouret, face à son frère. Elle sourit quand il versa le vin dans des verres à orangeade, coupa le fromage.

— Comment va maman ? demanda-t-elle en prenant le cracker surmonté d'une lamelle de fromage que Glen lui offrait – en fait, elle était affamée. Elle va très mal, d'après Talia.

Glen haussa les épaules.

— Talia lui a fait prescrire des antalgiques. Elle les avale avec du gin et, après, elle est contente.

C'était cet humour macabre qui leur avait permis de survivre à leur enfance. Pourquoi changer maintenant?

— Le nirvana. Alors, qu'est-ce qui t'amène ici?

— Quelle question. Nous sommes en plein drame familial, non?

— À cause de l'état de maman?

— Elle est responsable de son état. C'est triste mais… bref. Je parlais de la mort de Chloe, évidemment.

— Merci, grimaça-t-elle. J'ai pensé un instant que, peut-être, Talia t'avait contacté…

— Eh non.

— Et toi, tout va bien? interrogea-t-elle, craignant la réponse.

— Comme d'hab. Mais on n'est pas là pour causer de moi. Je veux que tu me racontes pour Chloe.

— Qu'est-ce que tu sais au juste?

— J'ai lu qu'elle avait bu et que, du coup, elle était tombée à l'eau, répondit-il avec une brutale franchise.

— C'est la version officielle, oui. J'ai chargé le chef de la sécurité des magasins Markson de creuser davantage. Je serai peut-être contrainte d'accepter la version officielle. Mais j'ai besoin d'une certitude.

Il réfléchissait, le front plissé.

— Tu savais que Chloe picolait?

— Non, apparemment, elle le cachait à tout le monde. Rob luimême n'était pas au courant, jusqu'à ce qu'elle frôle l'accident. Jeremy était dans la voiture. Elle a quitté la chaussée et roulé sur un trottoir. Heureusement, ils n'ont pas été blessés.

— Les flics étaient sur les lieux?

Glen but son vin d'un trait et remplit de nouveau son verre.

— Non. Rob est arrivé avant qu'on ait alerté la police. Elle lui avait promis qu'elle arrêterait de boire.

— C'est ce que Rob t'a dit.

— Oui… Pourquoi tu secoues la tête?

— Pas de flics, donc pas d'éthylomètre, pas de déposition. Quand on se fait choper bourré au volant, je sais ce qui se passe, crois-moi.

— Tu as sans doute raison.

— Évidemment que j'ai raison ! On lui a pas sucré son permis, à Chloe. Il n'y a aucune preuve que les choses se soient passées comme il le prétend.

— Quoi qu'il en soit, ça a suffi pour qu'elle se mette à fréquenter les AA.

— Qu'il dit, rétorqua Glen.

— Tu penses à quoi, exactement ?

— Comment on sait qu'elle a assisté aux réunions des AA ? C'est anonyme ! Il est possible que ce soit un mensonge. Qu'elle n'ait pas bu. Qu'il ait seulement voulu vous persuader, toi et les flics, qu'elle était alcoolique.

— Glen, Rob n'inventerait pas une histoire pareille. D'ailleurs, j'ai visionné un film de vidéosurveillance, on y voit Chloe au bar. Et ensuite à la table de bingo, où elle s'écroule complètement.

— Tu l'as vue commander une boisson au bar – peut-être un soda.

— Non, non ! Le barman a déclaré à la police que c'était de la vodka.

— Peut-être qu'il mentait. Ou peut-être qu'on l'a payé pour corser sa boisson. Afin qu'elle ait l'air soûle.

— Non, répéta Shelby qui essayait de se remémorer précisément la vidéo. Pourquoi est-ce qu'on… Écoute, Glen, c'est déjà suffisamment dur sans que tu en rajoutes avec ta manie du complot, s'énerva-t-elle.

Glen leva les mains.

— Hé, ho ! Tu crois ce que tu veux. Moi, je dis ça comme ça. Son mari a affirmé qu'elle était alcoolo. Mais on n'a aucune preuve. Franchement, je comprends pas que tu avales ça les yeux fermés. N'importe qui aurait pu mettre de la drogue dans son verre, pour que ce soit plus facile de la balancer à la flotte.

Shelby blêmit.

— Mais pourquoi ? s'indigna-t-elle. Tu es vraiment… C'est invraisemblable. Si on l'avait droguée, on s'en serait aperçu à…

— À l'autopsie ? l'interrompit-il. Il n'y a pas eu d'autopsie. On n'a pas retrouvé son corps. Il n'y a aucun moyen d'en avoir le cœur net.

— C'est vrai, balbutia Shelby d'une voix à peine audible.

Elle reposa son verre de vin, de crainte de le laisser tomber : ses mains tremblaient.

6

SHELBY s'efforça de ne pas faire de bruit en entrant dans la maison, elle quitta ses chaussures et les laissa dans le vestibule. Mais elle n'avait pas franchi le seuil du salon qu'elle entendit, en haut :

— C'est vous, Shelby ?

— Oui, répondit-elle. Désolée de vous avoir dérangé.

Rob descendit quelques marches, se pencha par-dessus la rampe.

— Je n'étais pas couché. Comment s'est passée votre journée ?

— Je suis éreintée, dit-elle sincèrement. Jeremy dort ?

— Oh oui, comme une bûche.

Shelby hocha la tête.

— Tant mieux, heureusement qu'il peut dormir.

— Bonne nuit, Shelby.

Sans attendre de réponse, il pivota et remonta l'escalier. Shelby se dirigea vers la cuisine où elle se remplit un verre d'eau. Puis elle s'assit sur une chaise et balaya la pièce des yeux. « Si j'étais Chloe, où noterais-je mes rendez-vous ? » se demandait-elle. La jeune femme possédait fort peu de gadgets. Elle était nostalgique d'un temps plus simple, ainsi qu'en témoignait sa passion du patchwork.

Shelby tenta de s'insinuer dans l'esprit de sa fille. D'après Rob, elle avait volontairement choisi d'assister aux réunions des AA loin de leur quartier, dans une église de la vieille ville. Mais quelle église ?

Un calendrier était accroché au mur, on y avait griffonné des annotations. Shelby tourna les pages des derniers mois. Quelques abréviations étaient manifestement de la main de Chloe. P – pour les soirées consacrées au patchwork. J – pas d'école pour Jeremy : ça, c'était simple. En revanche, elle ne voyait les initiales AA nulle part. Elle chercha des heures de rendez-vous régulières et remarqua effectivement que la mention 12 h 30 figurait souvent sur le calendrier, sans autre précision.

Elle observa la cuisine. Chloe était une maniaque de l'ordre... Soudain, Shelby sursauta, galvanisée. Il n'y avait qu'un endroit où régnait la pagaille... la voiture de Chloe. Et s'il y avait dans ce fourbi un indice quelconque permettant de découvrir où se tenaient ces réunions des AA ? En supposant que Chloe y assistait bien.

Shelby fut tentée d'empoigner une torche électrique pour entreprendre immédiatement la fouille du véhicule, dans la rue. Mais un voisin inquiet risquait d'alerter la police. Il lui faudrait patienter. Elle emmènerait Jeremy à l'école, le lendemain matin, ensuite commencerait sa quête de la vérité.

Jeremy était maussade, une manière éloquente de lui dire qu'il n'avait pas apprécié sa longue absence de la veille. Shelby le câlina et lui octroya double ration de cookies. Dès qu'elle l'eut déposé à l'école, elle prit la direction du terrain de jeux près du domicile de Chloe. Elle s'arrêta entre une poubelle à papier et un conteneur de tri sélectif. Ici, elle pourrait sans attirer l'attention fouiner dans le capharnaüm qu'était la voiture de sa fille.

Respirant à fond, elle descendit du véhicule et jeta à la poubelle une brassée de bouteilles en plastique vides. Puis elle se glissa à l'arrière, inspecta le plancher jonché de documents distribués par l'école de Jeremy, de sachets où se racornissaient des galettes de riz. Elle s'en débarrassa, récupéra des chaussettes de Jeremy bonnes pour la machine à laver.

« Peut-être, songea-t-elle en s'attaquant aux sièges avant, ne trouverai-je rien parce qu'il n'y a rien à trouver. » Peut-être Glen avait-il raison : Chloe n'assistait pas aux réunions des AA. « Auquel cas ce sera mission impossible », pensa-t-elle en soulevant le tapis de sol, côté conducteur. Et là, sous le tapis poussiéreux, elle découvrit un bulletin paroissial, publié par une Église méthodiste de la vieille ville.

Elle s'appuya contre la portière pour examiner le document – un bulletin dominical ordinaire. Les hymnes qui seraient chantées à l'office, les psaumes et, en dernière page, la notice qu'elle cherchait. Un discret entrefilet indiquant le numéro de téléphone du groupe des AA qu'hébergeaient les paroissiens. Shelby sentit les battements de son cœur s'accélérer en constatant que le numéro était souligné au stylo. Elle le composa aussitôt sur son mobile. Elle eut en ligne un employé qui lui confirma que les AA se réunissaient effectivement à midi et demi et que tout le monde était bienvenu.

Dans la vieille ville de Philadelphie, les strates du temps sont visibles à travers de bizarres juxtapositions architecturales, l'ancien bousculant le neuf, et rien n'allant ensemble. Durant ces dernières années, elle était devenue chic, dans la mesure où les vastes lofts bons pour la rénovation, les bars et restaurants au sol dallé et au plafond en métal repoussé y étaient légion. Shelby se gara devant l'un de ces bars et marcha jusqu'à l'église méthodiste, bastion de brique rouge du cœur historique. Elle poussa la lourde porte de bois peinte en blanc et entra.

L'intérieur était bleu tendre. Sur un écriteau, une flèche désignait un escalier menant au sous-sol où, lisait-on, avaient lieu les réunions des AA. Serrant sur sa poitrine une photo de Chloe, Shelby descendit d'un pas pressé. Une odeur de café frais embaumait l'atmosphère. En bas des marches, elle déboucha dans une grande salle où étaient disposées des tables et des chaises. Une vingtaine de personnes étaient rassemblées là, bavardant par petits groupes. Plusieurs s'affairaient devant deux pots de café maintenus au chaud. Vers le centre de l'espace, une porte ouverte laissait entrer le soleil printanier et les volutes de fumée de ceux qui, dehors, grillaient une cigarette avant le début de la séance.

Shelby, à l'écart, armée de sa photo, se sentait mal à l'aise. Elle s'avança vers la table. Un homme à la mine lasse, en survêtement, coiffé en brosse, discutait avec une grande femme osseuse, à la chevelure ramassée en une squelettique natte grise, et qui avait sur l'œil un pansement chirurgical. Son visage était sillonné de rides dues à l'abus de soleil, mais sa tenue vestimentaire aurait bien convenu à une jeune fille : jean, tee-shirt gris, blouson noir et baskets éclaboussées de peinture. Une dizaine de bracelets d'argent cliquetaient à ses poignets.

— Qu'est-ce qui t'est arrivé ? lui demandait l'homme.

— Je me suis éraflé la cornée. J'aidais l'association de quartier à nettoyer un terrain vague. Une bonne action n'est jamais impunie, pas vrai ?

Elle pivota et sourit tristement à Shelby.

— Bonjour… Ça va ?

— Oui, répondit Shelby en lui rendant son sourire. Enfin… je suis un peu nerveuse.

— Vous êtes nouvelle par ici ?

— Je… oui, dit-elle en lui tendant une main, que l'autre serra. Je m'appelle Shelby.

— Barbara. Et lui, c'est Ted.

Le type en survêtement la salua d'un hochement de tête.

— C'est votre pause-déjeuner ? interrogea la femme.

— Non, aujourd'hui je ne travaille pas.

— Au moins vous bossez, poursuivit Barbara. Ici, beaucoup de gens ont perdu leur job.

— Notamment moi, intervint Ted. J'étais prof de gym.

— Je suis navrée pour vous.

— Bah, je travaille un peu comme coach privé. C'est pas trop mal payé. Si seulement je pouvais avoir droit aux assurances sociales !

— Moi, je n'en ai jamais eu de toute ma vie. Je suis artiste, dit Barbara.

— Dans quel domaine ? questionna Shelby.

— Je peins. Et vous, où est-ce que vous travaillez ? demanda-t-elle à Shelby.

— Je suis responsable des achats pour un grand magasin. C'est mon jour de congé. J'étais dans le quartier.

Shelby se sentit gênée, consciente d'assister à cette réunion en intruse.

— Il fait beau, aujourd'hui. Le temps idéal pour se balader, commenta Barbara.

— C'est vrai qu'il fait beau, je crois que le printemps est enfin de retour.

— L'hiver a été rude ? lui demanda Ted.

Shelby ne put que sourire.

— Oui.

— Dites, on aurait intérêt à s'asseoir, dit Barbara. Notre intrépide chef s'apprête à battre le rappel.

Shelby avisa un homme d'âge mûr aux cheveux blancs, en blazer bleu impeccable, debout à l'entrée de la pièce.

— Vous prenez vos places, s'il vous plaît ? On va commencer.

Barbara se dirigea vers une chaise dans le fond de la salle. Shelby remarqua que son blouson soyeux était une création de Christian Audigier, orné des imprimés Ed Hardy caractéristiques, façon tatouage et ado goth – cœurs et têtes de mort. « Ruineux et convenant mal à celle qui le porte », pensa-t-elle, réagissant comme l'acheteuse de mode qu'elle était. Elle balaya la salle des yeux. Elle voulait que toutes les personnes susceptibles de se remémorer Chloe puissent bien voir la photo quand elle la montrerait.

— Je vais m'asseoir là-bas, décréta-t-elle, désignant un siège sur le côté, au milieu de la salle.

Sans attendre la réponse de Barbara, elle gagna la place qu'elle avait choisie.

— Bon ! dit le leader du groupe après avoir précisé qu'il se nommait Harry. Quelqu'un souhaite prendre la parole ?

Le silence se fit, à peine troublé par des toussotements. Puis un homme se leva et déclara :

— Je m'appelle Gene et je… euh… je suis alcoolique.

— Bonjour, Gene ! répondit l'assemblée d'une seule voix.

Le jeune type obèse qui transpirait abondamment dit en préambule depuis combien de jours il était sobre et assistait aux réunions. Il relata les difficultés qu'il avait rencontrées la semaine précédente, dans sa recherche d'emploi. Les membres du groupe l'écoutaient avec intérêt et sollicitude. Shelby, distraite, l'entendait à peine. Elle songeait qu'elle allait devoir se lever et parler. Les gens qui l'entouraient semblaient désireux de se soutenir mutuellement, et elle espérait qu'ils l'accueilleraient dans cet esprit, mais elle n'en était pas convaincue.

Harry remercia Gene, qui se rassit avec un soulagement manifeste.

Le cœur battant, Shelby respira à fond et se leva. Tous pivotèrent sur leur siège pour la regarder.

— Je m'appelle Shelby.

— Bonjour, Shelby ! répondit le chœur.

Elle leva la photo à bout de bras et lui fit décrire un arc de cercle afin de la montrer à tous.

— Voici ma fille, Chloe Kendrick. Elle était une épouse, une maman et la meilleure fille qu'on puisse…

Elle s'interrompit un instant, bouleversée. Un silence absolu régnait dans la salle.

— Il y a un peu plus d'une semaine, alors qu'elle était en vacances, elle a… disparu. Elle était en croisière et il semble qu'elle soit tombée à la mer.

Un murmure choqué et compatissant courut dans l'assistance.

— Depuis, on m'a dit que Chloe était alcoolique. J'ai des raisons de penser qu'elle assistait peut-être aux réunions de votre groupe. J'aimerais simplement savoir si l'un d'entre vous reconnaît ma fille et peut me confirmer que c'est vrai. Qu'elle venait ici. Qu'elle était membre des AA.

Un nouveau murmure, cette fois réprobateur, vibra autour d'elle. Harry n'hésita pas.

— Je suis désolé, Shelby, mais ce que vous demandez est impossible. On ne peut pas déroger à la règle de l'anonymat. Même si nous connaissions votre fille, nous n'aurions pas le droit de le dire.

— Je vous en supplie. Je n'ai besoin que d'un oui ou d'un non. Je ne veux pas savoir ce qu'elle a raconté pendant les réunions ou…

La figure déjà rougeaude de Harry devint écarlate.

— Vous semblez ne pas comprendre. Nous sommes dans l'impossibilité de vous fournir la moindre information. La loi de l'anonymat est souveraine.

— Mais ma fille est morte. Vous ne la trahiriez pas, argumenta Shelby. Et cela a peut-être un rapport avec le pourquoi et le comment de sa mort.

— Shelby, répliqua Harry d'un ton catégorique. Je vous prie de quitter cette salle. Je suis sincèrement désolé pour votre fille, mais la règle de l'anonymat est la base de cette organisation. Elle s'applique même après la mort.

Shelby examina tour à tour les membres du groupe. Certains paraissaient choqués, d'autres furieux. D'autres encore écarquillaient les yeux. Shelby lança un coup d'œil à Barbara, qui se déroba.

« Est-ce un oui ? » se demanda-t-elle. Elle n'avait plus le temps d'y réfléchir. Harry marchait droit sur elle, en lui répétant qu'elle devait partir.

La photo pressée sur son cœur, Shelby se rua vers l'escalier.

— SHEP ?

Shelby, qui préparait le dîner en se repassant le mauvais film de sa visite aux AA, tourna la tête vers son petit-fils.

— Oui, mon ange ?

Jeremy, assis à la table de la cuisine, s'employait à dessiner sa passion : un bateau pirate. Il ne releva pas le nez.

— T'habites ici maintenant, hein ?

La question fit grimacer Shelby.

— Pour l'instant, oui. Mais un de ces jours, il faudra que je retourne dans ma maison.

— Pourquoi ?

— Eh bien, parce que j'ai toutes mes affaires là-bas. Tu viendras me voir. Tu dormiras chez moi, quelquefois.

— Non, Shep. T'as qu'à les mettre ici, tes affaires. Tu pars pas.

— Je suis encore là, mon chéri. Ne nous occupons pas de ça pour le moment. Nous avons tout le temps.

Mais le mal était fait. Jeremy balança ses feutres qui s'éparpillèrent bruyamment sur le sol.

— Non, cria-t-il. Non et non !

— Je ne peux pas rester ici éternellement, mon ange, murmura Shelby en essayant de le calmer.

— Pourquoi ?

— Eh bien… d'abord, Molly a besoin de sa chambre.

— Je veux pas Molly ! Je te veux toi !

Rob, qui avait entendu le raffut, les rejoignit dans la cuisine. Il fusilla Shelby des yeux, tandis que le garçonnet fondait en larmes.

— Pourquoi lui avoir dit ça ? Molly n'y est pour rien, ajouta-t-il en tentant à son tour de calmer son fils. Shep a une maison à elle, champion. Et puis, elle doit reprendre son travail. Mais elle viendra te voir.

Shelby se rendit compte, hélas ! trop tard, que Rob avait raison : elle n'aurait pas dû mentionner Molly, et elle avait été maladroite avec Jeremy qui, ces temps-ci, explosait pour des vétilles.

— Oui, comme dit ton papa, il faut que je retourne chez moi. Mais je ne m'en vais pas tout de suite.

Rob secoua la tête – il estimait à l'évidence que cette deuxième tentative ne valait pas mieux que la première.

— Je serai toujours là pour toi, Jeremy, enchaîna Shelby. Chaque fois que tu auras besoin de moi.

Peine perdue. À présent, le garçonnet sanglotait et n'entendait plus rien. Rob s'assit par terre, attira son fils contre lui, de force, et le berça malgré ses protestations furieuses.

— Tout va bien, champion. Maman te manque, voilà tout. Je comprends ça. Elle nous manque à tous.

Shelby observait son gendre occupé à consoler son fils. « C'est vrai ? songeait-elle. Ou as-tu réussi ton coup ? As-tu déclaré que Chloe était alcoolique afin de persuader la police qu'il s'agissait d'un accident ? Pour ne pas être soupçonné de meurtre ? Non, non, ce n'est pas possible. »

Une fraction de seconde, Shelby se détesta d'imaginer des horreurs pareilles. Elle faillit avouer à Rob qu'elle avait engagé Perry pour enquêter sur la mort de Chloe.

Mais le doute qui la tenaillait lui lia la langue.

DEUX jours plus tard, elle rentrait après avoir déposé Jeremy à l'école, quand son mobile sonna.

— Shelby, c'est moi, Perry. J'ai des informations pour vous.

Elle se laissa tomber sur une chaise de la cuisine.

— Oui… De quoi s'agit-il, Perry?

— Comme prévu, la compagnie Sunset Cruise refuse de nous fournir le manifeste du navire. Mais ils ne se sont pas complètement braqués. Ils m'ont envoyé le relevé de la carte que Rob et Chloe utilisaient à bord. Elle a effectivement consommé des boissons alcoolisées, c'est indiscutable. Elle a signé les factures.

— Je vois, marmonna Shelby, découragée, qui pensait à la théorie de Glen.

— Et la carte de Rob, qui lui servait aussi de clé électronique, prouve qu'il n'a pas pénétré dans leur cabine avant l'heure qu'il a indiquée. Les films de vidéosurveillance le confirment. On y voit Rob quitter le salon où se déroulait le tournoi de Trivial. À peine dix minutes plus tard, il alertait un steward.

Shelby se tut, remâchant ces informations.

— J'ai discuté avec Giroux, à Saint Thomas. Ils l'ont bien soumis au détecteur de mensonge. À sa demande. Il a réussi haut la main.

Shelby se mordillait l'intérieur de la joue.

— Quoi d'autre?

— Apparemment, à bord du paquebot, des photographes circulent parmi les passagers, leur tirent le portrait et le leur vendent comme souvenir. On a donc un dossier photographique pour quasi tous les passagers. On m'a également transmis ces clichés par courriel, je viens de vous les réexpédier. Vous devrez examiner chaque photo, au cas où vous reconnaîtriez une figure familière.

— Je le ferai.

— La promesse de récompense a été publiée. Sans résultat jusqu'ici.

— Je me demandais… À votre avis, est-il possible qu'elle ait survécu?

— Si quelqu'un l'avait vue tomber, si les opérations de sauvetage avaient commencé immédiatement…

— Pour vous, il n'y a donc pas la moindre chance.

— Je ne peux pas l'affirmer. Je me borne à dire que, selon moi, son mari ne ment pas en ce qui concerne le déroulement des événements. Et elle buvait, là non plus il n'a pas menti. D'où je conclus qu'il n'a caché aucun élément capital.

Les yeux de Shelby s'emplirent de larmes de frustration.

— Je devrais m'en réjouir, je suppose.

— Examinez les photos prises à bord et voyez si vous reconnaissez quelqu'un.

— D'accord.

Mais le désespoir, telle une lame de fond, engloutissait Shelby et elle se sentait incroyablement lasse. Elle remercia Perry et raccrocha. Puis, d'un pas lourd, elle monta dans la chambre de Molly, s'effondra sur le lit et s'endormit aussitôt.

Le bruit de la porte qui s'ouvrait, au rez-de-chaussée, la réveilla.

Elle se redressa sur son séant, complètement désorientée. Rassemblant ses esprits, elle se leva et se précipita sur le palier. Une fraction de seconde, elle se remémora les policiers qui traquaient un voyou en cavale. Peut-être ce type s'était-il introduit dans la maison. « Stop, se tança-t-elle. Arrête de délirer, ressaisis-toi. »

— Qui est là? demanda-t-elle d'une voix qui chevrotait.

— Moi, répondit Rob.

— Ô mon Dieu, vous m'avez fait une de ces peurs!

Elle descendit les marches, se recoiffant avec les doigts. Rob était dans le salon, les bras croisés.

— Vous n'êtes pas au travail? interrogea-t-elle.

— Le moment est venu pour vous de quitter cette maison.

Elle en fut stupéfaite.

— Pourquoi? Quel est le problème?

— Je sais ce que vous manigancez. Je parle de votre détective privé.

Shelby rougit et ne répondit pas.

— Ah! vous ne niez pas? railla-t-il.

— Non, articula-t-elle avec une brusque colère. Pourquoi nierais-je? J'ai demandé à un ami de se renseigner, d'essayer d'en apprendre davantage sur ce qui est arrivé à Chloe.

— En d'autres termes, vous lui avez demandé de déterminer si je l'avais ou non poussée par-dessus bord.

— Non. J'ai pris votre défense, se justifia-t-elle.

Rob émit un rire cynique, dégoûté.

— Ma défense…

Elle voulut lui relater la visite de Janice Pryor, mais lut dans ses yeux qu'il ne l'écoutait pas.

— Comment avez-vous su, à propos?

— Aujourd'hui, au bureau, quelqu'un du service Communication de la compagnie Sunset Cruise m'a téléphoné. Votre détective privé leur avait réclamé certains renseignements, et ils m'appelaient pour, en gros, me sommer de cesser de les embêter. Naturellement, je n'étais au courant de rien.

— J'ai prié le chef de la sécurité des magasins Markson de se pencher sur les antécédents des membres de l'équipage et de visionner les films de vidéosurveillance. Il a aussi publié pour moi une annonce promettant une récompense en échange d'informations.

Rob leva une main, comme pour lui intimer le silence.

— Je ne veux pas savoir. Vous me croyez responsable. Je l'ai compris tout de suite, figurez-vous. Mais, là, vous êtes allée trop loin.

Shelby le dévisagea, les yeux étrécis.

— Vous parlez de la mort de ma fille. Jusqu'où dois-je ou non aller? Excusez-moi de ne pas gober la version officielle sans broncher.

— J'exige que vous quittiez ma maison. Partez immédiatement.

— Et Jeremy? Il sera bouleversé.

— Je lui expliquerai. Allez-vous-en.

Obéir, ruer dans les brancards? Bien sûr, Rob était chez lui. Il pouvait lui interdire de voir Jeremy. La priver, s'il le décidait, de son dernier lien avec Chloe.

— Et si nous discutions vraiment?

Dans les yeux de Rob brûlait une lueur mauvaise.

— Shelby, je n'ai jamais voulu de vous ici. Par respect envers Chloe – qui l'aurait souhaité, je ne l'ignore pas -- je vous ai laissée rester. Mais ça, c'était avant que vous engagiez un détective pour fureter dans ma vie et me trouver un bon motif d'assassiner ma femme.

— J'aurais dû vous prévenir, admit-elle. Mais je pensais que ça vous agacerait. Je me suis dit que s'il trouvait un élément important, il serait toujours temps de vous en parler.

— Soyez au moins honnête avec vous-même, cracha-t-il, écœuré. Avouez qu'à vos yeux je suis coupable de la mort de Chloe.

— Non, s'obstina-t-elle. Je cherche seulement la vérité.

— Je vous ai dit la vérité, mais vous refusez de l'entendre. Chloe était alcoolique. Exactement comme votre mère. Elle faisait de son mieux pour ne pas déraper, mais quand elle est montée à bord de ce paquebot, avec un bar tous les cinq mètres, et tous les passagers qui buvaient nuit et jour, elle a perdu les pédales.

— Autrement dit, si vous n'aviez pas fait cette croisière…

— On allait bien, on se débrouillait. Mais vous regrettiez qu'elle n'ait pas épousé un richard capable de l'emmener en voyage. Comme je ne pouvais pas nous payer cette folie, vous lui avez offert la croisière, juste pour me river mon clou.

— C'est complètement faux, Rob ! Je vous ai offert ces vacances, à tous les deux, parce que je me rappelais ce que c'est d'avoir un enfant et pas un sou de côté. Je désirais que vous passiez de bons moments.

Rob secoua la tête.

— Montez faire vos bagages.

Shelby se dirigea vers l'escalier.

La voix de Rob l'escorta :

— Si vous cherchez absolument un coupable, commencez par vous regarder dans le miroir.

7

DANS la voiture, Shelby avait essayé de joindre Glen chez Talia, laquelle lui avait annoncé que leur frère était reparti. Elle savait par expérience que, du coup, contacter Glen était impossible. De temps à autre, il achetait des téléphones à carte prépayée mais ne lui en communiquait pas le numéro. Talia ne lui demanda pas ce qu'elle voulait à Glen, et ne proposa pas son aide. Shelby regagna son appartement. Sa main tremblait tellement, quand elle tenta de déverrouiller la porte, que les clés cliquetèrent. Aussitôt, une autre porte s'ouvrit dans le couloir. Une femme passa la tête dans l'entrebâillement.

— Shelby…

— Salut, Jen.

— Tu as une mine de papier mâché. Qu'est-ce qui se passe ?

— C'est une longue histoire, soupira Shelby.

— Et si tu venais dîner ce soir ? Je compte essayer une nouvelle recette.

— Merci, dit Shelby. Ça me fera du bien.

Elle pénétra dans son appartement silencieux, rangea ses affaires et prit un long bain. Après quoi, elle s'habilla et s'assit à son bureau. Perry lui avait transmis les photos par courriel. Elle commença à les examiner, en quête d'un visage connu. Elle étudia ces clichés jusqu'à en avoir les cervicales et les lombaires en compote, sans résultat. Il était l'heure de dîner.

Elle fut heureuse de se rendre chez Jennifer. Elle but un verre de vin, dégusta une recette de veau compliquée, et se força, malgré Jen qui lui demandait des explications, à ne pas mentionner Chloe, Jeremy ou son gendre. Son amie s'inclina courtoisement, et se mit à raconter ses propres problèmes avec un propriétaire de Main Line – il voulait ce qui se faisait de mieux, dans tous les domaines, sans débourser un sou. Shelby, oubliant un moment ce qui la rongeait, se détendit.

Elle regagnait son appartement quand le téléphone sonna. Le répondeur se déclencha, elle entendit une voix essoufflée, apeurée.

— Shelby? C'est moi, Darcie.

L'institutrice de Jeremy?

— Je suis désolée de vous ennuyer, mais la police vient de…

Shelby se rua sur le téléphone.

— Darcie, je suis là. Que s'est-il passé? Qu'y a-t-il?

— Je suis chez Rob, balbutia la jeune femme. Il m'a demandé de garder Jeremy, ce soir. Il avait un rendez-vous. Alors j'ai accepté. Quand je suis arrivée, Jeremy était déjà couché, il dormait…

— Il est arrivé quelque chose à mon petit-fils? coupa Shelby.

— Non, Jeremy n'a rien, sanglota Darcie. C'est Rob. La police vient de téléphoner. Il a eu un terrible accident. Il est au Dillworth Memorial.

— Il va s'en sortir, n'est-ce pas?

— Je ne sais pas. Mais, apparemment, il est dans un état grave.

— Ô mon Dieu… Bon, j'y vais. Pouvez-vous rester encore un moment avec Jeremy?

— Bien sûr, le temps qu'il faudra. Tenez-moi au courant, d'accord?

— Je le ferai dès que j'en saurai davantage.

SHELBY atteignit le Dillworth Memorial en un temps record. Elle se gara n'importe comment, s'élança vers les portes coulissantes des urgences. Elle demanda à la réceptionniste où se trouvait son gendre, courut, dans le couloir, vers la chambre qu'on lui avait indiquée.

Trois policiers en uniforme discutaient devant la porte avec un homme plus âgé, en veston et cravate. Tous la regardèrent d'un air suspicieux.

— Je cherche Rob Kendrick, dit-elle.

— Il est au bloc, répondit l'un des policiers. Qui êtes-vous ?

— Sa belle-mère, Shelby Sloan. Que s'est-il passé ?

— Sa belle-mère ? répéta le policier, sceptique.

— Je… je suis sa plus proche parente, me semble-t-il. Ses parents sont missionnaires en Asie du Sud-Est. Sa femme, ma fille… elle est morte récemment. L'un de vous peut-il, s'il vous plaît, m'expliquer ce qui s'est produit ?

L'homme en veston et cravate scrutait le visage de Shelby.

— Je suis l'inspecteur Camillo. Comment avez-vous appris où il était ?

— La baby-sitter de mon petit-fils m'a téléphoné. J'ai failli louper son coup de fil. Je dînais chez quelqu'un.

— Ce quelqu'un le confirmera ? questionna l'inspecteur Camillo.

Shelby eut l'impression qu'un étau lui comprimait la poitrine.

— Oui, évidemment. Jennifer Brandon. Pourquoi ? Qu'y a-t-il ?

Il échangea un coup d'œil avec l'un des policiers en tenue.

— Votre gendre roulait sur la Schuylkill Expressway. Son pick-up a quitté la route à cause d'un autre véhicule, il s'est renversé. Votre gendre a été éjecté, il n'avait pas bouclé sa ceinture de sécurité.

— Quelle horreur ! Je déteste cette autoroute. Avec ces gigantesques camions, on risque chaque fois sa vie…

— Non, ce n'était pas un poids lourd. Jusqu'ici, nous ignorons de quel véhicule il s'agissait. Il faisait nuit, les témoins n'ont pas bien vu. Mais nous savons que ce n'était pas un camion. Et que ce n'était pas un accident.

Shelby le dévisagea.

— Mais… que voulez-vous dire ?

— Je veux dire que c'était un acte délibéré. On a forcé votre gendre à quitter la route. Peut-être un conducteur qui a pété les plombs. Ou bien votre gendre avait sur sa vitre un autocollant qui n'a pas plu à un abruti. De nos jours, on peut tout imaginer. Personnellement, plus rien ne me surprend.

— Un acte délibéré, répéta Shelby.

Camillo haussa les épaules.

— Nous avons besoin de savoir où il se trouvait juste avant. Il s'est peut-être querellé avec quelqu'un. À une station-service, par exemple. Savez-vous où il était ce soir ?

Elle fit non de la tête.

— Vous êtes toute pâle, madame.

— Il faut que je m'assoie.

L'un des policiers s'écarta pour l'inviter à s'installer sur la chaise, derrière lui. Shelby s'y écroula, tremblante.

Un homme en blouse apparut. Il s'adressa aux policiers puis, quand ceux-ci lui eurent désigné Shelby, s'avança vers elle.

— Comment va-t-il ? lui demanda-t-elle.

— Il souffre de nombreuses lésions internes.

— Mais il va s'en sortir ?

— Je l'espère. Cependant, s'il a d'autres proches parents, vous devriez les prévenir. Je vous suggère ça par précaution.

Shelby prit son mobile, le contempla. Elle revoyait le regard furibond de Rob, quand il l'avait mise à la porte, furieux qu'elle ait engagé un détective pour enquêter sur la mort de Chloe. Et maintenant, on avait tenté de le tuer. Banale violence routière ? Accident ?

Une coïncidence était-elle vraisemblable ? D'abord la femme de Rob. Puis ce soir, Rob. Elle voulait alerter Perry, lui demander ce qu'il en pensait. Mais d'abord, Molly. Elle songea à la contacter sur son mobile, mais décida d'appeler plutôt Lianna. Mieux valait que Molly apprenne la nouvelle par sa mère.

VINGT minutes après, Molly arrivait, en chaussons, une veste par-dessus son pyjama, guidée par Lianna. Elle avait le regard trouble, la figure bouffie par les pleurs. Sa mère était superbe, même démaquillée et mal coiffée, affublée d'un survêtement et d'un trench-coat.

— Où il est ? demanda Molly. Je veux le voir.

Shelby poussa doucement l'adolescente désespérée vers une infirmière qui passait.

— Voici la fille du blessé.

La femme hocha la tête.

— Entrez, mademoiselle, mais juste quelques minutes. Même s'il n'est pas réveillé, il entendra votre voix. Il saura que vous êtes là.

— Tu veux que je vienne avec toi, ma chérie ? suggéra Lianna.

Molly décocha à sa mère un regard chargé de rancune.

— Non, surtout pas.

— Une seule personne à la fois, renchérit l'infirmière.

— Je t'attends ici, dit Lianna d'un ton piteux.

Shelby la dévisagea d'un air interrogateur.

— Ils ne vous pardonnent jamais d'avoir divorcé, marmonna Lianna. Et, dans des moments pareils, je suis l'unique coupable.

Shelby poussa un soupir compréhensif.

— J'imagine…

Lianna s'assit lourdement auprès d'elle.

— Mais qu'est-ce qui s'est passé ?

— On a forcé son véhicule à quitter la route. Un cinglé, peut-être.

— Vous semblez sceptique, fit remarquer Lianna.

Shelby pivota, la regarda droit dans les yeux.

— D'abord ma fille. Maintenant Rob.

Lianna fronça les sourcils.

— Oui, c'est bizarre. Vous devez être anéantie.

— Je le suis. La perspective d'expliquer tout ça à Jeremy me terrifie.

— Je m'en doute. Je suppose que nous sommes là pour un moment.

— Probablement, et puisque vous restez, je crois que je vais filer. Rob avait demandé à l'institutrice de Jeremy de veiller sur mon petit-fils, il y a plusieurs heures de ça. Il faudrait que je la libère. D'ailleurs, je ne veux pas que Jeremy apprenne la nouvelle de quelqu'un d'autre que moi.

— Je vous comprends.

À cet instant, l'inspecteur Camillo sortit d'une pièce au bout du couloir et se dirigea vers elles.

— Voici l'inspecteur Camillo, dit Shelby. Il enquête sur… les événements.

— Vous êtes… ? demanda-t-il à Lianna.

— L'ex-femme de Rob. Notre fille, Molly, est auprès de lui. Mon mari gare la voiture.

— Où étiez-vous ce soir, madame Kendrick ?

— Mme Janssen, rectifia Lianna. Eh bien, j'étais à la maison. En famille. Mon mari est neurologue. Il opère souvent dans cet hôpital. Vous le connaissez peut-être. Harris Janssen ?

Camillo ne parut pas impressionné.

— Vous vous entendiez bien, votre ex-mari et vous ?

Les sourcils parfaitement épilés de Lianna dessinèrent deux accents circonflexes.

— Aussi bien que possible pour des ex. Chacun avait refait sa vie. Et nous avons notre fille. Elle sera toujours un lien entre nous.

L'inspecteur Camillo opina, sans sourire.

— Je l'espère, madame.

SHELBY regagna Manayunk et, par chance, trouva une place de stationnement non loin de la maison. Lorsqu'elle gravit les marches du perron, elle vit Darcie écarter le rideau pour scruter anxieusement la rue. Elle agita la main. Les épaules de la jeune femme s'affaissèrent, tant elle était soulagée.

— Je suis là, dit Shelby en entrant.

Darcie se précipita.

— Comment va-t-il ? Comment va Rob ?

— Disons qu'il s'accroche.

Darcie éclata en sanglots, ce qui stupéfia Shelby.

— C'est un merveilleux papa, hoqueta-t-elle en s'essuyant les yeux d'un revers de manche. L'idée qu'il puisse lui arriver malheur m'est insupportable.

Shelby observa avec sympathie la jeune enseignante au visage large et empreint de douceur. Darcie allait sur la trentaine, même si elle s'habillait toujours comme une adolescente. Cependant, malgré sa garde-robe, elle possédait une certaine assurance que Shelby appréciait. Les enfants, dans sa classe, paraissaient toujours calmes et contents à la fin de la journée.

— Vous êtes une aide si précieuse pour cette famille. Je vous en remercie de tout cœur, Darcie. Et je sais que Rob vous en est reconnaissant.

— Me rendre utile me fait plaisir, renifla Darcie.

— À présent, vous devez rentrer et vous reposer. Je ne sais pas combien Rob vous paie, marmonna Shelby, prenant son portefeuille.

— Non, protesta Darcie, qui recula. Je vous en prie, je ne peux pas accepter. Ce n'était pas une soirée ordinaire.

Shelby comprit qu'elle devait accepter la générosité de la jeune femme.

— Merci... Il se peut que je refasse appel à vous demain.

— Volontiers, quelle que soit l'heure. Du moment que je peux vous aider…

Shelby la raccompagna jusqu'au perron et la regarda s'éloigner. Elle habitait le quartier. Avant de tourner au coin de la rue, elle salua de la main Shelby, qui lui rendit son salut.

Un silence absolu régnait dans la maison. Shelby décida de vérifier avant tout si Jeremy dormait. Elle monta l'escalier sur la pointe des pieds, pénétra dans la chambre de son petit-fils. La lumière du couloir effleurait la tête bouclée du garçonnet. Soudain, il y eut un froissement d'étoffe et, avant qu'elle ait pu battre en retraite, Jeremy se redressa, clignant les paupières.

— Maman…, bredouilla-t-il.

Ce fut un crève-cœur pour Shelby.

— C'est moi, Shep. Rendors-toi, mon ange.

— Shep?

Il enfouit sa frimousse contre la taille de sa grand-mère.

— Où il est, papa?

— Il… dort, répondit-elle, essayant de rester au plus près de la vérité.

— Le pirate est toujours là? marmotta-t-il.

— Il n'y a pas de pirate, dit affectueusement Shelby. Il n'y a que le marchand de sable.

Jeremy s'écarta, la considérant de ses yeux ensommeillés.

— Non, Shep, y avait un pirate ici. Tout à l'heure. Une dame pirate.

— Une dame pirate, répéta-t-elle en souriant.

— Oui, je l'ai vue. Elle parlait avec papa. En bas. Elle avait une veste avec un squelette. Et des grandes boucles d'oreilles. Et un machin sur l'œil. Noir. Tu sais?

— Des lunettes?

— Non, pas des lunettes, objecta le bambin. Tu sais, ça couvre l'œil quand un autre pirate te l'a crevé avec son crochet! s'écria-t-il, battant l'air de son bras replié.

Shelby sentit soudain un frisson glacé courir dans tout son corps.

— Un bandeau.

— Ouais!

Shelby revoyait parfaitement la panoplie. Le blouson Ed Hardy, la tête de mort dans le dos. Les créoles. Le bandeau.

— La piratesse était là ce soir ? murmura-t-elle.

— Ouais. Je les ai entendus en bas. Papa, il criait.

— Pourquoi ils se disputaient ?

Jeremy bâilla, s'appuya lourdement contre elle.

— Sais pas. Peut-être la carte au trésor.

— Probablement.

— Peut-être que papa sait où il est caché, le trésor, souffla Jeremy, les paupières lourdes. On lui demandera. Demain.

Shelby lui caressa tendrement les cheveux. Mais son cerveau fonctionnait à toute allure.

— Oui, souffla-t-elle tandis qu'il sombrait dans le sommeil. Il faut élucider ce mystère.

Le matin, elle contourna habilement la vérité. Elle expliqua à Jeremy que son papa était aux urgences parce qu'il s'était fait mal en voiture. Le bambin, qui avait déjà vécu des mésaventures en cour de récréation et atterri aux urgences, ne s'étonna pas. Quand il demanda : « Il y est toujours ? », Shelby répondit que les docteurs l'obligeaient à rester là-bas jusqu'à ce qu'il aille mieux.

Lorsqu'elle le déposa à la maternelle, Darcie lui posa naturellement la question :

— Il est au courant de l'accident ?

— Il en sait le minimum. Pour l'instant, c'est préférable.

Darcie acquiesça. Dès que Shelby eut regagné sa voiture, elle téléphona à Perry aux magasins Markson. Elle dut patienter un instant avant de l'avoir en ligne.

— Perry, bafouilla-t-elle. Il s'est passé certaines choses dont je dois vous parler. Il n'y a peut-être pas de lien mais…

— Écoutez, Shelby, je suis vraiment, sincèrement, désolé, mais je ne peux pas continuer.

— Comment ça ? Pourquoi ?

— Apparemment, la compagnie Sunset Cruise a contacté Elliott Markson. On l'a informé que son chef de la sécurité posait des questions ici et là concernant votre fille. Il s'est mis en colère.

— Voilà ce que je craignais quand vous m'avez dit que vous mèneriez cette enquête pendant vos heures de travail.

— M. Markson aurait voulu que j'essaie de vous aider.

— Nous sommes dans une nouvelle ère, soupira Shelby. Nous

avons un nouveau Markson. Vous savez, Perry, je peux vous rétribuer. Accepteriez-vous de continuer pendant vos moments de liberté ?

Perry s'éclaircit la gorge.

— En gros, Elliott Markson m'a dit qu'il ne voulait pas le moindre problème avec la compagnie de croisière. Il voit peut-être là un conflit d'intérêts. Je suis vraiment navré. Mais il m'a donné l'ordre exprès de laisser tomber cette affaire. J'ai peur, si je passe outre…

— Je comprends, Perry.

— J'ai certaines personnes à vous recommander, si vous le souhaitez.

— Vous seriez très gentil de m'envoyer leurs coordonnées par courriel, dit-elle.

Cependant la perspective d'engager un autre détective ne l'emballait pas. Elle semblait être la seule intéressée par ce qui était réellement arrivé à Chloe. D'ailleurs, dans l'immédiat, elle ne pouvait se permettre de réfléchir à tout ça. Il lui fallait d'abord retrouver une dame pirate.

SHELBY s'assit à l'ombre d'un arbre, sur un banc, en face de l'église, et ouvrit le journal. Elle ne tenait pas à ce qu'on la reconnaisse. Elle fit donc semblant de lire, en attendant que les membres des AA sortent.

Elle commençait à se demander si la réunion du jour n'avait pas été annulée, lorsque quelques personnes apparurent et se dispersèrent. Retenant son souffle, tenant le journal déplié devant son visage, assez bas néanmoins pour voir les portes de l'église, elle patienta.

Elle avisa Ted, l'ancien prof de gym, qui descendait les marches. Il avait troqué son survêtement contre un pantalon en twill et un coupe-vent. Il traversa la rue, marcha tout droit sur Shelby, qui se cacha derrière son journal. Mais, sans l'ombre d'une hésitation, il pénétra dans le jardin public, derrière Shelby, et s'éloigna dans une allée.

Elle jeta un coup d'œil au trottoir d'en face, juste à temps pour apercevoir une natte grise balayant les têtes de mort et les cœurs Ed Hardy, une silhouette qui tournait le coin de la rue. Shelby bondit sur ses pieds et rattrapa Barbara alors que celle-ci déverrouillait la porte d'un bâtiment industriel, dans une ruelle.

— Barbara !

La grande maigre pivota. Ses lunettes de soleil dissimulaient son bandeau.

— Quoi ? Qu'est-ce que vous voulez ? grommela-t-elle.

— Vous parler. Je sais que vous avez rendu visite à mon gendre.

Barbara soupira, consulta sa montre.

— J'ai du boulot, moi.

— Ce ne sera pas long. S'il vous plaît.

— Je ne peux pas y couper, n'est-ce pas ? murmura Barbara dont les épaules se voûtèrent.

Shelby secoua la tête. Son interlocutrice ouvrit la porte. Le hall était sombre, l'ascenseur paraissait ne pas avoir été utilisé depuis des siècles. La cabine les emporta au troisième étage.

Barbara ouvrit une grande porte donnant sur un loft dont tout un mur était vitré. Il y avait des tableaux partout, sur des chevalets, appuyés contre les meubles. Le loft était immense et, à l'évidence, il avait de la valeur. Les peintures, quant à elles, étaient banales. Barbara ne payait pas ce lieu grâce à ses œuvres.

— Voilà mon atelier, qui est aussi mon appartement, dit-elle fièrement.

— Quel endroit fantastique !

— Oui… Mon père est propriétaire de l'immeuble.

Cette femme avait au moins quarante-cinq ans. Dépendre encore de son père à cet âge devait être déprimant.

— Asseyez-vous, dit Barbara qui se percha sur un haut tabouret.

Shelby prit place dans un fauteuil cramoisi de style Art déco.

— Alors il vous a raconté ? grogna Barbara.

— Pardon ?

— Votre gendre. Il vous a parlé de moi ? Je lui avais pourtant demandé de la boucler.

— Non, c'est mon petit-fils qui vous a vue. Il vous a décrite. Vous avez un look très particulier.

Barbara ôta ses lunettes et les posa devant elle. Elle agita ses longs doigts tachés de peinture.

— Je ne comprends pas pourquoi vous m'embêtez comme ça. Si vous voulez savoir de quoi nous avons discuté, interrogez votre gendre.

— Impossible. Quelqu'un l'a envoyé dans le décor cette nuit. Il est à l'hôpital, inconscient.

— Ô mon Dieu… Je suis désolée.

— C'est donc à vous que je dois poser la question. Que lui avez-vous dit ? Et pour quelle raison ?

— Je n'aurais jamais dû aller là-bas. J'ai violé toutes les règles des AA. Ce qu'on entend pendant les réunions n'est pas censé sortir de la salle.

— Comment avez-vous trouvé son adresse ?

— Ça, c'était pas difficile. Quand vous avez débarqué à la réunion avec cette photo de Chloe, vous avez dit qu'elle s'appelait Kendrick. Je n'ai eu qu'à chercher sur le Net, et j'ai eu toute l'histoire. La croisière, etc.

— Alors qu'avez-vous raconté à Rob pour le mettre en colère ? D'après mon petit-fils, vous vous êtes disputés.

— On ne s'est pas disputés, protesta Barbara. Chloe assistait à nos réunions. Elle et moi, ça collait. Elle avait une âme d'artiste. Elle me manque. On se connaissait depuis au moins un an.

Voilà, c'était désormais un fait. Chloe, sa fille chérie, était alcoolique. Rob n'avait pas menti.

— Oui, c'est ce que j'avais cru comprendre, dit-elle prudemment.

— Je savais qu'ils partaient en croisière. Je l'ai mise en garde. Il y a trop d'alcool à bord de ces paquebots, des bars partout.

Shelby n'avait absolument pas songé à cela lorsqu'elle leur avait offert ce cadeau. Mais elle n'avait pas imaginé une seconde que ce serait un problème pour sa fille.

— Elle se savait un peu vacillante, mais elle avait vraiment envie de cette croisière. Elle pensait que ce serait bon pour son couple. Enfin bref, une semaine environ avant le départ, elle est arrivée dans tous ses états. Elle avait un problème, elle ne savait pas quoi faire. Et elle voulait m'en parler.

— Quel était ce problème ? questionna Shelby.

— Elle m'a dit que… elle avait découvert que l'ex-femme de son mari l'avait trompé. Sa fille, en réalité, n'est pas de lui. C'est l'enfant d'un autre.

Shelby en fut bouche bée.

— Molly ? Je n'en reviens pas. Comment Chloe a-t-elle appris ça ?

Elle n'avait pas plutôt prononcé ces mots qu'une idée lui traversa l'esprit : le Dr Cliburn était le gynécologue de Lianna. Cela devait figurer dans le dossier. Le dossier médical confidentiel de Lianna.

— J'en sais rien. Aucune importance. Il fallait qu'elle en parle à

Rob, elle le savait, mais c'était juste avant la croisière. Elle m'a dit que, si elle lui crachait le morceau, ils seraient forcés d'annuler le voyage. Il serait complètement chamboulé et refuserait de partir. Alors elle préférait attendre leur retour pour le mettre au courant. Seulement, elle ne voulait pas lui mentir.

— Que lui avez-vous conseillé ?

— Ben, je lui ai dit que, puisqu'elle comptait lui expliquer la situation, de toute façon, il n'y avait pas mensonge. Et donc il n'y avait pas de mal à profiter des vacances. C'est ce qu'elle désirait entendre. Ensuite, ça m'est sorti de la tête, jusqu'à ce que vous vous pointiez à la réunion. Jusqu'à ce que vous expliquiez qu'elle était morte pendant la croisière. Je me suis dit : Mais qu'est-ce qui s'est passé, bordel ? Alors j'ai décidé d'avertir votre gendre. Il me semblait qu'il avait le droit de savoir. C'est justement pour ça qu'on doit garder secret ce qui se raconte pendant les réunions : pour éviter ce genre de micmac.

Shelby se força à se dominer et regarda Barbara droit dans les yeux.

— Vous vous sentez coupable d'avoir enfreint les règles, je comprends. Mais je tiens vraiment à vous remercier d'avoir pris ce risque. Et de vous soucier autant de Chloe.

Barbara contempla le sol maculé de peinture.

— Peut-être que si elle avait tout raconté à son mari avant, il ne lui serait rien arrivé.

— Ou peut-être cela n'aurait-il rien changé. Vous avez eu raison de lui donner ce conseil, déclara Shelby en se levant de son siège. Ce que vous avez dit à Chloe était parfaitement sensé. Je ne vous remercierai jamais assez.

— J'aurais dû la boucler, marmonna tristement Barbara. Je serai toujours aussi bête.

8

UNE journée printanière à Gladwyne – quelle meilleure illustration de la beauté ? Les cerisiers pareils à des nuages, les jardins resplendissant de fleurs roses, jaunes ou violettes. Mais les fleurs étaient le cadet des soucis de Shelby. Elle s'engagea dans l'allée des Janssen. Elle n'avait pas annoncé sa visite par téléphone – elle voulait surprendre Lianna, lui jeter la vérité à la figure.

Elle monta les marches du perron, frappa à la porte. Pas de réponse, comme elle le prévoyait. Elle contourna la maison et se dirigea vers la dépendance où Lianna avait aménagé une salle de yoga. Jetant un coup d'œil par la fenêtre, elle vit Lianna, mince malgré son ventre rond, qui s'étirait comme un chat. Shelby ouvrit la porte et se campa sur le seuil.

Lianna releva la tête, fronça les sourcils.

— Il faut que je vous parle, déclara-t-elle.

Lianna s'essuya le front et les bras avec une serviette. Elle portait un justaucorps fané et quelque peu avachi, ses cheveux en désordre étaient retenus par une pince.

— Shelby... Il y a un problème avec Rob?

— Son état n'a pas évolué. À ma connaissance.

— Je lui amènerai Molly quand elle sortira de l'école. Elle veut être près de lui au maximum. Ouh! J'ai une de ces soifs. Venez donc à la maison, dit Lianna, chaleureuse comme à l'accoutumée.

Shelby la suivit jusqu'à la cuisine. Lianna sortit du réfrigérateur de l'eau fraîche et en remplit deux verres qu'elle emporta dans le solarium attenant. Elle s'installa dans un fauteuil en rotin, désigna un autre siège à Shelby.

Celle-ci refusa de s'asseoir. Amorcer la discussion n'était pas si simple.

— Quel est le problème, alors? demanda Lianna.

— Rob était-il ici cette nuit?

La curiosité, dans les yeux de Lianna, céda la place à une vague culpabilité.

— Il est effectivement passé.

— Il est venu vous parler de la naissance de Molly, n'est-ce pas?

Lianna rougit de colère. Shelby n'en avait cure.

— Je sais que Molly n'est pas la fille de Rob. Et je sais qu'il l'a appris hier soir.

— Parfait, articula Lianna en la dévisageant avec froideur. Je suppose que la notion de vie privée vous est étrangère.

— Chloe était au courant. Avant qu'on la tue.

— Oh oui, je ne doute pas qu'elle était au courant. Et qu'elle l'a raconté à ses copines. Tout le monde a dû se régaler! Elle a eu le culot de fourrer son nez dans mon dossier médical, qui est confidentiel, s'indigna Lianna.

— Vous aviez un secret. Il ne fallait pas que Rob l'apprenne, n'est-ce pas ? Vous teniez coûte que coûte à ce que Chloe se taise.

Lianna se recula dans son fauteuil, stupéfaite.

— Mais qu'est-ce que vous racontez ? Rob et moi sommes séparés.

— Vous le lui avez caché ! accusa Shelby.

— Je désirais leur épargner ce… ce chagrin, à lui et à Molly. Je souhaitais les protéger l'un et l'autre.

— Jusqu'où seriez-vous allée pour réduire ma fille au silence ?

— Vous insinuez que j'ai quelque chose à voir dans la mort de Chloe ? À cause de cette histoire ? Écoutez, je sais que vous êtes anéantie, mais ressaisissez-vous. Je n'étais pas à bord de ce paquebot.

— Il est toujours possible de… d'engager quelqu'un.

— Engager quelqu'un ? Vous voulez dire un tueur ? C'est la pire insulte que j'aie jamais entendue.

— Et Harris ? enchaîna Shelby. Il est au courant pour Molly et Rob ?

— Harris le sait depuis longtemps. Il m'a toujours poussée à l'avouer à Rob. J'attendais le bon moment. Mais Chloe s'en est mêlée. Apparemment, elle a discuté de mon secret le plus intime avec une copine, qui a décidé de tout raconter à Rob hier soir. Il est arrivé ici dans une rage terrible. J'ai été complètement prise de court.

Une copine. Shelby pensa à Barbara et, aussitôt, comprit que Rob était délibérément resté dans le vague face à Lianna. Il taisait le fait que Chloe fréquentait les AA.

À cet instant, la porte d'entrée s'ouvrit, une voix retentit :

— C'est moi !

— Nous sommes dans le solarium ! répondit Lianna.

Harris apparut, sa mallette à la main. Il dénoua sa cravate.

— Oh, bonjour, Shelby.

Il entoura de son bras les épaules de Lianna, l'embrassa sur le front et lui tapota le ventre.

— Comment va Junior ?

Lianna darda sur Shelby un regard noir.

— Un peu agité, à vrai dire. Shelby a déboulé ici pour me jeter un tas d'accusations à la figure. Elle sait que Rob est venu hier soir. Et qu'il n'est pas le père génétique de Molly. Elle pense que j'ai peut-être engagé quelqu'un pour tuer Chloe. Pour préserver mon secret.

Harris éclata de rire.

— Allons, chérie, tu es trop susceptible, tu as mal interprété ses paroles.

— C'est ce qu'elle a dit ! s'écria Lianna.

— D'accord, d'accord. Ces derniers temps, nous sommes tous stressés, mesdames.

Harris se tourna vers Shelby.

— Dites-moi, comment va Rob ? Il est réveillé ?

— Pas encore, répondit-elle.

— J'ai vraiment eu de la peine pour lui, cette nuit, soupira Harris. Je crois qu'en venant ici, il espérait entendre que tout cela n'était qu'une fable.

— Je n'en doute pas, rétorqua Shelby d'un ton sec. Il aime Molly.

— Et il a été pour elle un merveilleux père. Je suis d'ailleurs certain que, même s'il avait su la vérité, il aurait été un père tout aussi affectueux, déclara Harris en baissant les yeux sur Lianna. Tu aurais dû avoir confiance en lui.

— OK, je sais, s'énerva-t-elle, levant les mains comme si elle capitulait. J'aurais dû tout lui avouer. J'avais une liaison avec un homme marié avant de rencontrer Rob. Un type incapable d'être père. Tandis que Rob… il était si fier d'elle ! Je lui ai laissé croire que Molly était de lui. Je ne suis pas une sainte, je l'admets. Je vous assure que, quand Molly a découvert le pot aux roses, j'ai trinqué. Elle était furieuse contre moi.

— Chérie, sans vouloir t'offenser, tu l'as un peu mérité.

Harris lui étreignit l'épaule.

— Par chance, Molly est raisonnable et très mature pour son âge. Elle a d'abord pensé à Rob, ajouta-t-il, s'adressant de nouveau à Shelby. Elle lui a immédiatement dit : « Tu es mon papa, point à la ligne. » C'était touchant.

Shelby comprenait maintenant pourquoi Chloe avait toujours admiré Harris Janssen lorsqu'elle travaillait pour lui. Il était l'incarnation de l'empathie.

— Et voilà ! murmura Lianna. Rob était ici, fou de rage, et quoi qu'ait fait Chloe, je suis sans doute fautive. Ma fille me considère comme une horrible bonne femme, ce que je n'ai probablement pas volé. Dieu merci, mon mari est un peu plus clément.

Elle regarda tristement Harris, qui lui sourit.

— Je souhaite simplement que Rob se remette et que nous puissions tous tenter de panser nos blessures.

Soudain, Shelby eut honte de tout ce remue-ménage. À partir d'un fragment d'information, elle avait tiré des conclusions outrancières. Lianna n'aurait certes pas crié la vérité sur les toits, néanmoins, à l'évidence, elle assumait son passé. Shelby ne savait plus si elle en était dépitée ou soulagée.

Elle se leva.

— Je regrette mes paroles. La mort de ma fille… me torture.

— Oui, j'imagine. N'en parlons plus.

Lianna leva vers elle un regard peiné.

— N'en parlons plus, répéta-t-elle.

— Si vous n'y voyez pas d'inconvénient, tous les deux, je compte informer la police que Rob était ici hier soir. L'inspecteur souhaitait savoir où il se trouvait, cela pourrait être utile.

— Naturellement, dit Harris.

— Bon, il vaut mieux que j'aille récupérer Jeremy.

— Je présume que nous vous verrons à l'hôpital ? dit Lianna.

DARCIE surveillait ses jeunes élèves qui escaladaient la cage à poules. Jeremy, en pleine action, braillait qu'il avait une épée, gare !

— Il semble aller bien, dit Shelby.

Darcie opina.

— Vu la situation, oui. Et Rob, comment va-t-il ?

— J'ai téléphoné tout à l'heure. Son état est stationnaire.

— L'Église a réussi à joindre ses parents cette nuit. Ils sont dans un petit village d'Indonésie. Il leur faudra un certain temps pour atteindre un aéroport. Ils devraient arriver dans deux ou trois jours.

— Je ne les ai jamais rencontrés. Ils n'ont pas pu assister au mariage et, quand ils sont venus voir Jeremy, j'étais à Paris.

— Ce sont des gens très gentils. Toujours joyeux, solides. Ils ont vécu à la dure.

— Vous connaissez la famille de Rob depuis longtemps ?

— Depuis toujours.

— Rob doit être pour vous une sorte de grand frère.

Darcie contemplait Jeremy qui jouait.

— Jeremy veut rendre visite à son papa.

— Pas encore. En tout cas, pas tant que Rob est inconscient. Cela ne servirait qu'à l'effrayer. Il vient de perdre sa mère.

Darcie pivota et braqua sur Shelby ses grands yeux bleus.

— Donc, vous n'allez pas à l'hôpital ce soir?

— J'y ferai un saut demain matin.

— Moi, j'irai ce soir.

Shelby perçut dans la voix de la jeune femme une note qui la surprit.

— Il est temps de rentrer à la maison, se borna-t-elle à dire.

Le téléphone de Shelby sonna alors qu'elle persuadait Jeremy de s'extraire de la baignoire. La secrétaire d'Elliott Markson lui déclara que le patron souhaitait la voir le lendemain à dix heures, dans son bureau. « J'y serai », répondit Shelby. Au mieux, Elliott Markson lui taperait sur les doigts pour avoir demandé l'aide de Perry Wilcox. Au pis…

Puisque les parents de Rob arrivaient bientôt et s'installeraient certainement dans la maison avec Jeremy durant leur séjour, Shelby serait libre de reprendre son poste si elle en avait toujours un. Oui, peut-être était-il temps de songer à s'y remettre.

Coucher Jeremy ne fut pas facile. Il fallut lire trois histoires au lieu d'une; chaque fois qu'elle laissait son petit-fils seul dans sa chambre, il fondait en larmes. Quand elle eut enfin réussi à le border dans son lit, elle était éreintée.

Il était vingt heures trente lorsque la sonnette retentit. L'inspecteur Camillo se tenait sur le seuil, flanqué d'un policier en uniforme.

— Inspecteur?

— Pouvons-nous entrer?

— Oui, je vous en prie.

Elle s'effaça devant les deux hommes, qui se dirigèrent vers le salon. Elle les invita à s'asseoir et ils s'installèrent dans des fauteuils. L'inspecteur Camillo se pencha en avant, les coudes sur les genoux.

— Merci pour votre coup de fil, madame Sloan. Quand nous avons su où se trouvait votre gendre la nuit dernière, cela nous a grandement facilité la tâche.

— Si j'ai pu vous aider, tant mieux.

— J'ai préféré vous en parler avant que vous l'appreniez par le journal télévisé de vingt-trois heures.

Shelby fronça les sourcils, inquiète.

— Apprendre quoi? Est-ce que Rob va bien?

— J'ai eu le toubib il y a environ une heure. Apparemment, il s'en sortira. Mais nous voulons mettre des types en examen pour tentative de meurtre.

— Quels types ? Vous avez découvert qui a fait ça ?

— On dirait bien, oui. Ça correspond à ce que je soupçonnais. Comme le réservoir d'essence de M. Kendrick était plein, on est partis du principe qu'il s'était arrêté à une station-service en rentrant à la maison. Quand vous nous avez informés qu'il était allé à Gladwyne, on a réussi à retracer son itinéraire. Ensuite, on a visionné les films de vidéosurveillance de tous les endroits où il pouvait acheter de l'essence sur son trajet. Au troisième film, on l'avait. Votre gendre s'est bien arrêté pour faire le plein et il a eu une prise de bec avec des jeunes qui traînaient par là, qui cherchaient la bagarre.

— Une prise de bec ? À quel sujet ?

— On ne sait pas. On n'a que les images, pas le son. Mais bref, quand il est reparti, ils l'ont suivi sur la Schuylkill Expressway et ils ont percuté sa voiture pour l'envoyer dans le décor. Ils avaient une arme. Ils ne l'ont pas trucidé, il a eu de la veine.

— Ô mon Dieu ! murmura Shelby. C'est hallucinant.

Camillo hocha la tête avec accablement.

— De nos jours, même les chamailleries les plus insignifiantes virent au bain de sang.

— Je suis stupéfaite que vous leur ayez mis la main dessus aussi vite.

— Eh bien, on a eu du bol. La caméra de surveillance, au-dessus des pompes à essence, a filmé leur plaque d'immatriculation. Après, ce n'était pas compliqué de les retrouver.

— Je vois…

— Encore un détail. D'après ce que montre la vidéo, votre gendre leur a vraiment sauté à la gorge, à ces types. Il a le sang chaud, en principe ?

— Non, répondit Shelby avec tristesse. Généralement, c'est un garçon très doux.

— Il avait un motif particulier d'être nerveux, hier soir ?

Shelby ne tenait pas à leur révéler pourquoi son gendre était d'humeur belliqueuse. Et si jamais les médias s'en emparaient ? On se moquerait de Molly, à l'école, dans la rue. Elle n'était qu'une malheureuse victime. Et soudain, Shelby comprit pourquoi Lianna n'avait pas informé les policiers.

— Non… non, pas vraiment. Il y a eu… une dispute familiale. Entre des ex, cela arrive parfois, c'est normal.

— Je ne vous demande pas d'être indiscrète, madame. Mais si cette affaire passe en justice, l'état d'esprit de votre gendre constituera un élément non négligeable.

— Pourquoi ?

— Eh bien, l'avocat de la défense pourrait arguer que M. Kendrick a provoqué ces individus. Est-il sujet à des accès de violence ?

— Non ! Normalement, non, répondit prudemment Shelby.

— Il n'a jamais été arrêté ? Pas d'antécédents de violence conjugale, rien de ce genre ?

Aussitôt, Shelby pensa à Chloe, à la croisière. N'était-ce pas exactement ce qu'elle avait suspecté ? La face cachée de Rob, capable de violence ? De meurtre ? Le doute ne la quitterait-il donc jamais ?

— Madame Sloan ? dit l'inspecteur Camillo d'un ton inquiet.

— Oui ?

— Y a-t-il quelque chose dont vous souhaiteriez me parler ?

Shelby le regarda droit dans les yeux.

— Non. Rien.

9

SHELBY, très calme, attendait dans l'antichambre du bureau d'Elliott Markson. Elle portait un de ses tailleurs préférés, un Ralph Lauren à fines rayures, et des talons plus hauts qu'à l'accoutumée. De cette façon, au moins, le patron ne la toiserait pas. Elle agitait paresseusement un pied, feignant de ne pas remarquer qu'on la faisait poireauter. Enfin, l'intercom bourdonna.

La secrétaire pivota vers elle.

— Vous pouvez y aller.

Shelby se leva, inspira à fond, tourna la poignée de la porte et entra. Elle savait qu'il serait assis, qu'il la détaillerait. Soutenant son regard sans ciller, elle s'avança dans le vaste bureau lambrissé, posa la main sur le dossier du fauteuil, face à lui.

— Puis-je ? demanda-t-elle.

— Je vous en prie.

Quand elle fut assise et put l'observer de plus près, elle s'aperçut qu'Elliott Markson n'était pas aussi jeune qu'elle l'imaginait. En réalité, ils étaient sans doute du même âge. Ses tempes grisonnaient, des lunettes de lecture étaient posées devant lui.

— Vous souhaitiez me voir, dit-elle.

— En effet. Avant tout, comment allez-vous ?

Une fraction de seconde, elle fut prise de court.

— Bien.

— Comment va votre petit-fils ?

La question, de nouveau, l'étonna.

— Bien. Merci de vous en préoccuper.

Elliott Markson balaya d'un geste ces politesses d'usage.

— Madame Sloan, je sais que vous vivez une période de stress intense. Néanmoins, j'ai récemment été informé que vous aviez engagé notre chef de la sécurité pour enquêter sur la mort de votre fille. Ce qui est, fondamentalement, une affaire privée.

Shelby se refusait à présenter des excuses. Elle attendit la suite.

— Cette dilapidation du temps et des ressources de la société n'est plus tolérable chez nous. La culture de notre entreprise doit changer, faute de quoi nous ne survivrons pas. Mon oncle n'avait plus le sens de la mesure. Il aurait approuvé que M. Wilcox joue les détectives privés à votre profit. Je n'appartiens pas à cette race d'employeurs.

— Je comprends, articula Shelby.

Elliott Markson écarta les mains.

— Pas de… protestations ? D'explications ?

— Il m'est insupportable de penser que la situation de Perry est compromise sous prétexte qu'il a cherché à m'aider. Je suis l'unique responsable.

— Apparemment oui. Mais M. Wilcox n'a pas perdu son poste.

— J'en suis heureuse.

Markson hocha la tête.

— Madame Sloan, vous avez beaucoup de travail en retard et vous ne nous avez pas indiqué quand vous envisagiez de revenir.

« Nous y voilà », songea Shelby. Elle leva le menton, prête à encaisser le coup.

— Cela dit, poursuivit Elliott Markson, je n'ignore pas que vous traversez des moments extraordinairement pénibles. Votre petit-fils vit une tragédie. Perdre sa mère si jeune, c'est terrible. Terrible.

Shelby en fut interloquée. Elle s'attendait à plus d'agressivité.

— Oui, effectivement.

— Je comprends qu'il soit capital pour vous de l'aider à surmonter cette épreuve. Quelquefois, dans l'existence, la carrière passe après le reste.

Shelby le dévisagea en silence.

— Vous semblez étonnée.

— Je… je m'attendais à…

— À être licenciée ?

— Franchement, oui. J'y ai songé.

— Devrais-je vous congédier ? demanda-t-il froidement.

— Non, répliqua-t-elle avec calme. Je fais bien mon boulot. Je reviendrai… dès que possible.

— Mon oncle avait un profond respect pour vous, or il était fin psychologue. Je compte mettre en œuvre de nombreux changements dans l'organisation des magasins Markson, y compris dans votre service. Mais cela peut attendre que vous soyez prête à reprendre votre travail.

Shelby n'en croyait pas ses oreilles.

— Les choses sont malgré tout… compliquées, bredouilla-t-elle. Au cours des prochains mois, il arrivera que mon petit-fils ait besoin de moi. Je le ferai passer avant tout le reste.

Elliott Markson resta impassible.

— Vous en aurez le devoir, dit-il.

LORSQUE Shelby quitta le bureau d'Elliott Markson, elle se sentait le cœur plus léger, ce qu'elle n'avait pas éprouvé depuis longtemps. Certes, elle aurait accepté de rendre son tablier s'il l'avait fallu. Cependant, pour être honnête, elle n'avait aucune envie de perdre son emploi. Elle était presque heureuse.

Elle décida, en retournant à Manayunk, de passer à l'hôpital prendre des nouvelles de son gendre. Elle désirait vérifier si elle pouvait ou non amener Jeremy au chevet de son père.

Elle se gara dans l'immense parking attenant au Dillworth Memorial, puis gagna la chambre de Rob au sixième étage. La pièce était vide.

Elle se précipita vers le bureau des infirmières.

— Excusez-moi, je cherche Rob Kendrick. Il n'est pas dans sa chambre.

L'infirmière consulta un planning mural.

— On l'a emmené à la radio. On le remontera dans environ une demi-heure.

— Il a repris conscience ? demanda Shelby.

— Mais oui. Il va beaucoup mieux.

— Oh ! quelle bonne nouvelle ! Je peux l'attendre dans sa chambre ?

— Ça risque de se prolonger, grimaça l'infirmière. Aujourd'hui, on a du retard. Pourquoi vous ne descendriez pas à la boutique vous acheter quelque chose à grignoter ?

À cette suggestion, Shelby se rendit compte qu'elle avait une faim de loup.

— Excellente idée. À tout à l'heure.

L'ascenseur la déposa au rez-de-chaussée, où elle rejoignit la boutique au décor gaiement coloré, façon cafétéria. Shelby opta pour un sandwich puis chercha à s'asseoir. Toutes les tables étant prises, elle balaya la petite salle des yeux, en quête d'une personne qui ne refuserait pas de lui faire une petite place.

Soudain, à son étonnement, elle repéra un visage familier : l'étudiante qui secondait Talia au labo d'informatique de l'université. Shelby s'approcha de la jeune femme aux cheveux bruns, occupée à pianoter sur son ordinateur portable tout en sirotant un café.

— Faith ?

L'assistante de Talia leva le nez et esquissa un sourire.

— Oh ! bonjour, madame…

— Shelby.

— Ah ! oui, répondit gauchement Faith.

— Cela ne vous ennuie pas que je m'assoie ? Je ne voudrais pas vous interrompre dans votre travail.

— Mais non, bredouilla Faith. Je vous en prie, asseyez-vous.

— Il y a un monde fou ici, se justifia Shelby.

— Oui, je ne vous avais pas vue entrer.

— Qu'est-ce qui vous amène à l'hôpital ? interrogea Shelby.

— J'ai conduit ma mère à sa séance de kiné. Elle a eu une attaque voici des années, et elle n'est toujours pas complètement rétablie. En principe, c'est mon père qui l'accompagne, mais ces jours-ci il ne se sent pas très bien. Heureusement, le Dr Winter est très compréhensive sur ce plan-là. Je sais qu'elle s'occupe de votre mère.

— En effet, dit Shelby.

— C'est difficile d'être sur tous les fronts. Mon mari et moi, nous avons acheté une maison. Enfin… un chantier plutôt qu'une maison. Il y a tellement de travaux… et nous faisons tout nous-mêmes. Je m'estime chanceuse d'avoir un patron comme le Dr Winter.

Shelby songea au visage aigri de sa sœur, à son ton perpétuellement accusateur. Talia compréhensive ? Elle en doutait fort.

— Et vous ? s'enquit Faith, polie. Qu'est-ce qui vous amène ici ?

— Mon gendre. Il a eu un accident.

— Je suis navrée, marmonna Faith.

Elle ne cessait de jeter des coups d'œil à l'écran de son ordinateur.

— Travaillez donc, dit Shelby. Je ne veux pas vous déranger.

— Je cours toujours après le temps. Il faut que je termine ça avant que maman ait fini sa séance.

Opinant du bonnet, Shelby s'attaqua à son sandwich, tandis que Faith se concentrait de nouveau sur sa tâche. Quelques minutes plus tard, une voix lança :

— Ça y est, chérie !

Faith éteignit son portable, se redressa.

— Coucou, maman. Ça s'est bien passé ?

— Comme d'habitude, ils m'ont torturée, gloussa la nouvelle venue.

Shelby pivota sur sa chaise.

— Maman, je te présente Mme Sloan, la sœur du Dr Winter. Voici ma mère, Peggy Ridley.

Shelby contempla la dame grassouillette qui s'appuyait sur sa canne. Quelques semaines auparavant, dans les locaux de la police de Saint Thomas, cette femme lui avait relaté les derniers moments de la vie de Chloe.

Mme Ridley la dévisagea.

— Ben, ça alors…

— Vous ! s'exclama Shelby.

Déconcertée, Faith considéra tour à tour l'expression stupéfaite de sa mère et la mine sombre de Shelby.

— Vous vous connaissez ?

— Oui, répondit sa mère. Ça alors ! Le monde est petit, n'est-ce pas ?

« Quand même pas à ce point, » pensa Shelby, incrédule.

— Vous vous êtes connues comment ? insista Faith.

— Quand ton père et moi étions en croisière. C'est la fille de Mme Sloan qui est tombée à la mer, dit Peggy tristement, sur le ton de la confidence.

Faith réprima une exclamation.

— Ô mon Dieu ! Je suis navrée, madame Sloan. Je ne savais pas… Maman m'a raconté le drame, mais je n'avais pas saisi que…

— Talia ne vous en a pas parlé ? s'indigna Shelby. C'était sa nièce.

— Non, murmura Faith d'un air presque coupable. Elle est extrêmement discrète.

« Seigneur », se dit Shelby, partagée entre l'écœurement et la stupeur. Même s'agissant de Talia, ce degré d'indifférence était difficilement imaginable.

— Il y a eu du nouveau, quelque chose ? questionna gentiment Peggy.

— Non…

— Que le navire continue sa route après ce drame nous a choqués. Virgie et moi, on l'a très mal vécu.

Shelby était à court de mots.

— L'autre jour, nous avons reçu une carte de Virgie et Don. Vous vous souvenez de Virginie et Don Mathers ? L'autre couple qui…

— Oui, je me rappelle.

— Des gens charmants, soupira Peggy. Adorables.

— Maman, il faudrait y aller, intervint Faith en regardant la pendule. J'ai cours.

Peggy posa une main douce et sèche sur celle de Shelby.

— Je suis contente de vous revoir. J'ai prié sans cesse pour votre Chloe.

La décision de Shelby fut vite prise.

— Faith, je peux ramener votre maman chez elle, proposa-t-elle. Cela vous permettra de retourner à vos occupations.

— Oh ! non, objecta Peggy. C'est beaucoup vous demander.

— Cela ne me dérange pas, au contraire. Où habitez-vous ?

— Dans le sud, répondit Faith. Hector Street, pas loin de South 4th Street.

— Oh, mais je connais ! Nous habitions dans ce secteur quand ma Chloe était petite. Je sais très bien où c'est.

Faith, l'air soulagé, se tourna vers sa mère.

— Ça m'arrangerait d'avoir un peu plus de temps pour mon travail en cours.

— D'accord, chérie, acquiesça Peggy. Vas-y.

Faith prit sa mère dans ses bras.

— Embrasse papa pour moi. Dis-lui que je viendrai bientôt.

— N'oublie pas, fit gravement Peggy. Tu sais comment il est. Il a besoin qu'on lui remonte le moral.

— Je n'oublierai pas.

— On y va ? proposa Shelby.

PEGGY ressemblait à un oiseau duveteux et dodu, trônant sur son nid. Elle boucla sa ceinture de sécurité et joignit les mains sur son giron.

— Vous êtes vraiment très gentille. Ma Faith travaille énormément. Trop, à mon avis. Son mari et elle ont acheté une maison qu'ils restaurent eux-mêmes. Là-dessus, elle s'échine à terminer ses études, elle travaille pour le Dr Winter, et maintenant, elle essaie aussi de m'aider.

— Qu'est-ce qu'il arrive à votre mari ?

— Il a la maladie de Lou Gehrig, une sclérose latérale amyotrophique.

Shelby se remémora l'homme rencontré à Saint Thomas. Il lui avait paru en parfaite santé, et même plutôt robuste.

— C'est récent ? Vous l'avez appris en rentrant de croisière ?

— Oh ! non, nous le savons depuis quelques mois. Il est démoralisé. Il sort à peine de la maison.

Shelby, tout en écoutant Peggy, mettait le cap au sud. Elle traversa l'élégant quartier de l'hôpital et la vaste zone résidentielle connue sous l'appellation de South Philly. Plus au sud, vers Snyder Avenue, les rues étaient sales, défigurées par des bâtisses condamnées et couvertes de graffitis.

Ce qui soulevait une question : les Ridley s'étaient offert une onéreuse croisière, or il fallait être pauvre pour habiter par ici. Personne ne s'y installait de gaieté de cœur.

Shelby atteignit sans difficulté Hector Street et se gara à quelques mètres de chez les Ridley. Elle sortit et ouvrit la portière à Peggy. Elle cherchait fébrilement comment formuler avec tact la question qu'elle avait en tête.

— Eh bien, heureusement que vous avez eu les moyens de faire cette croisière avant que la maladie de votre mari s'aggrave.

— Seigneur Dieu! gloussa Peggy en s'appuyant sur sa canne, que Shelby lui tendait, pour s'extraire de son siège. Jamais nous n'aurions pu nous payer cette croisière. Mon mari l'a gagnée dans un concours.

— Vraiment…

— Un coup de veine, pas vrai?

Elles avaient atteint le perron de la maison des Ridley.

— Je ne sais pas comment vous remercier, dit Peggy.

— Attendez, je vous aide à monter ces marches.

— Que vous avez bon cœur.! Vous voulez boire un café?

— Volontiers, répondit Shelby d'un ton qui se voulait nonchalant. J'ai cinq minutes.

— Tant mieux.

Shelby aida Peggy à gravir les marches. Peggy déverrouilla la porte.

— Bud, je suis là!

Pas de réponse.

— Entrez, entrez donc, dit-elle à Shelby.

L'intérieur de la maison était chichement éclairé mais parfaitement rangé. Peggy désigna une chaise usée près de la table au dessus éraflé et gagna la cuisine en boitant. Shelby examinait le minuscule salon et le coin-repas – un sanctuaire consacré à Faith, en quelque sorte. Des photographies d'elle occupaient les murs et la moindre surface horizontale. Peggy revint avec un mug fumant, qu'elle posa devant son invitée.

— Vous n'en prenez pas? demanda Shelby.

— Non, ça me donne envie de faire pipi, et la salle de bains est à l'étage.

Shelby hocha la tête, souffla sur le breuvage bouillant.

— Alors vous avez gagné la croisière dans un concours.

— Pas moi, Bud. Un concours organisé par une radio sportive qu'il écoute souvent. Il fallait être le vingtième auditeur à téléphoner, ou un truc dans ce genre. Je ne sais pas où il est… Je lui ai demandé d'acheter une salade de chou. Il est peut-être allé chez le traiteur. Il ne sort quasi plus de la maison. Il est terriblement déprimé. Il s'est inquiété pour moi pendant des lustres et puis… boum. Tu ne peux pas passer ta vie enfermé dans cette baraque, je lui dis.

— Bien sûr, acquiesça Shelby en buvant une gorgée de café.

À cet instant, on entendit la clé tourner dans la serrure.

— Le voilà, dit Peggy, visiblement soulagée.

Bud Ridley apparut, le journal coincé sous le bras, et portant un petit sac en papier brun. Il n'avait pas l'air d'un homme malade, au contraire il avait cette allure énergique que Shelby se rappelait.

— Coucou, mon chéri, dit Peggy. Tu ne devineras jamais qui est là.

Shelby pivota pour lui faire face. Bud, avec un cri étranglé, laissa échapper son journal et le sac en papier. La barquette de salade avait craqué et son contenu se répandait sur le sol, la sauce imbibant le tapis élimé. Bud ne parut pas le remarquer, il était blanc comme un linge.

— Bonjour, Bud.

Il ouvrit la bouche.

— Comment vous nous avez retrouvés ? balbutia-t-il.

— Retrouvés ?

— Par Faith, déclara Peggy. Quelle étrange coïncidence, hein ? Tu n'avais pas eu de malaise depuis un moment. Ce n'est rien, ne t'inquiète pas, ça arrive.

Bud secoua la tête.

— Je vais nettoyer ça, soupira Peggy.

— Je m'en charge, dit Bud, se dérobant toujours au regard de leur visiteuse.

Shelby était électrisée par son embarras. Cet homme dissimulait quelque chose. Mais comment le pousser dans ses retranchements ? Soudain, elle trouva la manière d'aborder le sujet.

— Peggy m'a raconté que vous aviez participé à un jeu radiophonique et gagné la croisière. De quelle radio s'agit-il ?

Sans répondre, Bud fila dans la cuisine. Peggy contemplait, consternée, le tapis souillé. Shelby se sentait dans la peau d'un intrépide explorateur devant l'entrée bien cachée d'un antique tombeau. L'expression de Bud en la voyant prouvait qu'elle avait, par hasard, mis le doigt sur le secret qu'elle cherchait. Un secret qu'elle allait déterrer coûte que coûte. Shelby attendrait que Bud Ridley soit seul car Peggy, manifestement, ne savait rien. Elle l'affronterait tête à tête, par surprise.

ELLE passa prendre Jeremy, qu'elle emmena au parc.

— On va voir papa ? lui demanda-t-il en chemin.

Dans le chaos de la journée, Shelby avait oublié son intention de rendre visite à Rob. Celui-ci était conscient, à présent.

— Oui, nous irons l'embrasser après le dîner.

Jeremy poussa un cri de joie et, dès qu'ils furent au parc, il jaillit de la voiture et escalada la cage à poules avec excitation. Shelby s'assit sur un banc, saisit son mobile et réfléchit longuement. Après quoi, elle composa le numéro des renseignements téléphoniques, où on la mit en relation avec son correspondant.

— Sunset Cruise, déclara la standardiste.

— Bonjour, Erin Dodson à l'appareil. Je m'occupe de publicité radiophonique, je souhaiterais parler au responsable de votre service promotion.

— Un instant, je vous prie.

Bientôt, une voix masculine, suave et charmeuse, annonça :

— Craig Murphy. Que puis-je pour vous ?

— Bonsoir, je suis Erin Dodson de WLSP à Philadelphie. Nous sommes une chaîne sportive, et je voudrais vous proposer d'organiser une opération pub avec nous, en offrant, par exemple, une croisière aux Caraïbes. Je serais donc ravie de vous rencontrer pour…

— Une petite minute, pouffa Craig Murphy. Vous débutez dans le métier, ou quoi ?

— Je… je suis là depuis trois semaines.

— Eh bien, j'apprécie votre enthousiasme, mais les radios locales n'entrent pas dans la stratégie publicitaire de notre compagnie.

Shelby garda le silence. « Je le savais », pensa-t-elle.

— En réalité, nous ne faisons plus de pub à la radio. Nous nous bornons aux magazines haut de gamme et à la télévision.

— Bon… merci quand même.

Shelby rangea le mobile dans son sac. Son cœur battait follement.

Ce n'était que pure invention. Ils n'avaient pas gagné cette croisière. Or s'ils n'avaient pas gagné le gros lot d'un jeu quelconque, comment s'étaient-ils retrouvés à bord de ce paquebot ?

SHELBY frappa à la porte de son gendre et, prudemment, jeta un coup d'œil à l'intérieur de la chambre. Rob, couvert de pansements et relié à une potence de perfusion, regardait la télé, assis dans son lit.

— Je vous amène quelqu'un…

Jeremy la poussa et fonça vers le lit. À sa vue, le visage de Rob s'éclaira. Shelby dut quasi ceinturer le bambin pour l'empêcher de sauter sur son père, qui souffrait de plusieurs fractures.

Le fils et le père, maladroitement, réussirent à s'étreindre. Jeremy regardait son papa d'un air ébloui.

— T'as drôlement mauvaise mine, dit-il, admiratif.

— Je ne me sens pas très bien, admit Rob. Et toi ? L'école, ça va ?

— Mlle Darcie est gentille. J'ai fait le plus beau dessin, c'est elle qui l'a dit.

— Tu me l'as apporté ?

— J'ai oublié, marmonna Jeremy, dépité.

— Ce n'est pas grave, tu me le montreras une autre fois.

— J'ai parlé avec votre médecin, dit Shelby. Apparemment, ils ne vous garderont plus longtemps. Mais vous aurez besoin d'aide.

Il hocha la tête.

— À propos de ce que je vous ai dit, Shelby… je suis vraiment navré.

— Qu'est-ce que tu lui as dit ? demanda Jeremy.

— Rien, mon ange, répondit fermement Shelby. Ton papa a des soucis. Mais j'ai de bonnes nouvelles pour lui. Tes grands-parents arriveront bientôt d'Indonésie.

— C'est vrai ? Formidable ! répliqua Rob. Je serai content de les retrouver.

— Je suppose qu'ils pourront gérer la situation un certain temps, rétorqua Shelby, coulant un regard en direction de Jeremy.

— Je vous suis reconnaissant de tout ce que vous avez fait, dit-il, contrit.

— Inutile de me remercier.

— Je peux regarder des dessins animés ? questionna Jeremy.

Rob lui céda la télécommande, et le petit zappa d'une chaîne à l'autre.

Rob reporta son attention sur Shelby.

— Vous savez, à propos du détective que vous avez engagé pour enquêter sur…

— J'ai agi dans votre dos, je conçois que ça vous ait déplu.

— Non… j'ai réfléchi. Vous me reprochez d'avoir accepté trop vite la version officielle, et vous avez peut-être raison. Récemment, j'ai découvert que je suis trop confiant. Je pars toujours du principe que les gens disent la vérité.

Il songeait à Lianna, évidemment, et au père génétique de Molly.

— Moi aussi, j'ai découvert quelque chose, murmura-t-elle. J'aimerais vous en parler. Vous vous souvenez de ces passagers qui étaient avec Chloe pendant la partie de bingo ? Les Ridley.

— Oui, vaguement.

— Ils habitent ici. À Philly. Je les ai rencontrés par hasard. Le monsieur m'a dit qu'il avait participé à un jeu radiophonique et gagné la croisière. Mais il a menti.

— Hum… Comment le savez-vous ?

— C'est une longue histoire. Disons simplement que je le sais.

— Pourquoi il aurait inventé ça ?

— Je l'ignore. C'est justement ce que j'ai l'intention de découvrir.

— Salut, papa.

Rob et Shelby tournèrent la tête vers la porte. Molly se tenait, timide, sur le seuil.

— Hé, ma grande fille ! s'exclama Rob en ouvrant les bras.

Shelby laissa sa place à Molly et, dans le couloir, aperçut Lianna qui la salua d'un geste de la main.

Molly embrassa Rob. Shelby vit son gendre ravaler ses larmes en étreignant la main de Molly. Elle était toujours sa fille, quoi qu'ils aient appris, tous les deux, sur sa conception. Cela n'avait rien changé à leur relation.

Rob attira ses deux enfants près de lui, tous trois paraissaient former une famille au complet. Comme si personne ne manquait au tableau.

« Stop, se tança Shelby, tu es horriblement injuste. Ils sont seulement soulagés d'être toujours ensemble. Quant à la mort de Chloe, ils pensent l'affaire réglée. »

Shelby, elle, était sûre du contraire.

10

SHELBY suivit le dernier journal télévisé d'un œil distrait. Une journaliste relatait la découverte d'un cadavre flottant dans la Schuylkill avec deux balles dans la tête ; la police, disait-elle, s'efforçait d'identifier le mort. Ces faits divers étaient devenus monnaie courante à Philadelphie.

Ce soir, elle ne pensait qu'à Peggy et à Bud Ridley. Impossible de nier que Talia représentait un lien possible entre Chloe et les Ridley. Mais dès qu'elle tentait d'imaginer son rôle dans cette histoire, elle en avait mal au crâne. Elle était persuadée que Bud détenait la clé de l'énigme. Elle devait le cuisiner. Il y avait forcément un moyen de le piéger. Elle aurait dû essayer de dormir, mais cela n'aurait servi à rien, elle ne fermerait pas l'œil.

ELLE s'assoupit pourtant, sans s'en rendre compte, alors que l'aube pointait. Par chance, elle se réveilla juste à temps pour conduire Jeremy à la maternelle. Quand elle l'eut déposé à l'école, elle cacha ses cheveux sous une casquette de base-ball, remonta le col de sa veste et roula vers le sud de Philadelphie. Elle se gara quasi à l'angle de Hector Street.

Elle n'eut pas à attendre longtemps. Une femme grisonnante et énergique stoppa devant le domicile des Ridley et entra chez eux. Un moment après, elle ressortait, aidant Peggy à descendre les marches du perron. Shelby ne bougea pas un cil jusqu'à ce que la voiture soit loin. Ensuite elle sortit et, à son tour, gravit les marches. Elle sonna en ayant soin de tourner le dos à la fenêtre.

Pas de réponse.

Flûte. Se serait-il absenté ? Soudain, elle vit le rideau bouger. Non, il était là. Elle avait eu raison de prendre ses précautions pour qu'il ne la reconnaisse pas – la casquette, le col relevé.

Elle frappa à la porte.

— Ouvrez !

Toujours pas de réponse.

— Police, ouvrez ! Nous souhaitons vous parler d'une dénommée Faith Latimer.

Au bout d'un moment, on déverrouilla la porte. Une expression d'inquiétude sur le visage, Bud Ridley regarda Shelby, qui poussa le battant.

— Je me suis dit que ça vous forcerait à répondre.

— Fichez le camp d'ici, bougonna-t-il, la foudroyant des yeux. Vous n'êtes pas de la police.

— En effet, mais je suis là, et j'y reste.

Il durcit encore son regard, pour tenter de l'impressionner. Finalement, il pivota, et Shelby le suivit dans la maison sinistre.

Il s'assit pesamment dans son fauteuil inclinable, au salon, devant les photos de sa fille disposées comme sur un autel.

— J'ai à vous parler, dit Shelby.

— Moi, j'ai rien à vous dire.

— Votre expression, lorsque vous m'avez vue ici hier, ne m'a pas échappé. On aurait cru que vous étiez face à un fantôme. J'exige de savoir pourquoi.

Il ne répliqua pas.

— Vous n'avez pas remporté la croisière dans un jeu radiophonique. Vous avez menti à votre femme. On vous a rémunéré pour faire ce voyage, accusa-t-elle.

— Vous ne savez rien du tout.

— Qui a payé pour que vous participiez à cette croisière ?

Il haussa les épaules, fixa le vide.

— Occupez-vous de vos oignons.

— Regardez-moi, bon sang ! s'écria Shelby. Est-ce que quelqu'un vous a payé ?

— Vous êtes cinglée, j'ignore de quoi vous parlez. Je n'ai jamais empoché un centime. De personne. Sortez d'ici ou j'appelle les flics.

Shelby prit son mobile, qu'elle lui tendit.

— Allez-y, bonne idée, alertons la police.

Il ne bougea pas.

— Laissez-moi tranquille, murmura-t-il d'un ton las. Je suis malade. Vous déboulez chez moi, vous me menacez… allez-vous-en.

Shelby rangea son téléphone portable. Elle vint s'asseoir dans un fauteuil.

Le silence se prolongea.

— Moi aussi, j'ai un tas de photos dans mon appartement, dit Shelby au bout d'un moment. De ma fille. Elle était mon seul enfant. Si vous savez ce qui lui est vraiment arrivé, vous devez me le dire. S'il s'agissait de Faith, vous voudriez connaître la vérité.

Bud tourna la tête vers elle.

— Vous n'aviez qu'à mieux l'élever. Votre fille s'est soûlée et elle est tombée à la mer.

— Non, monsieur Ridley. Ça ne s'est pas passé de cette manière, j'en ai la conviction.

— Vous n'étiez pas là.

— Qu'est-ce que vous lui avez fait ? souffla-t-elle.

— Absolument rien. Elle vivait peut-être dangereusement, et elle en a payé le prix.

— Vous déraillez, riposta Shelby. Chloe était maman d'un petit garçon. Le patchwork était son violon d'Ingres. Elle travaillait comme réceptionniste.

— Ah oui ? Selon vous, comment elle s'est offert cette croisière de luxe ?

— C'était un cadeau. Mon cadeau.

Elle lut de l'étonnement et de l'anxiété sur le visage de Bud. Mais il reprit la parole d'un ton irrité :

— Ben, vous avez eu tort. Elle se foutait de vous.

— Non, monsieur Ridley. C'est vous qui vous foutez de moi. Et j'en ai jusque-là, lança Shelby. Quelqu'un vous a rémunéré pour tuer ma fille ?

Il se contenta de secouer la tête d'un air dégoûté.

— Ben, tiens. C'est comme ça que vous voyez la vie, hein ? Moi d'abord, et que les autres aillent se faire pendre. C'est peut-être de vous qu'elle avait appris ça.

— Quoi donc ? Qu'est-ce que vous racontez ?

Il darda sur elle des yeux étrécis.

— Pour votre gouverne, les gens ne sont pas tous comme ça. Il y en a qui se soucient des autres. Ils ne cherchent pas à profiter d'eux, comme Chloe.

Shelby se leva d'un bond.

— Ça suffit. Donnez-moi seulement une réponse. Avez-vous tué ma fille ? Quelqu'un vous a-t-il payé ? Ma sœur est-elle impliquée dans cette histoire ?

Bud se détourna, buté, inflexible.

— Tout se paie un jour ou l'autre. Ça vous va ?

Shelby faillit le mordre.

— Expliquez-moi. Dites-moi ce que vous avez fait.

— Fichez-moi la paix. Je suis malade. Je vais mourir.

— Parfait, déclara-t-elle, pointant vers lui un index. Tôt ou tard, la vérité éclatera. Toute la vérité. Vous êtes coupable. Je ne connais pas les motifs de votre acte, mais je sais que vous l'avez commis. Je le prouverai. Vous avez poussé ma fille à la mer et vous le paierez.

Bud rentra la tête dans les épaules, comme pour se défendre contre une volée de flèches.

Soudain, l'idée vint à Shelby qu'elle avait le moyen de le blesser plus cruellement.

— Comment réagira Peggy, à votre avis ? Quand elle apprendra ce que vous avez fait ? Et Faith, que pensera-t-elle de son père ?

Bud, le menton tremblotant, fixa les photos de sa fille.

— Eh bien, monsieur Ridley, vous ne tarderez pas à le savoir.

SHELBY frappa à la porte de la maison. Elle avait une clé, néanmoins elle frappait toujours. Il n'y eut pas de réponse, ce qui la fit sourciller. Ces derniers temps, sa mère avait toujours auprès d'elle une garde-malade, lorsque Talia était au bureau. Elle prit la clé dans un compartiment de son portefeuille et ouvrit.

— Maman ! appela-t-elle en pénétrant dans le lugubre vestibule.

Sa mère ne répondrait pas, évidemment, mais cela permettrait à la garde-malade de se manifester.

Toujours pas de réaction. Seraient-elles sorties ?

Elle accrocha sa veste mouillée et sa casquette à la patère de l'entrée, passa au salon. Tout y était comme avant. Les vieux meubles usés, les rideaux fermés, les journaux jaunis empilés sur la table basse. Elle pénétra dans la salle à manger qui servait de bureau à Talia. Un ordinateur ronronnait sur la table, voisinant avec des piles de bouquins, de documents et de classeurs accordéon.

Shelby jeta un coup d'œil dans la cuisine. Un sac de femme en denim pendait à un dossier de chaise. La garde-malade devait être là. Peut-être était-elle dure d'oreille.

Shelby retourna dans le vestibule, monta l'escalier moqueté et longea le couloir jusqu'à la chambre de sa mère. Une maigre jeune femme au teint pâle, installée dans un fauteuil, feuilletait un magazine féminin. Les écouteurs d'un iPod lui bouchaient les tympans.

Estelle Winter était étalée au milieu du lit, sous un amas de couvertures, les cheveux en bataille, les yeux mi-clos. Elle était dans un état second, ronflant et pourtant clignant les paupières comme une femme parfaitement réveillée. À ce spectacle, le cœur de Shelby se serra. Voilà le souvenir qu'elle avait de la maison de son enfance – les stores baissés, une atmosphère empestant l'alcool.

— Mon Dieu !

La garde-malade bondit de son fauteuil.

— Qui êtes-vous ?

Shelby montra Estelle.

— Sa fille.

— Vous m'avez fait peur. Je ne vous ai pas entendue.

— Désolée. Je me présente : je suis Shelby.

Son interlocutrice lui serra la main à contrecœur.

— Nadia, marmonna-t-elle.

— Si vous avez besoin d'une pause, je peux rester avec elle.

Nadia consulta sa grosse montre ronde.

— J'irais bien au marché faire quelques courses.

— Allez-y. Nous nous débrouillerons très bien.

Nadia hocha la tête.

— D'accord. Estelle, soyez sage. Pas de bêtises.

Nadia descendit l'escalier et quitta la maison. Shelby écouta la porte d'entrée se refermer. Elle avisa une photo encadrée, sur la table de chevet. Estelle et ses enfants – Talia, Shelby et Glen – étaient installés sur une couverture dans l'herbe, près d'une vieille voiture. Il y avait un panier de pique-nique, des victuailles. Shelby avait souvent vu ce cliché, pourtant elle eut l'impression de le regarder pour la première fois.

Elle et Glen étaient encore petits, sans doute avait-elle dans les quatre ans, et lui un an. Talia, qui avait huit ans de plus que Shelby, entourait d'un bras possessif le cou d'Estelle. À douze ans, Talia semblait protéger sa mère. Estelle était jolie. Elle souriait au photographe, sans doute leur père. Un an après ce pique-nique, il était décédé.

« Étais-tu une bonne mère, autrefois ? pensa Shelby, observant Estelle. Avant la mort de ton mari, avant que la vie devienne pour toi un trop lourd fardeau ? » Se pouvait-il qu'ils aient été heureux, à une époque, et que Shelby tout simplement ne s'en souvienne pas ?

Estelle émit un ronflement sonore et Shelby se faufila dans le couloir. Elle était venue ici dans un but précis, pas question de l'oublier. Elle descendit et se dirigea droit vers la salle à manger, où elle s'assit à la table. À première vue, Talia conservait un double de tout. Comme on était en pleine période de déclaration des revenus, elle avait étalé ses factures sur son bureau.

Shelby savait exactement ce qu'elle cherchait. Deux billets pour une croisière, ça ne se règle pas en liquide. Il y avait forcément une trace, datant d'après décembre dernier, puisque Shelby n'avait pas mentionné ce voyage avant Noël.

Shelby inventoria rapidement les classeurs accordéon et s'attaqua à celui contenant les facturettes de l'année. Méticuleusement, elle examina les documents, sidérée par la frugalité de Talia. Elle achetait avec sa carte de crédit des livres, des CD, mais n'allait quasi jamais au restaurant. À plusieurs reprises, elle avait versé de l'argent à des organisations caritatives ou politiques. S'obligeant à ne pas se perdre en suppositions sur les dépenses de Talia, Shelby continua à chercher simplement une facture relative à la compagnie Sunset Cruise. Elle en était à la mi-mars, sans résultat, quand elle entendit la porte d'entrée s'ouvrir.

Nadia était de retour. Monterait-elle directement à l'étage, ou repasserait-elle par la cuisine pour y laisser son sac? Shelby se figea, ennuyée. Quel prétexte inventer? Oh! après tout, elle n'avait pas à se justifier auprès de cette jeune femme.

Soudain, Talia pénétra dans la salle à manger. Elle sursauta.

— Mais qu'est-ce que tu fabriques ici?

Shelby soutint le regard de son aînée.

— Tu fouilles dans mes papiers? s'exclama Talia.

— Je ne t'attendais pas.

— C'est ce que je vois, fit Talia, les poings sur les hanches. Ça alors, je n'en reviens pas. Pourquoi tu fouilles dans mes papiers?

« Je cherche la preuve d'un crime », faillit répondre Shelby. Elle éprouvait le sentiment d'avoir le droit d'agir comme elle le faisait. Si Talia était coupable, si elle avait manigancé le meurtre de sa nièce, plus rien n'existait entre elles.

— J'examine tes relevés de carte bancaire, déclara brutalement Shelby.

— Quoi donc? Tu as un sacré culot.

— Les parents de Faith ont fait une croisière. Je dois savoir qui la leur a payée. Son père prétend avoir gagné ce voyage dans un jeu, mais c'est faux.

— En quoi ça t'autorise à fouiller dans mes papiers?

— Je vérifie si tu as payé ou non.

— Pourquoi diable j'enverrais les parents de Faith en croisière?

— C'était la croisière à laquelle participait Chloe.

Talia la fixait d'un œil ahuri.

— Oui… et alors?

— À toi de me dire, s'obstina Shelby.

À cet instant, la porte s'ouvrit, Nadia apparut avec un sac. Talia la considéra d'un air interloqué.

— Où étiez-vous ? Qui surveille maman ?

— Votre sœur, répondit Nadia, lançant un rapide coup d'œil à Shelby. Elle a dit qu'elle s'en occuperait.

— Je lui ai proposé de s'aérer un peu pendant que je resterais avec notre mère.

— C'est ce que tu appelles « rester » avec elle ? riposta Talia, furibonde. Tu l'as laissée toute seule pour te plonger dans mes comptes ?

Soudain, on entendit un choc sourd à l'étage, puis un petit cri plaintif.

— Maman ! s'affola Talia qui, se détournant de Shelby, courut vers l'escalier, qu'elle monta quatre à quatre, Nadia sur ses talons.

Shelby se rassit calmement à la table de la salle à manger et acheva de passer en revue les reçus du mois de mars. En vain. Elle les reposa avec un soupir et tendit la main vers ceux du mois d'avril. Talia revint, toujours furieuse.

— Comment va-t-elle ? lui demanda Shelby. Bien ?

— Tu te fiches complètement de ce qui lui arrive, marmonna sa sœur entre ses dents.

— Il y a effectivement plus important.

— C'est ta mère !

— Ma mère qui me pourchassait avec un marteau, qui rampait sous les tables et les chaises pour m'attraper et me frapper. Elle s'amusait à m'humilier. Elle était cruelle. Je vivais dans la terreur.

— Ce n'était pas si épouvantable, ironisa Talia. Il faut toujours que tu exagères.

— Ne me raconte pas mon histoire.

— Tu ne t'es jamais souciée de ses sentiments, soupira Talia. Tu as quitté la maison et tu nous as effacées de ta vie.

Shelby scruta le visage de sa sœur.

— C'est donc ça ? Tu as décidé de me le faire payer, de te venger en me prenant ce que j'ai de plus cher ?

— Je ne vois pas de quoi tu parles.

— Cela n'a aucun rapport avec notre mère. Je suis là parce que quelqu'un a payé Bud Ridley pour participer à cette croisière. Je suis persuadée que ce quelqu'un l'a chargé de jeter ma fille à la mer.

Talia, visiblement sidérée, demeura un instant silencieuse.

— Et tu penses que c'est moi? Voilà donc pourquoi tu fouilles dans mes papiers. Afin de vérifier si j'ai versé de l'argent à un meurtrier pour qu'il tue ta fille pendant cette croisière?

Shelby hocha la tête.

— Oui.

À la seconde où cette réponse franchit ses lèvres, Shelby eut conscience qu'il n'existait pas pire accusation. Asséner ce « oui » à sa sœur équivalait à briser tous les liens qui les avaient unies. Impossible de revenir en arrière. L'écho de ce « oui » planait dans l'air.

— Seigneur! dit Talia.

Shelby la regardait fixement.

— Pourquoi aurais-je fait une chose pareille?

— Pour te venger de moi. Parce que je t'ai laissée porter seule la responsabilité de notre mère, que je ne t'aide pas beaucoup.

Talia soupira.

— Si tu te sens coupable, Shelby, c'est ton problème. Personnellement, je n'aurai jamais à me demander si j'en ai fait assez pour maman, si je l'ai rendue heureuse. C'est vous deux qui vous en mordrez les doigts. Toi et Glen. Ne viens pas pleurer un jour et me dire que tu regrettes. Ce sera trop tard.

Shelby contemplait toujours sa sœur. L'odieuse accusation ne semblait même pas l'avoir atteinte. Talia n'était pas offensée. Elle ne comprenait pas que Shelby était dans les affres de la plus atroce douleur imaginable. La mort de Chloe ne l'avait pas vraiment touchée. Car pour Talia, une seule personne comptait. Elle avait voué sa vie à l'être qu'elle adorait par-dessus tout.

— Je suis navrée, murmura Shelby, honteuse d'avoir commis une erreur aussi énorme. Je n'aurais pas dû débarquer ici pour fouiller dans tes affaires. Je n'aurais pas dû insinuer que tu avais conclu un marché avec le père de Faith.

— Mais je ne connais pas le père de Faith, grogna Talia. Pourquoi diable serais-je en rapport avec lui?

— Tu as raison, c'est absurde.

— Eh bien, puisque tu refuses de te rendre utile, je ne te retiens pas.

— Oui, j'y vais. Je dois récupérer Jeremy.

— Alors dépêche-toi. De toute façon, ici, tu ne m'es d'aucune aide. Comme d'habitude.

11

LE lendemain avant l'aube, des coups frappés à la porte réveillèrent Shelby. Elle descendit en hâte, nouant la ceinture de son peignoir. Un homme et une femme se tenaient sur le perron, au milieu de leurs bagages. Tous deux étaient grands, minces, tous deux avaient les cheveux gris, coupés court, et portaient des lunettes. Ils étaient vêtus de pantalons amples, de polos, et avaient aux pieds des chaussures de sport.

— Vous devez être Vivian. Et Hugh. Entrez.

Les Kendrick, quoique missionnaires par vocation, n'arboraient pas de signes religieux et ne brandissaient pas de bible. Ils étaient sympathiques, décontractés. Vivian ne laissa pas les bagages les plus lourds à son mari. Ensemble, ils empoignèrent leurs sacs de voyage et pénétrèrent dans le vestibule. Vivian se délesta de son fardeau avec un soupir.

— Nous voilà, dit-elle, fixant sur Shelby un regard inquiet. Quelles terribles circonstances pour se rencontrer enfin, n'est-ce pas ?

— Ce sont des moments particulièrement pénibles, avoua Shelby. Mais je me réjouis que vous soyez là.

— Comment tenez-vous le coup ? interrogea gentiment Vivian. Je suis tellement désolée. Chloe était une jeune femme adorable.

Shelby la remercia.

— Arriver aussi tôt n'est pas très correct, enchaîna Hugh. Mais notre voyage a duré quasi vingt-quatre heures.

— Vous devez être exténués.

— Nous sommes assez fatigués, répondit Hugh.

— Tu devrais t'allonger, lui dit Vivian. Il souffre d'arythmie cardiaque, il a besoin de repos.

— Eh bien, vous n'avez qu'à monter vous étendre dans la chambre de Rob et Chloe.

— Je crois que je vais suivre votre suggestion.

Quand Hugh fut à l'étage, Vivian s'installa sur le canapé du salon et but le thé que Shelby lui avait préparé.

— Je suis si contente de revoir Jeremy et Molly ! La dernière fois, Jeremy était tout bébé.

— Eux aussi seront heureux de vous voir.

— Savez-vous quand Rob pourra sortir de l'hôpital ?

— Peut-être demain, d'après le médecin.

— Sait-on ce qui s'est passé exactement ?

— À peu près… Il aurait eu des mots avec des jeunes, pendant qu'il prenait de l'essence. Ils l'ont suivi et ils ont percuté sa voiture, qui a quitté la route. Heureusement, la police a mis ces voyous en garde à vue.

— Mon pauvre Rob, quelle série noire ! Perdre Chloe, lui qui avait enfin trouvé le bonheur. Et maintenant, ça.

Shelby sentit le rouge lui monter aux joues.

— Oui, ils semblaient heureux ensemble.

— Absolument. Lianna n'a jamais été la femme qu'il lui fallait. Tout à fait entre nous, il ne l'a épousée que parce qu'elle était enceinte et qu'il n'est pas du genre à fuir ses responsabilités. Il a toujours adoré Molly. Mais ce mariage… disons simplement que cela n'a pas été la meilleure période de sa vie.

Shelby n'allait évidemment pas dévoiler la vérité sur la naissance de Molly. C'était à Rob d'en parler à ses parents. Cependant, les propos de Vivian la stupéfiaient. Rob était malheureux avec Lianna, il l'avait épousée uniquement parce qu'elle lui avait dit qu'elle attendait un enfant de lui ? « Chloe s'est tourmentée pour rien », songea tristement Shelby.

— Mais quand il s'est épris de Chloe… le ton de ses courriels a complètement changé. Elle était tellement mieux pour lui que Lianna ! Lors de notre visite, pour la naissance de Jeremy, je n'avais jamais vu mon fils aussi épanoui. Et maintenant, elle n'est plus là, murmura-t-elle, les larmes aux yeux. Lui qui a déjà enduré tant d'épreuves.

— Chloe l'adorait, répondit Shelby, sincère. Votre fils est un homme bien.

Vivian poussa un lourd soupir.

— Dès que nous nous serons un peu reposés, nous irons le chercher à l'hôpital. Et nous ferons tout notre possible pour alléger sa peine.

— Je pense que, quand j'aurai réveillé et habillé Jeremy, je regagnerai mon appartement. Vous avez besoin d'espace et de temps pour connaître Jeremy, qui est un merveilleux petit garçon.

— Il va à la maternelle, n'est-ce pas ?

— Oui, son institutrice est une amie de votre famille… Darcie Fallon.

— Mon Dieu! La petite Darcie est enseignante? Quelle enfant charmante c'était, elle suivait Rob partout comme s'il était son grand frère.

— Elle est toujours aussi attachée à lui. Et à Jeremy. S'il vous faut quoi que ce soit, vous pouvez compter sur elle.

— C'est bon à savoir. Jeremy aura besoin de beaucoup d'amour et de soutien. Surtout de la part de ses grands-parents, insista Vivian.

— Je serai toujours là pour lui, déclara Shelby d'une voix tremblante.

Vivian lui étreignit la main.

— J'en suis persuadée.

SHELBY ne put rentrer chez elle qu'après avoir promis à Jeremy de le voir le lendemain. Il fut intimidé par ces nouveaux grands-parents jusqu'à ce que Vivian lui déclare qu'ils allaient chercher son papa à l'hôpital pour le ramener à la maison. Aussitôt, il oublia le départ de Shelby, tant il était excité à la perspective de retrouver son père.

Shelby se préparait un dîner léger, lorsque le téléphone sonna. Elle fut médusée d'entendre sa sœur presque guillerette.

— Je suis surprise de t'avoir au bout du fil, dit-elle. Je craignais que tu ne m'adresses plus la parole.

— Pourquoi je ne t'adresserais plus la parole? Je t'appelle parce que j'ai pensé que tu voudrais être au courant, puisque tu l'accusais hier. Le père de Faith s'est suicidé cette nuit.

Shelby sentit ses jambes flageoler.

— Quoi? balbutia-t-elle.

— Oui, Faith m'a prévenue qu'elle serait absente aujourd'hui. Apparemment, il s'est pendu. D'après Faith, il avait une maladie incurable. Il a sans doute préféré s'épargner de décliner jour après jour.

Shelby se remémora son entrevue avec Bud Ridley et en eut du remords. Ses menaces l'avaient-elles précipité dans l'abîme?

— Tu as entendu? dit Talia.

— Oui, j'ai entendu. Je réfléchis.

Le suicide de Bud semblait indiquer qu'elle l'avait mis face à la vérité, ou du moins une part de la vérité. Cependant, il lui fallait savoir si, avant de mourir, il avait avoué son crime. S'il avait laissé une lettre, par exemple. Une piste menant à son commanditaire. Elle devait voir Faith ou Peggy, les interroger. Mais, pour l'heure, elles étaient sous le choc, englouties dans le chagrin – un moment bien mal choisi pour accuser Bud.

— Il y a une cérémonie prévue ? Une veillée mortuaire ? S'il y a une veillée, tu devrais y aller, présenter tes condoléances.

— Pourquoi ça ? J'ai dit à Faith que j'étais désolée. Ça suffit amplement.

Parfois Shelby se demandait comment sa sœur avait réussi à s'intégrer dans la société.

— Talia, voyons. Tu travailles avec elle quotidiennement. Tu dois le faire, c'est un minimum. Dans ces moments-là, les gens sont présents, ils compatissent.

— Mais je ne suis pas à ce point attachée à Faith.

« Voilà qui est sans doute vrai », pensa Shelby. Elle n'entendait pas la moindre note de sympathie dans la voix de sa sœur. Talia était dénuée de toute faculté d'empathie, cela n'avait rien d'une découverte. Pas question cependant de lâcher sa sœur. Elle comptait l'accompagner au funérarium pour la visite de condoléances, Talia serait son sésame.

— Tu veux lui faire de la peine ? insista-t-elle. Parce que, si tu ne te montres pas, elle en sera blessée. Ce qui serait regrettable, car elle est ton assistante.

— Une bonne assistante, admit Talia.

— Exactement. Je viendrai avec toi.

Tout en parlant, elle cherchait déjà sur le Net la notice nécrologique de Bud Ridley.

— La première veillée a lieu ce soir, lut-elle. Allons-y, ce sera fait.

— Je ne peux pas laisser maman toute seule.

— Arrange-toi avec Nadia. Dis-lui que ses heures lui seront payées par moi, double tarif.

SHELBY et Talia pénétrèrent dans le hall du funérarium. Elles secouèrent leurs parapluies ruisselants. Shelby consulta sur le tableau les noms des défunts reposant dans les lieux.

— Salon « Les Colombes », annonça-t-elle. Allons-y.

Talia la suivit dans le large couloir au sol recouvert d'une épaisse moquette, faiblement éclairé par des lustres imitation Murano. Shelby localisa le salon « Les Colombes » et fit signe à sa sœur, qui lambinait, de la rejoindre.

— Je ne reste pas longtemps, dit Talia, sans baisser le ton, et cette déclaration résonna comme un coup de tonnerre dans le silence de l'établissement.

— Nous ne nous éterniserons pas, chuchota Shelby. On dit quelques mots à la famille, on s'assied une minute. On ne fait pas une visite de condoléances en quatrième vitesse, ce n'est pas correct.

Shelby la précéda dans une salle où étaient disposées des chaises pliantes. Il n'y avait qu'une dizaine de personnes disséminées dans les premières rangées de sièges.

Le cercueil était ouvert, flanqué de vases remplis de glaïeuls. Peggy Ridley, Faith et son mari – que Shelby reconnut d'après les photos de mariage exposées chez les Ridley – étaient assis au premier rang, vêtus de noir. Shelby, d'un geste, ordonna à Talia de la suivre. Empruntant l'allée latérale, elles s'approchèrent de la bière. Shelby contempla Bud. L'entrepreneur de pompes funèbres lui avait généreusement enduit le visage de fond de teint, si bien que sa peau était rose orangé, et les meurtrissures sur son cou nettement atténuées.

« Tu as tué ma fille, songea Shelby, les yeux rivés sur lui. Ton suicide en est la preuve. » Elle ferma un instant les yeux, comme si elle se recueillait, et prit une profonde inspiration.

Talia ne jeta qu'un coup d'œil à la dépouille mortelle avant de pivoter et de s'avancer vers Faith.

— Toutes mes condoléances, dit-elle d'un ton guindé.

— Oh ! docteur Winter, je vous remercie d'être venue. Voici mon mari, Brian. Et ma mère.

Talia, grimaçant, échangea une poignée de main avec l'époux et la maman. Elle marmonna des excuses et fila s'asseoir au milieu de la salle, non sans avoir fait signe à sa sœur de se dépêcher. Shelby n'y prêta pas attention. Après avoir présenté ses condoléances à Faith et à son mari, elle se concentra sur Peggy.

Celle-ci lui prit les deux mains.

— Shelby, balbutia-t-elle d'un air las. Merci d'être là.

— Nous avons, vous et moi, perdu un être cher.

— Oui, soupira Peggy, je ne sais pas comment vous tenez le coup.

Shelby hésita, puis s'assit au côté de Peggy. Elle était sûre que Bud n'avait pas parlé à son épouse de leur entrevue.

— Ça a dû être un choc pour vous, murmura Shelby avec gentillesse.

Peggy se tamponna les yeux.

— Comme vous dites.

— Vous ne vous y attendiez pas du tout ?

Shelby tablait sur le caractère de Peggy, qui était bavarde ; en outre, la plupart des gens ne manquent pas une occasion d'exorciser leur malheur en le relatant par le menu, inlassablement.

— Eh bien, il était déprimé. N'importe qui le serait, avec la maladie qu'on lui avait découverte, même si, pour le moment, il avait peu de symptômes. Quasi pas, même.

— A-t-il dit quelque chose qui aurait pu vous alerter…

— Non, bien sûr que non.

— Il a laissé une lettre, quelque chose ?

— C'est ça le plus affreux, lui confia Peggy. Il a écrit qu'il ne pouvait plus se regarder dans une glace. Comme s'il était fautif. Mais il n'avait pas choisi de tomber malade.

— Évidemment…

Il ne pouvait plus se regarder dans une glace. « Mais pas à cause de sa maladie », songea Shelby. Il se détestait parce qu'il avait jeté à la mer une jeune femme innocente, pour de l'argent. Shelby se sentit coupable de continuer à enfoncer le clou. Pas assez cependant pour s'arrêter là.

— J'espère que l'assurance vous dédommagera. Il paraît qu'ils sont parfois lamentables en cas de suicide.

Peggy n'était décidément pas une femme encline au secret.

— Oh ! nous avons un contrat d'assurance depuis des années. Naturellement, ça ne va pas très loin. Une fois les obsèques payées… eh bien, il ne restera pas un sou.

— Vraiment ?

Si Bud avait empoché une grosse somme pour pousser Chloe par-dessus bord, il aurait certainement indiqué à sa femme où trouver cet argent.

— Pas un sou, répéta Peggy. En réalité, je vais être obligée de vendre la maison et de m'installer chez Faith et Brian. Franchement, Shelby, c'est un cauchemar.

« Tout ça ne me mène nulle part, » songea Shelby. Le suicide, cet implicite aveu de culpabilité, l'avait incitée à croire que le mystère de la mort de Chloe était presque élucidé. Mais jouer les tueurs à gages rapporte beaucoup plus gros que le prix d'une croisière pour deux. Alors où était l'argent ?

— Excusez-moi, dit soudain Talia, excédée, en se penchant vers Peggy. Nous devons partir. Ma mère a besoin de moi.

— Oh ! bien sûr, bredouilla Peggy. Merci infiniment d'être venue. Faith vous en est reconnaissante, je le sais, et moi aussi.

— Oui, confirma Faith dans un murmure. Merci, docteur Winter.

Comme Shelby se levait à contrecœur, Peggy lui saisit les mains.

— Quel courage de venir ici, alors que vous êtes en deuil de votre Chloe et que vous traversez des moments terribles.

— Oui, ce n'est pas facile.

— Quand cela arrive aussi brutalement, on pense à tout ce qu'on aurait aimé dire. Ou faire. On a tant de regrets.

Malgré ses efforts, Shelby sentit ses yeux se mouiller. Des larmes de tristesse, mais aussi de frustration. Elle n'avait pas avancé d'un pouce. Au contraire, elle s'enfonçait dans la confusion.

— C'est vrai.

— Son médecin voulait lui prescrire un antidépresseur. Bud a refusé. Il ne voulait pas devenir accro à des pilules. J'aurais dû insister.

Faith lui entoura les épaules de son bras.

— Allons, maman, tu n'as rien à te reprocher. Le Dr Janssen le voyait toutes les semaines. S'il ne s'est douté de rien, comment toi, tu aurais pu deviner ?

Shelby scruta le visage de la jeune femme.

— Le Dr Janssen ?

— Oui, le Dr Harris Janssen, répondit fièrement Peggy. L'un des meilleurs neurologues du pays. Il m'a soignée quand j'ai eu mon attaque cérébrale. Alors, quand Bud a commencé à avoir un bras plus faible que l'autre, je lui ai dit : On va consulter le Dr Janssen.

Peggy balaya du regard le salon funéraire.

— Je me demande s'il est au courant. Oh, s'il l'apprend, il se précipitera. Tu lui as téléphoné, Faith ?

— Non, j'ai encore beaucoup de gens à avertir.

— Il a été tellement gentil pour nous !

— C'est rare de trouver un médecin comme lui, commenta Shelby.

Peggy opina d'un air solennel.

— Quand j'ai eu mon attaque, nous n'avions pas d'assurance-maladie. Le Dr Janssen ne nous a jamais réclamé le moindre centime. Pareil avec Bud. Il lui manquait deux ans pour avoir droit à Medicare. Le Dr Janssen lui a dit qu'il le soignerait gratis jusqu'à ce qu'il soit assuré. C'est un homme comme ça, le Dr Janssen.

— Eh bien, dites donc, fit Shelby, faussement admirative.

— C'est incroyable, pas vrai? À notre époque, rencontrer un docteur aussi humain?

— En effet.

— Dans ce monde, il y a beaucoup de gens qui ont bon cœur, déclara Peggy, les lèvres tremblantes. Il ne faut jamais oublier ça.

SHELBY et sa sœur regagnèrent la voiture, Talia mit le contact.

— Pff… J'ai cru qu'on ne sortirait jamais de là.

Shelby, muette, contemplait le pare-brise constellé de gouttes d'eau, le va-et-vient des essuie-glaces. Au bout d'un moment, tout en conduisant, Talia lui lança un regard oblique.

— Pourquoi tu es tellement silencieuse?

— Je me posais une question. Serait-il possible de pirater un compte bancaire?

— Évidemment, répondit Talia avec aisance – elle était dans son élément. Les banques modifient constamment leur système de sécurité pour tenter d'empêcher ça, mais il y a toujours un hacker qui le contourne.

— Et toi, tu serais capable de pirater un compte bancaire pour moi? J'aurais besoin d'examiner des relevés de carte de crédit.

— Ah! non, se rebiffa Talia. C'est illégal.

— S'il te plaît, Talia. Tu es la seule personne de mon entourage qui ait la compétence requise pour faire ça.

— Quel compte tu envisages de pirater, maintenant?

— Quand la mère de Faith a mentionné ce Dr Harris Janssen, j'ai saisi que le lien était là. Ce type a épousé l'ex-femme de Rob et Chloe a travaillé pour lui voici quelques années. Talia, tu es la seule à qui je puisse demander de l'aide. Écoute, c'est forcément lui qui a payé la croisière des Ridley.

— Ah! maintenant, c'est lui. Hier, tu croyais que c'était moi.

— Je me trompais. Mais quand j'ai entendu ce que la mère de Faith disait…

— Pas question. Tu parles comme une dingue.

Shelby, exaspérée, considéra la figure pâle, crispée de sa sœur. Talia ne changerait pas d'avis. Shelby contempla ensuite le pare-brise moucheté de pluie. « Oui, je suis peut-être dingue, songea-t-elle. Mais je m'en fous complètement. »

Talia la déposa devant son immeuble, et elles se séparèrent sans même se souhaiter bonne nuit. Chacune se félicitait d'être débarrassée de l'autre. Shelby entra dans l'immeuble et prit l'ascenseur. Elle avait hâte de s'enfermer chez elle pour se plonger dans ses réflexions.

Quand les portes de la cabine coulissèrent, à l'étage, elle se trouva nez à nez avec Jennifer Brandon.

— Shelby ! s'exclama celle-ci avec un plaisir évident. Je sors boire un verre avec des amis. Tu te joins à nous ?

— Pas ce soir, Jen. Merci quand même, marmonna-t-elle en cherchant ses clés.

— Tu es de retour pour de bon ?

— Je ne sais pas trop. Peut-être.

Jen s'engouffra dans l'ascenseur, Shelby dans son appartement. Elle passa au salon et s'effondra sur le canapé.

Le Dr Harris Janssen. Mari de Lianna et médecin des Ridley. Jusqu'à ce soir, Shelby avait de lui une image flatteuse. Seule ombre au tableau : il avait volé à Rob sa première épouse, mais, en réalité, elle-même avait toujours, plus ou moins, imputé cet adultère à Lianna. Chloe, lorsqu'elle travaillait pour Harris Janssen, le vénérait.

Shelby ne doutait pas un instant que Harris ait soigné gratuitement Peggy à l'époque de son attaque. Chloe avait souvent mentionné que le Dr Janssen était charitable à l'égard de ses patients en situation précaire. Il avait soigné Peggy et s'occupait de Bud sans attendre de compensation. Un homme plein de bonté, assurément. Cependant, pour une raison mystérieuse, Chloe était devenue à ses yeux une menace ou un obstacle. Lorsqu'il avait cherché des solutions, avait-il estimé à un moment quelconque que les Ridley ne pourraient jamais s'acquitter de leur dette envers lui ? Quand il avait eu besoin d'un service incommensurable, monstrueux, s'était-il alors tourné vers Bud Ridley ?

« Pas si vite », se dit Shelby. Pourquoi diable Harris Janssen aurait-il voulu s'en prendre à Chloe ? Il avait été si gentil avec elle. Certes,

Chloe avait consulté le dossier médical de Lianna et déterré le secret de la filiation de Molly. Mais, chez les Janssen, nul ne paraissait bouleversé par cette révélation. Alors quoi ? Pour quelle raison Harris Janssen aurait-il chargé Bud Ridley d'assassiner Chloe ? Cette histoire était absurde.

Elle s'efforça pourtant de continuer à raisonner. Si Harris avait payé, qui d'autre pouvait être au courant ? Lianna, en supposant qu'elle tienne les cordons de la bourse. Deux billets pour une croisière représentent un sacré trou dans le budget mensuel. Par conséquent, Janssen avait sans doute réglé cette somme par l'intermédiaire de son cabinet médical. Alors qui était au courant ? Ses infirmières, les réceptionnistes ? Elle ne pouvait pas le leur demander.

Puis, tout à coup, elle s'aperçut qu'elle n'envisageait pas le problème sous le bon angle. Les transactions financières de Harris ne relevaient pas du secret d'État. Sa banque en avait connaissance. Les compagnies de cartes de crédit également. De même, évidemment, que la compagnie Sunset Cruise. Shelby n'avait qu'à endosser le rôle de l'une ou l'autre, et elle aurait sa réponse.

12

— OK, réexpliquez-moi ça, dit Rosellen.

Shelby approcha sa chaise du siège de son assistante. On était dimanche, sept heures du matin, et toutes deux se trouvaient dans le bureau de Rosellen aux magasins Markson. Elles avaient l'impression d'être seules dans l'immense building, pourtant des vendeuses et des étalagistes arrivaient déjà. Le magasin ouvrait à huit heures afin de griller la priorité aux concurrents. Le dimanche, pour la force de vente, était donc un jour comme les autres. Quand Shelby avait téléphoné à son assistante chez elle, la veille, pour lui demander d'être au bureau de bonne heure, Rosellen n'avait même pas posé de questions.

— D'accord. Cette ligne téléphonique est bien un numéro vert, n'est-ce pas ?

— Absolument.

— Bon… j'aimerais que vous appeliez mon portable depuis cette ligne.

— Mais pourquoi ?

— Je veux être sûre que l'identificateur d'appel n'enregistre que le numéro vert quand on utilise cette ligne.

Docile, Rosellen composa le numéro de l'iPhone de Shelby, lequel sonna. Shelby examina l'écran, opina.

— Parfait.

— Et maintenant, que dois-je faire ?

— Je vous suggère de vous en aller et de faire comme si vous ne m'aviez pas vue.

— Qu'est-ce que vous mijotez, Shelby ? Vous m'angoissez.

— Croyez-moi, je suis plus anxieuse que vous. Avec un peu de chance, je serai bientôt en mesure de vous donner des explications. Pour l'instant, j'ai juste besoin de ce numéro vert.

Rosellen se leva de son fauteuil.

— OK, j'ai confiance en vous. J'espère que les choses marcheront comme vous le souhaitez.

Campée sur le seuil du bureau, elle vérifia qu'il n'y avait personne dans le couloir, puis s'éclipsa en hâte. Shelby s'installa dans le fauteuil de son assistante et décrocha le combiné. Elle composa le numéro du domicile de Lianna et Harris Janssen, puis attendit, le cœur battant. Elle-même avait reçu ce genre d'appel une fois, le week-end à l'aube, alors qu'elle était à peine réveillée. Elle se souvenait d'avoir été désarçonnée et espérait bien produire cet effet-là sur Harris Janssen. La veille, elle avait inlassablement répété son speech, avec l'accent britannique. De toute façon, elle devait masquer sa voix.

— Allô ! bredouilla Lianna.

— Bonjour, je souhaiterais parler au Dr Janssen.

Shelby ne fut pas mécontente de son accent british, qui lui parut naturel.

— C'est pour toi, marmonna Lianna.

Du bruit à l'autre bout de la ligne, Harris qui grommelait :

— Dr Janssen à l'appareil.

— Bonjour, docteur. Je suis Kim Teller, je vous appelle à propos de votre carte de crédit.

— Nom d'une pipe, on est dimanche matin ! Vous n'avez pas de montre ? Épargnez-moi les tarifs spéciaux, etc., je ne suis pas intéressé.

Précisément la réaction que Shelby avait prévue.

— Ne raccrochez pas, s'il vous plaît, monsieur, rétorqua-t-elle posément. Il s'agit de sécurité. Je vous appelle au sujet d'une activité suspecte sur votre compte.

Elle sentit Harris hésitant.

— Quelle activité ? demanda Harris d'un ton moins acerbe.

— Eh bien, comme vous le savez peut-être, nous surveillons les transactions apparaissant sur les comptes de tous nos clients afin de pouvoir les alerter au cas où certaines opérations nous sembleraient inhabituelles. Nous prenons cette précaution pour tenter d'éviter l'usurpation d'identité bancaire qui, je ne vous apprends rien, tend à devenir un fléau.

— Oui, en effet.

— Docteur Janssen, vous avez récemment utilisé votre carte de crédit pour régler des dépenses de routine dans le secteur de Philadelphie. Une activité normale sur votre compte. Cependant, l'un de nos conseillers a remarqué que, durant la même période, une somme correspondant à une croisière pour deux personnes avait été versée à la compagnie Sunset Cruise. Comme il est impossible de se trouver au même moment en deux lieux différents, cela a déclenché le processus d'alerte.

Harris se tut. Un silence qui se prolongea.

La main de Shelby, crispée sur le combiné, était moite.

— Je m'empresse de préciser, docteur Janssen, dit-elle d'un ton apaisant, que nous cherchons seulement à préserver vos intérêts.

— Il n'y a rien d'anormal sur mon compte, déclara Harris d'un ton ferme.

— Vous êtes donc certain que toutes ces transactions sont fondées ?

— Tout va bien.

Shelby, après avoir raccroché, demeura longtemps recroquevillée dans le fauteuil de Rosellen, tremblant de tous ses membres. Harris Janssen avait commandité l'assassinat de sa fille. Elle se sentait terriblement vide et écœurée.

La veille, elle ne songeait qu'à révéler la machination dont Chloe avait été victime. Elle s'imaginait livrant l'information aux policiers. À présent, elle comprenait qu'elle ne pouvait tout bonnement pas foncer au commissariat le plus proche avec l'espoir de faire entendre sa petite histoire. Sa théorie se fondait sur une preuve plus que mince. Elle avait, d'un côté, un homme décédé qui avait menti à propos d'un voyage qu'il aurait prétendument gagné, de l'autre, un médecin respecté qu'elle avait berné en affirmant travailler pour une compagnie de cartes de crédit. Tout cela n'était que pure spéculation.

Elle avait l'impression d'avoir accompli tout ce périple pour rien. Elle avait traqué l'assassin de Chloe, et maintenant qu'elle connaissait son identité, elle se sentait totalement démunie. Elle n'avait personne pour partager sa conviction, personne qui occupait assez de place dans sa vie pour se soucier de ce qu'elle pensait. Elle n'éprouvait qu'un incommensurable abattement.

— Vous êtes matinale.

Perdue dans ses réflexions, Shelby n'avait pas entendu Elliott Markson entrer. Elle le regarda d'un air coupable.

— Monsieur Markson, je ne pensais pas vous voir ici un dimanche matin.

— Je ne dors pas très bien, et j'ai beaucoup de temps libre. Au moins, quand je viens au magasin, j'ai l'impression d'avoir utilement passé ma journée.

— Je comprends ce que vous voulez dire.

Markson, élégamment vêtu d'un costume hors de prix, l'observait, le sourcil en accent circonflexe, détaillant son débardeur et sa veste de survêtement gris acier.

— Vous choisissez un moment bizarre pour reprendre le travail.

Shelby cherchait une justification quand, brusquement, ce fut au-dessus de ses forces. Elle avait envie de dire la vérité, même si elle savait où cela la conduirait. Son patron, entendant son histoire, en déduirait qu'elle perdait la boule.

— Non, je ne suis pas là pour travailler.

— Dans ce cas, que faites-vous ici ? demanda Elliott Markson en croisant les bras.

Shelby poussa un soupir. À court de mensonges, elle opta pour la franchise. S'il la virait, eh bien tant pis.

— Vous savez que ma fille a disparu lors d'une croisière. Depuis le drame, j'ai acquis la conviction qu'elle a été assassinée. J'essaie de le prouver. J'ai concocté un plan pour tenter de piéger l'homme que je soupçonne. Il me fallait avoir accès à un numéro vert, donc je suis passée par celui d'ici.

Elle s'attendait à de la colère, mais il l'observait sans acrimonie.

— Ça a marché ? interrogea-t-il.

Shelby posa une main sur le téléphone.

— Eh bien… oui, en un sens, ça a marché. Je suis plus convaincue que jamais d'avoir raison.

— Qu'allez-vous faire ?

Cette question prosaïque la dérouta. Elle y réfléchit un instant,
puis :

— Contacter le FBI, dit-elle. Ils ont participé à l'enquête initiale.

— Je peux peut-être vous aider. Je connais quelqu'un du FBI, ici
à Philly. Si vous voulez, je n'ai qu'à l'appeler.

— Ce serait formidable. Avoir un interlocuteur à qui m'adresser
me serait d'un grand secours.

— Je lui téléphonerai demain, à son bureau. Je vous mettrai en
relation avec lui.

— Vous n'imaginez pas à quel point je vous suis reconnaissante,
dit-elle.

— Heureux de pouvoir vous rendre service.

Il pivota pour quitter la pièce, se retourna sur le pas de la porte.

— Nous souhaitons vivement que vous repreniez votre place
parmi nous.

SHELBY pénétra dans le parking au sous-sol de son immeuble.
Comment supporter d'attendre encore vingt-quatre heures avant de
parler au contact de Markson au FBI ? Elle devrait pourtant prendre
son mal en patience. C'était sa meilleure chance d'obtenir une aide
réelle, efficace.

Elle jeta un coup d'œil à la pendule du tableau de bord. À peine
huit heures trente. Soudain, elle se rendit compte qu'elle avait une
faim de loup. Pourvu qu'elle ait encore quelques denrées comestibles
dans son réfrigérateur ou ses placards de cuisine. Après une si longue
absence, elle n'avait pas eu le temps de racheter des victuailles. Jen et
elle avaient vaguement envisagé un déjeuner dominical, mais elle était
trop affamée pour attendre. « Je trouverai bien quelque chose à grignoter, » se dit-elle.

Elle sortit de la voiture, verrouilla les portières. Elle allait se diriger
vers les ascenseurs quand elle sentit un objet dur dans son dos.

— Ne criez pas, ordonna Harris Janssen.

Shelby sursauta si violemment que les clés lui échappèrent et tombèrent sur le sol en béton.

— Qu'est-ce que…

— C'est un pistolet. Ne m'obligez pas à m'en servir. Venez avec moi.

— Qu'est-ce que vous fabriquez ?

— Non, pas de comédie, chuchota-t-il.

— Harris, il doit y avoir un malentendu, hasarda-t-elle.

— Du tout. Vous m'avez pris au dépourvu, ce matin, je l'avoue. Quand vous avez mentionné ces deux billets de croisière, j'ai été désarçonné. Mais même avec un numéro vert, figurez-vous, on peut tracer l'origine de l'appel. Je suis tombé sur les magasins Markson. Et maintenant, vous venez avec moi.

Lui enfonçant son arme au creux des reins, Harris la contraignit à se diriger vers la voiture stationnée dans un espace réservé aux visiteurs. Il appuya sur sa clé télécommandée, le coffre s'ouvrit.

— Non !

Il la poussa brutalement à l'intérieur. Elle se cogna la tête, porta la main à son crâne douloureux. Janssen la saisit par la ceinture de son pantalon de survêtement, qu'il lui baissa sur les hanches. Il extirpa quelque chose de la poche intérieure de sa veste. Elle sentit une aiguille se planter dans sa chair dénudée, puis tout devint noir.

VIVIAN KENDRICK, avec précaution, releva le repose-pied du fauteuil de son fils. Rob, quand ses chaussons y trouvèrent leur place, tressaillit.

— Ça va, comme ça ?

— Oui, beaucoup mieux.

Jeremy entreprit aussitôt de grimper sur le fauteuil paternel.

— Non, Jeremy, reste tranquille, lui dit Vivian. Ton papa a trop mal.

La déception se peignit sur le visage du garçon.

— Allez viens, champion, dit Rob. Tu peux t'asseoir à côté de moi. Mais pas sur mes genoux. Pas encore.

Jeremy se tortilla, en faisant bien attention, pour se caser auprès de Rob. Celui-ci s'efforça de dissimuler la douleur qui lui vrillait les côtes. Il entoura de son bras les épaules de son fils.

— D'accord, vous deux, mais pas de cabrioles.

— On va juste regarder un film. OK ?

Les yeux de Jeremy s'arrondirent.

— OK. *Pirates des Caraïbes ?*

— J'aurais parié que tu choisirais celui-là. C'est fou, hein ?

— Je vais le chercher, chantonna l'enfant qui descendit du fauteuil et se mit à farfouiller dans les DVD rangés sur une étagère près du téléviseur.

— D'accord. Je vais mettre la table. Nous déjeunerons dès que papy reviendra de l'église.

Jeremy glissa un DVD dans le lecteur et tripota la télécommande.

La sonnette retentit.

— Tu peux aller ouvrir, mon grand ? Je ne suis pas en état.

— D'accord ! répondit Jeremy, enchanté.

Il se rua vers la porte. Vivian, qui avait entendu la sonnette, émergeait de la cuisine en s'essuyant les mains, lorsque Jeremy introduisit deux hommes au salon.

— Des flics, chuchota-t-il à son père.

— Inspecteur Ortega, déclara le brun. Voici mon coéquipier, l'inspecteur McMillen.

Rob les salua d'un hochement de tête.

— Vous venez au sujet de mon accident ?

Les deux visiteurs échangèrent un regard perplexe.

— Non, nous n'étions pas au courant. Nous sommes là à cause d'un homme qu'on a retrouvé assassiné, voici quelques jours.

— Assassiné ! s'exclama Vivian.

— Asseyez-vous, messieurs. Jeremy, si tu montais jouer un moment dans ta chambre ? Nous regarderons le film quand ces messieurs seront partis.

L'inspecteur Ortega attendit que le petit ait disparu en haut des marches pour poursuivre :

— En fait, je crois qu'on s'est déjà rencontrés. Nous sommes venus par ici, un soir, vous rentriez de voyage. On cherchait des renseignements sur un type qui avait chopé une contravention dans votre rue. Un détenu évadé, un dénommé Norman Cook.

— Ah ! oui… Je me souviens.

— Il y a quelques jours, son cadavre a été découvert. Il flottait dans la Schuylkill. On lui a collé deux balles dans la tête et on l'a jeté à la flotte.

— En quoi suis-je concerné ? s'étonna Rob.

— Il se trouve que ce Norman Cook s'était garé dans votre rue parce qu'il cherchait votre femme. Elle est là ? On aimerait lui parler.

— Mais… non, elle… elle est morte.

— Vraiment ? Quand ? interrogea Ortega.

— Pendant ce voyage que vous avez mentionné. Nous étions en croisière. Elle est tombée à la mer.

— Ah oui, il me semble que j'en ai entendu parler, dit McMillen. L'inspecteur Ortega feuilletait son carnet.

— Et elle ne vous a jamais dit que ce Norman Cook était dans les parages ?

— Elle ne m'en a jamais rien dit. Pourquoi un ex-détenu aurait-il cherché mon épouse ?

— Apparemment, il est allé à la bibliothèque et a demandé à la bibliothécaire de l'aider. En prison, il n'avait pas accès à Internet. La bibliothécaire s'est souvenue de lui parce que ce n'était pas habituel – un type de cet âge qui ne savait pas utiliser Google. Quand on a récupéré son cadavre dans la rivière, elle a reconnu sa tête à la télé et nous a contactés. Vous vous appelez bien Kendrick, n'est-ce pas ?

— Oui, mais… je ne comprends pas pourquoi Chloe ne me l'aurait pas dit. Si elle avait rencontré cet homme…

— Qui est Chloe ? demanda l'inspecteur Ortega.

— Mais… ma femme.

Ortega lut ce qui était noté dans son carnet.

— Votre épouse n'est pas Lianna Kendrick ?

— Lianna est mon ex-femme.

— Ce type cherchait Lianna Kendrick. Or elle habitait à cette adresse.

— Oui, quand nous étions mariés. Maintenant elle est remariée. Elle vit à Gladwyne.

— J'ai l'impression que notre bonhomme s'est pointé ici et qu'il n'est pas tombé sur la dame qu'il cherchait.

— Je ne vois pas du tout pourquoi elle me l'aurait caché.

L'inspecteur Ortega dévisagea Rob.

— Je ne sais pas. Mais d'après le ticket de stationnement, je dirais qu'ils ont pris le temps de discuter.

— COMBIEN de temps comptes-tu rester, cette fois ? demanda Talia qui rangeait les provisions dans la cuisine.

Glen rompit avec les doigts un morceau du gâteau au café qu'Olga, l'un des anges gardiens d'Estelle, avait laissé sur le plan de travail.

— Un peu plus longtemps.

— Il te faudra faire tes propres courses. Je rentre du marché et je n'ai pas assez de provisions pour toi.

— Oh! on s'arrangera, dit Glen. Je te ferai même la cuisine. Je te préparerai mes spécialités. On invitera Shelby.

— Elle ne viendra pas. Elle est furieuse contre moi. J'ai refusé de faire un truc qu'elle me demandait.

— Quoi donc?

— Oh! ça ne vaut pas la peine d'en parler, répondit Talia d'un ton las. Elle s'acharne à trouver le coupable de la mort de sa fille. Elle s'est mis dans la tête qu'un certain individu…

— Quel individu?

— Je n'en sais rien, moi! Seulement elle voulait que je m'introduise dans le compte bancaire de ce type. Jamais je ne ferais une chose pareille, évidemment. Je perdrais mon poste.

— Ah! marmonna Glen. Ça paraît sérieux. De qui s'agit-il?

— Un médecin, je crois.

— Je vais appeler Shelby et l'inviter. J'ai envie qu'elle me raconte sa petite histoire. Tu ne te rappelles pas qui c'était le type que Shelby avait dans le collimateur?

— Non, je n'ai pas fait attention. Bon, je dois monter voir maman.

Talia quitta la cuisine. Glen s'assit, pensif. Puis il décrocha le téléphone mural, parcourut la liste de numéros punaisée près de l'appareil. Les coordonnées de Shelby y étaient notées – son téléphone fixe et son portable. Glen composa le premier, puis le second. Il tomba chaque fois sur le répondeur.

— Shelby, c'est Glen. Je suis chez Estelle. Rappelle-moi.

SHELBY s'éveilla couchée sur le dos, la figure baignée d'une vive lumière, sans savoir où elle se trouvait. Le vide. Elle tenta de bouger les bras, se rendit compte qu'elle était immobilisée sur une espèce de table. Alors elle se souvint. Harris Janssen. La piqûre qui l'avait mise KO. Combien de temps était-elle restée inconsciente? Elle n'en avait pas la moindre idée. Et elle ignorait où il l'avait emmenée. Elle voulut crier, mais un mouchoir noué derrière sa tête la bâillonnait. Elle cligna les paupières, découvrit, sur un mur beige, une peinture aux tons pastel représentant une scène de bord de mer. Tournant les yeux de l'autre côté, elle vit un comptoir, des placards. Sur le comptoir, des seringues, des portoirs pour tubes à essai, un manchon de tensiomètre sur une potence métallique.

— Ah! vous êtes réveillée.

Harris s'approcha, se pencha sur elle. Il la dévisagea d'un air contrit.

— Je vous prie de me croire, Shelby : je n'ai jamais voulu tout ça.

Elle essaya de répondre, mais à cause du bâillon n'émit que des grognements.

— Tournez la tête, lui dit-il.

Inquiète, elle obéit. Harris dénoua le mouchoir.

Shelby se mit à hurler. Ou plutôt tenta de hurler. Car seul un pauvre cri étranglé sortit de sa bouche.

— Ne vous fatiguez pas. Nous sommes seuls. Personne ne vous entendra.

Shelby passa sur ses lèvres le bout de sa langue, bien trop sèche pour humecter la fine peau craquelée. Harris disparut de son champ de vision, elle entendit de l'eau couler. Il revint un instant après et lui tamponna la bouche avec ce qui ressemblait à un gros Coton-Tige.

Elle allait le remercier, prit conscience que ce serait grotesque.

— C'est votre cabinet? demanda-t-elle.

— Oui, nous sommes dans ma salle d'auscultation. Le cabinet est fermé le dimanche, il n'y a pas un chat dans l'immeuble.

— Comment m'avez-vous amenée ici? Quelqu'un vous a forcément repéré.

— Il y a un ascenseur de service à l'arrière du bâtiment. Cela n'a présenté aucune difficulté. Écoutez, je vais être honnête : je ne sais pas ce que je vais faire de vous. Après votre coup de fil, j'ai compris qu'il me fallait agir vite. Là, j'ai besoin d'un peu de temps pour réfléchir. Je n'avais pas d'autre endroit où vous emmener.

Shelby en eut la nausée : elle l'avait très malencontreusement prévenu qu'elle le soupçonnait. Tant d'efforts, pour aboutir à ça.

Harris tripota une manette, et Shelby sentit, stupéfaite, une moitié de la table se soulever. Elle se retrouva assise, quoique toujours ligotée.

— Voilà, dit-il en s'installant sur une chaise pivotante. C'est plus pratique pour discuter. Je ne veux pas vous faire de mal. Je ne voulais pas non plus de mal à Chloe. Vous devez me croire. La machine s'est emballée, je ne contrôle plus rien.

Shelby fixa sur lui un regard mauvais.

— Ma fille vous portait aux nues. Elle vous admirait tellement ! Il baissa le nez.

— Comment avez-vous pu ? Vous avez commandité son meurtre.

Son visage se crispa, comme s'il souffrait.

— Comment l'avez-vous découvert ?

Shelby n'était pas disposée à satisfaire sa curiosité. Du moins pas avant qu'il ait répondu à ses questions.

— Pourquoi avez-vous fait assassiner ma fille ?

— S'il ne s'était agi que de moi, je n'aurais pas fait de mal à Chloe, jamais. C'était une fille adorable. Je l'aimais beaucoup. Malheureusement, elle a toujours été un peu jalouse de Lianna. Et plutôt vindicative, pour être franc.

— Vous l'avez tuée parce qu'elle jalousait Lianna ?

— Non, évidemment que non. À ce propos, juste pour mettre les points sur les *i*, vous avez tiré des conclusions hâtives en présumant que votre fille avait fouiné dans le dossier médical de Lianna et ainsi découvert la vérité concernant la filiation de Molly. Jamais Chloe n'aurait commis une pareille indiscrétion. Elle était bien trop consciencieuse pour ça. Vous devriez le savoir.

— Mais pourquoi a-t-il fallu que…

Shelby s'interrompit, les larmes ruisselant sur ses joues.

Il était là, assis sur sa chaise pivotante, le sourcil froncé. Il avait tout du médecin qui, plein de sollicitude, cherche les mots justes pour révéler à une patiente un terrible diagnostic.

— Voici quelques semaines, un dénommé Norman Cook a débarqué chez Chloe et Rob. Ce type était le père de Molly. Il venait voir Lianna, et malheureusement, il a trouvé Chloe, qui n'a été que trop contente d'écouter sa petite histoire. Imaginez sa stupéfaction : Molly n'est pas l'enfant de Rob ! Enfin elle détenait contre Lianna une information capitale. Chloe a donné notre adresse à Norman Cook. Elle lui a expliqué que Lianna avait quitté Rob pour m'épouser. Après le départ de ce type, elle a commencé à s'inquiéter. Elle est venue ici pour en discuter avec moi.

Décontenancée, Shelby secoua la tête.

— Je ne saisis pas. Savoir qui était le vrai père de Molly ne paraissait pas vous intéresser plus que ça, ni les uns ni les autres. Pourquoi fallait-il que Chloe meure, uniquement parce qu'elle était au courant ?

— Parce que, au moment où Chloe est venue me voir, Norman

Cook était déjà mort, répondit-il avec un nouveau soupir. Je l'avais tué.

— Vous... ô mon Dieu!

— Chloe ignorait une chose, que Norman Cook ne lui avait pas révélée : il s'était évadé de prison une semaine auparavant. Il avait été condamné à perpète pour avoir tué deux personnes dans une boutique. Un client et un employé, étudiant en médecine – un jeune Indien nanti d'une femme et d'un bébé. Tragique. Les flics savaient qu'il avait un complice, mais il ne leur a jamais donné son nom. Ils pensaient que c'était un homme. En réalité, c'était Lianna. Cook savait que Lianna attendait un enfant de lui, par conséquent il a endossé toute la responsabilité et gardé le silence. Je suis certain que Lianna n'a joué aucun rôle dans ce double meurtre. Elle est bien trop douce. Mais elle était là. Elle s'est enfuie...

» Bref, après l'arrestation de Cook, Lianna a épousé Rob. Elle a dit à Norman qu'elle se mariait seulement pour avoir quelqu'un qui l'aide à élever le bébé. Il n'était pas très content, mais il a encaissé le coup. Ensuite elle a cessé de lui écrire, et là, il a commencé à ruminer. Quand il est arrivé à Philly et que Chloe lui a révélé que Lianna s'était remariée, qu'elle était de nouveau enceinte, il a pété les plombs. Il s'est précipité chez nous. À ce moment-là, j'étais seul à la maison. Il m'a déclaré qu'il allait dénoncer Lianna, sa complice. Retourner en prison ne le dérangeait pas. Ça valait même le coup puisqu'elle aussi serait emprisonnée et en baverait.

» J'ai essayé de le raisonner. Je lui ai offert tout ce qu'il voulait. Une voiture, de l'argent, du temps pour s'en aller très loin, mais il s'en fichait. Il ne désirait plus qu'une chose : se venger. Il voulait que Lianna paie. Je ne pouvais pas le laisser faire. »

— Vous l'avez tué?

— Il avait une arme. Je m'en suis servi contre lui. Ensuite j'ai balancé son corps dans la Schuylkill. Chloe était la seule à savoir qu'il était venu à la maison. C'est elle qui l'avait envoyé chez nous. Naturellement, elle brûlait de parler à Rob du vrai père de Molly, mais elle préférait attendre leur retour de croisière. Je me revois l'écouter me dire tout ça, et penser que je devais réagir rapidement.

Shelby ferma les yeux.

— Seigneur...

— J'ai décidé de m'organiser pour que Chloe ait un accident

pendant la croisière, poursuivit-il avec tristesse. J'envisageais d'engager un tueur, mais comment m'y prendre ? Je l'ignorais. Or il se trouve que je soignais Bud Ridley, lequel me répétait sans cesse que jamais il ne pourrait me dédommager. Cela m'a donné une idée : je lui ai raconté que Chloe me faisait chanter. Je lui ai remis deux billets pour la croisière et lui ai demandé de régler ça pour moi. Il n'avait pas le choix, il en était conscient.

— Il aurait pu alerter la police, objecta amèrement Shelby.

— Il ne m'aurait pas trahi, il était trop digne.

— Ah oui, vous parlez d'une dignité ! Il a tué une jeune femme innocente qu'il ne connaissait même pas.

— Je lui avais recommandé de faire sa connaissance à bord du paquebot, de trouver un moyen de l'aborder. Peggy l'a aidé, à son insu, bien sûr. Elle est de ces personnes qui se lient facilement. Bref, cette nuit-là, quand les Ridley et un autre couple eurent reconduit Chloe à sa cabine, il a glissé un bout de plastique entre le chambranle et la serrure pour empêcher la porte de se bloquer. Je lui avais donné de quoi la droguer. Quand il est revenu dans la cabine, Chloe était groggy, grâce à ce qu'il avait mis dans son verre pendant la partie de bingo. Il l'a poussée par-dessus la balustrade du balcon. Elle ne s'est rendu compte de rien.

Les larmes ruisselaient sur le visage de Shelby.

— Vous savez ce que Bud a écrit dans son mot d'adieu avant de se suicider ? Il a écrit qu'il ne pouvait plus se regarder dans une glace, cracha Shelby. À cause de ce qu'il avait fait pour vous.

— Vous ne me croyez pas, bien sûr, mais je suis infiniment navré pour Chloe. Et pour Bud. Avant, j'étais un homme bien. Quand on a mis le doigt dans cet engrenage... Comment êtes-vous remontée jusqu'à moi ?

— J'ai découvert ce qui vous reliait à Bud Ridley. Nous avons une connaissance commune. Et j'ai eu de la chance.

— Je vous félicite, Shelby. Vous êtes très déterminée.

Shelby était sidérée par le calme qu'il affichait, malgré l'atmosphère électrique de la pièce. Il lui avait livré ses secrets. La garder en vie représentait pour lui un risque vital. Elle devait tenter de se sauver. Aussi, malgré un désir viscéral de lui crier son mépris, elle s'efforça de conserver un ton mesuré.

— Vous savez, il n'y a aucune raison d'aggraver encore la situation. N'importe qui comprendrait ce qui s'est passé avec Norman Cook. Sans doute étiez-vous en état de légitime défense.

— Je n'ai pas pensé une fraction de seconde que j'allais le tuer, acquiesça-t-il. D'ailleurs, je l'ai fait avec son arme. Moi, je n'en possède même pas.

Il tourna les yeux vers le pistolet posé sur le chariot métallique.

— Mais j'ai toujours son pistolet, évidemment.

— Vous comprenez ce que je vous dis, insista Shelby. Vous n'irez peut-être pas en prison à cause de ce type. N'importe qui, à votre place, aurait probablement agi comme vous.

— Et Chloe ?

Elle ne put empêcher sa voix de trembler.

— Je reconnais que je tenais absolument à savoir ce qui lui était arrivé. Mais rien de ce que nous dirons ou ferons ne la ramènera.

— Malheureusement non.

— Pareil pour Bud. Il s'est suicidé et, croyez-moi, il vaut mieux que sa famille n'apprenne pas pourquoi.

— Vous n'avez pas tort sur ce point. Mais cela ne change rien aux faits.

— Vous ne vous en sortirez pas ! s'écria soudain Shelby. Des gens savent que je vous suspectais. Des collègues des magasins Markson le savent. Ma sœur le sait. Bientôt, on se mettra à ma recherche. Si vous me libérez maintenant, je n'aggraverai pas votre situation.

Shelby bluffait. Elle n'avait dit à personne, hormis à Talia, sur qui se portaient ses soupçons. Or Talia n'écoutait jamais ce qu'on lui racontait. Mais ça, Janssen l'ignorait.

Il secoua la tête.

— Si nous n'êtes plus en vie pour leur expliquer ce qu'il est advenu, je réussirai peut-être à tirer mon épingle du jeu. Je suis respecté, je suis médecin. Si je vais en prison, je perdrai tout. Ma vie avec Lianna, le bébé… Tout le monde pense, figurez-vous, que Lianna m'a épousé parce que je suis financièrement à l'aise, mais nous avons eu le coup de foudre, tout simplement. Et nous allons bientôt avoir un enfant. Cela change un homme. Je suis prêt à tout pour préserver l'existence que je mène avec elle. Avez-vous aimé quelqu'un à ce point-là ?

— Ma fille, répondit-elle après une hésitation.

— C'est ce que je pensais. Voilà pourquoi je me sentais obligé de tout vous dire. Que vous connaissiez la vérité me semblait juste. Mais vous ne lâcherez jamais prise. Vous ne permettrez pas qu'on m'accorde des circonstances atténuantes. Après tout, je suis responsable de la mort de Chloe.

— Vous devez me croire, objecta-t-elle.

— Non, hélas.

Il saisit une seringue sur la table roulante.

— Mais je vous le promets, vous aurez simplement l'impression de vous endormir.

13

LEX ORTEGA baissa les yeux sur l'adolescente disgracieuse qui avait ouvert la porte.

— Molly?

— Oui, répondit-elle, surprise.

— Ta mère est là?

— Oui.

— Tu peux aller la chercher?

Elle acquiesça, disparut pour revenir presque aussitôt.

— Elle arrive dans une minute.

— Molly, tu devrais peut-être rejoindre la voiture de patrouille, là-bas. Il y a quelqu'un qui veut te voir.

— Qui ça? demanda-t-elle, suspicieuse.

— Ton père. Il n'est pas en pleine forme, mais il est venu quand même.

— Vraiment?

Molly s'élança, juste à la seconde où Lianna se campait sur le seuil de la demeure. Elle vit sa fille passer la tête à l'intérieur de la voiture de police.

— Hé! mais qu'est-ce que… Molly!

Celle-ci se redressa, fit un signe à sa mère.

— C'est papa.

Rob observait Lianna, sans sourire. Il la salua de la main.

— Qu'est-ce que mon ex fait ici? demanda-t-elle, nerveuse.

— Puis-je entrer? rétorqua l'inspecteur Ortega. J'ai quelques questions à vous poser.

Lianna s'écarta pour laisser passer le policier, qu'elle guida jusqu'au solarium. Elle s'assit pesamment dans un fauteuil en osier, lui désigna son vis-à-vis.

— Que se passe-t-il?

— Madame Janssen… connaissez-vous un dénommé Norman Cook?

Lianna pâlit.

— Pourquoi me parlez-vous de Norman Cook?

— Madame Janssen…, articula Ortega d'un ton poli mais ferme.

— Oui. Oui, je l'ai connu il y a des années. Une éternité.

— Quand l'avez-vous rencontré pour la dernière fois?

— Il y a très longtemps. Il est en prison. Il a été condamné à perpétuité.

— Avez-vous eu des nouvelles de lui récemment?

— Non, pourquoi?

L'inspecteur Ortega la dévisagea.

— Quelle était la nature de votre relation avec Norman Cook?

— Bon, d'accord, soupira Lianna. J'ai eu une liaison avec lui. Il y a longtemps de ça. C'était une tête brûlée; j'étais jeune et très naïve. Je faisais tout ce qu'il me disait de faire. Quand je l'ai rencontré, j'aurais mieux fait de me casser une jambe. Aujourd'hui, je ne suis plus la même personne.

— Il a échappé à la surveillance des gardiens alors qu'il travaillait à l'extérieur. Vous étiez au courant?

— Norman s'est évadé? s'exclama-t-elle.

— Oui. Cette nouvelle ne paraît pas vous enchanter.

— Bien sûr que non. Je ne veux pas que Norman cherche à me retrouver. Moi ou quiconque.

— Il va essayer, selon vous?

— Je ne sais pas. J'ai cessé de répondre à ses lettres depuis des années.

— Madame Janssen, nous avons des raisons de croire que Norman Cook, effectivement, est venu ici il y a quelques semaines. Il s'est d'abord rendu chez votre ex-mari, où Chloe Kendrick lui a indiqué votre adresse actuelle.

Lianna écarquilla les yeux.

— Attendez… Elle a parlé à Norman? Ô mon Dieu! C'est lui qui le lui a dit?

— J'ai du mal à vous suivre, coupa l'inspecteur Ortega.

Elle se leva et referma la porte du solarium.

— Écoutez, à l'époque où je fréquentais Norman Cook, je n'étais qu'une gamine. D'accord ? J'étais très jeune et je suis tombée enceinte. Là-dessus, j'ai découvert qu'il était toujours marié avec une autre. Seulement, j'avais peur de lui. Il était terriblement violent. Il a tué deux hommes qui ne lui avaient absolument rien fait, à part se trouver en travers de son chemin. Quand on l'a jeté en prison, j'ai respiré.

— Qu'est-il advenu de votre enfant ?

— Vous l'avez vue tout à l'heure. Ma fille, Molly. Elle ignore les horreurs qu'a commises son père, et je ne tiens pas à ce qu'elle en soit informée.

— Avez-vous vu Norman Cook lorsqu'il est venu ici ?

— Non. Pourquoi cette question ? Quelle importance que j'aie ou non rencontré Norman Cook ?

— Il a été abattu. On a repêché son cadavre dans la Schuylkill.

— Quoi ? s'écria Lianna, bondissant sur ses pieds.

« Si elle feint la stupéfaction, pensa Ortega, elle a l'étoffe d'une star de cinéma. »

— Avez-vous des informations sur sa mort ?

— Est-ce que j'ai…, bredouilla Lianna, le souffle court. Non. Qui l'a descendu ?

— Eh bien, répliqua l'inspecteur Ortega, je me demandais si ce n'était pas vous.

Lianna devint brusquement livide, son regard se brouilla. Ortega se précipita pour la soutenir… trop tard. Elle s'effondra lourdement sur le sol.

SHELBY ouvrit les paupières. Elle était dans le noir, couchée sur le flanc en position fœtale. Il lui semblait avoir un marteau-piqueur dans la tête. Elle était bâillonnée, pieds et poings liés. Elle essaya de se redresser – impossible. Elle se trouvait dans un espace exigu. Et elle n'entendait qu'un ronflement.

Un bruit de moteur.

Elle écarquilla les yeux. Son esprit fonctionnait encore au ralenti, mais l'adrénaline montait en elle. La mémoire lui revenait. Il s'était approché avec une seringue. Puis plus rien. Il l'avait donc sortie de son cabinet, et maintenant elle était dans le coffre de sa voiture. Où l'emmenait-il? Elle l'ignorait, mais savait qu'il veillerait à ce que ce soit pour elle le terminus du voyage.

Elle songea à son ravisseur. Lorsque Chloe travaillait pour lui, Harris Janssen était un homme assez exceptionnel. À quel moment une personnalité se fissure-t-elle sous la poussée du désir? La faille s'était-elle ouverte lorsque Lianna, sa patiente, plongeait dans le sien un regard admiratif? Avait-il alors décidé de la souffler à son mari? Ou bien lorsqu'il avait appris que Lianna portait son fils? Quelle importance, d'ailleurs? Désormais il n'avait ni foi ni loi, et Shelby était sa prisonnière.

« Non, se dit-elle. Ne renonce pas si vite. Tout n'est pas fini, tu dois te battre. » Elle tenta de libérer ses poignets, tirant frénétiquement sur ses liens. « Dis-toi que tu fais ta gymnastique. Écarte les mains et les chevilles au maximum, garde la position le plus longtemps possible. Où m'emmène-t-il? Personne ne s'inquiétera de mon absence. Je vais disparaître, et nul ne s'en souciera. » Son cœur s'affola une fois de plus, elle s'obligea à chasser ces idées de son esprit.

La voiture roulait toujours.

— Sans doute qu'elle est allée faire un tour, dit Talia.

Glen hocha la tête.

— Non, je ne crois pas.

Il se pencha et inséra la clé dans la serrure de l'appartement de Shelby. La porte s'ouvrit.

— Shelby! appela-t-il.

Pas de réponse.

Talia le suivit dans le vestibule. Glen se dirigea vers la cuisine, cherchant un petit mot, un indice.

— Elle est adulte, elle n'est pas obligée de nous informer de ses allées et venues, grogna Talia.

— Écoute, rétorqua Glen, elle ne répond pas au téléphone, elle n'est pas chez elle, et elle n'a pas pris sa voiture. Et ça, hein? dit-il, agitant un porte-clés découvert dans le parking, près de la portière avant de la Honda de Shelby. Sa clé de voiture, et celle de l'appartement. Tu penses qu'elle les a jetées par terre et qu'elle est tranquillement partie?

— Ces clés ont dû tomber de son sac, ronchonna Talia.

— Non, il se passe quelque chose.

Abandonnant la cuisine, Glen s'attaqua au bureau de Shelby dans le salon. Il s'assit dans le fauteuil en cuir et acier, fouilla dans les papiers posés sur la table en verre.

— Ça ne sert à rien. De toute façon, je dois retourner auprès de maman.

— Non! lança sèchement Glen. Estelle va bien. Que tu sois là ou pas, elle ne s'en rend pas compte. Elle n'a pas besoin de toi, contrairement à ta sœur. Assieds-toi. Si tu n'es pas fichue de te rendre utile, tiens-toi tranquille.

Soupirant, Talia se laissa tomber dans un fauteuil.

— Mais qu'est-ce que tu cherches?

— Je n'en sais rien. Un truc qui m'indique où elle est allée.

Soudain, on frappa à la porte, une voix s'éleva :

— Shelby?

Glen et sa sœur échangèrent un coup d'œil surpris. Glen se leva et alla ouvrir. Une jeune femme aux cheveux châtains mi-longs se tenait sur le seuil.

— Qui êtes-vous? interrogea-t-elle. Où est Shelby?

— Je suis son frère. Et vous, qui êtes-vous?

— Jen, sa voisine de palier. J'ai entendu du bruit chez elle. Je l'attends, nous avions prévu de déjeuner ensemble quand elle reviendrait des magasins Markson.

— Qu'est-ce qu'elle fabriquait là-bas? demanda-t-il à Jen. Elle ne travaille pas depuis des semaines.

— Je ne sais pas. Elle avait élaboré une espèce de plan, en rapport, me semble-t-il, avec ce qui est arrivé à Chloe. Elle m'a dit qu'elle me raconterait tout si ça marchait.

Glen se tourna vers Talia, qui écoutait sans ciller.

— Ah! tu vois! Il y a un problème.

— Comment ça? s'inquiéta Jen.

— Entrez donc.

Jen obéit, circonspecte.

— Voici mon autre sœur, Talia. Je l'ai obligée à m'amener ici parce que Shelby est injoignable. J'ai trouvé ses clés dans le parking, sur le sol, près de sa voiture.

— Ce n'est pas normal.

— C'est exactement mon avis, affirma Glen, décochant un regard noir à Talia.

— Que lui est-il arrivé, d'après vous ?

— Elle a dit à Talia qu'elle soupçonnait un médecin. Elle vous en a parlé, de ce docteur ? Qui aurait eu un lien avec Chloe ?

— Elle travaillait pour un gynécologue-obstétricien, le Dr Cliburn.

— Le Dr Cliburn, ça te rappelle quelque chose ? demanda Glen à Talia.

— Non. D'ailleurs, ajouta-t-elle, dédaigneuse, pourquoi un obstétricien soignerait les parents de Faith ? Ils sont vieux.

Tout à coup, les yeux de Talia s'éclairèrent.

— La maladie de Lou Gehrig, déclara-t-elle. Sclérose latérale amyotrophique. Au stade terminal, le système neuromusculaire ne fonctionne plus.

— Bravo, Talia. Donc le médecin serait un…

Glen s'interrompit, cherchant ses mots. Il évitait tout ce qui avait trait à la maladie.

— Neurologue, répondit Jen.

— D'accord, approuva Glen. On avance. Il nous faut la liste des neurologues du coin. Ils ne doivent pas être très nombreux, ce sont des spécialistes.

— Ne vous embêtez pas avec ça, déclara Talia. Janssen. Ça me revient. Il s'appelle Janssen.

COMBIEN de temps lui fallut-il ? Elle n'aurait su le dire, mais elle mobilisa toute sa patience et sa détermination. Finalement, elle réussit à dégager une de ses mains. Aussitôt, elle arracha le sparadrap qui la bâillonnait. Puis elle libéra ses chevilles, roula sur le dos et, un instant, savoura l'extraordinaire plaisir de n'être plus ligotée dans une position inconfortable.

Pas question cependant de mollir. Elle était toujours prisonnière. Elle devait maintenant s'extirper de ce coffre de voiture. Elle songea d'abord à tambouriner sur le capot arrière, pour attirer l'attention. Mais nul ne l'entendrait, hormis Harris, qui en déduirait qu'elle s'était détachée.

Elle souleva de nouveau la moquette pour explorer le bas du coffre. Elle repéra que des câbles gainés couraient de la paroi arrière vers les ailes de la voiture. Vers les feux arrière. Les feux de recul. De stop.

Alors la solution lui apparut. Elle n'avait plus qu'à espérer que quelqu'un remarquerait son manège. Elle glissa les mains sous les gaines et, de toutes ses forces, tira.

— REGARDE-MOI cette armée de flics, marmonna Glen, mal à l'aise. Je me demande ce qu'ils fabriquent là, tous.

Talia s'arrêta devant la résidence des Janssen à Gladwyne.

— Ça, je n'en sais rien, dit-elle.

— Il faut que j'aille voir, tu crois?

— Si tu veux, mais moi je reste là.

Glen descendit de la voiture et, au petit trot, s'approcha de la maison. Deux policiers montaient la garde sur le perron.

— Qu'est-ce qui se passe? les questionna Glen.

— Circulez, monsieur. Il n'y a rien à voir.

Les poulets. Ils le regardaient toujours de haut. Comme d'habitude, il s'énerva.

— Hé, je ne suis pas un badaud à la noix! Je ne passais pas dans le coin par hasard. Je viens voir le Dr Janssen.

— Qu'est-ce que vous lui voulez, au Dr Janssen?

— C'est mes oignons, pas les vôtres. Je souhaite parler à un responsable.

Les policiers échangèrent un coup d'œil, puis l'un des deux empoigna son talkie-walkie.

Quelques minutes plus tard, l'inspecteur Ortega surgissait sur le seuil.

— Qu'est-ce qu'il y a?

— Ce monsieur dit qu'il cherche le Dr Janssen.

— En fait, je cherche ma sœur, Shelby Sloan.

— Pourquoi votre sœur serait-elle ici, selon vous?

— Eh bien, elle cherchait le Dr Janssen et, maintenant, elle a disparu.

— Pour quelle raison désirait-elle rencontrer le Dr Janssen?

— Oh! c'est une longue histoire, en rapport avec la mort de sa fille, Chloe…

— Chloe Kendrick?

Glen considéra Ortega, interloqué.

— Ben, ouais. Comment vous savez ça? Mais qu'est-ce que vous fichez ici, au fait?

— Nous perquisitionnons, répondit Alex Ortega.

Glen agita le porte-clés de Shelby.

— Écoutez, vous devriez plutôt retrouver ma sœur. J'ai récupéré ces clés par terre, dans son parking, à côté de sa bagnole. Seulement, elle n'est pas dans son appartement, et j'ai peur qu'elle n'ait des problèmes.

L'inspecteur Ortega lui prit les clés.

— Elles étaient à côté de sa voiture ?

— Oui. Il lui est arrivé quelque chose au sous-sol.

— Entrez, dit Ortega. Je crains que vous n'ayez raison.

SHELBY entendit la sirène, son cœur bondit dans sa poitrine. « Ne vous en allez pas, s'il vous plaît. »

Sa prière silencieuse fut exaucée. La voiture ralentit, stoppa. La sirène se tut. Puis elle perçut des voix étouffées.

L'une de ces voix devait être celle du policier. Elle tendit l'oreille.

— Vos feux arrière…

Oui ! Le policier avait vu s'éteindre les feux quand elle avait tiré sur les câbles et s'était lancé à la poursuite du véhicule. Elle était sauvée.

« Pas tout à fait », rectifia-t-elle. Il était temps de taper. Elle se mit à hurler et marteler le capot de ses poings.

— POUR cette fois, je me bornerai à vous donner un avertissement. Mais vous devez faire réparer vos feux, cria l'officier de police Terry Vanneman.

Il rendit à Harris son permis de conduire et les papiers de la voiture. Les conducteurs roulaient à vive allure sur la Schuylkill Expressway, les camions passaient dans un bruit de tonnerre. L'équipe de hockey locale venait de gagner un match, et les fans, les vitres baissées, glapissaient de joie.

— Je le ferai, promit Harris. Comptez sur moi.

— Quoi ? cria le policier.

— Je le ferai ! répéta Harris d'une voix forte.

— Vous ne devriez pas conduire un véhicule dans cet état.

— Vous avez raison. Des vandales ont dû me l'abîmer.

— Ce sont des choses qui arrivent.

— Là, je vais à l'hôpital ! déclara Harris. Ensuite, je rentre directement à la maison.

L'officier de police Vanneman tapa du plat de la main sur le toit de la voiture.

— D'accord, docteur, allez-y.

— Merci beaucoup, dit Harris.

Le moteur rugit. Dans le coffre, Shelby sentit la voiture s'ébranler. *Non !*

Mais nul ne l'entendit.

Lorsque la voiture tourna et ralentit de nouveau, Shelby n'entendit pas de sirène. Depuis que Harris avait redémarré, après cet intermède avec le policier, elle avait perdu tout espoir. Elle ne comprenait pas pourquoi ses hurlements et ses coups de poing sur la tôle étaient passés inaperçus.

La voiture roulait lentement sur une route ou un chemin semé d'ornières, et Shelby sut, avec une certitude qui lui tordit l'estomac, qu'ils venaient de pénétrer dans un secteur désert.

Harris s'arrêta, coupa le moteur. Elle attendit, dans le noir. Il y eut un léger déclic, le coffre était déverrouillé. Le capot se leva. Shelby cligna les paupières, scrutant la nuit. Harris était immobile devant elle, l'arme au poing. Où l'avait-il emmenée ? Il faisait très sombre, le silence était à peine troublé par le clapotis d'une rivière.

— Sortez.

Elle se poussa jusqu'au bord du coffre et, les bras tremblants, essaya de s'extirper de son cachot. Mais elle chancela et tomba de tout son long sur des gravillons. Elle cria en sentant les petits cailloux se ficher dans ses paumes.

— Taisez-vous. Debout.

Shelby se redressa tant bien que mal, s'appuya contre l'arrière de la voiture. Maintenant qu'elle était dehors, elle se rendait compte que l'obscurité n'était pas aussi profonde qu'elle l'avait cru. Elle apercevait des réverbères le long d'un chemin forestier, très espacés. La rivière n'était pas très loin, manifestement, mais elle ne la distinguait pas.

— Où sommes-nous ?

— Peu importe. Avancez par là.

Shelby faillit le défier, mais à quoi bon ? Dieu savait où ils se trouvaient, dans un bois dense et lugubre.

Elle fit quelques pas, ses jambes étaient ankylosées et tremblantes. Harris la poussait en avant mais elle n'avait pas besoin de ça.

— On prend ce chemin. Par là.

Elle se dirigea vers le chemin gravillonné qu'il lui indiquait et, en passant sous un réverbère, vit des panneaux indicateurs en bois, plantés à une sorte de carrefour. *Forbidden Drive*, lut-elle. *Monastery. Lover's Leap. Devil's Pool.*

Elle reconnut ces noms. Le Wissahickon, un immense espace vert qui longeait la rivière éponyme. Il y avait un centre d'équitation dans une jolie clairière à la lisière du parc. Les automobiles étaient interdites dans le bois. Shelby entendait plus nettement le bruit de l'eau. Ils approchaient de la rivière.

— Par ici, dit Harris.

Elle déchiffra à voix haute l'inscription :

— Devil's Pool, « l'Étang du diable »…

— Vous allez faire un petit plongeon.

Shelby était fatiguée de lutter. Elle se sentit… presque prête. Prête à capituler. Prête à rejoindre sa fille perdue tout au fond de la mer.

L'OFFICIER de police Terry Vanneman n'eut pas à attendre longtemps un autre contrevenant au Code de la route. En l'occurrence, une Toyota qui roulait à fond de train. Actionnant gyrophare et sirène, il la prit en chasse et la contraignit à se ranger sur le bas-côté pour se garer à son tour, juste derrière.

Vanneman vérifia la plaque d'immatriculation pour s'assurer qu'il ne s'agissait pas d'une voiture volée.

Il tapa les numéros sur son ordinateur de bord. La réponse fut précédée d'un message général urgent.

On recherchait une Lexus de l'année, équipée de plaques personnalisées, dont le numéro s'inscrivit sur l'écran. Le conducteur était un certain Dr Harris Janssen. Il avait probablement un otage avec lui, il était armé et dangereux.

Terry Vanneman sentit ses cheveux se hérisser. « Merde ! » se dit-il. À quelle heure avait-il arrêté cette bagnole ? Il était passé à côté d'un sacré gibier ! Comment avait-il pu louper un coup pareil ? Il avait juste remarqué les feux arrière qui ne fonctionnaient plus.

Terry communiqua aussitôt sa position et déclara au régulateur que la Lexus recherchée avait été vue se dirigeant vers l'ouest, sur la Schuylkill Expressway. Il précisa que les feux arrière ne marchaient pas. Son interlocuteur le remercia.

Terry hésita. Le type s'était déjà fait arrêter une fois, il quitterait cette autoroute sans tarder. À la prochaine sortie, par exemple.

Il était le dernier à avoir vu la Lexus, or elle transportait peut-être un otage. Une chose était sûre : un otage passait avant un PV pour excès de vitesse. Il ralluma son gyrophare, actionna la sirène, fit rugir le moteur de sa voiture de patrouille et laissa sur le bas-côté le conducteur de la Toyota stupéfait et ravi.

— QU'EST-CE que vous fabriquez ? grommela Harris.

Shelby s'assit sur un rocher au bord de l'étang d'un noir d'encre et entreprit de retirer ses chaussures.

— Je ne vous ai pas dit de vous déchausser.

— Effectivement, rétorqua-t-elle d'une voix éteinte. Je ne sais pas pourquoi je fais ça.

— C'est peut-être ce que tout le monde ferait, notez. Il faut que ça ressemble à un suicide. Continuez…

Elle s'interrompit, une chaussure à la main, le considéra d'un air interrogateur.

— Pourquoi le flic vous a-t-il laissé repartir ? J'ai pourtant hurlé comme une dingue.

— On était sur l'autoroute. Entre les camions et les fans de hockey, on ne s'entendait pas. C'était malin, d'arracher ces câbles.

Elle haussa les épaules.

— Pour ce que ça m'a rapporté.

Elle ôta également ses chaussettes. Puis elle se releva, enleva calmement sa veste, la plia et la posa sur la pierre.

— D'accord. Allez, entrez dans l'eau.

— Je devrais peut-être vous forcer à m'abattre, répliqua-t-elle d'un air absent.

— Je le ferai, si vous y tenez. Au point où j'en suis…

Elle secoua la tête. Par-dessus tout, elle désirait s'éloigner de cet individu, ne plus le voir, ne plus l'entendre. Elle monta sur le rocher, scruta l'étang. Il n'y avait rien à regarder, en réalité, hormis le chatoiement hypnotique de l'eau. Elle songea à Chloe tombant inconsciente dans la mer, dans l'abîme ténébreux. Avait-elle, une fraction de seconde, recouvré ses esprits et lutté contre son destin ? Cette simple pensée était une torture.

— Allez, dépêchez-vous. Il faut que je reparte.

— Rejoindre Lianna.

Un regain de colère enflamma le cœur si las de Shelby. « N'abdique pas, se dit-elle. Résiste. Pour Chloe. »

— Qu'est-ce que vous attendez ?

— Vous devrez me tirer dessus. Je ne vous mâcherai pas le travail.

Soudain, au loin entre les arbres, des éclairs lumineux, rouge et bleu, attirèrent son attention. Plusieurs véhicules.

— Regardez ! s'exclama-t-elle.

Les voitures approchaient. À toute allure. Les sirènes se mirent à hurler, l'une après l'autre. Sans doute avait-on repéré la Lexus, garée près de *Forbidden Drive*. Des portières claquaient, des voix s'élevaient. Quand il se retourna vers Shelby, Harris avait l'air épouvanté, comme si ces lumières tremblotant dans les bois étaient du feu. Comme si, devant ses yeux, tout ce pour quoi il vivait s'embrasait.

14

DANS la cuisine de Shelby, Hugh Kendrick tendit à sa petite-fille Molly deux verres qu'il venait de remplir.

— Apporte celui-ci à ta grand-mère et l'autre à Talia.

Glen avait proposé de préparer pour le dîner sa célèbre soupe au steak haché, légumes et pommes de terre, mais Shelby l'avait convaincu de commander plutôt de quoi manger à un traiteur ; on attendait le livreur. Jennifer sirotait du vin et questionnait Glen sur sa vie, ses projets. Il se montrait sous son meilleur jour, charmant et très évasif. Shelby réprima un gloussement. Elle avait découvert que Jen avait un faible pour les cas désespérés.

— Pourquoi tu ris, Shep ? demanda Jeremy.

Elle était confortablement installée sur le divan, Jeremy à son côté, perché sur l'accoudoir.

— Pour rien. Je suis simplement contente d'être avec toi, .

Rob était encore au commissariat avec Lianna qui subissait un interrogatoire. Ses parents avaient amené Jeremy et Molly chez Shelby. Vivian semblait avoir un don mystérieux, celui de rendre Talia bavarde. Shelby avait-elle déjà reçu tant de monde chez elle ? Elle ne s'en souvenait pas.

— On sonne à la porte, lui annonça Molly.

— Tu veux bien ouvrir, Molly?

L'adolescente sembla enchantée d'avoir autre chose à faire. Elle reparut aussitôt, les yeux écarquillés.

— C'est un monsieur du FBI.

Un homme grand, aux cheveux grisonnants coupés court, en veston de sport, entra dans le salon. Shelby essaya de se mettre debout.

— Madame Sloan? Ne vous levez pas. Pardonnez-moi de débarquer sans prévenir, mais ma visite n'a rien d'officiel. Je suis Chuck Salomon, chef du FBI de Philadelphie. Je suis navré d'interrompre cette petite fête.

— Ce n'est pas une fête. Disons que nous essayons de nous réconforter.

— Puis-je vous parler un moment?

— Bien sûr. Molly, tu veux bien aller dans le bureau avec Jeremy? Vous n'avez qu'à regarder un film.

Docilement, Molly emmena son frère. Shelby, d'un geste, invita l'agent du FBI à s'asseoir.

— Il y a un problème?

— Eh bien, j'ai reçu un coup de fil d'Elliott Markson. Il s'inquiète beaucoup pour vous et m'a demandé de rouvrir l'enquête sur la mort de votre fille.

— Vraiment?

— Oui, il m'a téléphoné chez moi. Son épouse, qui est décédée, était ma nièce. Bref, je lui ai promis de passer vous voir.

« Son épouse est décédée », songea Shelby. Elle ne s'était pas trompée en croyant détecter de la tristesse sous son apparent détachement.

— En fait, une enquête ne sera pas nécessaire. Je sais à présent ce qui est arrivé à ma fille. On vient d'arrêter son meurtrier.

— À Saint Thomas?

— Non, ici même, à Philadelphie.

— Quelqu'un qu'elle connaissait? s'étonna Salomon.

— L'homme qui l'a jetée à la mer s'appelait Bud Ridley. Un inconnu. Mais Harris Janssen a payé Bud Ridley pour assassiner ma fille. Et elle connaissait Janssen. Nous le connaissions tous.

— C'est affreux, dit Salomon.

— Oui. Cette histoire a détruit bien des vies.

— Madame Sloan, je souhaiterais que le FBI s'implique. J'ignore quelles preuves ont déjà été réunies, mais commanditer un meurtre est un crime fédéral.

Shelby poussa un soupir.

— Je ne voudrais pas marcher sur les plates-bandes de qui que ce soit – surtout pas de la police de Philadelphie. L'un de leurs hommes a coincé Janssen alors qu'il se préparait à me tirer dessus et à balancer mon cadavre dans un étang.

— Mon Dieu. Ça a dû être un moment terrible !

Shelby esquissa un pauvre sourire.

— Oui, en effet. Quant à la mort de Chloe, j'ignore de quelle juridiction relève ce crime.

— Je comprends, coupa Salomon. Et je vous rassure, nous ne refusons pas de coopérer avec la police locale. Au contraire. De toute manière, au départ, c'est nous qui étions chargés d'enquêter sur la disparition de Chloe. Malheureusement, de toute évidence, le travail a été bâclé.

— Non, ce n'est pas tout à fait vrai, objecta-t-elle fermement.

— Permettez-moi de voir comment il est possible de réparer ça, dit-il gentiment. Je mettrai les choses au point avec les autorités de Philadelphie.

— Ce serait formidable.

— J'imagine que connaître la vérité est pour vous un soulagement.

— Oui, sans doute. Entre nous, si j'avais le choix, je préférerais qu'on me rende ma fille, mais…

— On lui rendra justice, en tout cas.

— Hum… Puis-je vous offrir un verre ?

— Merci, mais si vous êtes certaine que tout va bien, je vais rentrer chez moi. J'informerai M. Markson que le FBI va prendre l'affaire en main.

— D'accord. Non. Attendez. Je lui en parlerai moi-même. Je tiens à le remercier. Je suis touchée par son geste.

— C'est un homme bien, notre famille peut en témoigner.

Shelby raccompagna l'agent Salomon à la porte et lui souhaita une bonne nuit. Puis elle se rendit dans sa chambre et prit l'annuaire dans le tiroir de sa table de chevet.

Avant tout, elle devait remercier Elliott Markson. Il habitait un gratte-ciel récent de Rittenhouse Square, elle connaissait le quartier.

Elle composa son numéro de téléphone et fut soulagée d'entendre le répondeur se déclencher.

— Monsieur Markson... Elliott. C'est moi, Shelby Sloan. Je viens d'avoir la visite de Chuck Salomon du FBI. Il m'a dit que vous lui aviez demandé de m'aider. Je voulais simplement vous remercier de votre sollicitude.

Elle s'interrompit. Elle se sentait idiote de confier l'expression de sa reconnaissance à un répondeur.

— Je... euh, je vous verrai bientôt. Merci encore, Elliott. Merci infiniment.

Elle raccrocha, contente de ne pas l'avoir eu au bout du fil, de n'avoir pas été obligée de lui expliquer toute l'histoire. Un jour, s'il voulait savoir, elle lui raconterait tout.

Elle entendait les enfants rire dans le bureau, l'écho des conversations dans le salon. Elle se sentait en sécurité. Entourée. Elle n'en revenait toujours pas que Glen et Talia se soient lancés à sa recherche, que Rob, le premier, ait tiré le signal d'alarme. Au bout du compte, elle n'était pas totalement seule.

Sur la table de chevet, elle saisit la photo à côté de la lampe. Elle avait été prise alors que Chloe avait huit ans, le jour d'un banquet chinois à l'école primaire. On les avait photographiées, Chloe et elle, maniant leurs baguettes et riant aux éclats. Elles semblaient si heureuses.

Shelby posa un baiser sur le visage de sa fille, bouleversée. La douleur s'estomperait-elle ? Elle ferma les yeux pour s'adresser à la petite fille de la photo. « Je te demande pardon, ma chérie, murmura-t-elle. Pardon pour tous les moments où je n'ai pas été à la hauteur. Tu me manqueras éternellement. Jamais je ne m'habituerai à ton absence. Mais, au moins, je me suis battue pour toi. Autant que je le pouvais. »

Elle contempla la photo, l'embrassa encore. Puis elle la reposa à sa place, là où elle demeurerait toujours, près de son oreiller.

« Pour moi, la vraie vie est toujours beaucoup plus intéressante que la vie imaginaire des superhéros. »

Patricia MacDonald

L'intrigue d'*Une nuit, sur la mer*, quinzième thriller de Patricia MacDonald, lui a été inspirée par un drame connu aux États-Unis : l'histoire de Beth Holloway. Sa fille de dix-huit ans, Natalee, avait disparu lors d'un voyage scolaire. « Cette mère a fait poursuivre les recherches jusqu'à être convaincue de la mort de Natalee, et à partir de là, elle n'a eu de cesse de faire arrêter l'assassin de sa fille. » Elle ajoute : « Par ailleurs, j'ai lu un article à propos d'un homme qui était passé par-dessus bord durant une croisière. J'ai utilisé le témoignage de sa femme pour reconstituer les scènes sur l'île. » En découvrant ce fait divers, la romancière a eu l'idée de raconter un crime parfait, « puisque le cadavre a disparu dans l'océan. Le navire ne s'arrête pas ! Les paquebots de croisière sont gigantesques ; si personne n'a assisté à la chute, pas question que le bateau fasse demi-tour. » Patricia MacDonald, qui n'a aucun goût pour les scènes violentes et sanglantes, préfère se concentrer sur le suspense et l'analyse psychologique des personnages, car, dit-elle, la qualité et la vraisemblance de l'histoire en découlent. Elle suppose que son immense succès en France est justement dû à cela : « Allez voir n'importe quel film français, et vous constaterez le goût hexagonal pour les fictions dépourvues d'effets spéciaux et ancrées dans la vie quotidienne. Cela résume parfaitement mes propres livres. » Le thème qu'elle aime aborder plus que tout dans ses romans est celui de la famille et ses éventuels dysfonctionnements. Autre caractéristique commune à tous ses thrillers : ses héroïnes sont des femmes fortes et indépendantes, propulsées d'une vie bourgeoise tranquille dans un tourbillon d'épreuves, soudain contraintes d'affronter le danger. « Je vois partout des femmes qui m'inspirent », confie Patricia MacDonald.

Sylvain
Tesson

DANS LES FORÊTS DE SIBÉRIE

Février-Juillet 2010

Assez tôt, j'ai compris que je n'allais pas pouvoir faire grand-chose pour changer le monde. Je me suis alors promis de m'installer quelque temps, seul, dans une cabane. Dans les forêts de Sibérie. J'ai acquis une isba de bois, loin de tout, sur les bords du lac Baïkal. Là, pendant six mois, à cinq jours de marche du premier village, perdu dans une nature démesurée, j'ai tâché d'être heureux. Je crois y être parvenu.

Deux chiens, un poêle à bois, une fenêtre ouverte sur un lac suffisent à la vie.

Et si la liberté consistait à posséder le temps ?

Et si le bonheur revenait à disposer de solitude, d'espace et de silence – toutes choses dont manqueront les générations futures ? Tant qu'il y aura des cabanes au fond des bois, rien ne sera tout à fait perdu.

SYLVAIN TESSON

Un pas de côté

JE m'étais promis avant mes quarante ans de vivre en ermite au fond des bois.

Je me suis installé pendant six mois dans une cabane sibérienne sur les rives du lac Baïkal, à la pointe du cap des Cèdres du Nord. Un village à cent vingt kilomètres, pas de voisins, pas de routes d'accès, parfois, une visite. L'hiver, des températures de – 30 °C, l'été des ours sur les berges. Bref, le paradis.

J'y ai emporté des livres, des cigares et de la vodka. Le reste – l'espace, le silence et la solitude – était déjà là.

Dans ce désert, je me suis inventé une vie sobre et belle. J'ai regardé les jours passer, face au lac et à la forêt. J'ai coupé du bois, pêché mon dîner, beaucoup lu, marché dans les montagnes et bu de la vodka, à la fenêtre. La cabane était un poste d'observation idéal pour capter les tressaillements de la nature.

J'ai connu l'hiver et le printemps, le bonheur, le désespoir et, finalement, la paix.

L'immobilité m'a apporté ce que le voyage ne me procurait plus. Le génie du lieu m'a aidé à apprivoiser le temps. Mon ermitage est devenu le laboratoire de ces transformations.

Tous les jours, j'ai consigné mes pensées dans un cahier.

Ce journal d'ermitage, vous le tenez dans les mains.

S.T.

FÉVRIER
La forêt

LA marque Heinz commercialise une quinzaine de variétés de sauces. Le supermarché d'Irkoutsk les propose toutes et je ne sais quoi choisir. J'ai déjà rempli six Caddie de pâtes et de Tabasco. Le camion bleu m'attend. Micha, le chauffeur, n'a pas éteint le moteur, et dehors, il fait – 32 °C. Demain, nous quittons Irkoutsk. En trois jours, nous atteindrons la cabane, sur la rive ouest du lac. Je dois terminer les courses aujourd'hui. Je choisis le « super hot tapas » de la gamme Heinz. J'en prends dix-huit bouteilles : trois par mois.

Quinze sortes de ketchup. À cause de choses pareilles, j'ai eu envie de quitter ce monde.

9 février

JE suis allongé sur mon lit dans la maison de Nina, rue des Prolétaires. J'aime les noms de rues en Russie. Dans les villages, on trouve la « rue du Travail », la « rue de la révolution d'Octobre », la « rue des Partisans » et, parfois, la « rue de l'Enthousiasme » où marchent mollement de vieilles Slaves grises.

Nina est la meilleure logeuse d'Irkoutsk. Autrefois, pianiste, elle se produisait dans les salles de concerts de l'Union soviétique. À présent, elle tient une maison d'hôte. Hier, elle m'a dit :

— Qui eût cru que je me transformerais un jour en usine à crêpes ?

Je suis au seuil d'un rêve vieux de sept ans. En 2003, je séjournai pour la première fois au bord du Baïkal. Marchant sur la grève, je découvris des cabanes régulièrement espacées, peuplées d'ermites étrangement heureux. L'idée de m'enfouir sous le couvert des futaies, seul, dans le silence, chemina en moi. Sept ans plus tard, m'y voilà.

Le camion de Micha est chargé ras la gueule. Pour atteindre le lac, cinq heures de route à travers des steppes englacées : une navigation, par les sommets et les creux d'une houle pétrifiée. Des villages fument au pied des collines, vapeurs échoués sur des hauts-fonds. Devant pareilles visions, Malevitch écrivit : « Quiconque a traversé la Sibérie ne pourra plus jamais prétendre au bonheur. » Au sommet d'une croupe, le lac apparaît. On s'arrête pour boire. Cette question après quatre rasades de vodka : Par quel miracle la ligne du littoral épouse-t-elle aussi parfaitement les contours de l'eau ?

Débarrassons-nous des chiffres. Le Baïkal, sept cents kilomètres de long sur quatre-vingts de large et un kilomètre et demi de profondeur. Vingt-cinq millions d'années.

Le camion s'engage sur la glace. Sous les roues, un kilomètre de fond. Si nous tombons dans une faille, la machine s'abîmera dans le noir. Les corps chuteront silencieusement. Lente neige des noyés. Le lac est un caveau rêvé pour qui craint la pourriture. Les petites crevettes *Epischura baïkalensis* nettoieront les corps en vingt-quatre heures et ne laisseront que l'ivoire des os au fond des eaux.

10 février

Nous avons passé la nuit dans le village de Khoujir, sur l'île d'Olkhon (se prononce Olkhraûne, à la nordique), et nous roulons vers le nord. Micha ne dit pas un mot. J'admire les gens mutiques, je m'imagine leurs pensées.

Je fais route vers le lieu de mes rêves. L'atmosphère est lugubre. Les filandres de neige fuient devant les roues. La tempête s'immisce dans l'interstice laissé entre le ciel et la glace. Je regarde la rive. Il y a là tous les ingrédients de l'imagerie sibérienne de la déportation : l'immensité, la lueur livide. La glace a des airs de linceul. Des innocents étaient jetés vingt-cinq ans dans ce cauchemar. Moi, je vais y séjourner de mon gré. De quoi me plaindrais-je ?

Micha :

— C'est triste.

Puis silence jusqu'au lendemain.

Ma cabane est située au nord de la réserve Baïkal-Lena. C'est un ancien abri de géologue construit dans les années 1980 et enfoui dans une clairière de cèdres. Les arbres ont donné leur nom au lieu : « cap des Cèdres du Nord ». *Cèdres du Nord* sonne comme un nom de résidence de personnes âgées. Après tout, il s'agit bien d'une retraite.

Rouler sur un lac est une transgression. Seuls les dieux et les araignées marchent sur les eaux. J'ai ressenti trois fois l'impression de briser un tabou. La première, en contemplant le fond de la mer d'Aral, vidée par les Hommes. La deuxième en lisant le journal intime d'une femme. La troisième, en roulant sur les eaux du Baïkal. Chaque fois, l'impression de déchirer un voile.

J'explique cela à Micha. Il ne répond rien.

Ce soir, nous faisons halte dans la station scientifique de Pokoïniki, au cœur de la réserve.

Sergueï et Natasha en sont les gardes. Ils sont beaux comme des dieux grecs, en plus habillés. Ils vivent ici depuis vingt ans, traquant les braconniers. Ma cabane est à cinquante kilomètres de chez eux, au nord. Je suis heureux de les compter pour voisins. Penser à eux me sera agréable. Leur amour : une île dans l'hiver sibérien.

Nous avons passé la soirée avec deux de leurs amis, Sacha et Youra, des pêcheurs sibériens qui incarnent deux types dostoïevskiens. Sacha est hypertendu, rose, vital. Son regard dur est logé au fond d'yeux mongoloïdes. Youra est sombre, raspoutinien, nourri au poisson de vase. Sa peau est livide comme celle des habitants du Mordor tolkienien. Le premier est destiné aux coups d'éclat et l'autre aux conspirations. Youra n'est pas allé en ville depuis quinze ans.

11 février

Au matin, nous reprenons la glace. La forêt défile. Quand j'avais douze ans, nous étions allés à Verdun visiter le musée de la Grande Guerre. Je me souviens de la salle du Chemin des Dames. Dans la tranchée, les poilus avaient été recouverts par une coulée de boue. La forêt ce matin est une armée engloutie dont ne dépasseraient que les baïonnettes.

La glace craque. Des plaques compressées par les mouvements du manteau explosent. Des lignes de faille zèbrent la plaine mercurielle, crachant des chaos de cristal. Un sang bleu coule d'une blessure de verre.

— C'est beau, dit Micha.

Et plus rien jusqu'au soir.

À 19 heures, mon cap apparaît. Ma cabane. Les coordonnées GPS sont : N 54°26'45.12"/ E 108°32'40.32".

Les silhouettes sombres de petits personnages accompagnés de chiens avancent sur la grève pour nous accueillir. Bruegel peignait ainsi les campagnards. L'hiver transforme toute chose en tableau hollandais : précis et vernissé.

Il neige, puis le soir tombe et tout ce blanc devient d'un noir affreux.

12 février

VOLODIA T., inspecteur forestier, a une cinquantaine d'années et vit depuis quinze ans dans la cabane des Cèdres du Nord avec sa femme, Ludmila. Il a des lunettes de verre fumé et le visage doux. Volodia et Ludmila veulent retourner à Irkoutsk. Ludmila est malade – une phlébite –, elle doit se soigner. Sa peau, comme celle des femmes russes imbibées de thé, est aussi blanche que le ventre des grenouilles : le système veineux dessine des vermicelles sous la nacre. Ils m'attendaient pour partir.

La cabane fume dans son bosquet de cèdres. La neige a meringué le toit, les poutres ont une couleur de pain d'épice. J'ai faim.

L'habitation s'appuie sur le pied de versants hauts de deux mille mètres. La taïga monte vers le sommet et capitule à mille mètres. Au-delà, c'est le règne de la pierre, de la glace, du ciel. La pente s'élève derrière la cabane. Le lac, lui, repose à quatre cent cinquante mètres d'altitude, j'en vois la rive de mes fenêtres.

Espacés de trente kilomètres, des postes de la réserve abritent des inspecteurs placés sous le commandement de Sergueï. Au nord, au cap d'Iélochine, mon voisin s'appelle Volodia. Au sud, dans le petit hameau de Zavarotnoe, également Volodia. Plus tard, mélancolique, quand j'aurai besoin de trinquer avec un compagnon, il me suffira de marcher une journée vers le sud, ou cinq heures vers le nord.

Sergueï, le chef des gardes, est venu avec nous de Pokoïniki. En descendant du camion, nous avons regardé cette splendeur en silence puis il m'a dit en touchant sa tempe :

— Ici, c'est un magnifique endroit pour se suicider.

Dans le camion, il y a aussi mon ami Arnaud qui m'accompagne depuis Irkoutsk. Il y vit depuis quinze ans. Il s'est marié avec la plus belle femme de la ville. Elle rêvait de l'avenue Montaigne et de Cannes. Quand elle a compris qu'Arnaud ne pensait qu'à courir les taïgas, elle l'a quitté.

Pendant les jours qui suivent, ensemble, nous allons préparer mon séjour.

Ensuite, mes amis s'en retourneront, me laissant seul.

Pour l'heure, déchargement du matériel.

MATÉRIEL NÉCESSAIRE À SIX MOIS DE VIE DANS LES BOIS

Hache et merlin
Bâche
Sac de jute
Pic et épuisette à glace
Patins à glace
Raquettes à neige
Kayak et pagaie
Cannes à pêche, fil, plombs, mouches et cuillères
Batterie de cuisine
Théière
Chignole à glace
Corde
Poignard et couteau suisse
Pierre à aiguiser
Lampe à huile
Kérosène
Bougies
GPS, boussole, carte
Panneaux solaires, câbles et batteries rechargeables
Allumettes et briquets
Sac à dos de montagne
Sacs marins
Tapis de feutre
Sacs de couchage
Équipement de haute montagne
Moustiquaire de visage
Gants
Bottes de feutre
Piolet
Crampons

Pharmacie (10 boîtes de paracétamol pour lutter contre les effets de la vodka)
Scie
Marteau, clous, vis, lime
Drapeau français pour le 14 Juillet
Fusées anti-ours type feu à main
Pistolet à fusées
Cape de pluie
Grille à feu
Scie pliable
Tente
Tapis de sol
Lampe frontale
Sac de couchage – 40 °C
Veste de la police montée canadienne
Luge en plastique
Bottes à jambières
Vodka et verre à alcool
Alcool à 90 % pour pallier la pénurie de l'article précédent
Bibliothèque personnelle
Cigares, cigarillos, papier d'Arménie et boîte Tupperware pour servir d'humidificateur
Icônes (saint Séraphin de Sarov, saint Nicolas, famille impériale des derniers Romanov, tsar Nicolas II, Vierge noire)
Malles en bois
Jumelles
Appareils électroniques
Cahiers et stylos
Vivres (pâtes, riz, Tabasco, pain de guerre, boîtes de fruits, piment, poivre, sel, café, miel et thé pour six mois)

C'EST drôle, on se décide à vivre en cabane, on s'imagine fumant le cigare devant le ciel, perdu dans ses méditations et l'on se retrouve à cocher des listes de vivres dans un cahier d'intendance. La vie, cette affaire d'épicerie.

Je pousse la porte de la cabane. En Russie, le Formica triomphe. Soixante-dix ans de matérialisme historique ont anéanti tout sens esthétique chez le Russe. La ruée des peuples vers le laid fut le principal phénomène de la mondialisation. Pour s'en convaincre, il suffit de circuler dans une ville chinoise, d'observer les nouveaux codes de décoration de La Poste française ou la tenue des touristes. Le mauvais goût est le dénominateur commun de l'humanité.

Pendant deux jours, aidé d'Arnaud, j'arrache le linoléum, les toiles cirées, les bâches de polyester et les papiers plastique qui recouvrent les murs. Au pied-de-biche, nous défonçons les coffrages de carton. Ce déshabillage met à nu les rondins perlés de résine et un parquet jaune pâle, de la couleur de la chambre de Van Gogh à Arles. Volodia nous regarde, consterné. Il ne *voit* pas que le bois nu, ambré est plus beau à l'œil que la toile cirée. Il m'écoute le lui expliquer. Je suis le bourgeois défendant la supériorité du parquet sur le lino. L'esthétisme est une déviance réactionnaire.

Nous avons apporté d'Irkoutsk une fenêtre de pin blond à double vitrage pour remplacer le carreau qui diffuse dans la cabane une lueur de commissariat. Pour loger l'empiècement, Sergueï découpe à la tronçonneuse une ouverture dans les rondins. Il travaille nerveusement, sans répit, sans calculer les angles, corrigeant les erreurs à mesure que sa précipitation les provoque. Les Russes bâtissent toujours les choses dans l'urgence, comme si les soldats fascistes allaient débouler d'une minute à l'autre.

Dans les villages qui mouchettent le territoire, les Russes ressentent la fragilité de leur condition. Les hameaux consistent en un amas de bicoques craquant aux vents du nord. Le Romain bâtissait pour mille ans. Pour le Russe, il s'agit de passer l'hiver.

La cabane offre dans sa simplicité une protection parfaite contre le froid saisonnier. Elle n'enlaidit pas le sous-bois qui l'abrite. Avec la yourte et l'igloo, elle se dresse sur le podium des plus belles réponses humaines à l'adversité du milieu.

13 février

ENCORE dix heures consacrées à vider la clairière des ordures entassées. Nettoyer les lieux pour que le génie y revienne. Les Russes font table rase du passé, jamais de leurs déchets. Jeter quelque chose ? *Plutôt mourir,* disent-ils. Pourquoi balancer un moteur de tracteur dont le piston pourrait servir de cul-de-lampe ? Le territoire de l'ex-Union soviétique est jonché des excréments des plans quinquennaux : usines en ruine, machines-outils, carcasses d'avion. Beaucoup de Russes vivent dans des endroits tenant du chantier et de la casse de bagnoles. Ils ne voient *pas* les déchets. Le verbe *Abstractirovaouit*, « faire abstraction », est un maître mot quand on habite sur une décharge.

14 février

LA dernière caisse est une caisse de livres. Si on me demande pourquoi je suis venu m'enfermer ici, je répondrai que j'avais de la lecture en retard. Je cloue une planche de pin au-dessus de mon châlit et y range mes livres. À Paris, j'ai pris grand soin de constituer une liste idéale. Quand on se méfie de la pauvreté de sa vie intérieure, il faut emporter de bons livres : on pourra toujours remplir son propre vide. L'erreur serait de choisir exclusivement de la lecture difficile en imaginant que la vie dans les bois vous maintient à un très haut degré de température spirituelle. Le temps est long quand on n'a que Hegel pour les après-midi de neige.

Avant mon départ, un ami m'a conseillé d'emporter les *Mémoires* du cardinal de Retz et le *Fouquet* de Morand. Je savais déjà qu'il ne faut jamais voyager avec des livres évoquant sa destination. À Venise, lire Lermontov, mais au Baïkal, Byron.

Je vide la caisse. J'ai Michel Tournier pour les songeries, Michel Déon pour la mélancolie, Lawrence pour la sensualité, Mishima pour les froids d'acier. J'ai une petite collection de livres sur la vie dans les bois : Grey Owl pour la radicalité, Daniel Defoe pour le mythe, Aldo Leopold pour la morale, Thoreau pour la philosophie mais son prêchi-prêcha de parpaillot comptable me lasse un peu. Whitman, lui, m'enchante : ses *Feuilles d'herbe* exhalent la grâce. Jünger a inventé l'expression de « recours aux forêts », j'ai quatre ou cinq de ses livres. Un peu de poésie et des philosophes, aussi : Nietzsche, Schopenhauer, les stoïciens. Sade et Casanova pour me fouetter le sang. Des polars de la Série noire : il faut parfois souffler. Quelques guides naturalistes de la collection Delachaux et Niestlé sur les oiseaux, les plantes et les insectes. La moindre des choses quand on s'invite dans les bois est de connaître le nom de ses hôtes. L'affront serait l'indifférence. Si des gens débarquaient dans mon appartement pour s'y installer de force, j'aimerais au moins qu'ils m'appelassent par mon prénom. La tranche de mes volumes de la Pléiade brille à la lueur des bougies. Les livres sont des icônes. Pour la première fois de ma vie, je vais lire un roman d'une traite.

LISTE DE LECTURES IDÉALES COMPOSÉE À PARIS AVEC GRAND SOIN EN PRÉVISION D'UN SÉJOUR DE SIX MOIS DANS LA FORÊT SIBÉRIENNE

Quai des enfers, Ingrid Astier
L'Amant de lady Chatterley, D.H. Lawrence
Traité du désespoir, Kierkegaard
Des pas dans la neige, Érik L'Homme
Un théâtre qui marche, Philippe Fenwick
Des nouvelles d'Agafia, Vassili Peskov
Indian Creek, Pete Fromm
Les Hommes ivres de Dieu, Jacques Lacarrière
Vendredi, Michel Tournier
Un taxi mauve, Michel Déon
La Philosophie dans le boudoir, Sade
Gilles, Drieu la Rochelle
Robinson Crusoé, Daniel Defoe
De sang-froid, Truman Capote
Un an de cabane, Olaf Candau
Noces, Camus
La Chute, Camus
Robinson des mers du Sud, Tom Neale
Rêveries du promeneur solitaire, Rousseau
Histoire de ma vie, Casanova
Le Chant du monde, Giono
Fouquet, Paul Morand
Carnets, Montherlant
Soixante-dix s'efface, tome 1, Jünger
Le Traité du rebelle, Jünger
Le Nœud gordien, Jünger
Approches, drogues et ivresse, Jünger
Jeux africains, Jünger
Les Fleurs du mal, Baudelaire
Le facteur sonne toujours deux fois, James M. Cain
Le Poète, Michael Connelly
Lune sanglante, James Ellroy
Eva, James Hadley Chase
Les Stoïciens (Pléiade)

Moisson rouge, Dashiell Hammett
De la nature, Lucrèce
Le Mythe de l'éternel retour, Mircea Eliade
Le Monde…, Schopenhauer
Typhon, Conrad
Odes, Segalen
Vie de Rancé, Chateaubriand
Tao-tö-king, Lao-tseu
Élégie de Marienbad, Goethe
Nouvelles complètes, Hemingway
Ecce Homo, Nietzsche
Ainsi parlait Zarathoustra, Nietzsche
Le Crépuscule des idoles, Nietzsche
Vingt-cinq ans de solitude, John Haines
La Dernière Frontière, Grey Owl
Traité de la cabane solitaire, Antoine Marcel
Au cœur du monde, Cendrars
Feuilles d'herbe, Whitman
Almanach d'un comté des sables, Aldo Leopold
L'Œuvre au noir, Yourcenar
Les Mille et Une Nuits
Le Songe d'une nuit d'été, Shakespeare
Les Joyeuses Commères de Windsor, Shakespeare
La Nuit des rois, Shakespeare
Romans de la Table ronde, Chrétien de Troyes
American Black Box, Maurice G. Dantec
American Psycho, B.E. Ellis
Walden, Thoreau
L'Insoutenable Légèreté de l'être, Kundera
Le Pavillon d'Or, Mishima
La Promesse de l'aube, Romain Gary
La Ferme africaine, Karen Blixen
Les Aventuriers, José Giovanni

LE sixième jour, le camion de mes amis disparaît à l'horizon. Pour le naufragé jeté sur un rivage, rien n'est aussi poignant que le spectacle d'une voile de navire s'effaçant. Volodia et Ludmila gagnent Irkoutsk et leur nouvelle vie.

J'attends le moment où ils se retourneront pour jeter un dernier regard à la cabane.

Ils ne se retournent pas.

Le camion n'est plus qu'un point. Je suis seul. Les montagnes m'apparaissent plus sévères. Le paysage se révèle, intense. Le pays me saute au visage. C'est fou ce que l'homme accapare l'attention de l'homme. La présence des autres affadit le monde. La solitude est cette conquête qui vous rend jouissance des choses.

Il fait − 33 °C. Le silence descend du ciel sous la forme de petits copeaux blancs. Être seul, c'est entendre le silence. Une rafale. Le grésil brouille la vue. Je pousse un hurlement. J'écarte les bras, tends mon visage au vide glacé et rentre au chaud.

J'ai atteint le débarcadère de ma vie.

Je vais enfin savoir si j'ai une vie intérieure.

15 février

MA première soirée solitaire. Au début, je n'ose pas trop bouger. Je suis anesthésié par la perspective des jours. À 22 heures, des explosions trouent le silence. L'air s'est réchauffé, le ciel est à la neige, il ne fait que − 12 °C. L'artillerie russe pilonnerait le lac, la cabane n'en vibrerait pas plus. Je sors dans le redoux écouter les coups de boutoir. Les courants font jouer la banquise.

La cabane mesure trois mètres sur trois. Un poêle en fonte assure le chauffage. J'accepte les ronflements de ce compagnon-là. Le poêle est l'axe du monde. Lorsque je lui fais offrande de bûches, je rends hommage à *Homo erectus*, qui maîtrisa le feu. Dans sa *Psychanalyse du feu*, Bachelard imagine que l'idée de frotter deux bâtonnets pour allumer l'étoupe fut inspirée par les frictions de l'amour. En baisant, l'homme aurait eu l'intuition du feu. Bon à savoir. Pour étancher la libido, penser à regarder les braises.

JE dispose de deux fenêtres. L'une est ouverte sur le sud, l'autre sur l'est. Dans l'enchâssure de la seconde, on distingue les crêtes enneigées de la Bouriatie, à cent kilomètres. Par la première, derrière les branchages d'un pin couché, je suis du regard la courbe de la baie incurvée vers le sud.

Ma table, collée à la fenêtre de l'est, en occupe toute la largeur, à la mode russe. Les Slaves peuvent rester des heures assis à regarder perler les carreaux. Parfois, ils se lèvent, envahissent un pays, font une révolution puis retournent rêver devant leurs fenêtres. L'hiver, ils sirotent le thé interminablement, pas trop pressés de sortir.

16 février

À MIDI, dehors.

Le ciel a saupoudré la taïga. La poudreuse veloute le vert-de-bronze des cèdres. Forêt d'hiver : fourrure d'argent jetée sur les épaules du relief. La forêt, houle lente.

Pourquoi les hommes adorent-ils davantage les chimères abstraites que la beauté des cristaux de neige?

17 février

CE matin, le soleil s'est juché par-dessus les crêtes de la Bouriatie à 8 h 17. Un rayon a traversé la fenêtre et frappé les rondins de la cabane. J'étais dans mon sac de couchage. J'ai cru que le bois saignait.

Les dernières flammes du poêle meurent vers 4 heures du matin. À l'aube, il gèle dans la pièce. Il faut se lever et allumer le feu. Je commence ma journée en soufflant sur les braises. Puis je me recouche le temps que la cabane prenne la température d'un œuf.

Ce matin, je graisse l'arme laissée par Sergueï. C'est un pistolet à fusée comme en utilisent les marins en détresse. Le canon balance sa charge de phosphore aveuglant qui atténue les ardeurs d'un ours ou d'un intrus.

Je n'ai pas de fusil et ne chasserai pas. D'abord parce que la réglementation de la réserve naturelle me l'interdit. En outre, je trouverais d'une muflerie dégoûtante de dézinguer les êtres vivants des bois dont je suis l'hôte. Cela ne me gêne pas que des êtres mieux faits, plus nobles et autrement découplés que moi vaquent en liberté dans les hautes futaies.

Ici, ce n'est pas Chantilly. Quand les braconniers rencontrent des gardes-chasses, les explications se tiennent flingue au poing. Sur les pourtours du lac, il y a des tombes portant le nom d'inspecteurs. Une simple stèle de ciment, décorée de fleurs en plastique avec, parfois, la photo du type gravée sur un médaillon de métal. Les braconniers, eux, n'ont pas de sépulture.

Je pense au destin des visons. Naître dans la forêt, survivre aux hivers, tomber dans un piège et finir en manteau sur le dos de rombières dont l'espérance de vie sous les futaies serait de trois minutes… Il y a cinq jours, Serguei m'a raconté une histoire. Le gouverneur d'Irkoutsk s'adonnait à la chasse à l'ours de son hélicoptère dans les montagnes qui dominent le Baïkal. Le MI8, déstabilisé par une rafale, s'est écrasé. Bilan, huit morts. Serguei :

— Les ours devaient danser la polka autour du brasier.

Mon autre arme est un poignard fabriqué en Tchétchénie, un beau couteau au manche de bois. Il ne me quitte pas de la journée. Le soir, je le plante dans le bois au-dessus de mon lit. Suffisamment profondément pour qu'il ne me crève pas le ventre en tombant, au beau milieu d'un rêve.

18 février

JE voulais régler un vieux contentieux avec le temps. J'avais trouvé dans la marche à pied matière à le ralentir. L'alchimie du voyage épaississait les secondes. La frénésie s'empara de moi, il me fallait des horizons nouveaux. Mes voyages commençaient comme des fuites et se finissaient en course-poursuite contre les heures.

Il y a deux ans, par hasard, j'avais eu l'occasion de demeurer trois jours dans une cabane de bois, sur les bords du Baïkal. Un garde-chasse, Anton, m'avait accueilli dans la minuscule isba qu'il occupait sur la rive orientale du lac. Le soir, nous jouions aux échecs, le jour, je l'aidais à relever les filets. Nous ne parlions presque pas, lisions beaucoup – Huysmans pour moi, Hemingway, qu'il prononçait *Rhémingvaïe*, pour lui. Il avalait des litres de thé, je partais marcher dans les bois. Le soleil inondait la pièce, des oies fuyaient l'automne. Je pensais aux miens. La journée tirée, Anton sortait l'échiquier. On buvait des petits coups d'une vodka de Krasnoïarsk et on poussait les pions. J'avais toujours les blancs, je perdais souvent. Ces journées interminables passèrent vite. Je songeais en quittant mon ami : « Voilà la vie qu'il me faut. » Il suffisait de demander à l'immobilité ce que le voyage ne m'apportait plus : la paix.

Je me fis alors le serment de vivre plusieurs mois en cabane, seul, avant mes quarante ans. Le froid, le silence et la solitude sont des états qui se négocieront demain plus chers que l'or. À mille cinq cents kilomètres au sud vibre la Chine. Un milliard et demi d'êtres humains s'apprêtent à y manquer d'eau, de bois, d'espace. Vivre dans les futaies au bord de la plus grande réserve d'eau douce du monde est un luxe.

Un jour, les pétroliers saoudiens, les nouveaux riches indiens et les businessmen russes qui traînent leur ennui dans les lobbys en marbre des palaces le comprendront. Il sera temps alors de monter un peu plus en latitude et de gagner la toundra. Le bonheur se situera au-delà du 60e parallèle Nord.

Dans le sixième volume de *L'Homme et la Terre*, le géographe Élisée Reclus – maître anarchiste et styliste désuet – déroule une superbe idée. L'avenir de l'humanité résiderait dans « l'union plénière du civilisé avec le sauvage ». La vie dans les bois offre un terrain rêvé pour cette réconciliation entre l'archaïque et le futuriste. On y renoue avec la vérité des clairs de lune, on se soumet à la doctrine des forêts sans renoncer aux bienfaits de la modernité. Ma cabane abrite les noces du progrès et de l'antique. Avant de partir, j'ai ponctionné dans le grand magasin de la civilisation quelques produits indispensables au bonheur, livres, cigares, vodka : j'en jouirai dans la rudesse des bois. J'ai tellement adhéré à l'intuition de Reclus que j'ai équipé ma cabane de panneaux solaires. Ils alimentent un petit ordinateur. J'écoute Schubert en regardant la neige, je lis Marc Aurèle après la corvée de bois, je fume un havane pour fêter la pêche du soir.

Dans *Qu'est-ce que je fais là ?* Bruce Chatwin cite Jünger qui cite Stendhal : « L'art de la civilisation consiste à allier les plaisirs les plus délicats à la présence constante du danger. » Voilà un écho à l'injonction de Reclus. L'essentiel est de mener sa vie à coups de gouvernail. De passer la ligne de crête entre des mondes contrastés. De balancer entre le plaisir et le danger, le froid de l'hiver russe et la chaleur du poêle. Ne pas s'installer, toujours osciller de l'une à l'autre extrémité du spectre des sensations.

Il faudrait ériger le conseil de Baden-Powell en principe : « Lorsqu'on quitte un lieu de bivouac, prendre soin de laisser deux choses. Premièrement : rien. Deuxièmement : ses remerciements. » L'essentiel ? Ne pas peser trop à la surface du globe. Enfermé dans son cube de rondins, l'ermite ne souille pas la Terre. Au seuil de son isba, il regarde les saisons danser la gigue de l'éternel retour. Privé de machine, il entretient son corps. Coupé de toute communication, il déchiffre la langue des arbres. Libéré de la télévision, il découvre qu'une fenêtre est plus transparente qu'un écran. Sa cabane égaie la rive et pourvoit au confort. Un jour, on est las de parler de

« décroissance » et d'amour de la nature. L'envie nous prend d'aligner nos actes et nos idées. Il est temps de tirer sur les discours le rideau des forêts.

19 février

C'EST le soir, il est 21 heures, je suis devant la fenêtre. Une lune timide cherche une âme sœur mais le ciel est vide. Moi qui sautais au cou de chaque seconde pour lui faire rendre gorge et en extraire le suc, j'apprends la contemplation. Le meilleur moyen pour se convertir au calme monastique est de s'y trouver contraint. S'asseoir devant la fenêtre le thé à la main, laisser infuser les heures, offrir au paysage de décliner ses nuances, ne plus penser à rien et soudain saisir l'idée qui passe, la jeter sur le carnet de notes. Usage de la fenêtre : inviter la beauté à entrer et laisser l'inspiration sortir.

Je passe deux heures dans la position du Dr Gachet, peint par Van Gogh : la joue sur la main, les yeux dans le vague.

Soudain, un bourdonnement monte dans le silence et des pinceaux de phares trouent la nuit. Des bagnoles roulent sur la glace, vers le nord. À la jumelle, j'en distingue une dizaine. Elles font route vers ma grève. Vingt minutes plus tard, huit 4 × 4 décorés de placards publicitaires sont alignés sur la plage. Ce sont des notables d'Irkoutsk, membres du parti de Poutine, « Edina Rossia », qui font le tour du lac en huit jours. Ils vont passer la nuit ici, sous la tente. J'apprendrai plus tard qu'il y a là un membre du FSB (service secret russe), quelques proches du gouverneur et le directeur d'un parc naturel. Leurs pneus ont défoncé la pente de neige qui menait à la grève. Marcher sur la neige, c'est ne pas supporter la virginité du monde. On commence par défoncer les blancs talus puis on éventre les Polonais.

Les moteurs tournent. Les transistors crachent du Nadiya, une lolita pour préados que les ploucs russes adulent. Je suis effondré.

Je m'enferme dans la cabane et tente de me lustrer les nerfs avec deux cent cinquante millilitres de vodka Kedrovaïa. J'entends les types beugler sur la glace. Ils ont tronçonné un trou et dans le faisceau d'une lampe de caméra plongent à tour de rôle dans l'eau glacée en hurlant.

Ce que je suis venu fuir s'abat sur mon îlot : le bruit, la laideur, la grégarité testostéronique. Et moi, pauvre poire, avec mes discours sur le retranchement et mon exemplaire des *Rêveries* de Jean-Jacques sur la table !

Pour me refroidir le sang, je sors sur le lac tandis que les Russes s'adonnent au *ski-jorring* tractés par les voitures. Je marche deux kilomètres vers la Bouriatie et m'allonge sur la glace. Je suis couché sur un fossile liquide vieux de vingt-cinq millions d'années. Dans le ciel, des étoiles en accusent cent fois plus. Moi, j'ai trente-sept ans et je rentre parce qu'il fait – 34 °C.

20 février

Les hommes s'en vont, les bêtes reviennent.

Qu'est-ce qui me rend le plus heureux ce matin? Le départ de la bande de tristes drilles à 8 heures ou la visite d'une mésange à tête noire au carreau, quelques minutes après?

Je me lève avec une gueule de bois à flotter sur l'eau. Hier, j'ai bu pour oublier. Je nourris la mésange, j'allume le poêle. La cabane se réchauffe rapidement. J'installe les panneaux solaires sur les chevalets de bois que j'ai construits hier. Ces panneaux ne mèneront pas une existence désagréable : couchés là, du matin au soir, face à la beauté, à se gorger de photons.

Beaucoup de réflexions naissent de la fumée d'un thé.

Devant la tasse, je pense à ma petite sœur. Son enfant est-il né? Impossible d'avoir la moindre nouvelle. L'ordinateur a implosé avant-hier, il n'a pas supporté les amplitudes de températures. Quant à mon téléphone satellite, il ne capte rien. J'ai perdu des heures précieuses à Paris à me constituer un équipement technologique. J'aurais dû m'imprégner de la philosophie de Dersou Ouzala : dans la forêt, seules choses fiables, la hache, le poêle et le poignard.

21 février

32 °C sous zéro. Ciel de cristal. L'hiver sibérien est pareil au plafond du palais de glace de Vesaas : stérile et pur.

Les beaufs d'avant-hier ont tout saccagé. Ils ont défoncé les congères, laissé partout l'empreinte de leur passage. Seule une tempête de neige m'apaisera en vernissant à nouveau la rive.

À cinquante mètres au sud de la cabane se dresse un *banya*, cabanon de cinq mètres sur cinq, chauffé par un poêle. Volodia l'a construit l'an passé. Il faut le chauffer quatre heures pour y faire monter la température à 80 °C. Le *banya*, version slave du sauna, illustre le mépris des Russes pour la tempérance. Le corps oscille sans transition du feu à la glace. Après vingt minutes de cuisson, je sors. Dehors, les trente degrés négatifs dissipent la chaleur accumulée. Le gel enserre le crâne et il faut rentrer. Le *banya*, allégorie de nos vies déroulées dans la perpétuelle poursuite d'un mieux-être. Nous poussons la porte, croyant toucher le bonheur. Bientôt nous faisons demi-tour pour retrouver ce qui ne tardera pas à nous peser à nouveau.

À 18 heures, la tempête se lève. À poil dans mes bottes de feutre, je rentre à la cabane. Je tiens ma lampe à pétrole à la main. Je garde en mémoire l'histoire de ces *zeks* du goulag, sortis pisser par une nuit de blizzard. Ils se perdirent et on les retrouva morts au matin, à cinquante mètres des baraquements. J'avale un litre de thé brûlant. Le *banya*, luxe absolu. Je suis un homme nouveau.

Le soir, un bol de riz au Tabasco, un demi-saucisson, un demi-litre de vodka et en dessert, la lune, par-dessus les crêtes.

22 février

UNE fuite, la vie dans les bois ? La fuite est le nom que les gens ensablés dans les fondrières de l'habitude donnent à l'élan vital. Un jeu ? Assurément ! Comment appeler autrement un séjour de réclusion volontaire sur un rivage forestier avec une caisse de livres et des raquettes à neige ? Une quête ? Trop grand mot. Une expérience ? Au sens scientifique, oui. La cabane est un champ expérimental où s'inventer une vie ralentie.

Les théoriciens de l'écologie prônent la décroissance. Puisque nous ne pouvons continuer à viser une croissance infinie dans un monde aux ressources raréfiées, nous devrions ralentir nos rythmes, simplifier nos existences, revoir à la baisse nos exigences. On peut accepter ces changements de plein gré. Demain, les crises économiques nous les imposeront.

La décroissance ne constituera jamais une option politique. Pour l'appliquer, il faudrait un despote éclairé. Quel gouverneur aurait le courage d'imposer pareille cure à sa population ? Convaincre des milliards de Chinois, d'Indiens et d'Européens qu'il vaut mieux lire Sénèque qu'engloutir des cheeseburgers ?

Le luxe de l'ermite, c'est la beauté. Son regard, où qu'il se pose, découvre une absolue splendeur. Le cours des heures n'est jamais interrompu (sauf l'accident d'avant-hier). La technique ne l'emprisonne pas dans le cercle de feu des besoins qu'elle crée.

La partition du recours aux forêts ne peut se jouer qu'à un nombre réduit d'interprètes. L'érémitisme est un élitisme. Aldo Leopold ne dit rien d'autre dans son *Almanach d'un comté des sables* dont j'ai commencé la relecture ce matin, sitôt le poêle allumé : « Toute protection de la vie sauvage est vouée à l'échec, car pour chérir nous avons besoin de voir et de caresser et quand suffisamment de gens ont vu et caressé, il ne reste plus rien à chérir. » Lorsque les foules gagnent les forêts, c'est pour les abattre à la hache. La vie dans les bois n'est pas une solution aux problèmes écologiques. Le phénomène contient son contre-principe. Les masses, gagnant les futaies, y importeraient les maux qu'elles prétendaient fuir en quittant la ville. On n'en sort pas.

Jour blanc. Un camion de pêcheur dans le lointain. Long entretien avec ma fenêtre. J'étanchéifie l'auvent de la cabane en clouant des planches et finis de trier la caisse de vivres. Mais après ? Lorsqu'il n'y aura plus de planches à clouer ni de caisses à ranger ?

LE soleil disparaît à 17 heures derrière les crêtes. L'ombre gagne dans la clairière. Je trouve à l'angoisse un antidote à effet immédiat : quelques pas sur la glace. Un simple coup d'œil à l'horizon me convainc de la force de mon choix : cette cabane, cette vie-là. Je ne sais pas si la beauté sauvera le monde. Elle sauve ma soirée.

23 février

LE *Vertige*, titre du récit d'Evguenia Guinzbourg sur ses années de goulag. J'en lis quelques pages dans la chaleur du duvet. Au réveil, mes journées se dressent, vierges, désireuses, offertes en pages blanches. Et j'en ai par dizaines en réserve dans mon magasin. Chaque seconde d'entre elles m'appartient. Je suis libre d'en disposer comme je l'entends, d'en faire des chapitres de lumière, de sommeil ou de mélancolie. Personne ne peut altérer le cours de pareille existence.

Je connaissais le vertige vertical du grimpeur accroché à la paroi : la vue du gouffre l'effraie. Je me souvenais du vertige horizontal du voyageur dans la steppe : les lignes de fuite l'étourdissent. Je savais le vertige de l'ivrogne qui croit tenir une idée géniale : son cerveau refuse de la formuler correctement alors qu'il la sent grandir en lui. Je découvre le vertige de l'ermite, la peur du vide temporel. Le même serrement de cœur que sur la falaise – non pour ce qu'il y a dessous mais pour ce qu'il y a devant.

Je suis libre de tout faire dans un monde où il n'y a rien à faire. Je regarde l'icône de Séraphin. Lui avait Dieu.

Dieu, jamais rassasié de la prière des hommes, est un sacré passe-temps. Moi ? J'ai l'écriture.

Promenade sur le lac, après le thé matinal. La glace ne craque plus, car le thermomètre se maintient bas. Le froid enserre l'appareil. J'avance vers le large. Sur la neige, avec un bâton, je trace le premier poème d'une série de « haïkus des neiges » :

Pointillé des pas sur la neige : la marche couture
le tissu blanc.

L'avantage de la poésie inscrite sur la neige est qu'elle ne tient pas. Les vers seront emportés par le vent.

Jaillissent à mon esprit les visions de mes proches. La solitude est une patrie peuplée du souvenir des autres. Y penser console de l'absence. Les orthodoxes croient à la présence de l'Être, descendu dans l'image. L'essence de Dieu se coule dans la matière des icônes, s'incarne dans la peinture et les reflets de l'huile. Le tableau se transmue.

Au retour, je me décide à installer mon autel. Je scie une planche de trente centimètres sur dix, la cloue à côté de ma table de travail et y place trois représentations de saint Séraphin de Sarov achetées à Irkoutsk. Séraphin passa quinze années dans une forêt de Russie occidentale. À la fin de sa retraite, il nourrissait les ours et parlait le langage des cerfs. Près de lui, je dispose une icône de saint Nicolas, une Vierge noire, le tsar Nicolas II canonisé par le patriarche Alexis et représenté dans son apparat impérial. J'allume une bougie et un Partagas série 4. Je regarde la flamme emmieller la dorure des cadres à travers la fumée du havane. Le cigare, encens profane.

J'en ai terminé avec les travaux d'aménagement de ma cabane. Je fume allongé sur mon lit songeant que je n'ai oublié qu'une seule chose : un beau livre d'histoire de la peinture pour contempler, de temps en temps, un visage. Pour m'en souvenir, je n'ai que mon miroir.

24 février

CE matin, jour blanc. Le lac, « la mer » comme l'appellent les Russes, se noie au ciel. Le thermomètre indique – 22 °C. J'allume le poêle et ouvre la *Vie* de Casanova. Défilent Rome, Naples, Florence,

Tireta dans son alcôve et Henriette en sa soupente. Puis, ce sont les courses en malle-poste, l'évasion des geôles ducales à Venise, l'amour éternel juré deux fois dans le même soir à deux êtres différents, la grâce, la légèreté, le style. Je referme le livre, mets mes bottes de feutre et vais tirer deux seaux d'eau au trou à glace en pensant à Bellino-Thérèse de Rome et à Léonilda de Salerne.

Des livres de dandy et une vie de moujik.

La journée s'étire. À Paris, je ne trouvais pas la vie faite pour tenir les relevés sismographiques de l'âme. Ici, dans le silence aveugle, j'ai le temps de percevoir les nuances de ma tectonique propre. Une question se pose à l'ermite : Peut-on se supporter soi-même ?

Le passionnant spectacle de ce qui se passe par la fenêtre. Comment peut-on encore conserver une télé chez soi ?

La mésange revient. D'après mon guide ornithologique, la mésange boréale se reconnaît à ce cri : « zi-zi tèèh tèèh tèèh ». La mienne ne dit pas un mot.

La visite du petit animal m'enchante. Elle illumine l'après-midi. La vie de cabane est peut-être une régression. Mais s'il y avait progrès dans cette régression ?

25 février

JE pars à midi dans le vent. Je rends visite à mon voisin, Volodia, garde-chasse posté sur l'avancée du cap Iélochine, à quinze kilomètres au nord de ma cabane. Il occupe une isba avec sa femme, Irina. Leur domaine marque la frontière septentrionale de la réserve Baïkal-Lena. Je l'ai rencontré, il y a cinq ans, lors d'un tour sur les glaces à bord d'un side-car Oural. Je suis content de le revoir.

Derrière le cap qui protège ma cabane, les rafales nordissent. Je n'avais pas prévu que le vent forcirait. Je coupe par le lac, vers Iélochine, en me tenant à un ou deux kilomètres de la rive, enfoui dans ma veste Canadian Goose, conçue pour – 40 °C. J'ai une protection de Néoprène sur le visage, un masque d'alpinisme, des moufles d'expédition arctique. J'ai mis vingt minutes à m'habiller. L'essentiel est de ne pas exposer à l'air libre le moindre centimètre de peau.

Aujourd'hui, le Baïkal est atteint de sclérose. La neige pèle. Le vent l'arrache à coups de dents, laissant çà et là sur l'obsidienne des pastilles aussi blanches que les taches sur la peau des orques. La surface noircit à mesure que la glace se découvre.

Mes crampons mordent la laque. Sans eux, le vent me déporterait vers le large. Les rafales dévalent les montagnes. Volodia m'apprendra qu'elles atteignaient cent vingt kilomètres à l'heure. Le vent me contraint à marcher penché. Parfois une rafale m'arrête net.

Je fixe la parcelle de glace qui s'encadre dans l'ouverture de ma capuche en poil de coyote. Le long des failles ressoudées par le gel, la glace est turquoise, couleur lagon. Puis, une longue flaque de verre fumé succède à l'interlude tropical. Le soleil diffuse des coulées d'albumine dans les fractures. Des bulles d'air sont prises dans la couche. On hésite à mettre le pied sur ces méduses de nacre. Les visions aquatiques ondoient à travers mon masque. Elles restent imprimées sur la rétine lorsque je ferme les yeux.

À la troisième heure, je risque un coup d'œil face au vent, vers les montagnes de l'ouest. Dans les draperies de versants sinuent des canyons. Dès que j'arrive à leur hauteur, le vent redouble, par effet d'entonnoir. Dire que des écrivains essaient de brosser la beauté de lieux pareils.

J'ai avalé presque tout Jack London, Grey Owl, Aldo Leopold, Fenimore Cooper et une quantité de récits de l'école du *Nature Writing* américain. Je n'ai jamais ressenti à la lecture d'une seule de ces pages le dixième de l'émotion que j'éprouve devant ces rivages.

Impossible de ne pas songer aux morts. Des milliers de Russes ont sombré dans le lac. L'âme des noyés réussit-elle à regagner la surface ? La glace l'arrête-t-elle ? Retrouve-t-elle le trou qui mène au ciel ? Voilà un sujet de controverse à soumettre aux chrétiens fondamentalistes.

Il m'a fallu cinq heures pour rejoindre Iélochine. Volodia m'a serré dans ses bras en disant : « Salut, voisin. » À présent, nous sommes sept ou huit – des pêcheurs de passage, lui, Irina et moi – autour de la table de bois à tremper des biscuits dans le thé. Nous parlons de nos vies et je suis déjà épuisé. Les pêcheurs se disputent. La promiscuité les intoxique. À chaque phrase, ils se reprennent et se rabrouent à grands gestes écœurés. Les cabanes sont des prisons.

De l'autre côté de la fenêtre, le vent continue son folklore. Des nuages de neige passent avec une régularité de trains fantômes. Je pense à la mésange. J'en suis déjà nostalgique. Fou comme on s'attache vite aux êtres.

Au bout de vingt minutes, nous nous taisons, et Volodia regarde dehors. Il reste des heures, assis devant le carreau, le visage clair-obscur, une moitié baignée par la lumière du lac, l'autre demeurant dans l'ombre. La lumière lui taille des traits de fantassin héroïque. Le temps a sur la peau le pouvoir de l'eau sur la terre. Il creuse en s'écoulant.

Le soir, la soupe. Passionnante conversation avec un pêcheur d'où il ressort que les Juifs mènent le monde (mais qu'en France ce sont les Arabes), que Staline était un vrai chef, que les Russes sont invincibles (ce nain d'Hitler s'y est cassé les dents), que le communisme était un système excellent, que le séisme d'Haïti est le résultat de l'onde de choc d'une bombe américaine, que Nostradamus avait raison, que le 11 Septembre est un coup des Yankees, que les historiens du goulag sont des antipatriotes et les Français des homosexuels. Je crois que je vais espacer mes visites.

26 février

VOLODIA et Irina n'ont pas de contacts avec les habitants de la rive opposée. Personne ne traverse le lac. Ils reçoivent parfois la visite de pêcheurs ou d'inspecteurs résidant au sud ou au nord de leur station. Ils s'aventurent rarement dans les montagnes. Ils demeurent postés sur un point littoral, en équilibre entre lac et forêt.

Ce matin, Irina me fait les honneurs de sa bibliothèque. Dans de vieilles éditions de l'époque soviétique, elle possède des œuvres de Stendhal, Walter Scott, Balzac, Pouchkine. Le livre le plus récent est le *Da Vinci Code*. Légère baisse de civilisation.

Et je rentre chez moi en marchant sur les eaux.

27 février

LE luxe de vivre seul dans ce monde où *voisiner* va devenir le problème majeur. À Irkoutsk, j'ai appris qu'un auteur français avait publié un gros roman intitulé *Ensemble, c'est tout*. C'est beaucoup. C'est même le défi essentiel. Je crois que nous ne le relevons pas très bien. Les organismes biologiques animaux et végétaux se côtoient dans l'équilibre. Ils se détruisent, se tuent et se reproduisent en harmonie. Le solfège est bien réglé. Les cortex frontaux humains, eux, ne parviennent pas à coexister tranquillement. Nous jouons désaccordés.

Il neige. Je lis *Les Hommes ivres de Dieu*, essai de Jacques Lacarrière sur l'érémitisme du IVe siècle dans les déserts d'Égypte. Des prophètes hirsutes, éblouis de soleil, quittaient leurs familles et traînaient leur vie dans les cavernes de Thébaïde où Dieu ne venait jamais les visiter parce que, comme toute personne normalement constituée, Il préférait la magnificence des coupoles byzantines. Les anachorètes voulaient échapper aux tentations du siècle. Certains péchèrent par orgueil en confondant méfiance envers leur siècle et mépris de leurs semblables. Aucun d'entre eux ne revint dans le monde après avoir goûté les fruits vénéneux de la vie solitaire.

Les sociétés n'aiment pas les ermites. Elles ne leur pardonnent pas de fuir. L'ermite nie la vocation de la civilisation, en constitue la critique vivante. Il souille le contrat social. Comment accepter cet homme qui passe la ligne et s'accroche au premier vent qui passe?

À 16 heures, visite impromptue de Youra, le météorologue de la station d'Oxouré, sur l'île d'Olkhon. Il est occupé à faire le tour du lac avec une touriste australienne.

Je dispose les verres de vodka sur la table. Nous nous saoulons doucement dans la chaleur fœtale. Les choses échappent un peu à l'Australienne.

Je préfère les natures humaines qui ressemblent aux lacs gelés à celles qui ressemblent aux marais. Les premiers sont durs et froids en surface mais profonds, tourmentés et vivants en dessous. Les seconds sont doux et spongieux d'apparence mais leur fond est inerte et imperméable.

L'Australienne n'ose pas trop s'asseoir sur les rondins qui servent de tabourets. Elle me regarde bizarrement. Le désordre doit conforter ses idées sur le sous-développement du peuple français. Quand Youra s'en va, je suis saoul comme un conducteur de tramway moldave et c'est l'heure de faire du patin à glace.

Le vent d'hier a lustré la piste. Sur la laque, je patine avec la grâce d'un phoque. Des cassures feuillettent la masse de voiles turquoise. Je passe des fractures regelées, couleur d'ivoire, juste avant de coincer la lame dans une faille et de m'écraser sur le parquet. Je rentre piteusement, les chevilles meurtries.

Le soir, le ciel respire et la température chute. Je passe une heure divine, emmitouflé dans mes couches, sur mon banc de bois : une planche de pin clouée à deux rondins. Je suis assis à la lisière de la forêt, sous l'arbre poussé devant ma fenêtre sud. Ses branches couchées vers le lac par les harassements du vent d'ouest forment une conque. Et dans mon kiosque d'aiguilles qui procure une illusion de chaleur, je regarde le puits noir du lac.

Dans ce caveau, un univers grouille de bêtes qui broient, dévorent et sectionnent. Dans les profondeurs, des éponges balancent lentement leurs branches. Des coquillages enroulent leurs spires, battant la mesure du temps et créent des bijoux de nacre en forme de constellations. Des silures monstrueux rôdent dans les vasières. Des bancs d'ombles tracent leurs chorégraphies benthiques. Des bactéries barattent les scories, les digèrent, purifient l'eau. Ce morne malaxage s'opère en silence, sous le miroir où les étoiles n'ont même pas la force de se refléter.

28 février

FORCE 8 ce matin. Les rafales emportent la neige, la plaquent en nuées furieuses sur le mur vert-de-bronze de la lisière des cèdres. Deux heures de rangement. La vie de cabane développe les mêmes maniaqueries que l'existence à bord d'un petit bateau. S'installer dans le réduit d'une hutte sibérienne, c'est gagner la bataille contre l'ensevelissement sous le tombereau des objets. La vie dans les bois conduit à se dégraisser. Voilà deux mille années, les nomades des steppes indo-sarmates savaient contenir leur avoir dans un petit coffre de bois. Il existe un rapport proportionnel entre la rareté des choses que l'on possède et l'attachement qu'on leur porte. Pour les coureurs des bois de Sibérie, le couteau et le fusil sont aussi précieux qu'un compagnon de chair. Un objet qui nous a accompagnés dans les péripéties de la vie se charge de substance et émet un rayonnement particulier. Le temps le patine. Les années le cuirassent. Il faudra côtoyer longtemps son misérable patrimoine d'objets pour apprendre à aimer chacun d'eux. Bientôt le regard aimant posé sur le couteau, la théière et la lampe se transmet aux substances et aux éléments : le bois de la cuillère, la cire des bougies, la flamme. La nature des objets se révèle, il me semble percevoir les mystères de leur essence. Je t'aime, bouteille, je t'aime, petit canif, et toi crayon de bois, et toi ma tasse, et toi théière qui fume comme un bateau blessé. Dehors, c'est une telle furie de vent et de froid que si je n'emplis pas d'amour cette cabane, elle risque de se disloquer.

J'apprends par le téléphone satellite, miraculeusement réactivé, que l'enfant de ma sœur est né. Ce soir, je boirai à sa santé et verserai un godet de vodka sur la Terre qui accueille un petit être de plus sans que personne ne lui demande la permission.

PASSÉ la matinée à fendre des rondins. Un muret de bois s'élève sous l'auvent. J'ai là dix jours de chauffe débités en bûchettes.

En ermitage, la dépense d'énergie physique est intense. Et plus on se passe du service des machines et plus les muscles gonflent, le corps durcit, la peau se cartonne et le visage se cuirasse. L'énergie se redistribue. Elle est transférée du ventre des appareils au corps humain. Les coureurs de bois sont des centrales irradiant de force vitale. Lorsqu'ils entrent dans une pièce, leur rayonnement emplit l'espace.

Au bout de quelques jours, je remarque les premières transformations de mon corps. Les bras se gonflent, les jambes se musclent. Mais – caractéristiques d'animal de vase et d'alcoolique – le ventre se relâche et la peau blanchit. Confiné dans un espace réduit, j'apprends à faire des gestes lents. L'esprit lui-même s'assoupit. Privé de conversation, de contradiction et des sarcasmes des interlocuteurs, l'ermite est moins vif, moins incisif, que son cousin des villes. Il gagne en poésie ce qu'il perd en agilité.

Parfois, cette envie de ne rien faire. Je suis depuis une heure assis à ma table et je surveille la progression des rais du soleil sur la nappe. La lumière anoblit tout ce qu'elle effleure. Le bois, la tranche des livres, le manche des couteaux, la courbe du visage et celle du temps qui passe, et même la poussière en suspens dans l'air. Ce n'est pas rien d'être grains de poussière en ce monde.

Voilà que je m'intéresse à la poussière. Le mois de mars va être long.

MARS
Le temps

1er mars

ANNIVERSAIRE de mon père. J'imagine leur dîner, là-bas, près de Guise. Comme chaque année, la famille s'est retrouvée dans ces écuries du XVIIIe transformées en restaurant. Les cousins belges, la bière, le vin, la viande et la lumière tombée des voûtes en brique. Ils ont dû arriver sous la pluie et ils dînent à présent dans la chaleur. Les tables sont installées sous les râteliers où se gobergeaient les bêtes. Des centaines de chevaux qui seraient au chaud entre ces stalles dorment à présent dehors, dans la nuit de l'Aisne. Je n'aime pas les églises transformées en dépôts de munitions pas plus que les écuries muées en salles de banquet. Je remplis un verre de cinq centilitres de vodka, le tends vers l'ouest et le vide.

Cette nature ne plairait pas à mon père. Il aime le débat, le théâtre, ses dialogues. Il se meut dans l'univers de la réplique. Dans les bois de Sibérie, aucune conversation possible. Bien entendu, rien n'empêche l'homme de s'y exprimer. Il peut toujours hurler comme le *meunier* du romancier finlandais Arto Paasilinna. Seulement, les cris ne servent à rien. Dans une perspective naturaliste, *l'homme révolté* est une chose inutile. La seule vertu, sous les latitudes forestières, c'est l'acceptation. La taïga n'a que deux choses à offrir : ses ressources, que nous ne nous privons pas d'arraisonner, et son indifférence. Prenons la lune, par exemple. Hier elle brillait. Dans mon carnet j'écrivais : *la lune rhinocéros qui de sa corne d'ivoire blesse la nuit couleur d'Afrique.* Combien se fout-elle, la lune, de ces sous-aphorismes de préfecture ?

Ce soir, je finis un polar. Je sors de cette lecture comme d'un dîner chez McDo : écœuré, légèrement honteux. Quatre cents pages pour savoir si MacDouglas a découpé MacFarlane au couteau à beurre ou au pic à glace. L'abondance des détails masque le vide. Est-ce parce qu'ils ressemblent à des rapports que ces romans sont appelés « policiers » ?

MINUIT, je fais des pas sur le lac. Comment retrouver cette impression éprouvée la première fois que j'arrivai sur ces bords anthracite, il y a sept ans ? J'avais eu l'âme équarrie de bonheur. Où est la *joie du lieu* qui me tenait éveillé lors de mes premières nuits sur les grèves ? Quinze jours m'ont suffi : je me sens un habitué des lieux. Se sentir familier d'un lieu, c'est le début de la mort.

LES chiottes, à cent vingt pas de ma cabane : un trou dans la terre et un auvent de planches mal raboutées. En y allant cette nuit, je pense au *Pommier*, une nouvelle de Daphné du Maurier : un type se prend les pieds par une nuit de grand froid dans les racines de l'arbre planté jadis par la femme qu'il haïssait. Je m'imagine, tombant sur le chemin par – 30 °C. Je mourrais là, à cinquante mètres de la cabane, devant le filet de fumée sortant du toit, avec les explosions de la glace pour oraison funèbre. Je cesserais de lutter et rejoindrais lentement le beau silence en me disant : « Tout de même c'est trop bête. »

Kurosawa avait fait un film de ce thème : une escouade d'alpinistes gelait dans le blizzard à un arpent du camp. Et Scott! Se souvient-on de son agonie à moins de vingt kilomètres de son dépôt de ravitaillement? Sven Hedin, lui, vit l'aventure inverse : dans le Taklamakan, il se croit perdu, se prépare à crever et tombe inopinément sur l'oasis.

2 mars

À HUIT CENTS mètres au sud de la cabane, une éminence de granit crève la forêt. Six mélèzes en coiffent le sommet et lui donnent la forme d'une pomme de pin. Le cône domine le lac d'une centaine de mètres. Les traces de lynx mouchettent le talus côtier qui mène au pied du dôme. J'y grimpe péniblement : la poudreuse recouvre le pierrier. J'enfonce aux cuisses et, parfois, le pied disparaît dans un trou, entre deux blocs. Du sommet, le Baïkal, plaine striée de veines d'ivoire. Le silence des bois enveloppe le monde et l'écho de ce silence est vieux de millions d'années. Je reviendrai ici. La « pomme de pin » sera ma hune pour les jours où il faudra prendre de la hauteur.

Sacha et Youri, les pêcheurs rencontrés chez Sergueï il y a quinze jours, passent me visiter. Je sers les verres rituels. Dans la vie, partager un verre avec un compagnon, se savoir en sécurité dans la chaleur d'un abri est déjà quelque chose. Le poêle tire bien et l'atmosphère nous engourdit. On fume, l'air s'épaissit, les mots se raréfient. Le contact des hommes des bois russes me procure toujours un apaisement, né du sentiment d'avoir trouvé l'environnement humain où j'aurais voulu naître. Il est bon de n'avoir pas à alimenter une conversation. D'où vient la difficulté de la vie en société? De cet impératif de trouver toujours quelque chose à dire. Je pense à ces journées de déambulation dans Paris à égrener nerveusement les « ça va » et les « revoyons-nous vite » à des gens bizarres, inconnus, lesquels me débitent les mêmes choses, comme affolés.

— Pas froid? dit Sacha au bout d'un moment.

— Ça va, dis-je.

— La neige?

— Beaucoup!

— Du monde?

— Avant-hier.

— Sergueï?

— Non, Youra Ouzof.

— Youra Ouzof?

— Oui, Youra Ouzof.

— Ah, ce Youra…

— Oui, tout de même.

— Moins on parle et plus on vivra vieux, dit Youri.

Sacha me laisse un bidon de bière de cinq litres. Le soir, j'en vide deux lentement. La bière ou l'assommoir, l'alcool des pauvres gens. Avec la lance à bière, les États totalitaires éteignent les incendies sociaux. Nietzsche haïssait ce jus pisseux parce qu'il alimentait l'*esprit de lourdeur.*

Au bâton sur la neige :

*Le monde, dont nous sommes tour à tour les taches
ou les pinceaux.*

3 mars

Je me souviens de mes voyages à pied dans l'Himalaya, à cheval dans les monts Célestes, à vélo, il y a trois ans, dans le désert de l'Oustiourt. Cette joie, alors, à triompher d'un col. Parfois, j'allais tel un possédé, marchant jusqu'au délire, à l'épuisement. Dans le Gobi, je m'arrêtais pour passer la nuit, là, m'écroulant *sous moi* à l'endroit de mon dernier pas et repartais le lendemain, sitôt l'œil ouvert, machinalement. Je jouais au loup, à présent je fais l'ours. Je veux m'enraciner, devenir de la terre après avoir été du vent. J'étais enchaîné à l'obsession du mouvement, drogué d'espace. Je courais après le temps. Je croyais qu'il se cachait au fond des horizons.

L'homme libre possède le temps. L'homme qui maîtrise l'espace est simplement puissant. En ville, les minutes, les heures, les années nous échappent. Elles coulent de la plaie du temps blessé. Dans la cabane, le temps se calme. Il se couche à vos pieds en vieux chien gentil et, soudain, on ne sait même plus qu'il est là. Je suis libre parce que mes jours le sont.

Chaque après-midi, je chausse mes raquettes. Une heure et demie de marche dans la forêt pour atteindre la lisière supérieure des arbres.

J'aime entrer dans le bois. Derrière l'orée, les sons s'atténuent. Lorsque je pénètre sous la voûte d'une cathédrale gothique, en France ou en Belgique, j'éprouve le même engourdissement. Quelque chose réagit en moi au rayonnement de la pierre calcaire comme au rayonnement des résineux. À présent, je préfère les futaies aux nefs de pierre.

Sous les arbres, neige profonde. Le vent ne la balaie jamais. Malgré les raquettes, je m'enfonce. Les lynx, les loups, les renards et les visons circulent dans la nuit. La tragédie sauvage se lit dans les empreintes. Certaines sont perlées de sang. Elles sont les paroles de la forêt. Les bêtes ne s'enfoncent pas. La surface de leurs pieds est proportionnée à leur poids. L'homme est trop lourd pour aller sur la neige. Parfois, le cri des geais et sinon le silence. Ils crient parce que je pénètre chez eux. Personne ne demande jamais aux bêtes la permission de traverser leur domaine.

Après une heure de montée, l'altimètre marque sept cent cinquante mètres. Encore un effort et, au-delà de neuf cents mètres d'altitude, la forêt baissera les armes. Là-haut, la neige rabotée par les tempêtes offre une surface dure. Les raquettes accrochent bien, je m'élève vite et choisis de remonter l'une des vallées étroites. Quelques mélèzes subsistent au-delà de la frontière forestière. Ils poussent isolés et leurs branches contournées se détachent sur le fond lapis du lac, étoilé de fractures. L'or des branches, le bleu du lac, le blanc des fractures de glace : palette d'Hokusai.

À l'altitude de mille mètres, je grimpe vers les arêtes rocheuses qui flanquent les talwegs. La denture des dorsales granitiques se découpe sur le lac. Certains de mes amis vivent pour cela seul : gagner les altitudes où l'air pique le nez, vivre suspendus entre le ciel et la terre, dans un royaume de formes abstraites, sans odeur. Lorsqu'ils redescendent dans les vallées, la vie leur semble puer. Entre les blocs de pierre qui émergent de la neige, je construis un feu, y fais bouillir le thé. Le feu et moi fumons, côte à côte. Nous offrons nos volutes au vieux lac. Au cours de ces journées là-haut, je me consacre à la pure réjouissance d'être. Tirer sur son clope, seul, devant le lac ; ne nuire à rien, ne subir le diktat de personne, ne désirer pas plus que ce que l'on éprouve et savoir que la nature ne nous rejette pas.

Il fait – 30 °C. Trop froid pour la contemplation. Je choisis un couloir pour redescendre en glissant, je m'accroche aux baliveaux de frênes et aux branches des cornouillers. Je retrouve la forêt de pins et de bouleaux, m'enfonce dans la neige endormie et regagne la rive en une heure. En tirant un cap au jugé, je touche la grève pas loin de la cabane. Lorsque je la découvre, je suis heureux. Elle m'accueille, je rentre chez moi. Je ferme la porte et allume le poêle.

L'épigraphe de l'*Hypérion* : « Ne pas se laisser écraser par l'immense, savoir s'enfermer dans le plus étroit espace, c'est en cela qu'est le divin. » En somme, après la promenade, après s'être gorgé de la grandeur du lac, penser à adresser un clin d'œil à un petit serviteur de la beauté : flocon, lichen, mésange.

4 mars

POUR bien commencer une journée, il est important de rendre ses devoirs. Dans l'ordre : salut au soleil, au lac, au petit cèdre poussé devant la cabane et dans lequel, chaque soir, la lune accroche son fanal.

Je vis ici au royaume de la prévisibilité. Chaque jour s'écoule, miroir de la veille, esquisse du lendemain. Les variations des heures jouent sur la coloration du ciel, les allées et venues des oiseaux. Lorsque le monde des hommes n'envoie plus de signal, une teinte nouvelle sur le plumeau des cèdres, un reflet dans la neige deviennent des événements considérables. Je ne mépriserai plus ceux qui parlent de la pluie et du beau temps. Toute considération sur la météorologie a une dimension cosmique.

À L'INTÉRIEUR et à l'extérieur de la cabane, le sentiment de l'écoulement du temps n'est pas le même. Dedans, un ruissellement d'heures douillettes. Dehors, par – 30 °C, la gifle de chaque seconde. Le seuil de ma porte n'est donc pas une latte de bois séparant le chaud du froid, le cossu de l'hostile, mais une valve d'étranglement soudant les deux globes d'un sablier dans lesquels la durée ne s'écoulerait pas à la même vitesse.

Une cabane sibérienne n'est pas construite aux normes des habitations du monde civilisé. Ici, pas d'impératifs de sécurité, pas d'assistance, pas d'assurance. Les Russes ont le principe de ne jamais prendre de précautions. Dans l'espace de neuf mètres carrés, le corps se meut entre le poêle brûlant, la scie qui pend, les poignards et les haches plantés dans les poutres. Dans l'Europe de la prévention, les cabanes seraient rasées.

Je consacre l'après-midi à scier un cèdre. Travail de forçat : le bois est dense, les dents de métal y mordent mal. Un coup d'œil vers le sud, pour souffler. Le paysage repose, parfait, architecturé : l'orbe des baies, les traînées sulfatées du ciel, les poinçons des pins, la majesté des drapés granitiques. La cabane se tient au centre d'un tanka, au contact des mondes lacustres, montagneux et forestiers, symbolisant respectivement la mort, l'éternel retour et la pureté divine.

Une pause encore. L'année dernière, sur les flancs de la vallée de la Samarga, dans l'Extrême-Orient russe, j'avais visité des stations de bûcherons. Moscou vend sa taïga aux Chinois. Les tronçonneuses lacèrent le silence des confins : on dépèce la forêt par arpents. Les hommes jaunes débitent les troncs avec la minutie des xylophages. Poussés sur la ligne de crête d'une vallée sauvage, ayant survécu à cent ou cent cinquante hivers sibériens, ces cèdres se retrouveront débités en baguettes destinées à fourrer les nouilles d'une soupe au fond du gosier d'un ouvrier de Shanghai employé à la construction d'un centre commercial pour expatriés. Les temps sont durs pour les sapins. Sergueï m'a dit que là-haut, au fond de la réserve de la Lena, les bûcherons sont déjà à l'œuvre.

Les Russes, gonflés de l'illusion de peupler un pays sans bornes, imaginent leur nature inépuisable. On devient plus vite écologiste dans la marqueterie des alpages suisses que mourant d'angoisse dans la vastitude de la plaine russe.

Je coupe aussi un bouleau mort, l'écorce servira d'étoupe pour allumer le feu. La peau de l'arbre est striée d'encoches : un esprit de la forêt aurait-il tenu le décompte des jours ?

Lorsque je rentre, de gros flocons recouvrent la herse de souches et de racines poussée sur le profil du talus.

5 mars

UNE incursion, à nouveau, dans le royaume d'en haut. Je cherche la chute d'eau que m'a signalée Sergueï :

— À une heure et demie de marche, vers les mille mètres d'altitude.

J'erre avec mes raquettes sur la courbe de niveau du pierrier, au-dessus de la ligne des cèdres. Au sommet de l'un des canyons du versant, à la cote 900, je tombe sur la cascade. Le filet de glace naît dans une échancrure au sommet d'une paroi schisteuse, se vomit dans le vide et recouvre de nacre la roche noire. Pas un oiseau ne crie. L'hiver a pétrifié la vie. Le monde attend son réveil. La neige, la chute d'eau, les nuages, le silence même sont en suspens. Un jour, la chaleur descendra du ciel et le flux printanier gonflera les tissus de la nature. Un ruissellement monstrueux nappera les versants. La vie coulera sur les pentes, les bêtes descendront boire et les nuages d'été ramperont vers le nord. Pour l'instant, je suis seul à me débattre dans la poudreuse pour rentrer chez moi.

Patin à glace, le soir. Une heure à glisser sur la laque. Un îlot de neige épargné par le vent. Je m'y échoue pour un cigarillo. Les craquements du Baïkal se répercutent dans mes os. Il fait bon vivre près d'un lac. Le lac offre un spectacle de symétrie (les rives et leur reflet) et une leçon d'équilibre (l'équation entre l'apport des affluents et le débit des exutoires). Pour que se maintiennent les niveaux hydrographiques, il faut une précision miraculeuse. Chaque goutte versée au crédit de la vasque doit être redistribuée.

Vivre en cabane, c'est avoir le temps de s'intéresser à des choses pareilles, le temps de les écrire, le temps de se relire. Et le comble, c'est qu'une fois tout cela accompli, il reste encore du temps.

Au carreau ce soir, la mésange, mon ange.

6 mars

LA température chute subitement. J'abats du bois par − 35 °C et lorsque je rentre dans la cabane, la chaleur procure l'effet d'un luxe suprême. Après la froidure, le bruit d'un bouchon de vodka qui saute près d'un poêle suscite infiniment plus de jouissance qu'un séjour palatial au bord du Grand Canal vénitien. Que les huttes puissent tenir rang de palais, les habitués des suites royales ne le comprendront jamais. Le luxe n'est pas un état mais le passage d'une ligne, le seuil où, soudain, disparaît toute souffrance.

IL est midi, il fait grand vent et je m'en vais. Je pars à pied pour l'île d'Ouchkany, à cent trente kilomètres de la cabane. Je me donne trois jours pour rejoindre la cabane de Sergueï, une journée pour gagner l'île, une deuxième pour y séjourner, une troisième pour revenir sur terre et trois jours pour rentrer chez moi. Je tire une luge d'enfant sur laquelle j'ai chargé un sac de vêtements, des provisions, mes patins à glace, les *Rêveries* de Rousseau et le journal de Jünger, commencé hier. Un philosophe humaniste et un entomologiste prussien : large compagnie.

Je traverse des chaos de banquise. La neige a déposé une crème blanche au-dessus des tranches bleues. Je marche dans le gâteau d'un dieu boréal. Parfois, le soleil illumine la pointe des glaçons : des étoiles s'allument en plein jour. Sur les sections obsidionales, les craquelures courent dans la masse de verre selon un schéma récurrent, le dessin d'une arborescence à angles brisés. Les lignes de cassure se scindent à la manière des arbres généalogiques ou des tiges de certaines plantes. Cela correspondrait-il à une structure mathématique, à une écriture déterminée par les lois de l'Univers ? L'eau a une mémoire, la glace aurait-elle une intelligence (une intelligence froide, *of course*) ?

Six heures de marche puis, au détour d'un cap, le hameau de Zavarotnoe. Quelques maisons de bois reposent dans une baie. Une seule est occupée à l'année par un inspecteur de forêt nommé V.E. L'endroit constitue une enclave de vingt kilomètres sur dix dans la réserve, un territoire libre où les Russes peuvent s'adonner à leur activité préférée : faire n'importe quoi. Le village servait de base arrière aux équipes d'ouvriers qui exploitaient la mine de microquartzite sise dans la montagne, à l'altitude de mille mètres. Le microquartzite servait à fabriquer les diamants des électrophones et les aiguilles de certains oscillateurs. Je dois ma connaissance de ces choses passionnantes à V.E. qui m'accueille dans son isba. Sa cuisine tient de la porcherie. Le sol est dangereux : on peut glisser sur des tripes de poissons et renverser l'une des marmites où mijote la graisse de phoque destinée aux chiens qui règnent ici en maîtres. V.E. fut longtemps le chef de la station météorologique de Solnechnaya, à quarante kilomètres au sud.

Il me montre un morceau de lave, cadeau des géologues.

— Ce sont les plus vieux minéraux du monde, dit-il.

— Quel âge ? dis-je.

— Quatre milliards d'années. Je les ai mis sous mon oreiller pour qu'ils inspirent mes rêves.

— Alors ?

— Rien encore. Tu as faim ?

— Oui, dis-je.

— Tu veux du poisson ?

— Je veux bien.

Le spectacle de V.E. debout, affairé à défoncer au marteau un poisson congelé sur la table d'une cuisine jamais nettoyée depuis la fin de l'Union soviétique, est réjouissant. Les Russes ne font jamais de manières et le poisson est bon.

— Il y a eu des événements dans le monde depuis trois semaines ?
— Non, c'est calme, les musulmans hibernent.

7 mars

VINGT kilomètres au sud de Zavarotnoe, je passe la nuit dans la cabane de Bolchoï Solontsovi, un abri en mauvais état. Il sert de halte aux gardes forestiers de la réserve. Il y a trois ans, j'y avais passé deux jours avec Maxim, un repris de justice à qui les autorités avaient donné une seconde chance. On l'avait nommé inspecteur. Il se morfondait dans sa cabane. Il avait une tête de brute et un sourire très doux. Son existence n'était pas drôle. Un ours rôdait depuis des jours dans la clairière, interdisant toute sortie. « J'en suis réduit à pisser dans ma théière », s'était-il plaint. Ses supérieurs n'avaient pas voulu prendre le risque de confier un fusil à un ancien drogué fraîchement sorti des geôles d'Irkoutsk. Entre-temps, l'ours a été assassiné, Maxim a replongé, purge une nouvelle peine, et la cabane de Bolchoï Solontsovi est à nouveau vide.

Je joue aux échecs contre moi-même. Malgré une charge héroïque des fous, les blancs perdent. Déjà on ne voit plus rien, la nuit a trop gagné.

8 mars

ON the ice. Dans l'après-midi, j'arrive à la station météorologique de Solnechnaya. Sur un replat déboisé, au temps de l'Union défunte, s'élevait ici un village pimpant. Aujourd'hui, les restes du hameau abritent deux personnes, Anatoli, un inspecteur, et Lena, son ancienne femme. Ils se sont séparés récemment et vivent dans deux isbas voisines – chiens de faïence au bout du monde. La station est défendue par un chaos de banquise. Je frappe chez Anatoli. Pas de réponse. Je pousse la porte. Soleil à flots dans la pièce. Il y a des boîtes de conserve par terre, des cadavres de bouteilles sous la table et un corps sur le divan. J'avais oublié qu'on était le 8 mars, « jour des femmes » en Russie. Anatoli a fêté l'événement. Lena me racontera qu'il a frappé toute la nuit à sa porte en gueulant : « Tu vas ouvrir ! » Un gentleman ne saurait manquer de célébrer le jour des femmes.

Je le réveille. Il sent le formol, l'éther et le chou. Il se lève et tombe. Pour garder la face il me dit :

— Ce sont mes rhumatismes : ils me font souffrir.

— Oui, le temps est humide, dis-je.

Anatoli passe l'après-midi à errer sur la berge. Ces stations météorologiques sont des rampes de lancement vers l'hôpital psychiatrique. Depuis l'époque de Staline, elles maillent le territoire, de la Biélorussie au Kamtchatka. Disséminer ces postes était un moyen d'occuper le vide. Il s'agissait de maintenir dans les confins des citoyens capables de prévenir Moscou d'un débarquement du fasciste ou d'un prurit contestataire. Dans les isbas identiquement flanquées d'appareils de mesure, les météorologues vivent en couple ou par groupes de quatre ou cinq. Toutes les trois heures, ils sortent relever les données transmises par radio à leur base. Le temps ne leur appartient pas. Le rythme imposé les plonge dans la confusion mentale. Leurs huis clos deviennent théâtres de désordres. On y boit, on se déchire, on développe des pathologies psychiques. Parfois, une disparition rompt le cours des jours. Dans une station insulaire de la mer de Laptev, on a retrouvé les bottes de feutre d'un météorologue et on a conclu que les ours blancs ne digéraient pas la laine. Ici, à Solnechnaya, il y a quelques décennies, un chef de station, haï de ses hommes, s'est évaporé dans les bois par une nuit d'hiver. L'administration a jeté un voile sur l'affaire.

Je quitte Anatoli parce que Lena m'invite à boire le thé chez elle. Elle a une belle tête de marchande de harengs flamande avec des yeux bleus bridés et le nez pointu. Nous avons trois heures. Le thé fume et Lena s'épanche. Elle est arrivée dans la station quand elle avait seize ans. Pour rien au monde elle ne quitterait les lieux :

— Je n'aime pas l'asphalte, en ville le goudron me fait mal aux pieds et l'argent s'évapore.

— Et le métier ?

— Cela me plaît. Sauf les bêtes sauvages. Les appareils de relevés sont à cent cinquante mètres de la maison et, la nuit, je trouve la distance bien longue, alors, je galope. Mais je ne me plains pas.

— Pourquoi ?

— Parce qu'il y a des stations où les instruments se trouvent à un kilomètre !

— Pas d'attaque ?

— Si, les loups.

— Quand ?

— La seconde fois que j'ai vu le loup, ici, c'était le 6 juin. Je vais au terrain à 8 heures, je vois les vaches qui rentrent en courant. Je pensais que c'était le bœuf qui les effrayait. Je reviens et, au loin, on aurait dit notre chien Zarek. Je me retourne, Zarek était là. C'était donc un vrai loup, là, devant ! Les vaches étaient déjà passées derrière moi, je cours à la rencontre du loup avec un gros caillou. Le loup approche, je vois son rictus. Je lui jette des pierres. Les vaches, elles ont peut-être eu honte, elles font demi-tour et elles sont revenues !

— Les vaches sont revenues !

— Et le bœuf aussi. Alors le loup commence à reculer, tout en montrant ses dents, comme s'il m'appelait à le suivre. Je le suis tout en lançant des pierres, je reprends mon courage, il y a tout un troupeau derrière moi !

— De braves vaches.

Lena se lève pour lancer un appel à la radio :

— Si je manque trois vacations d'affilée, c'est que je suis morte.

Je la quitte, raffermi dans mon amour de la Russie, nation qui envoie des fusées dans l'espace et où l'on se bat contre les loups à coups de pierres.

En deux kilomètres de marche par des plaques de glace lunaire pareilles à de la gelée de méduse innervée de turquoise, j'arrive à Pokoïniki, chez Sergueï et Natasha. Sergueï a préparé un *banya*. Nous y suffoquons une heure. Puis nous vidons une bouteille de vodka au miel en n'oubliant pas de porter des toasts aux femmes, car le 8 mars, c'est le jour où l'homme se dédouane.

9 mars

À MIDI, Sergueï ouvre une bouteille de bière de trois litres. Sur l'étiquette, il y a inscrit « taille sibérienne ».

Pendant cinq années, j'ai rêvé à cette vie. Aujourd'hui, je la goûte comme un accomplissement ordinaire. Nos rêves se réalisent mais ne sont que des bulles de savon explosant dans l'inéluctable.

10 mars

JE pars vers Ouchkany. L'île est située à trente kilomètres à l'est de Pokoïniki, au milieu du lac. On distingue sa masse à l'horizon, elle a la forme d'un chapeau de feutre. Parfois, je me couche sur un banc de neige et je regarde le ciel bleu clinique par l'ovale de ma capuche. Le traîneau me freine, mais quand une rafale le pousse, il fuse sur la glace et me dépasse. J'atteins l'île en six heures.

Le seigneur des lieux s'appelle Youra. Il vit avec sa femme dans une station météorologique sise sur la berge : quatre larges isbas ouvertes sur le couchant. Il a ce caractère despotique des ermites insulaires, syndrome du roi de Clipperton. L'autocratisme se double de folie quand la vodka allume des feux au fond de ses yeux. Il règne sans rival sur sa satrapie. Les stations du Baïkal sont des seigneuries où l'écho de la loi moscovite ne parvient qu'affaibli. Un contrat tacite lie le gouvernement à ces citoyens reclus. Le premier n'envoie pas un rouble de subvention. Les seconds trichent, mentent et grattent tout ce qu'ils peuvent.

11 mars

JE passe un jour entier sur l'île d'Ouchkany dans un état de demi-sommeil. Le soleil sibérien frappe la façade de l'isba, la lumière irradie dans la pièce de bois. Allongé sur mon lit, je lis le journal de Jünger, *Soixante-dix s'efface*, tome 1, dans l'édition Gallimard. Le vieux mage n'aurait pas aimé la clarté qui règne ici. Trop crue, elle tue le mystère des choses. Je puise des images à chaque page, des éclairs, des visions. Jünger exprime par le symbole la métaphysique du monde physique.

P. 66 : « Il faut voir les êtres humains en tant que porteurs de signes, sémaphores. »

P. 164 : « Un seul jour à Ceylan – peut-être vaudrait-il mieux, plutôt que de nous laisser traîner de temple en temple, rendre nos devoirs à quelques vieux arbres. »

P. 353 : « Droit d'entrée. Mieux employé encore, bien souvent, le prix du droit de sortie, celui qu'on paye pour ne plus rien avoir à faire avec la société. »

P. 519 : « Un jour aussi, les abeilles ont découvert les fleurs et les ont façonnées selon leur tendresse. Depuis lors, la beauté a pris plus de place dans le monde. »

D'où vient mon amour des aphorismes, des saillies et des formules ? Et d'où vient ma préférence des particularismes aux ensembles, des individus aux groupes ? De mon nom ? Tesson, le fragment de quelque chose qui fut. Il conserve dans sa forme le souvenir de la bouteille. Le Tesson serait un être nostalgique de l'unité perdue, cherchant à renouer avec le Tout. Ce que je fais ici, en me saoulant dans les bois.

Youra vaque à ses occupations. Il ne regagnera jamais la ville. Sur l'île, il jouit des deux ingrédients nécessaires à la vie sans entraves : la solitude et l'immensité. En ville, la foule humaine ne peut survivre que si la loi met bon ordre à ses débordements et régule ses besoins. Quand les hommes se concentrent, l'administration naît. Pour l'ermite, la régence administrative commence lorsqu'on est deux. Elle porte alors le nom de mariage.

Les hommes des bois sont très sceptiques à l'égard des projets de « villes citoyennes », autogérées, sans prison ni police, où la liberté régnerait soudain parmi des foules devenues responsables. Ils voient dans ces utopies une antinomie grotesque. La ville est une inscription dans l'espace de la culture, de l'ordre et de leur fille naturelle, la coercition.

Seul le recours aux étendues infinies et dépeuplées autorise une anarchie pacifiste dont la viabilité est fondée sur un principe très simple : contrairement à ce qui advient en ville, le danger de la vie dans les bois provient de la Nature et non de l'Homme. Rêvons un peu. On pourrait imaginer dans nos sociétés occidentales urbaines, comme à Pokoïniki ou à Zavarotnoe, des petits groupes de gens désireux de fuir la marche du siècle. Lassés de peupler des villes surpeuplées dont la gouvernance implique la promulgation toujours plus abondante de règlements, excédés par l'impatronisation des nouvelles technologies dans tous les champs de la vie quotidienne, ils décideraient de quitter les zones urbaines pour regagner les bois. Ils recréeraient des villages dans des clairières, ouvertes au milieu des nefs. Ce mouvement s'apparenterait aux expériences hippies mais se nourrirait de motifs différents. Les hippies fuyaient un ordre qui les oppressait. Les néo-forestiers fuiront un désordre qui les démoralise. Les bois, eux, sont prêts à accueillir les hommes ; ils ont l'habitude des éternels retours.

Pour parvenir au sentiment de liberté intérieure, il faut de l'espace à profusion et de la solitude. Il faut ajouter la maîtrise du temps, le silence total, l'âpreté de la vie et le côtoiement de la splendeur géographique. L'équation de ces conquêtes mène en cabane.

12 mars

JE m'en retourne à la rive. Je marche trente kilomètres en état de somnambulisme. J'atteins Pokoïniki en sept heures. Je passe l'aprèsmidi sur un banc près de la cabane de Sergueï, emmitouflé et immobile comme un petit vieux. Un petit vieux qui vient de se taper trente kilomètres par − 31 °C.

Le soir, près de mon lit, j'allume une bougie près de l'icône de Séraphin de Sarov que j'emporte partout. Et recopie sur un papier que je pose près de l'image cette phrase de Jünger, datée de décembre 1968 : « Au ciel, des nuages passaient devant la Lune blême dont, à cette heure, une équipe d'Américains fait le tour. Quand je place une bougie sur une tombe, l'effet est nul mais le message en est riche. Elle brille pour l'univers entier, en confirme le sens. S'ils font le tour de la Lune, l'effet en sera considérable, mais le sens en sera moindre. »

Ensuite, pour me récompenser d'avoir envoyé un signe à l'Univers, je descends deux litres et demi de bière. Qui me détendent les jambes.

13 mars

J'AI fait des rêves en pagaille cette nuit. À Paris, jamais. L'explication vulgaire tiendrait à la qualité de mon sommeil, propice à l'onirisme. Je penche davantage pour l'idée que le génie du lieu me visite secrètement la nuit et, s'infiltrant par rayonnement dans les arcanes de mon psychisme, modèlerait la substance de mes rêves.

À l'aube, une voiture d'Irkoutsk amène le bon vieux Youra, le pêcheur qui m'a rendu visite. Il habite une petite cabane en bois de la station de Pokoïniki. Il seconde Sergueï dans les travaux de force. Il vient de passer deux jours à Irkoutsk pour refaire ses papiers.

— Depuis trois présidents, je n'avais pas quitté les bois : Eltsine, Poutine et Medvedev !

— Ce qui t'a le plus frappé, à Irkoutsk ?

— Les magasins ! Il y a tout. Et la propreté !

— Quoi encore ?

— Les gens, ils se parlent aimablement.

À midi, adieux à Youra, Sergueï et Natasha. Je fais le chemin à rebours. Le soir, halte dans la cabane de Bolchoï Solontsovi. La cabane se réchauffe doucement et je reste près du feu. Penser à vérifier, à mon retour en France, si une « psychanalyse de la cabane » n'a pas été publiée, parce que ce soir, je me sens aussi bien qu'un fœtus.

14 mars

IL fait bon aujourd'hui : − 18 °C. J'abats vingt kilomètres sur le tapis. La glace comme la lave sont des éléments magiques. Tous deux ont subi l'influence métamorphique d'un autre élément. La froidure de l'air a figé l'eau pour faire la glace. La chaleur du feu a fluidifié la roche pour faire la lave. Toutes deux se transformeront à nouveau quand le réchauffement de l'air détruira la glace et que le refroidissement de l'eau pétrifiera la lave. Marcher sur une étendue gelée n'est pas un acte anodin. Les pas frappent la surface d'un plan en devenir. La glace est l'une des œuvres alchimiques de notre monde.

Je suis à une dizaine de kilomètres de Zavarotnoe, tirant mon traîneau vers le nord, quand ils arrivent à ma hauteur. Ils coupent le moteur de la motoneige. Ils ont l'air passablement engourdis de froid. Natalia et Mika possèdent l'une des isbas de Zavarotnoe. Ils m'ont vu de loin et se sont dirigés vers cette silhouette qui avançait le long de la côte. En quelques secondes, Natalia étend une couverture sur le linoléum noir du lac et y dispose du cognac, une tourte au poisson et une Thermos de café. Nous nous allongeons autour. Les Russes ont le génie de créer dans l'instant les conditions d'un festin. Combien de fois en ai-je croisé, de ces moujiks qui m'ont hélé au bord des pistes. D'un geste, ils proposaient de m'asseoir. Immuablement, dans ces situations, les convives se renversent par terre, se couchent sur les coudes, les jambes croisées, la chapka en arrière. Parfois un feu jaillit, des produits surgissent des sacs, on ouvre une bouteille de vodka, les rires fusent, les verres se remplissent. On partage un pain, on tranche le reste d'un foie d'élan. La conversation s'anime, articulée autour de trois sujets : le temps qu'il fait, l'état de la piste, la valeur des moyens de transport. Parfois, on aborde le thème de la ville et tout le monde se trouve d'accord : il faut être cinglé pour s'empiler les uns au-dessus des autres. Là où il n'y avait rien est née une oasis, délimitée par le carré de la couverture. Cette transmutation, seuls savent l'accomplir les peuples au sang nomade.

Natalia et Mika repartent. Nous avons pris le temps de vider la petite bouteille de cognac en sept toasts. Je peine à atteindre Zavarotnoe. Je suis d'une complexion qui m'eût mieux disposé à vivre sur la rive orientale. Le soleil s'y lève tard et les soirées s'y traînent.

15 mars

Jusque chez moi, il reste vingt-deux kilomètres. Je m'apprête à quitter Zavarotnoe. Une escouade de 4 × 4 surgit de l'horizon, gyrophare sur le toit. V.M., un businessman d'Irkoutsk, est en train de construire une isba à Zavarotnoe, profitant du statut qui soustrait l'enclave aux lois de la réserve. La bâtisse est destinée à ses parties de campagne. L'an prochain, il conviera ses amis ou ses clients à pêcher, à boire et à tirer sur les bêtes. Ce matin, il est venu avec sa cour inspecter le chantier. Sergueï et Youra accompagnent. « Le général », comme on l'appelle ici, distribue ses largesses aux gardes de la réserve. Sur la glace, devant la berge où s'élèvent les fondations de la grosse isba blonde, c'est la cohue. Tout le monde est saoul. On décharge les caisses. Un lieutenant de V.M. m'exhibe sa Saïga MK, une 7.62 dont il ne se sépare pas au cas où il croiserait le fasciste ou le Chinois sur la glace. C'est ainsi que les journaux russes regorgent du récit de ces virées qui tournent mal.

Youra observe ce déballage de ses yeux résignés. Une énergie néfaste se concentre dans la baie. Il y a ici toute la Russie précipitée : les seigneurs dangereux, le fidèle serviteur tolstoïen, Sergueï le coureur des bois. Et les humbles, sachant le profit qu'ils tireront du côtoiement des puissants, ravalent leur dégoût. Je n'ai qu'une hâte : regagner mon désert.

V.M. propose de m'emmener dans sa Mercedes jusque chez moi. Nous montons dans l'énorme bagnole avec Sergueï et deux autres Russes. L'un s'endort instantanément, l'autre hurle dans un talkie pendant trois minutes avant de comprendre que l'appareil est éteint. La radio crache un rap. Sergueï ne dit pas un mot. Le sponsoring se paie cher.

À présent, nous buvons un verre, chez moi. V.M. dit en montrant la fenêtre :

— J'ai vécu aux USA un an, je n'aime pas la mentalité des Américains. Ce que je veux, c'est ça : la liberté, l'anarchie, le lac.

On boit coup sur coup. Finalement, ces types sont touchants. Ils ont des gueules à dépecer le Tchétchène et ils partagent délicatement leur biscotte avec la mésange. Eux et moi séjournons sur cette berge pour des raisons identiques mais manifestées par des comportements opposés. Quand ils partent, je respire. Ils ont allumé le gyrophare en prévision d'un embouteillage.

Le silence me revient, l'immense silence qui n'est pas l'absence de bruit mais la disparition de tout interlocuteur. L'amour monte en moi pour ces bois peuplés de cerfs, ce lac gorgé de poissons, ce ciel traversé d'oiseaux, le grand amour beatnik m'envahit avec une intensité proportionnelle à l'éloignement de la bande de V.M. Avec eux, tout ce que je crains disparaît : le bruit, la fierté d'être ensemble, la soif de chasse – bref, la fièvre des meutes humaines.

Je suis saoul et il me faut de l'eau. Pendant mes dix jours d'absence, mes trous d'eau ont regelé. J'attaque le lac au pic à glace et mets une heure et demie à façonner une belle vasque d'un mètre de largeur et un mètre dix de profondeur. L'eau jaillit d'un coup, que je puise avec bonheur. Ce sentiment d'avoir *gagné* son eau. J'ai les muscles des bras endoloris. Autrefois, dans les campagnes et les forêts, vivre maintenait en forme.

16 mars

DANS le monde que j'ai quitté, la présence des autres exerce un contrôle sur les actes. Elle maintient dans la discipline. En ville, sans le regard de nos voisins, nous nous comporterions moins élégamment. Qui n'a jamais dîné seul debout dans sa cuisine, heureux de n'avoir pas à mettre le couvert, jouissant de bâfrer à grosses lampées une boîte de raviolis froids ? Dans la cabane, le relâchement menace.

À Paris, avant le départ, on me mettait en garde. L'ennui constituerait mon ennemi mortifère ! J'en crèverais ! J'écoutais poliment. Les gens qui parlaient ainsi avaient le sentiment de constituer à eux seuls une distraction formidable. « Réduit à moi seul, je me nourris, il est vrai, de ma propre substance, mais elle ne s'épuise pas... », écrit Rousseau dans les *Rêveries*.

L'épreuve de la solitude, Rousseau la perçoit dans la cinquième de ses promenades. Le solitaire doit s'astreindre au devoir de vertu, dit-il, et ne peut se permettre la cruauté. S'il se comporte mal, l'expérience de son érémitisme lui imposera une double peine : d'une part, il aura à supporter une atmosphère viciée par sa propre méchanceté et, de l'autre, il lui faudra subir l'échec de n'avoir pas été digne du genre humain. C'est dans l'intérêt du solitaire de se montrer bienveillant avec ce qui l'entoure, de rallier à sa cause bêtes, plantes et dieux. Pourquoi ajouterait-il à l'austérité de son état le sentiment de l'hostilité du monde ? L'ermite s'interdit toute brutalité à l'égard de son environnement. C'est le syndrome de saint François d'Assise. Le saint parle à ses frères oiseaux, le Bouddha caresse l'éléphant enragé, saint Séraphin de Sarov nourrit les ours bruns, et Rousseau cherche consolation dans l'herborisation.

À midi, je regarde très attentivement la neige tomber sur les cèdres. Je tâche de bien me pénétrer du spectacle et de suivre la course du plus grand nombre de flocons. Exercice épuisant. Et il y a des gens qui appellent cela de l'oisiveté !

Le soir, la neige toujours. Devant pareil spectacle, le bouddhiste se dit : « N'attendons rien de neuf » ; le chrétien : « Ça ira mieux demain » ; le païen : « Que veut dire tout cela ? » ; le stoïcien : « On verra ce qui adviendra », le nihiliste : « Que tout s'ensevelisse. » Moi : « Il faut que je coupe du bois avant que les rondins ne soient recouverts. » Puis je me couche après avoir remis une bûche.

17 mars

QUESTIONS à élucider au cours des prochains mois :
Me supporterai-je moi-même ?
Puis-je, à trente-sept ans, me métamorphoser ?
Pourquoi rien ne me manque-t-il ?
Le ciel ne tarit pas, la neige tombe encore. Matinée au carreau. Dans une cabane, la vie s'articule autour de trois activités.

1) La surveillance et la connaissance approfondie de son champ de vision (délimité par l'encadrement de sa fenêtre), la notification de tout ce qui s'y passe.

2) La bonne tenue de son intérieur.

3) La réception des rares visiteurs, l'accueil, le renseignement et parfois, au contraire, le barrage fait aux importuns.

Si je voulais me flatter, je dirais que ces tâches m'apparentent à une sentinelle et font de ma cabane un poste de vigie devant l'empire des arbres. En fait, c'est un boulot de concierge et ma cabane est une loge. Penser à mettre un écriteau REVIENS DE SUITE lorsque je partirai dans les bois.

Le soir, le soleil perce, la neige prend une teinte d'acier. Les aplats blancs brillent avec l'éclat du mercure. J'essaie de prendre une photo de ce phénomène mais l'image ne rend rien du rayonnement. Vanité de la photo. L'écran réduit le réel à sa valeur euclidienne. Il tue la substance des choses. Un monde obsédé par l'image se prive de goûter aux mystérieuses émanations de la vie. Aucun objectif photographique ne captera les réminiscences qu'un paysage déploie en nos cœurs. Et ce qu'un visage nous envoie d'ions négatifs ou d'invites impalpables, quel appareil le pourrait saisir ?

18 mars

MES réserves de vivres s'épuisent. Il me faut trouver un moyen de pêcher. Au Baïkal, les Sibériens utilisent une méthode simple. Ils versent dans un trou d'eau une poignée de ces puces d'eau vivantes récoltées dans les marais auxquelles ils donnent le nom de *bormouch*. Les poissons pullulent sous le trou, attirés par la manne. Il ne reste plus qu'à jeter sa ligne de mouche. N'ayant pas de marécages à portée de main, j'utilise la vieille technique des forestiers : je creuse un trou très large près de la grève, à trois mètres au-dessus du fond du lac et y laisse tremper des brassées de branches de cèdres sciées. Dans quelques jours, des milliers de micro-organismes s'agrégeront aux aiguilles. Il ne restera plus qu'à les récolter et à appâter les poissons avec.

19 mars

CETTE nuit, les craquements m'ont réveillé. Un coup de boutoir plus fort que les autres a fait trembler les poutres de la cabane. La masse d'eau se rebelle contre son incarcération et cogne au couvercle.

La neige toujours. L'immobilité encore. Jusque-là, je voyageais comme une flèche décochée d'un arc. À présent, je suis un pieu fiché dans le sol. D'ailleurs, je me végétalise. Mon être s'enracine. Mes gestes ralentissent, je bois beaucoup de thé, je deviens hypersensible aux variations de la lumière, je ne mange plus de viande.

MONDE INTÉRIEUR	MONDE EXTÉRIEUR
Cabane maternelle	Le lac paternel
Chaleur	Froid, sécheresse
Moelleux du bois	Dureté des glaces
Sécurité	Danger omniprésent
Ronronnement du poêle	Craquements
Larmes de résine sur les poutres	Éclats des banquises
Travaux de l'esprit	Travaux physiques
Le corps y fait de la graisse	Le corps s'assèche
La peau y blanchit	La peau craquelle et se burine

ENCORE un arbre scié, débité et rangé. Puis, à la pelle, je creuse des chemins dans la neige vers la rive, le *banya* et le tas de billots. Quatre heures de travaux quotidiens sont recommandées par Tolstoï pour avoir le droit de jouir du couvert et du gîte.

20 mars

CHAQUE matin désormais, les mésanges frappent au carreau. Les coups de bec sont mon réveille-matin. Il fait doux, j'installe un tabouret à deux kilomètres du rivage et fume un Roméo et Juliette n° 2 (un peu sec) en regardant la rive. Jusqu'ici, les montagnes, j'avais appris à les escalader, à les dévaler, à chercher des itinéraires et à évaluer leurs dénivellations. Jamais encore je ne les avais *regardées*.

Le soir, Casanova. Emprisonné dans les Plombs de Venise, il écrit : « Croyez que pour être libre, il suffit de croire de l'être. » Son goût pour les dragées fourrées avec la poudre de cheveux de l'être aimé. J'aurais dû en apporter ici. Sa critique à Voltaire des utopies humanistes : « Votre première passion est l'amour de l'humanité… mais vous ne sauriez l'aimer que telle qu'elle est. Elle n'est pas susceptible des bienfaits que vous voulez lui prodiguer… Je n'ai jamais tant ri comme lorsque j'ai vu Don Quichotte très embarrassé à se défendre des galériens auxquels par grandeur d'âme il venait de donner la liberté. »

21 mars

C'EST le jour du printemps, le ciel est bleu et je pars dans les bois. Je m'élève le long de la rivière gelée débouchant sur le lac à cinq cents mètres au nord de la cabane.

La solitude de la nature rencontre la mienne. Et nos deux solitudes confirment leur existence. En peinant dans la poudreuse, je repense à la méditation de Michel Tournier sur la joie d'avoir à ses côtés un semblable pour se convaincre de l'existence du monde. Je suis seul à regarder ces frênes à l'écorce veinée de striures verticales. Les mélèzes aux formes torturées donnent un air d'estampe à la vallée (dans les dessins chinois on croirait toujours que les montagnes et les rivières souffrent).

J'avance, je dépasse le bosquet, il disparaît de ma vue. Existe-t-il encore ? L'affirmation schopenhauerienne de l'existence du monde par seule représentation du sujet est une amusante vue de l'esprit, mais c'est une foutaise. La forêt, est-ce que je ne la sens pas irradier de toute sa force dans mon dos ?

Quand le vallon se resserre, vers huit cents mètres d'altitude, je gagne le sommet de l'arête granitique. Une ligne claire serpente dans la masse vert bronze de la taïga. Ce sont les frênes aux branches blondes. Ils soulignent le cours du torrent d'une coulée de miel.

Je redescends en deux heures par les longues allées blanches, les esplanades vides et les avenues silencieuses. À la cabane, je replonge dans Casanova. Après sa visite de l'abbaye d'Einsiedeln : « Pour être heureux il me paraissait qu'il ne me fallait qu'une bibliothèque. » À propos d'une jeune Italienne : « Je me suis montré mortifié de devoir la quitter sans avoir rendu à ses charmes le principal hommage qu'ils méritaient. » Casanova voyage et séjourne à Rome, à Paris, à Munich, à Genève, à Venise et à Naples. Il parle le français, l'anglais, l'italien et le latin. Il rencontre Voltaire, Hume et Goldoni. Il cite Copernic, l'Arioste et Horace. Ses amantes s'appellent Donna Lucrezia, Hedwige ou Henriette. Deux siècles plus tard, des technocrates disent qu'il est urgent de « construire l'Europe ».

À 20 heures, je dresse ma table. Ce soir, une soupe, des pâtes, du Tabasco, du thé, vingt-cinq centilitres de vodka et un Partagas cubain en tube. Le Tabasco permet d'avaler n'importe quoi avec l'impression de manger quelque chose. Avant de dormir, j'allume un cierge devant la photo de ma petite chérie et je fume en regardant la flamme danser sur la photo. De quoi se plaignent les amants éloignés ? Pour se consoler, il suffit de croire à l'incarnation de l'être dans l'icône. Je souffle les lampes à huile et me couche.

Aujourd'hui, je n'ai nui à aucun être vivant de cette planète. *Ne pas nuire*. Étrange que les anachorètes du désert n'avancent jamais ce beau souci dans les explications de leur retraite. Ne pas nuire. Après une journée dans la cabane des Cèdres du Nord, on peut se le dire en se regardant dans les glaces.

22 mars

Toute la nuit, tempête. Les Russes appellent *sarma* le vent dévalant des versants occidentaux du Baïkal. Le cliquetis des outils sous l'auvent m'a laissé éveillé jusque tard. Comment les oiseaux tiennent-ils dans leur nid ? Seront-ils là demain, vivants ?

Le vent a chassé la neige à la surface du lac et m'a rendu la glace. Je patine deux heures sous le soleil froid en écoutant Maria Callas.

Le soir, je note sur un papier les raisons de ma retraite.

RAISONS POUR LESQUELLES JE ME SUIS ISOLÉ
DANS UNE CABANE

J'étais trop bavard
Je voulais du silence
Trop de courrier en retard et trop de gens à voir
J'étais jaloux de Robinson
C'est mieux chauffé que chez moi, à Paris.
Par lassitude d'avoir à faire les courses
Pour pouvoir hurler et vivre nu
Par détestation du téléphone et du bruit des moteurs

23 mars

CHAUSSÉ de raquettes, je vais par les grèves et par les bois toute la journée. Cette idée que les paysages ont une mémoire. Une plaine agricole se souvient des angélus. Un champ de coquelicots des amours enfantines. Mais ici? Les bois n'ont pas de souvenirs. Ils sont sans transformation, sans Histoire, ils ne disent rien, nul écho d'une action humaine ne traîne sous leurs frondaisons. Les taïgas gisent pour elles-mêmes. Elles couvrent les versants, montent à l'assaut des pentes sans rien devoir. L'homme supporte mal l'indifférence de la nature à son égard. Le regard de l'homme sur la taïga précède le bruit de la cognée.

24 mars

JE n'ose me lever ce matin. Ma volonté est lâchée en liberté dans le champ des jours vierges. Le danger : demeurer tétanisé jusqu'à la nuit à regarder le blanc en disant : « Dieux! comme je suis libre! »

Il s'est remis à neiger. Il n'y a personne. Même pas un véhicule au loin. La seule chose qui passe ici, c'est le temps. Le bonheur dans mon existence de voir apparaître les mésanges… Je ne me moquerai jamais plus de ces vieilles dames qui gâtifient devant leurs caniches sur les trottoirs d'Auteuil ou mettent un canari au centre de leur vie. Côtoyer les bêtes est une jouvence.

Lady Chatterley. Au chapitre VII, Clifford, décidément, est bien visqueux. Il dégoûte la pauvre petite Constance : « Il parlait, il parlait toujours; de toutes petites analyses de gens et de choses; de motifs, de caractères, de personnalité : elle n'en pouvait plus… Elle était reconnaissante d'être seule. » Je ferme le livre, je sors et prends la hache sous la neige et pendant deux heures vlan! vlan! comme un forcené, sur les billots, galvanisé par lady Constance. Vlan! Vlan! « Ce qui doit d'abord être démontré ne vaut pas grand-chose » (Nietzsche dans le *Crépuscule*). Laisser la vie s'exprimer par le sang, la neige, le tranchant de la hache et l'éclat du soleil sur le ramage d'un freux.

Aujourd'hui, sous la neige, je relève mon piège à *bormouch*. Je sors les branchages et les secoue au-dessus d'un seau. Des milliers de micro-organismes frétillent dans l'eau claire. Je les transvase dans une bouteille. J'ai mon appât, dans quelques jours, j'irai pêcher.

Il faut avoir l'esprit tordu pour voir en *L'Amant de lady Chatterley* un livre érotique. Ce roman est un requiem pour une nature blessée. L'Angleterre aux paisibles bocages, aux bois pleins de mémoire agonise sous les yeux de Constance. Le développement minier ravage la terre britannique. Les puits d'exploitation éventrent les bocages. Les cheminées se dressent dans des ciels maculés. Le pays se prostitue à l'industrie. C'est l'agonie d'un monde. « L'Angleterre industrielle *efface* l'Angleterre agricole. » Lawrence met dans la bouche de la jeune femme de prophétiques paroles sur l'enlaidissement des paysages, l'abrutissement des esprits, la tragédie d'un peuple qui perd sa vitalité (« sa virilité », dit-elle) dans les cadences mécaniques. L'amour primitif et païen s'épanouit chez lady Chatterley en même temps qu'elle assiste au naufrage des âmes modernes, siphonnées par une « sinistre énergie ». La « démence » prométhéenne affaiblit l'être dans le fracas de la machine. Gorki, dans *Confessions*, tient des propos inverses. Le révolutionnaire se réjouit de l'immense effort de progrès entrepris par la Russie. Pour lui, la monstrueuse énergie concentrée dans les centres industriels va diffuser dans le monde entier un nuage magnétique. Cette force « psychophysiologique » entraînera tous les peuples de la Terre à se retrousser les manches pour faire chanter les lendemains. Lawrence savait que la douceur des campagnes est un visage de la beauté. Gorki ne croyait qu'à la splendeur des ciels traversés d'éclairs sidérurgiques. Et Constance, transpirante de désir, souffrant de la Passion de la Terre, hurle sous les ramures de la forêt cette question de tragédienne, mais déjà, le fracas des machines couvre son cri : « Qu'est-ce que l'homme a fait à l'homme? »

Ce soir, je regarde le lac, assis sur le banc de bois, sous la conque des cèdres. Avant toute chose, un beau paysage devant les yeux. Ensuite tout peut s'arranger, la vie peut commencer.

Lady Chatterley a raison. Je l'accueillerais bien quelques jours ici, me dis-je avant de rentrer me coucher.

25 mars

LEVER en même temps que le soleil. Je me recouche un peu devant tant de grandeur. Ce matin, le temps permet de sortir pour la première fois depuis des jours. Je monte à la cascade par la rive droite du torrent. Deux heures pour venir à bout des quatre cents mètres de dénivellation. Puis viennent deux cents mètres de bon terrain durci. Mais ensuite, calvaire pour traverser une combe encombrée de pins nains. Je m'écroule dans des chausse-trappes profondes d'un mètre. Je vise une saillie de granit à cent mètres au-dessus de la cascade de glace. Du bas, à la jumelle, il m'a semblé y voir une plate-forme propice aux bivouacs.

L'intuition était bonne, à mille cent mètres d'altitude, la dorsale rocheuse offre un replat parfait, le plus beau poste d'observation.

Je m'en reviens la neige aux cuisses. Au débouché de la rivière, je me délie les muscles sur la plaine lacustre en suivant une trace de renard. Il a marché trois kilomètres vers le large et est revenu en décrivant une boucle. Un simple renard se promenant.

La neige tombe dru à présent. Ce masquage du monde décuple la morsure de la solitude. Les impressions sont décuplées quand on est seul à les faire surgir. La solitude génère des pensées puisque la seule conversation possible se tient avec soi-même. Elle lave de tous les bavardages, permet le coup de sonde en soi. Elle lie l'ermite d'amitié avec les plantes et les bêtes et parfois un petit dieu qui passerait par là.

Il est 20 heures. Je repose dans mon cube, à la lisière du bois, au pied de la montagne sur le fil de la rive, dans l'amour de toute chose qui m'entoure.

Je m'endors en lisant un peu de poésie chinoise. J'apprends par cœur un vers à prononcer dans une conversation où l'on se trouverait à court d'arguments : « Dans tout cela réside une signification profonde. Sur le point de l'exprimer déjà, j'ai oublié les mots. »

26 mars

NEIGE. Je marche sur le lac et tends le visage, la bouche ouverte. Je bois les flocons à la mamelle du ciel.

Le soir, je perce un trou à la chignole dans la glace, à une encablure de la rive, par quatre mètres de fond. Je jette mon *bormouch*. Le nuage de crustacés brouille l'eau. Il n'y a plus qu'à attendre l'arrivée des ombles tachetés.

27 mars

UNE matinée de poésie chinoise. Je suis arrivé ici avec des raquettes, des patins à glace, des crampons, un piolet, des lignes de pêche et je me retrouve à lire des histoires où des ermites, assis sur des bancs de pierre, regardent le vent agiter les bosquets de bambou. Ah, le génie chinois! Avoir inventé le principe du « non-agir » pour justifier de rester toute la journée à se dorer au soleil du Yunnan sur le seuil d'une cabane…

La pêche le soir. Je suis sur le tabouret et je trempe mes mouches, à la verticale. La pêche est une activité chinoise : on se laisse traverser par le flux des heures en regardant fixement sa canne dans l'espoir qu'elle tressaille. Ce qui n'arrive point de toute la soirée.

Je noie mon chagrin de rentrer bredouille dans vingt-cinq centilitres de vodka. À moi, poètes chinois!

28 mars

ÉTRANGE, ce besoin de transcendance. Pourquoi la foi en un Dieu extérieur à sa création? Les craquements de la glace, la tendresse des mésanges et la puissance des montagnes m'exaltent davantage que l'idée de l'ordonnateur de ces manifestations. Ils me sont suffisants. Si j'étais Dieu, je me serais atomisé en des milliards de facettes pour me tenir dans le cristal de glace, l'aiguille du cèdre, la sueur des femmes, l'écaille de l'omble et les yeux du lynx. Plus exaltant que de flotter dans les espaces infinis en regardant de loin la planète bleue s'autodétruire.

Un brouillard très épais est tombé sur le lac. L'horizon n'existe plus. Je me couvre et pars à pied vers le large. La rive disparaît de la vue au deuxième kilomètre. Je marche deux heures. Je n'ai emporté ni boussole ni GPS et si le vent se lève et efface mes empreintes, je ne pourrai pas retrouver mon chemin. Je ne sais pas ce qui me pousse à continuer. Une force un peu morbide. Je m'enfonce dans le néant. Soudain, au bout de deux heures, je dis « ça suffit » et je rentre en allongeant la foulée. Deux heures plus tard, j'atteins la cabane.

Dans la tradition chinoise, des vieillards se retiraient dans une cabane pour mourir. Certains avaient servi l'Empereur, occupé une charge gouvernementale, d'autres étaient fins lettrés, poètes, simples ermites. Leurs cabanes se ressemblaient. L'emplacement répondait à des canons précis. L'abri devait se tenir sur une montagne, rafraîchi par une source d'eau. Le vent y caressait un buisson. Parfois la vue portait vers la vallée où s'agitaient les hommes. La fumée d'un encens aidait le temps à passer. Le soir, un ami surgissait. On l'accueillait avec un verre de thé et des paroles retenues. Après avoir voulu agir sur le monde, ces hommes se retranchaient, décidés à laisser agir le monde sur eux. La vie est une oscillation entre deux tentations.

Mais garde ! Le non-agir aiguise la perception de toute chose. L'ermite absorbe l'univers, accorde une attention extrême à sa plus petite facette. Assis en tailleur sous l'amandier, il entend le choc du pétale sur la surface de l'étang. Il voit vibrer le bord de la plume de la grue en vol. Il sent monter dans l'air l'odeur de fleur heureuse dont s'enveloppe le soir.

Ce soir, j'apprends l'éloge funèbre de Tao Yuanming, mort en 427 : « *Digne dans mon humble hutte, à mon aise je bois du vin et compose des poèmes, accordé au cours des choses, conscient de mon sort, n'ayant plus ainsi aucune arrière-pensée* »…

Et je me couche en pensant qu'il ne sert à rien d'écrire son journal quand certains sont capables de ramasser leur vie en trente mots !

29 mars

Ce matin, – 3 °C. Première journée printanière. Les mésanges affluent sous la fenêtre sud. Soudain, des bourrasques agitent les cèdres et la neige tombe. Le paysage est rayé de filandres grises.

Je lis des vers chinois en sirotant une vodka. Le monde peut s'effondrer, en aurai-je un écho ? Une cabane est un *bunker* de bois. Les poutres de pin, l'alcool et la poésie forment un triple caparaçon. « *Ma cabane est loin et moi, je ne sais rien* » : un proverbe russe né dans les taïgas. Aux antipodes, les diktats de Paris : « Tu auras une opinion sur tout ! Tu répondras au téléphone ! Tu seras joignable ! »

Le vent redouble. Le monde cogne au carreau pour que je lui ouvre. Protégez-moi, mes livres ! Protège-moi, ma bouteille ! Protège-moi, ma cabane, de ce vent du nord-est qui veut me distraire. Si l'on m'apportait dans l'instant un journal plein de nouvelles, je considérerais cela comme un tremblement de terre.

J'étais presque certain que j'allais les trouver. Je tombe sur ces vers de Tu Mu, poète du IXe siècle :

Le petit pavillon peut à peine loger un lit à l'horizontale
toute la journée je regarde les montagnes en me versant sans cesse à
boire
admirable quand dans la nuit avec le vent arrive la pluie
dans l'ivresse le bruit en vain frappe à la fenêtre.

30 mars

Un saut à la cascade de glace aujourd'hui par un nouveau chemin. Je peine cinq heures entières avant d'atteindre la rive gauche de l'entaille fermée par la cascade. J'ai le secret espoir d'apercevoir un cervidé. Mais à part une trace de glouton qui s'enfonce sous les arbres et qui me met en joie, il n'y a rien.

Rentré au lac, j'attrape mon premier poisson à 17 heures. Un deuxième trois minutes plus tard et un troisième une heure et demie après. Trois ombles vif-argent, électrisés par la colère, luisent sur la glace. Je les tue et regarde la plaine en murmurant ces mots de gratitude que les Sibériens adressaient autrefois à la bête qu'ils détruisaient ou au monde qu'ils contribuaient à vider. Dans la société moderne, la taxe carbone remplace ce « merci – pardon ».

Le bonheur d'avoir dans son assiette le poisson qu'on a pêché, dans sa tasse l'eau qu'on a tirée et dans son poêle le bois qu'on a fendu : l'ermite puise à la source. La chair, l'eau et le bois sont encore frémissants.

Je me souviens de mes journées dans la ville. Le soir, je déambulais entre les étals du supermarché. D'un geste morne, je saisissais le produit et le jetais dans le Caddie. En ville, le libéral, le gauchiste, le révolutionnaire et le grand bourgeois paient leur pain, leur essence et leurs taxes. L'ermite, lui, ne demande ni ne donne rien à l'État. Il s'enfouit dans les bois, en tire subsistance. Son retrait constitue un *manque à gagner* pour le gouvernement. Devenir un manque à gagner devrait constituer l'objectif des révolutionnaires. Un repas de poisson grillé et de myrtilles cueillies dans la forêt est plus antiétatique qu'une manifestation hérissée de drapeaux noirs. Les dynamiteurs de la citadelle ont besoin de la citadelle. Ils sont contre l'État au sens où ils s'y appuient. Walt Whitman : « Je n'ai rien à voir avec ce système, pas même assez pour m'y opposer. » En ce jour d'octobre où je découvris les *Feuilles d'herbe* du vieux Walt, il y a cinq ans, je ne savais pas que cette lecture me mènerait en cabane. Il est dangereux d'ouvrir un livre.

La retraite est révolte. Gagner sa cabane, c'est disparaître des écrans de contrôle. L'ermite s'efface. Il n'envoie plus de traces numériques, plus de signaux téléphoniques, plus d'impulsions bancaires. Il se défait de toute identité. Il pratique un *hacking* à l'envers, sort du grand jeu. Nul besoin d'ailleurs de gagner la forêt. L'ascétisme révolutionnaire se pratique en milieu urbain. La *société de consommation* offre le choix de s'y conformer. Il suffit d'un peu de discipline. Dans l'abondance, libre aux uns de vivre en poussah mais libre aux autres de jouer les moines et de vivre amaigris dans le murmure des livres. Ceux-ci recourent alors aux forêts intérieures sans quitter leur appartement.

31 mars

DEPUIS quelques jours, je me livre à une expérience pavlovienne qui commence à porter ses fruits. À 9 heures, je joue un air de flûte à ma fenêtre avant de jeter des miettes aux mésanges. Ce matin, elles sont arrivées aux premières notes, bien avant que je dispose leur dû. Je hume l'air de l'aube, entouré d'oiseaux. Il ne manque que Blanche-Neige.

Une journée dans les hauteurs. Je remonte le cours de la « vallée blanche », une large combe plantée de mélèzes japonisants, au nord de ma cabane. J'atteins la cote 1 600 après cinq heures de bataille dans la profonde. Je redescends vers le cap des Cèdres du Nord. Une trace de lynx coupe ma ligne d'empreintes. Je me sens moins seul. On était deux en goguette dans le coin aujourd'hui.

Ce soir, je fends du bois dans la clairière. Il faut d'abord coincer le merlin d'un coup puissant dans la chair du bois. Une fois le métal profondément engagé, il faut soulever d'un geste la hache et le rondin qui la retient et abattre la tranche de la cognée de toute sa force sur le billot de coupe. Si le coup est bien porté, le tronc se fend en deux. Ensuite, avec la hachette il n'y a plus qu'à débiter des bûchettes. Le geste rentre et il ne m'arrive plus de rater ma cible. Il y a un mois, il me fallait trois fois plus de temps pour rentrer ma corvée de bois. Dans quelques semaines, je serai une machine à débiter. Quand le métal frappe parfaitement où il faut et que la bûche se fend dans un claquement de fibres, j'en arrive à me convaincre que couper du bois est un art martial.

AVRIL
Le lac

1er avril

IL est 9 heures, je lis cette phrase de Michel Déon : « Mais vous savez, malgré toute ma volonté, la solitude est la chose la plus difficile à protéger », quand la porte s'ouvre violemment. Quatre pêcheurs pénètrent dans la cabane sans sommation. Les types viendraient me casser la gueule, ils ne procéderaient pas autrement.

Ils claironnent de joyeux saluts. Je n'ai pas entendu le moteur de leur camion. Ils vont à Severobaïkalsk vendre le poisson pêché au sud de la réserve. De peur, j'ai renversé le thé sur l'exemplaire du *Taxi mauve*. Il y a Sacha aux doigts coupés, ma vieille connaissance, Igor (à qui il manque aussi des phalanges), rencontré il y a cinq ans sur la glace, Volodia T. et Andreï, un Bouriate que je n'ai jamais vu. Je fais les bons gestes : couper des lamelles du saucisson qu'ils ont déposé sur la table, ouvrir une bouteille et disposer les verres. Nous entreprenons de nous saouler.

Je prie chacun de me dire où il a passé son temps de service militaire. Volodia fut tankiste en Mongolie (un verre aux tankistes), Sania, radio sur les rivages de l'océan Arctique (un verre aux rivages de l'océan Arctique), Igor, matelot en Crimée (un verre à la flotte), et Andreï, artilleur en Tcherkessie (un verre à la politique russe de pacification du Caucase). Les affectations des conscrits russes sont des poèmes de Cendrars. La conversation monte, soutenue par la brûlure de la Kedrovaïa à quarante degrés.

LES Russes adressent encore quelques toasts à des choses extravagantes puis, sans coup férir, ils remettent leurs vestes, et ils insultent leurs gants et leurs bonnets et leurs écharpes et l'un d'eux envoie un coup de pied dans la porte et, me laissant le bon saucisson à peine entamé de moitié, ils démarrent et je reste là, sur la grève, un peu sonné, au seuil d'une journée bousillée par la vodka.

À chaque fois que les pêcheurs russes visitent ma cabane, j'ai l'impression que la division de cavalerie est venue bivouaquer dans mon potager. Fatalisme, spontanéité, despotisme : les traits du caractère mongol ont été inoculés dans le système veineux slave. Le nomade affleure sous le bûcheron. Moyennant quoi, je passe une heure à remettre de l'ordre dans mon intérieur défait.

2 avril

Il a fait – 20 °C cette nuit et j'ai enfin cloué des bandes de feutre sous la porte. Au matin, je bois le thé en regardant les messages du givre sur les carreaux. Y a-t-il une écriture cachée dans ces choses ?

Ce soir, je fais des crêpes. J'invente le blini fourré à l'omble tacheté. D'abord, pêcher un omble. Couper du bois. Faire du feu. Cuire le poisson dans les braises avec de l'aneth. Confectionner des blinis (avec quelques gouttes de bière si vous manquez de levure). Dépiauter la chair du poisson sur le dos d'un blini. En mettre un autre par-dessus. Faire passer le tout avec vingt-cinq centilitres de vodka à température ambiante.

Je dîne, les yeux par la fenêtre. Il y a des gens dont les repas proviennent exclusivement d'un paysage étendu dans leur champ de vision. C'est une définition de l'Éden. Vivre replié dans un espace que le regard embrasse, qu'une journée de marche permet de circonscrire et que l'esprit se représente.

Mes dîners du Baïkal contiennent un faible rayonnement d'*énergie grise*. L'énergie grise explose quand la valeur calorifique des aliments est inférieure à la dépense énergétique nécessaire à leur production et à leur acheminement. L'orange que l'on offrait jadis à Noël était un trésor. On la savait gonflée d'énergie grise et l'on appréciait le prix du voyage. Un poisson-chat tiré d'un méandre du Mékong par un pêcheur laotien et grillé sur la rive du fleuve irradie d'une énergie grise nulle. Mes ombles cuits à quelques mètres du trou de pêche aussi. Mais le *steak* argentin, provenant d'un bétail nourri au soja dans les estancias de la pampa et transporté à travers l'Atlantique jusqu'en Europe, est frappé d'infamie. L'énergie grise, c'est l'ombre du karma : le décompte de nos péchés. Un jour, nous serons sommés de les payer.

MALGRÉ les apparences, les ours tués dans le zoo de Kiev par des Ukrainiens affamés, après la chute de l'Union soviétique, contenaient une énergie grise importante : il avait fallu acheminer les bêtes de Sibérie et les élever dans les conditions de la captivité. Il y a quarante ans, les survivants d'un accident aérien dans les Andes survécurent avec la chair de leurs semblables. Ils se gobergèrent d'un repas à haute teneur en énergie grise : la viande était venue par avion.

Sur le linteau de la cheminée de Diane de Poitiers, cette expression est gravée : « Nul plat venu d'ailleurs. » Se nourrir du produit de son voisinage était alors un honneur. Avoir du *sang* picard, lorrain ou tourangeau signifiait cela : irriguer ses veines avec les fruits de son terroir.

Le sang des pêcheurs du Baïkal s'enrichit des nutriments du lac et de la forêt. L'humus, l'eau et l'air sibériens pulsent en leurs artères. Le droit du sol devrait être considéré à la lumière de ces constatations biologiques. Le sang puisant à la substance du sol, l'identité d'un être s'enracinerait dans l'espace géographique qui le nourrit. Si l'on avale des boîtes de conserve importées, on est citoyen du monde.

3 avril

J'AI commencé le *Crusoé* de Defoe, achevé le *Robinson* de Tournier et le *Robinson des mers du Sud*, récit des six années de Tom Neale sur l'île déserte de Souvarof.

On peut établir un certain nombre de caractères propres aux naufragés.

– Sentiment d'injustice au moment du naufrage suivi de malédictions à l'endroit des dieux, des hommes et de la marine à voile en général.

– Naissance d'un léger syndrome mégalomaniaque : le naufragé se persuade qu'il est élu.

– Sensation d'être le seigneur d'un royaume et de régner sur les sujets animaux, végétaux et minéraux : « Je pouvais, s'il me plaisait, m'appeler Roi ou Empereur de cette contrée rangée sous ma puissance, je n'avais point de rivaux… », dit le Robinson de Defoe.

– Besoin de confirmer sans cesse le bien-fondé de la vie solitaire en se pénétrant à tout propos de la beauté de cette existence.

– Oscillation contradictoire entre l'espérance d'une prompte délivrance et la répulsion du contact avec un semblable.

– Panique à la moindre intrusion d'hommes sur l'île.

– Empathie avec le monde naturel (elle peut mettre plusieurs années à naître).

– Souci d'alterner les temps d'action, de méditation et de loisir selon un rythme très codifié.

– Tentation de transformer chaque moment de l'existence en un jeu mis en scène.

– Sentiment légèrement euphorisant de tenir un rôle de veilleur en marge d'une humanité dévoyée.

– Risque de contracter le *syndrome de la tour d'ivoire* dont la forme grave consiste à se considérer à la fois comme le dépositaire de la sagesse universelle et le rédempteur des péchés des hommes.

4 avril

AUJOURD'HUI, beaucoup lu, patiné trois heures dans une lumière viennoise en écoutant la *Pastorale*, pêché un omble et récolté un demi-litre d'appât, regardé le lac par la fenêtre à travers la fumée d'un thé noir, dormi un peu dans les rayons du soleil de 16 heures, débité un tronc de trois mètres et fendu deux jours de bois, préparé et mangé une bonne kacha et pensé que le paradis n'était pas ailleurs que dans l'enchaînement de tout cela.

5 avril

DES rafales dans la nuit. Le vent du nord malmène la lisière du bois jusqu'à midi. Le thermomètre est à – 23 °C. Il est joli le printemps ! Dans le redoux de l'après-midi, j'entreprends la construction d'une table. De grosses branches de cèdre pour les pieds, des tasseaux pour le cadre et par-dessus quatre planches de bois qui dormaient sous l'auvent. Je passe trois heures à travailler et au soir tombant, j'ai ma table. Je l'installe dans la neige, sur la plage, au débouché de la clairière devant le cèdre en conque. Puis je m'assieds sur un rondin, dos contre le tronc. Ces gens qui vous interdisent de mettre les pieds sur la table. Ils ne savent pas la fierté de l'ébéniste.

Le soir, je fume un Partagas dans le froid, accoudé à mon nouveau bastingage. Cette table et moi, nous nous aimons déjà beaucoup. Sur cette Terre, il fait bon s'appuyer sur quelque chose.

Cette vie procure la paix. Non que toute envie s'éteigne en soi. La cabane n'est pas un arbre de l'Éveil bouddhique. L'ermitage resserre les ambitions aux proportions du possible. En rétrécissant la panoplie des actions, on augmente la profondeur de chaque expérience. La lecture, l'écriture, la pêche, l'ascension des versants, le patin, la flânerie dans les bois... l'existence se réduit à une quinzaine d'activités. Le naufragé jouit d'une liberté absolue mais circonscrite aux limites de son île. Au début des récits de robinsonnade, le héros tente de s'échapper en construisant une embarcation. Rejeté une nouvelle fois sur le rivage, il comprend qu'il ne s'échappera pas et, apaisé, découvre que la limitation est source de joie. On dit alors qu'il se résigne. Résigné, l'ermite ? Pas davantage que le citadin qui, hagard, saisit soudain sous les lampions du boulevard que sa vie ne lui suffira pas à goûter toutes les tentations de la fête.

6 avril

Au IVe siècle, dans la Haute-Égypte, les ergs du Wadi al Natrun grouillaient de moines en haillons. Le réel les horrifiait. Pour eux, vivre avilissait. S'ils rêvaient d'une cruche d'eau, ils pensaient que Satan les tentait. Ils voulaient mourir pour gagner l'autre royaume, celui que les Écritures garantissent éternel.

L'ermite des taïgas se tient aux antipodes de ces renoncements. Les mystiques cherchaient à disparaître au monde. Le forestier veut se réconcilier avec lui. Ils attendaient un avènement qui n'était pas de cette vie, lui cherche le surgissement de brèves joies, ici et maintenant. Ils voulaient l'éternité, il traque l'exaucement. Ils espéraient mourir, il aspire à jouir. Ils haïssaient leur corps, il aiguise ses sens. En résumé, si l'on veut passer un bon moment autour d'une bouteille de vodka, il vaut mieux tomber sur un solitaire des forêts que sur un fou de Dieu perché sur sa colonne.

En ces déserts, la rencontre avec un semblable constituait un événement. Les anachorètes oubliaient le visage humain et quand un visiteur surgissait, nombre d'entre eux tombaient à genoux, convaincus de l'apparition d'un démon.

Ce qui m'arrive quand Volodia T. déboule ce matin. Pourquoi cette foutue porte ne s'ouvre-t-elle jamais sur une championne de ski danoise venue fêter ses vingt-trois ans sur les bords du Baïkal ?

— Une vodka ? dis-je à Volodia.

— Non, dit-il. J'ai arrêté.

— Quand ?

— Il y a vingt ans, avant de venir ici. Un jour, je me suis réveillé et ma femme et mes enfants étaient partis. La famille, c'est mieux que l'alcool. Depuis, ils sont revenus mais je n'ai pas repris.

— Bien, ta nouvelle vie à Irkoutsk ?

— Pas fameux.

— Pourquoi ?

— L'argent. Je suis toujours obligé de tirer des ours. Une peau, je la vends six mille roubles… le salaire d'un mois ! J'en ai promis à deux ou trois personnes qui m'ont versé l'argent.

— En France on a un proverbe sur les gens qui vendent la peau de l'ours avant de…

— Je sais, m'en parle pas. Nous aussi.

7 avril

UNE heure entière à nettoyer la cabane. Mon balai de roseau fait des merveilles. Je passe un coup d'éponge sur la toile cirée et astique les carreaux à la vodka. Comme c'est jour de nettoyage, je prépare mon *banya*. Le soir, propre comme un rouble, je suis à la table avec la vodka dans mon verre, la kacha qui chauffe, le thé sur le poêle, les bougies qui pleurent et le lac qui grince : chacun a sa place accomplissant son devoir. Le baromètre chute brutalement, j'entends siffler la cime des cèdres…

8 avril

TEMPÊTE.

Tout ce qui reste de ma vie, ce sont les notes. J'écris un journal intime pour lutter contre l'oubli, offrir un supplétif à la mémoire. Si l'on ne tient pas le greffe de ses faits et gestes, à quoi bon vivre : les heures coulent, chaque jour s'efface et le néant triomphe. Le journal intime, opération commando menée contre l'absurde.

J'archive les heures qui passent. Tenir un journal féconde l'existence. Le rendez-vous quotidien devant la page blanche du journal contraint à prêter meilleure attention aux événements de la journée – à mieux écouter, à penser plus fort, à regarder plus intensément. Il serait désobligeant de n'avoir rien à inscrire sur sa page de calepin, le soir.

Dehors, le chaos. Le vent taille les congères à coups de dents. Des ramures arrachées planent par-dessus les cimes. La tempête essaie de déraciner les arbres. Regarder la fureur d'un coup de tabac, au chaud près de son poêle, est une définition de la civilisation.

Le soir, je me saoule lentement. La cabane, cellule de grisement.

9 avril

LA tempête, toujours. Le vent, inépuisable. Il mène l'assaut contre la lisière. Le lac, parfaitement poli, luit, débarrassé de neige. Je fais quelques pas sur la glace, poussé vers le large. Une rafale arrache ma chapka. Elle disparaît en dix secondes, emportée à cent à l'heure. Je suis à trois kilomètres de la rive. Je bricole un turban à l'aide de mon chèche et m'enfouis dans ma capuche. Je n'avais pas prévu que, sans les crampons, le retour coûterait tant. À contre-vent, j'ai toutes les peines à rejoindre la rive. Il faut que je me mette à genoux pour offrir moins de prise au souffle. Je progresse en coinçant le pied sur la lèvre des failles. Ramper sur la glace d'un lac, couché par la tempête, est une leçon d'humilité.

Avec quelques kilomètres-heure de plus, le vent m'emportait comme un galet de hockey jusqu'au milieu du lac. J'eusse alors été forcé d'aller demander de l'aide, sur l'autre rive, à quatre-vingts kilomètres, dans un village de Bouriatie : « Hello, pardonnez-moi, je suis arrivé avec le vent. »

Cette nuit, la cabane a craqué de tous ses joints. Coincé, j'enrage. Et me calme en lisant ceci dans le *Crusoé* de Defoe : « Le 24 (décembre) : Beaucoup de pluie toute la nuit et tout le jour, je ne sortis pas. »

10 avril

L'AUBE levée sur un jour bleu, froid. Le lac lavé. Le monde est neuf, lustré par quarante-huit heures de furie. Je bois le thé dehors, à ma table, dans l'atmosphère régénérée. Pas un souffle. Je perçois un bourdonnement sourd, l'acouphène de la solitude.

Une visite à mes caisses de bois. Les réserves s'amenuisent. Il me reste de quoi cuire des pâtes pendant un mois et de quoi les inonder de Tabasco. J'ai de la farine, du thé et de l'huile. Pénurie de café. Quant à la vodka, je devrais tenir jusqu'à la fin d'avril.

L'après-midi, j'expérimente un nouveau lieu de pêche à une heure de marche vers le nord, au débouché d'une petite rivière sous un talus planté de puissants résineux. Le trou ne donne pas bien : une heure pour prendre un ombre. Je reste jusqu'à la tombée du jour, assis sur le tabouret à espérer un frémissement de la ligne. La pêche, ultime clause du pacte signé avec le temps. Si l'on revient bredouille, c'est le temps qui a tiré sa prise. J'accepte de rester des heures immobile. Il y aura peut-être un poisson, au bout de la patience. Et s'il n'y a rien, tant pis. Pour moi, qui ne crois plus aux messies, il n'y a que les poissons dont j'espère la venue.

Le soir, après avoir accommodé l'unique omble du jour, je termine la lecture de *Robinson* et commence *Justine ou les Malheurs de la vertu*. Il faut lire ces deux livres concomitamment. Non pour imaginer le débarquement de Justine sur l'île d'un naufragé. Mais parce que Robinson tente de recréer la civilisation et de réinventer la morale, tandis que le marquis de Sade essaie de dynamiter la première et de souiller la seconde. Deux serviteurs de la culture par des voies antipodiques.

11 avril

APRÈS l'accalmie de la nuit, le vent a redoublé. À 2 heures, il s'épuise à nouveau. Les nuages s'ouvrent et des rayons nappent le Baïkal. La lumière joue aux jeux du vent et du hasard.

Au milieu des moirages, quatre points se précisent. Des cyclistes. Un instant, je songe à faire mourir le poêle pour que la cheminée ne signale pas ma présence et puis j'ai honte de cette pensée.

Les types ont dépassé le cap des Cèdres du Milieu et infléchissent leur course. Ils roulent vers moi. Ils seront là dans vingt minutes.

Sergueï, Ivan, Svieta et Igor travaillent à l'usine hydroélectrique de Bratsk. Aux vacances d'hiver, ils enfourchent leurs bicyclettes et roulent sur les pistes gelées. Je leur sers du thé, ils déballent des quantités de charcuteries et un énorme pot de mayonnaise dont ils enduisent consciencieusement chaque tranche de saucisson.

— Vous voulez encore du thé? dis-je.

— Non, dit Igor en trempant une saucisse dans la crème, on va déjeuner à Iélochine, dans une heure…

— Il y a beaucoup de mésanges chez vous, dit Svieta.

— Oui, ce sont mes amies et elles m'apprennent le russe.

Ils me regardent bizarrement et finissent par plier bagage.

12 avril

JE vais à Iélochine. J'ai eu envie d'un de ces *banyas* comme Volodia sait les préparer, avec la température à 100 °C et la bière bue dehors, le corps fumant sous l'auvent de bois, devant les montagnes. En chemin, à deux heures au nord de mon cap, je laisse mon traîneau au débouché d'une rivière gelée dont la glace vive tranche la forêt. Les crampons mordent bien et je m'élève de huit cents mètres entre des parois de schiste hérissées de sapins déplumés. La couche n'est qu'un pont : j'entends l'eau couler sous la voûte. Sur les bords poussent des baliveaux rouges. Leurs fibres enchâssées dans la glace font des coulées de sang dans le corps d'un cristal. L'hiver est un étau.

Du bas de la rivière, il reste sept kilomètres pour Iélochine. De larges failles contraignent à de nombreux détours. J'aime marcher sur la glace : avec la lune, c'est un des rares endroits où l'on est sûr de ne pas écraser de bestioles. Un terrain parfait pour ces prêtres jaïn qui s'attachent à ne pas attenter au moindre moucheron…

Les veinures de la glace. On croirait le fil d'une pensée. Si la nature pense, les paysages sont l'expression de ses idées. Il faudrait dresser une psychophysiologie des écosystèmes en attribuant à chacun d'eux un sentiment. Il y aurait la mélancolie des forêts, la joie des torrents de montagne, l'hésitation des marécages, la haute sévérité des cimes, la légèreté aristocratique des clapots… Nouvelle discipline : anthropocentrisme du paysage.

VOLODIA plaisante quand je frappe à la porte.

— T'as pas apporté des fleurs à Irina ?

— Offrir des fleurs aux femmes est une hérésie. Les fleurs sont des sexes obscènes, elles symbolisent l'éphémère et l'infidélité, elles s'écartèlent sur le bord des chemins, s'offrent à tous les vents, à la trompe des insectes, aux nuages de graines, aux dents des bêtes ; on les foule, on les cueille, on y plonge le nez. À la femme qu'on aime il faudrait offrir des pierres, des fossiles, du gneiss, enfin une de ces choses qui durent éternellement et survivent à la flétrissure.

C'est ce que j'aurais aimé répondre à Volodia mais mon russe est trop faible et je dis :

— Si ! mais elles ont fané en route. Le *banya*, Volodia, tu l'as préparé ?

— Il t'attend, mon pote.

Le soir, je m'assieds sur le banc et je regarde la Bouriatie s'éteindre, le chat de Volodia sur les genoux. Il fait – 12 °C, l'horizon est un drap de satin.

Il est 11 heures. Volodia n'a pas éteint la radio. Je suis couché par terre dans la cabane bien chaude et nous écoutons la chaîne n° 1. Le Tupolev du gouvernement polonais s'est écrasé près de Smolensk. Le président est mort avec des dizaines de membres officiels. L'appareil emmenait le président célébrer la mémoire des victimes de Katyn dont Moscou a enfin accepté d'endosser la responsabilité.

— Volodia ? C'est pas la première fois qu'un avion russe zigouille des Polonais !

— C'est pas drôle !

13 avril

TOUTE la nuit, la radio a craché ses informations. Vers 2 heures, je me suis bouché les oreilles avec du papier mâché. J'ai arraché une page de *Lord Jim*, je l'ai ruminée lentement (mauvais goût de l'encre) et me suis collé au fond de l'oreille la littérature de Conrad en pensant que j'allais entendre la mer.

Ce matin, Volodia m'emmène inspecter sa ligne de trappe. La mission d'un inspecteur forestier est d'empêcher les braconniers de massacrer les bêtes. Volodia s'en acquitte dans la stricte délimitation territoriale de la réserve. Sa cabane est construite sur la rive gauche de la rivière Iélochine, à la frontière nord du parc naturel. De l'autre côté, les taïgas ne sont plus protégées, c'est là qu'il pose ses pièges.

Il a chaussé ses skis : deux planches de bois cloutées de peau de cheval. Je le suis en raquettes. Il faut trois heures pour relever les pièges. Les geais signalent notre approche. Le jeune chien de Volodia multiplie les fausses alertes. Il ne sait pas encore qu'on ne dérange pas son maître pour un écureuil. Sur quinze pièges, deux visons. La forêt est vide. Ce que firent les Américains avec les bisons de la Prairie, les Russes l'ont fait avec leurs mustélidés.

J'aurai appris qu'on peut vivre près d'une patinoire géante, se nourrir de caviar, de pattes d'ours et de foie d'élan, se vêtir de vison, aller par les futaies fusil en bandoulière, assister chaque matin, lorsque les rayons de l'aube touchent la glace, à l'un des plus beaux spectacles de la planète, et rêver pourtant d'une vie dans un appartement équipé de toute la robotique et de la gadgeterie high-tech.

La tentation érémitique procède d'un cycle immuable. Il faut d'abord avoir souffert d'indigestion dans le cœur des villes modernes pour aspirer à une cabane fumant dans la clairière. Une fois ankylosé dans la graisse du conformisme et enkysté dans le saindoux du confort, on est mûr pour l'appel de la forêt.

À midi je m'en retourne. J'ai hâte d'une soirée solitaire.

14 avril

L'HIVER n'en finit pas. Cette nuit, – 15 °C. Pas de prémices de fonte. La neige tombe du matin au soir. Les heures défilent lentement par la fenêtre. Je m'ennuie un peu. Cette journée est un robinet mal fermé, chaque heure en goutte. L'ennui est un compagnon passé de mode. Avec lui, le temps a un goût d'huile de foie de morue. Soudain, le goût se dissipe et le temps redevient cette procession invisible et légère qui fraie son chemin à travers l'être.

15 avril

IL me faut deux heures et demie pour sortir de la forêt. Je remonte le cours de la deuxième vallée au sud de ma cabane pour y chercher un bivouac. Malgré les raquettes, j'enfonce à mi-cuisse. Chaque pas, une haute lutte. J'arrive à la lisière supérieure de la forêt à 19 heures, trempé. Je choisis un replat à mille deux cents mètres d'altitude au-dessus d'un pierrier. La Bouriatie est un filament rouge à l'orient. Je coupe des brassées de pin pour me faire un matelas et lance un feu dans l'ombre. Je monte la tente, y jette le matelas et mon duvet. Je fais chauffer des pâtes sur le feu, puis me vautre sur mon lit de ramures. Mon feu est construit entre deux blocs d'un mètre cinquante dont les parois renvoient la chaleur. Il fait – 25 °C ou – 30 °C mais je suis au chaud dans ma conque de rochers. Et je fixe ce point où les étincelles du brasier, propulsées vers le ciel, pâlissent et brillent d'un dernier éclat avant de se confondre aux étoiles. J'ai du mal à me convaincre de gagner ma tente, je suis comme un gosse qui ne veut pas couper la télévision. De mon duvet, j'entends crépiter le bois. Rien ne vaut la solitude. Pour être parfaitement heureux, il me manque quelqu'un à qui l'expliquer.

16 avril

J'OUVRE la fermeture Éclair, cligne des yeux à cause du soleil cru, me réjouis du bleu, me dresse et reçois l'image de la plaine magistralement vide au fond de sa vasque, à huit cents mètres en contrebas.

Euphorie des matins de bivouac. On est là, au-dessus de la forêt, on a survécu à la nuit, on a gagné un petit surcroît d'existence.

Je grimpe quatre cents mètres de plus à l'aplomb du bivouac. À 10 heures du matin, je ne suis qu'à cinq cents mètres des arêtes sommitales. Les festons noirs des saillants mordent sur la plaine glacée avec les ondulations de ces schémas de bataille où les lignes ennemies s'enfoncent et se repoussent. Je regagne mon feu, le ranime, fais du thé, remballe le camp et rentre. Un lynx a fureté dans les traces d'un glouton avant de gagner la forêt. Sur la neige s'entrecroisent les traces de visons, de lièvres et de renards. Si les ermites du désert s'étaient retranchés dans les taïgas, ils auraient inventé des religions peuplées d'esprits joyeux et de dieux animaux. Le désert assèche et je songe à saint Bernard se félicitant, retour de promenade, de n'avoir rien remarqué du monde extérieur.

Je rejoins la cabane en trois heures. Il fait – 2 °C et je déjeune dehors, sur la table de la plage. Les mésanges valsent, ivres de chaleur. Les stalactites gouttent au rebord de l'auvent. La première vraie journée de printemps est une date importante dans une année d'homme.

17 avril

UN ermite ne menace pas la société des hommes. Tout juste en incarne-t-il la critique. Le vagabond chaparde. Le rebelle appointé s'exprime à la télévision.

L'anarchiste rêve de détruire la société dans laquelle il se fond. Le hacker aujourd'hui fomente l'écroulement de citadelles virtuelles depuis sa chambre. Tous deux ont besoin de la société honnie. Elle constitue leur cible et la destruction de la cible est leur raison d'être.

L'ermite se tient à l'écart, dans un refus poli. Il ressemble au convive qui, d'un geste doux, refuse le plat. Si la société disparaissait, l'ermite poursuivrait sa vie d'ermite. Les révoltés, eux, se trouveraient au chômage technique. L'ermite ne s'oppose pas, il épouse un mode de vie. Il ne dénonce pas un mensonge, il cherche une vérité. Yvain, le chevalier fou d'amour, erre tout nu dans la forêt. Il rencontre un ermite qui le recueille, le soigne, le ramène à la raison et le reconduit à la ville. L'ermite, passeur des mondes.

À 4 heures, je ferme Chrétien de Troyes et pars pêcher au trou de pêche n° 2, à une heure de marche au nord. La rive défile, sévère. Il y a une joie dans ces bois mais pas une once d'humour. Voilà peut-être ce qui rend le visage des ermites si graves et les écrits de Thoreau si sérieux. Je prends trois ombles de vingt centimètres. Ils finissent sur la poêle, fourrés aux airelles avec un filet d'huile. Fraîche, la chair se marie bien avec la vodka. Tout se marie bien avec la vodka. Sauf les baisers d'une fille. Je ne risque rien.

18 avril

SERGUEÏ entre dans ma cabane à 8 heures du matin. Il est allé rendre visite à Volodia d'Iélochine et je n'ai pas entendu sa voiture croiser au large. Comme chaque fois, il entre sans frapper et je pousse un cri, et j'ai besoin d'une longue minute pour rétablir l'équilibre intérieur bouleversé par l'intrusion. Le thé n'est même pas prêt, ce qui m'évite de le renverser.

— Ta cabane, elle est bien tenue. Avec Volodia, on dit que c'est une « cabane allemande ».

— Ah ouais?

— Tu veux venir à Pokoïniki? Je te ramènerai.

— Bon... On fait du thé quand même?

— Non, viens, on se casse.

Dix minutes plus tard, je ferme le cadenas et monte dans l'auto. Nous glissons vers le sud. En Russie, tout s'accomplit dans la précipitation : la vie est un endormissement coupé de spasmes. À Pokoïniki, les grands travaux. Sergueï et Youra ont profité de l'englacement pour construire un ponton sur pilotis au milieu du grand marécage qui prolonge la baie sur son flanc nord. Ils l'appellent « l'île ». À l'aide de leviers de bois, de crics et de cordes, nous passons l'après-midi à hisser un wagon en métal sur la plate-forme de bois. À l'intérieur, un châlit et un poêle.

— La limite de la réserve s'arrête à la ligne de grève. Ce qui est au-delà du littoral n'est plus soumis à la juridiction. Donc, l'île sera un territoire autonome, dit Sergueï. Nous venons de créer le « territoire autonome et libre de Pokoïniki ».

Dans la forêt de mélèzes glissent des ombres. Les chevaux évitent savamment les troncs, les sabots crèvent la neige avec un bruit de poing dans l'oreiller de plume et des panaches de vapeur enfument les chanfreins. Ces bêtes appartenaient à un élevage tenu par les employés de la station météorologique de Solnechnaya, à deux kilomètres au nord de Pokoïniki. Elles sont revenues à l'état sauvage en 1991, quand l'Union soviétique s'est écroulée et que les gens ont quitté les lieux. Au soir tombant, un cheval de quatre ou cinq ans vient errer entre les cabanes, la tête basse. Il a quitté les siens pour mourir. Il se couche face au lac. Sergueï pousse un soupir et l'achève d'un coup de poignard à la carotide. Nous le dépeçons à la hache.

C'est la nuit et le nouveau directeur de la réserve, S.A., est venu rendre visite à ses inspecteurs. Il est accompagné de ses hommes de main qui déchargent la vodka et le cognac. Natasha a préparé une soupe au cerf. Un buffet à la mode russe est dressé sur la table : pêle-mêle de filets de poissons-chats grillés, de quartiers d'élan et de saucisson sibérien. On boit jusqu'à l'oubli.

— Où êtes-vous né, directeur ? je demande.

— Dans la république de Touva, dit-il.

— C'est la région natale de Lénine, dit Sergueï.

— Alors, dis-je, buvons aux dictateurs qui gouvernent les empires et les réserves naturelles.

— Et aussi aux Tupolev, dit l'un des sbires de S.A.

— Pourquoi ? dis-je.

— Le meilleur avion du monde, les Polonais viennent de s'écraser avec.

Natasha offre au directeur un sac de poisson congelé. Tout businessman qu'il soit, la joie brille dans les yeux de S.A. Il règne encore ici le souvenir des temps difficiles.

19 avril

Le cognac passe mal. Il est 9 heures du matin et Youra me réveille : il faut relever les filets. Sacha aux doigts coupés nous accompagne. Dans la camionnette, je cuve, vautré sur des cordages, et j'écoute les deux hommes dégoiser sur leur thème préféré :

— Pourquoi y a-t-il autant de musulmans chez vous ?

Pour un moujik, la France offre deux sujets d'étonnement : que le peuple de la Grande Armée implore l'aide de son gouvernement quand il tombe deux centimètres de neige et qu'il laisse les cités brûler alors que trois mille soldats sont déployés dans les montagnes afghanes. À chaque fois, Sacha m'entretient sur ces sujets.

Le wagon de pêche est à quinze kilomètres de Pokoïniki. À l'intérieur de la cabine en tôle, un plancher de bois percé d'un orifice communique avec un trou de glace. Un poêle à gaz chauffe l'habitacle, on travaille en chemise de laine. On commence par remonter des centaines de mètres de cordages avec un treuil à main qui grince à chaque tour. Pendant deux heures, Youra tourne la machine, les yeux dans le vague. Le filet surgit des profondeurs. Les deux Russes tirent de l'eau la chevelure de Nylon et cueillent les *omouls*. Les bacs de plastique se remplissent de centaines de poissons. Le déjeuner : cinq poissons jetés dans une casserole et arrosés de trois verres de *samagon*, l'alcool couleur caramel que Sacha confectionne lui-même dans sa datcha de Severobaïkalsk. Sergueï me ramène chez moi. Nous gardons le silence en glissant lentement sur la surface picturale. Une faille nous bloque.

— Elle s'est ouverte aujourd'hui, dit Sergueï.
— Comment va-t-on passer ? dis-je.
— « Tremplin »…, dit Sergueï.
— Et tu feras comment pour le retour ?
— Un détour.

LES deux bords des fractures ne sont pas toujours disposés au même niveau. En jouant, la glace soulève l'une des lèvres et c'est en usant de ce décrochement que les pilotes réussissent parfois à faire passer leurs véhicules par-dessus les obstacles. J'ai confiance en Sergueï mais je sens un pincement lorsque, à cinquante mètres de l'ouverture, lancé à fond, il fait un signe de croix. On passe.

20 avril

ICI le journal s'arrête neuf jours pour des raisons administratives. Les autorités russes me contraignent à regagner la civilisation pour chercher une extension de visa. Je m'arrache au lac, monte dans des avions, fais le siège d'agents diplomatiques et culturels qui hibernent l'année durant plus profondément que les ours, obtiens le tampon que je convoite, ferme mes écoutilles pour ne pas me faire aspirer par la grande ville, dors cinq heures par nuit tendu comme un arc, me saoule horriblement, jette à nouveau une cargaison de vivres et d'équipement d'été dans le coffre d'un camion, retourne d'où je viens, regagne la rive du lac, devant la pointe sud de l'île d'Olkhon où m'attend l'hydroglisseur qui m'y avait déposé.

28 avril

LES hydroglisseurs sont des fleurons de la sidérurgie russe. La machine propulsée par une hélice se déplace sur un coussin d'air. Elle se joue des failles qui, en cette fin d'avril, balafrent la couche. En quatre heures, nous gagnons Pokoïniki dans un fracas d'Antonov. Depuis mon départ, la glace a légèrement fondu et une nacre mate crêpe la surface, craquelant sous le pied. En passant au hameau de Zavarotnoe, je m'arrête chez V.E. qui me confie deux de ses douze chiens. Aïka est une fille noire. Bêk, un mâle blanc. Ils ont quatre mois. Ils aboieront si les ours approchent de la cabane à la fin de mai. J'ai aussi mon revolver à fusée de détresse. En cas d'attaque, il suffit de tirer dans les pattes de la bête. La détonation et les gerbes ont habituellement raison des ardeurs de l'ours.

Je retrouve la cabane. Je dis adieu aux amis. Oh! ce bonheur qui monte lorsque le vrombissement de leur moteur s'estompe.

29 avril

La neige a un peu fondu dans la clairière, découvrant des déchets accumulés depuis vingt ans par mon prédécesseur. Je charrie des pneus, des carcasses d'engins et des épaves de moteur derrière les murs du *banya*. Je rends la clairière au vide. Les chiens me suivent partout. Mon ombre s'est faite chien. Les deux petits êtres se sont abandonnés à moi. Le chien, bête humaniste, croit en nous. Je vais à la pêche. Devant le trou, les chiens patientent. Je leur offre les abats des trois ombles que je prends.

L'aller-retour en ville m'a renforcé dans l'amour de la vie encabanée. Les cabanes sont des lumignons accrochés au plafond de la nuit.

30 avril

La taïga est noire. La neige disparaît des branches des arbres. Aïka et Bêk se précipitent sous la fenêtre aux lueurs de l'aube. Quand deux petits chiens vous fêtent au matin, la nuit prend la saveur de l'attente. La fidélité du chien n'exige rien, pas un devoir. Et je comprends soudain pourquoi les hommes ont fait du chien leur meilleur ami : c'est une pauvre bête dont la soumission n'a pas à être payée en retour. Une créature qui correspondait donc parfaitement à ce que l'homme est capable de donner.

Nous jouons sur la plage. Je leur lance l'os de cerf déniché par Aïka. Ils ne se lassent jamais de me le rapporter. Ils en mourraient. Ces maîtres m'apprennent à peupler la seule patrie qui vaille : l'instant. Notre péché à nous autres, les hommes, c'est d'avoir perdu cette fièvre du chien à rapporter le même os. Pour être heureux, il faut que nous accumulions chez nous des dizaines d'objets de plus en plus sophistiqués. La pub nous lance son « va chercher ! ». Le chien a admirablement réglé le problème du désir.

Longue marche jusqu'au cap des Cèdres du Sud. Le ciel est en charpie et le vent s'est levé. À travers les nuages, des rayons balaient la taïga de traînées fauves et y plaquent des empiècements d'or. Les anciennes failles mal regelées sont des pièges. L'œil ne mesure pas l'épaisseur de la couche. Les chiens s'arrêtent net devant une zone gorgée d'eau, ils gémissent, refusent d'avancer et je m'engage à pas prudents pour leur montrer qu'ils peuvent passer. Un aigle tournoie. La forêt gronde sous les rafales. Les forces du printemps sont là, prêtes à l'attaque, n'osant pas encore la reconquête.

Quand nous arrivons au cap où je voulais faire un essai de pêche, à dix kilomètres de la cabane, je n'ai même pas le temps de sortir ma chignole. Le vent furieux ordonne le repli. Je rentre en courant, les chiens aux trousses. Des rafales nous arrêtent. Elles soulèvent des particules de cristal abrasif. Les chiens se protègent la truffe avec les pattes avant. Deux heures durant, nous luttons.

Demain, c'est mai. Y a-t-il du muguet dans la taïga ?

MAI
Les bêtes

1er mai

E N février dernier, à deux kilomètres au nord de la cabane, dans l'orbe d'une baie, Volodia T. a installé une nasse à silures. Elle gît sur la glace, fixée à des pieux de bois. Je perce l'ancien trou, y plonge le filet au fond duquel j'ai crocheté deux têtes d'ombles. Les chiens montent la garde au cas où des sirènes sortiraient du trou pour se jeter sur moi.

Vivre dans une réserve naturelle est symbolique : l'homme n'y fait que glisser. La trace qu'il laisse ? Ses empreintes sur la neige. En face, sur la rive bouriate, il y a un « *polygone de la biosphère* », interdit à tout visiteur. L'idée de sanctuariser des étendues de la Terre où la vie se perpétuerait sans les hommes me paraît poétique. Bêtes, hommes et dieux s'y épanouiraient, hors du regard. Nous saurions qu'une vie sauvage se perpétue, là, dans un havre, et cette pensée serait élixir. Il ne s'agirait pas d'interdire à l'homme l'usufruit des forêts, des landes et des mers ! Mais de soustraire à nos appétits quelques arpents choisis. Mais les Trissotins veillent. Ils fourbissent leur discours sur la nécessité d'une écologie au service de l'homme. Ils ne sauraient souffrir du haut des sept milliards d'humains que l'on retirât à ceux-ci l'usage du moindre mouchoir de poche...

2 mai

La grêle brouille le bronze des taïgas. Le ciel décide d'envoyer autre chose que des flocons. Journée à lire Mircea Eliade (un livre pour attendre le printemps : *Le Mythe de l'éternel retour*), à débarrasser la clairière des dernières carcasses de Volodia T. Le soir, j'expérimente un nouveau trou au débouché de la rivière des Cèdres du Nord. À présent, j'ai quatre lieux pour mes lignes. Je fume en regardant mon fil à mouches, assis sur le tabouret.

Les chiens se ruent dans mes jambes à tout moment. Ils ont trouvé chez moi un répondant à leur tendresse. Ils ne spéculent pas ni ne se complaisent dans leurs souvenirs. Entre l'envie et le regret, il y a un point qui s'appelle le présent. Il faudrait s'entraîner à y tenir en équilibre comme ces jongleurs qui font tourner leurs balles, debout sur le goulot d'une bouteille. Les chiens y parviennent.

V.E. de Zavarotnoe disait en me les confiant : « Empêche-les de t'approcher de trop près. » Je suis le dresseur de chiens le plus pitoyable à l'est de l'Oural. Les gens apprennent au chien à se coucher et proclament qu'ils le *dressent*. J'accepte les frasques des deux petits êtres et en suis quitte pour des traces de pattes sur les jambes de mon pantalon.

Nous rentrons avec trois ombles tachetés. Les chiens recevront ce soir les têtes et les tripes que je mêle à leur ragoût de farine et de saindoux. Au loin, le soleil mène des percées. Le paradis aurait dû se situer ici : une splendeur infaillible, pas de serpents, impossible de vivre nu et trop de choses à faire pour avoir le temps d'inventer un dieu.

3 mai

Ce matin, l'aube s'empêtre dans les tulles. Je monte vers l'amont de la « vallée blanche ». Dans la forêt, la neige est gorgée d'eau. Les chiens ont un mal fou à me suivre, ils s'effondrent dans les traces de raquettes. Au creux de la combe, à l'endroit où je rejoins le versant pour gagner l'arête granitique, un ours a traversé et s'est rétabli sur l'autre flanc. L'hibernation est terminée. Le réveil des ours avec l'arrivée des bergeronnettes et les craquelures de la glace sont les ambassadeurs du printemps. J'ai le flingue à la ceinture, les chiens en éclaireurs, je ne risque rien. Les ours, en outre, savent que l'homme est un loup pour l'ours et évitent les rencontres.

Je suis à mille mètres d'altitude, sur le fil de l'arête. Assis sur une ramure de pin nain, le dos calé contre un bloc, les jambes dans le vide avec une rangée de mélèzes jaune d'or à mes pieds, je regarde le brouillard gagner les berges. Je coupe un Partagas. Les bouffées, offrandes d'un sacrifice inoffensif, relient l'homme aux dieux. J'aime le brouillard, cet encens du sol. Tout fumeur rêve de disparaître dans ses nuages.

4 mai

CE matin, le pays revient à ses neiges d'antan. Un side-car pointe à l'horizon du nord et s'arrête à mon rivage. Les chiens n'aboient pas, ce qui présage mal de leur capacité à prévenir les intrusions d'ours ! C'est Oleg, un pêcheur que j'ai croisé une ou deux fois. Il roule sur une Ij Planéta 750 cc hors d'âge, une machine des années 1980 qui n'a pas le chic des side-cars militaires. Oleg en convient.

La vodka est bonne, la neige tombe et Oleg a apporté des concombres. On les coupe en lamelles, et on en croque une à chaque rasade. Oleg n'a pas parlé depuis longtemps.

— Quand je pense que je craignais les capitalistes, et toi tu es si gentil. Il faut que tu viennes plus souvent à Iélochine. On va rouler encore quinze jours sur le lac avant que ça s'ouvre de partout. Les oies et les canards vont arriver, tu verras, un matin, ils seront là, débarqués de Chine ou de Thaïlande ou d'un de ces putains de paradis. Un jour, des oies se sont posées chez moi, près du lac, et ont niché dans mon canot. Des chasseurs sont arrivés et voulaient les flinguer. Je me suis interposé et je leur ai dit : essayez seulement et je vous écrase mon poing dans la gueule. Je n'aime pas qu'on tire sur les oiseaux qui dorment dans mon bateau. L'année dernière, j'ai trouvé un bébé phoque échoué, je l'ai nourri tout l'été.

Tout à l'heure, quand la moto s'est approchée, j'ai pensé : « Pourvu que ce salaud qui déchire mon silence passe son chemin. » À présent, nous sommes deux frères.

— Au fait, dit-il, Irina t'offre ce petit paquet de levure.

Nous sommes venus à bout du litre de poison, Oleg repart, je m'écroule sur mon lit.

5 mai

LA Bouriatie nous rend le soleil à 6 h 30 du matin.

La levure change tout aux blinis.

Les chiens ont déclaré la guerre aux bergeronnettes.

Il fait – 10 °C la nuit et des températures à peine positives le jour.

Pour aiguiser la hache, un galet patiemment frotté sur le fil suffit.

La vodka diluée dans l'eau fait un lave-vitre honnête.

Faire cuire l'omble en papillote sans l'écailler ni le vider lui donne un goût plus fort.

Pas un insecte encore n'est sorti du sommeil.

Voilà les constatations du jour.

6 mai

LA glace est le marqueur du temps. Il faut guetter le jour où elle se désagrégera en gressins de cristaux.

Je fais d'interminables promenades, flanqué d'Aïka et de Bêk, d'un cap à l'autre, et les corbeaux ricanent à chaque aller-retour.

7 mai

CETTE nasse dans l'eau glaciale surpeuplée de silures est un cauchemar. Ils sont six, pris au piège. Je comprends pourquoi tant de peuples considèrent le poisson comme un être démoniaque. Les poissons-chats ont des gueules de monstres chinois et des corps gluants vert-de-bronze et jaune… Ils ont quelque chose du *gollum* tolkienien. J'en relâche quatre et tue les deux plus gros d'un coup sur la nuque. Ah ! le plaisir intense de remettre une bête en liberté. Un salut en pensée au commandant Charcot qui ouvrit la cage de sa mouette juste avant de sombrer dans les eaux antarctiques. La chair du silure est élastique, sapide, légèrement écœurante. Le mieux est de la faire revenir dans la farine pour que la chapelure graisseuse masque le goût de vase. Je prépare un ragoût pour les petits chiens. Je me réserve une délicatesse : foie de silure poêlé avec une lampée de vodka.

À dévorer du poisson depuis des mois, je me métamorphose. Mon caractère est devenu lacustre, plus taciturne, plus lent, ma peau blanchit, je dégage une odeur d'écaille, ma pupille se dilate et mon cœur ralentit.

Longue marche sur le lac jusqu'au cap des Cèdres du Milieu. L'eau a dégelé entre les failles. Quand l'une d'elles est trop large, les chiens ne passent pas. J'en prends un dans les bras, franchis la fracture, reviens chercher l'autre qui supplie à petits gémissements qu'on ne l'abandonne pas…

Aux Cèdres du Milieu, une cabane en ruine. Un homme s'y cacha jusqu'à la chute de l'Union soviétique, en 1991. Quand le KGB s'approchait, il s'enfuyait dans les montagnes, y restait jusqu'à ce que le danger passe. Je n'ai pas pu savoir s'il était un dissident ou un déserteur. Aujourd'hui, il reste une hutte au toit crevé. Quand j'entre, je pense à ce type. Après l'accession d'Eltsine, il regagna Irkoutsk et y mourut instantanément. J'aurais aimé le rencontrer.

En Russie, la forêt tend ses branches aux naufragés. Les croquants, les bandits, les cœurs purs, les résistants, ceux qui ne supportent d'obéir qu'aux lois non écrites, gagnent les taïgas. Un bois n'a jamais refusé l'asile. Les princes, eux, envoyaient leurs bûcherons pour abattre les bois. Pour administrer un pays, la règle est de le défricher. Dans un royaume en ordre, la forêt est le dernier bastion de liberté à tomber.

Les Russes savent que la taïga est là si les choses tournent mal. Cette idée est ancrée dans l'inconscient. Les villes sont des expériences provisoires que les forêts recouvriront un jour. Au nord, dans les immensités de Yakoutie, la taïga reconquiert des cités minières, abandonnées à la perestroïka. Une nation prospère sur une substitution de populations : les hommes remplacent les arbres. Un jour, l'histoire se retourne, et les arbres repoussent.

Refuzniks de tous les pays, gagnez les bois ! Vous y trouverez consolation. La forêt ne juge personne, elle impose sa règle. Elle dispense sa fête annuelle à la fin du mois de mai : la vie revient et les taillis se gonflent d'une fièvre électrique. En hiver, on ne s'y sent jamais seul : le cri d'un corvidé, la visite des mésanges et la trace des lynx dissipent l'angoisse.

8 mai

PAR la plaine fracturée de blessures d'eau vive, je me rends chez Volodia, à Iélochine, pour une visite de courtoisie. Les chiens trottinent, et en cinq heures nous enlevons la distance.

Je suis assis à la table de Volodia et regarde par la fenêtre se succéder les images de la Russie éternelle. Irina, coiffée de son fichu, nourrit son oie dans le potager. Un bouc passe, suivi d'un chat. Cette fenêtre ressemble à un tableau de Repine. Il pourrait s'intituler : *Un jour en Sibérie*. Les chiens se battent. En arrivant à Iélochine, Bêk et Aïka, du haut de leurs quatre mois, se sont rués sur les cinq molosses de Volodia pour leur faire la peau. Ils ont pris une dérouillée, mais je les ai félicités pour le panache. Volodia tient une tasse de thé dans son énorme pogne et croque un citron. À la radio, Yves Montand chante *Les Feuilles mortes* et ça grésille un peu. Un présentateur se lance dans un développement à la gloire de l'Armée rouge. Demain, c'est le 9 mai, la commémoration de la victoire. Les Russes de l'an 2010 n'en reviennent toujours pas d'avoir battu le fasciste. Soixante-cinq ans n'ont rien pesé : on parle de la victoire comme si elle datait d'hier.

Tournée des pièges à élan. Une tôle de métal balafrée de cinq coups de scie en étoile est placée au-dessus d'un trou et recouverte d'herbe. Un bloc de sel attire la bête. Quand l'animal pose la patte sur le piège, il s'hameçonne. Les trophées d'élan valent cher à la ville. L'homme s'est senti investi d'un devoir : vider la forêt.

Le soir :

— Tu as des échecs, Volodia ?

— Oui. Le deuxième jeu le plus intelligent après le tir à la corde.

Nous jouons, je perds et finis le *Fouquet* de Morand. Je pratique un exercice qui consiste à se plonger dans des lectures dont la couleur propulse aux exacts antipodes de ma vie présente. L'exotisme, c'est de naviguer dans les intrigues politiques, les chinoiseries de la cour versaillaise, les haines mazarines et les brûlures jansénistes pendant que le vent agite doucement les cèdres sibériens. Question : Qui aurait tenu le plus longtemps entre Volodia à la cour de Louis XIV et le prince de Condé dans la taïga ? « Devant Fouquet, c'est la nature qui tremble, écrit Morand. On dirait qu'elle se rase à terre, pour se faire oublier, tant les prédicateurs et les tragédiens lui ont répété qu'elle n'a pas de droits sur l'homme. » Je me suis installé dans une cabane pour oublier ce que serinent prédicateurs et tragédiens.

9 mai

À 8 HEURES du matin, un ours de trois cents kilos vient rôder sur le talus de sable, au sud de la petite clairière d'Iélochine. Pour appâter les bêtes, Volodia a rempli des bidons avec de la graisse de phoque. Il murmure :

— Ah, s'il était cinq cents mètres au nord, hors de la réserve, on pourrait l'abattre.

Un grand désespoir fond sur moi. Il faudrait nous enlever un petit bout de néocortex à la naissance. Pour nous ôter le désir de détruire le monde. L'homme est un enfant capricieux qui croit que la Terre est sa chambre, les bêtes ses jouets, les arbres ses hochets.

La leçon d'hier a porté ses fruits, Aïka et Bêk restent dans mes jambes et n'approchent plus des autres chiens. Alors que nous regagnons l'enclos de l'isba, mes deux petits chéris se font tomber sur le garrot par la bande hurlante de Volodia. Je fonce dans la mêlée et flanque des coups de pied dans les flancs poilus pour protéger mes chiots pendant que Volodia par-dessus le concert d'aboiements me hurle de « les laisser faire leur putain de loi ». C'est alors que le chat noir qui a fraternisé avec Aïka hier soir déboule à la rescousse et, de quelques coups de griffes, met en déroute les meneurs. Je le décore instantanément de l'« ordre impérial des Cèdres du Nord pour service rendu à la garde personnelle », et je rentre chez moi après avoir embrassé Irina sur ses joues fraîches et m'être fait décoller la plèvre par l'accolade de Volodia.

Sur la route du retour, un phoque. Il prend le soleil, près d'une faille où plonger en cas d'urgence. Je rampe sur la glace, dissimulé par une ligne de banquise exondée. M'a-t-il entendu ? Est-ce la tache noire d'Aïka sur la nappe ivoirine ? À deux cents mètres, il disparaît.

10 mai

CE matin, je pars vers le large pour embrasser la montagne débarrassée de neige. Seuls les sommets et le fond des canyons sont encore blancs. Sur le lac, le rebord d'une faille par-dessus laquelle je saute d'un bond casse net. J'ai visé trop court et tombe à l'eau. L'essentiel est de ne pas passer sous la couche. Il fait frais sur le chemin du retour. Les failles du lac, comme les crevasses des glaciers, donnent des baisers mortels aux hommes trop confiants.

L'après-midi, je monte à la cascade. Les chiens font des progrès dans l'art rupicole. Sur le bord de l'entaille menant à la chute d'eau, le printemps prépare le sacre. Les anémones de montagne, velues, tremblent au soleil. Les herbes ont poussé entre les névés. Une ligne de mes empreintes a tenu sur un pan de neige. Un ours l'a suivie avant de redescendre vers la rivière. Les fourmis ruissellent sur le flanc de leurs cités d'aiguilles. On croirait qu'elles se rendent à un culte solaire au pied d'une pyramide précolombienne (légèrement érodée). Le torrent s'est libéré et disparaît sous la glace au débouché de la vallée. Les bourgeons des aulnes ont crevé leurs écailles. Les bosquets d'azalées sont mouchetés de fleurs violettes. Les feuilles cireuses exhalent une odeur d'encaustique. La timidité de la nature prélude à son triomphe.

Le soir, je prends trois ombles en une heure. Étrangement, le lac ne m'en délivre jamais plus comme s'il réservait une prise conforme à mes besoins. Il y a là un mystère qui prémunit de la fièvre pécheresse. Un jour, dans le temps des cavernes, un homme a dû pêcher plus qu'il n'en pouvait manger. Il annonçait l'*hubris* et les pillages actuels. L'autre explication à mes maigres résultats – plus probable – est que je suis piètre pêcheur.

La glace n'en a plus pour longtemps. Près de mon puits à eau, j'ouvre un trou de un mètre de diamètre, en une demi-heure, avec le sentiment de creuser dans du sucre. Dans ma nouvelle vasque, à la lueur des lampes-tempête, je m'immerge dans l'eau. Les Russes procèdent ainsi pour le salut de leur âme, en janvier, à l'occasion de l'épiphanie. L'eau à 2 ou 3 °C mord les jambes et finit par enserrer le corps. Le cigare donne une illusion de chaleur. Le cœur semble surpris qu'on lui inflige pareils traitements. Le cerveau humain est une sorte d'état-major aristocratique qui se complaît à commander au corps des travaux de forçat. La matière grise baigne agréablement dans le liquide céphalo-rachidien pendant que la carcasse s'échine.

11 mai

RIEN ne me manque de ma vie d'avant. Cette évidence me traverse alors que j'étale du miel sur les blinis. Rien. Ni mes biens ni les miens. Cette idée n'est pas rassurante. Quitte-t-on si facilement les habits ajustés à ses trente-huit ans de vie ?

12 mai

UNE journée aux Cèdres du Nord :
Regarder le ciel à 6 heures du matin. Allumer le feu (en lui murmurant des mots gentils) et sortir puiser de l'eau. Noter que le thermomètre indique – 2 °C. Manger un blini arrosé de thé brûlant.

Regarder le lac à travers la vapeur du thé. Le regarder encore mais à travers la fumée du premier cigarillo. Finir *La Promesse de l'aube* en mangeant les baies d'Irina. Rendre visite aux quatre fourmilières qui encadrent ma cabane à trois cents mètres les unes des autres et sur- veiller les travaux de consolidation. Chercher à la jumelle la tache noire des phoques au soleil. Dessiner la lampe à huile en essayant de rendre la transparence du verre. Réparer le fourreau du couteau abîmé dans la marche d'avant-hier. Couper du bois. Nourrir les chiens avec la pâtée de silure. Faire cuire la kacha du soir. Attraper en quarante minutes au trou de pêche le plus proche les deux poissons qui l'accompagneront. Penser à ce qu'aurait pu être cette journée si mon être chéri, la seule personne sur cette terre qui me manque même quand elle est près de moi, avait daigné être là. Ne pas penser aux rai- sons qui l'ont poussée à ne pas venir. Se saouler doucement à cause de l'impossibilité de ne pas y penser. Se réjouir de la tombée de la nuit qui va cacher le bois de ma gueule.

13 mai

IL pleut et il fait froid et les ramures des cèdres ruissellent vernis- sées. La beauté ne sauvera jamais le monde, tout juste offrira-t-elle de beaux décors pour l'entre-tuerie des hommes.

Un silence gris est posé sur le lac. Vers 5 heures, enfin, il se passe quelque chose : les nuages s'ouvrent. Le bleu du ciel dissout l'ouate. La masse grise se disloque et des écharpes de brume prennent la taïga à la gorge. Vite, un verre ! Que la vodka m'aide à mieux saisir la sub- tilité de ces transformations ! Au cinquième *shot*, je comprends ce qui se passe *à l'intérieur* du nuage.

14 mai

LE temps le temps le temps le temps le temps le temps le temps le temps le temps.

Tiens ?

Il est passé !

15 mai

PENSER qu'il faudrait le prendre en photo est le meilleur moyen de tuer l'intensité d'un moment. Je reste au carreau pendant une heure, alors que l'aube en fait des tonnes.

La cabane est le wagon de reddition où j'ai scellé mon armistice avec le temps : je suis réconcilié. La moindre des politesses est de le laisser passer. D'une fenêtre à l'autre, d'un verre à l'autre, entre les pages d'un livre, sous les paupières closes, la grande affaire est de s'écarter pour lui ouvrir la voie.

LES bergeronnettes grises font leur nid à l'angle nord-est du toit. Les chiens ont renoncé à leur faire la peau. Assis à ma table, je regarde la glace mourir. Le manteau est ravagé. La masse est infectée par l'eau. Le lac souffre et ne sait pas qu'il y a des hommes à son chevet. Je suis membre de l'armée des veilleurs.

La journée est ponctuée de mesures dont le battement constitue un solfège. L'arrivée de l'oiseau à 8 heures, le balayage de la toile cirée par un rai de soleil à 9 h 30, le jeu des petits chiens à la tombée du jour, l'apparition des phoques au milieu de l'après-midi, le reflet de la lune dans le seau : la mécanique est parfaite. Ces rendez-vous insignifiants sont les immenses événements de la vie dans les bois. Je les attends, je les espère. Lorsqu'ils adviennent, je les reconnais, les salue. Ils me confirment que le poème respecte la métrique. Le bonheur devient cette chose simple : attendre quelque chose dont on sait qu'il va advenir. En ville, principe contraire : on exige une efflorescence permanente d'imprévisibles nouveautés. Il faut que les feux d'artifice de la nouveauté interrompent sans cesse le déroulé des heures et éclairent la nuit de leurs bouquets fugaces.

Les chiens se satisfont des éternels recommencements. Dès que se profile l'événement, ils bavent d'impatience. Qu'advienne l'imprévu, que surgisse un visiteur : ils grondent, aboient, attaquent. L'ennemi, c'est la nouveauté.

Parfois, les révélations proviennent du fond de soi. Il ne s'agit plus d'un tressaillement devant les signaux du monde mais d'un élan intérieur, du jaillissement d'une idée, d'un fulgurant désir. L'homme se sent alors un terrain habité où luttent dieux et démons.

LA pluie à nouveau dans l'après-midi. Des corbeaux rasent la surface et lâchent un cri, les gouttes crépitent sur les bardeaux, la taïga a l'allure des armées à l'arrêt. La nature traverse une passe dépressive.

Pour moi, coincé vivant dans mon cercueil en bois, les heures redoutables surgissent avec le soir. Les fantômes, les remords profitent de la pénombre pour se glisser dans mon cœur. Ils lancent leurs opérations au moment où la lumière baisse, à 19 heures. Il faut de la vodka pour les repousser. Passage en revue des réserves : j'ai vingt-deux litres de Kedrovaïa et trois litres de vodka au poivre, douze Partagas et cinq boîtes de cigarillos (vingt par boîte). De quoi combattre les démons quelques mois.

Le courage serait de regarder les choses en face : ma vie, mon époque et les autres. La nostalgie, la mélancolie, la rêverie donnent aux âmes romantiques l'illusion d'une échappée vertueuse. Elles passent pour d'esthétiques moyens de résistance à la laideur mais ne sont que le cache-sexe de la lâcheté. Que suis-je ? Un pleutre, affolé par le monde, reclus dans une cabane, au fond des bois. Un couard qui s'alcoolise en silence pour ne pas risquer d'assister au spectacle de son temps ni de croiser sa conscience faisant les cent pas sur la grève.

16 mai

LE ciel s'ouvre enfin. J'agis en Russe : cela faisait trois ou quatre jours que je me tenais, léthargique, derrière le carreau. D'un bond, je me lance dehors, les chiens aux basques, le sac sur le dos et trois jours de provisions dedans. La glace tient encore bon. Je coupe vers le cap des Cèdres du Milieu avec l'objectif de remonter la vallée qui y débouche. Je saute les failles en prenant une marge de plus en plus grande, car l'épaisseur se réduit sous le rebord des lèvres. Une averse s'abat, je me mets à l'abri dans la forêt des premiers âges qui recouvre le cône d'épandage alimenté depuis des millions d'années par la rivière que je convoite. La forêt tient du marais à la Walter Scott et des sous-bois du Monde perdu. Le soleil apparaît et tire des faisceaux dans les vapeurs. Les bouleaux alignent des nefs d'ivoire. Les rhododendrons de Daourie diffusent une odeur de vieille femme très propre qui tranche avec les relents des souches éventrées par les ours. Les chiens, affolés par ces profusions, ne savent plus où donner. La reine des elfes apparaîtrait avec sa suite, écartant de sa main les rideaux de lichen, j'en serais à peine étonné.

Derrière des saules étrangement alignés, je découvre une saignée recolonisée par les arbrisseaux. Il y a vingt ans, une piste reliait un camp de géologues au lac. À sept cents mètres d'altitude, la station mentionnée sur la carte est toujours là : quatre isbas défoncées et deux wagons de tôles rouillées entre les baliveaux. Au nord s'ouvre une double vallée dont les talwegs sont séparés par une arête de pierre. Je redescends dans la combe et, chaussant les raquettes, m'élève jusqu'à la base de la dorsale rocheuse. Vers mille mètres d'altitude, un replat semble convenir au bivouac. Un orage s'abat. Les éclairs terrifient Aïka et Bêk. Je cache les piolets et les crampons à cent mètres en contre-bas. Les chiens sont pelotonnés sous un bouleau. Je les admire, ces petits êtres qui partent en montagne heureux de vivre, sans provisions ni projets de retour.

Je coupe des bardeaux de pins nains pour molletonner la terrasse puis, trois heures durant, tente de faire partir un feu de bois gorgé d'eau. Quelques pages du *Neveu de Rameau* finissent par prendre. Pas la première fois que Diderot déclenche des incendies. Une flamme anémique s'élève d'un petit tas d'écorce râpée, séchée contre ma peau. La flamme vacille, j'ai des émotions de réanimateur cardiaque. Elle gonfle, c'est la victoire. Je souffle à m'en étourdir et obtiens un brasier. Les chiens viennent se chauffer à ses lueurs. Au moment où je monte la tente : une nouvelle ondée. Je me replie sous ma toile mal tendue. La grêle allume des milliers de diamants dans la fraction des éclairs. La tente ploie, ne rompt pas, s'inonde. Pendant que la tempête s'acharne sur la montagne et sur ma paroi de Nylon, j'apprends que Diderot aimait se reposer chaque soir dans la douce lumière du Palais-Royal. Le vent tombe, l'orage passe, les étoiles reviennent, les chiens s'ébrouent, un doux vent sèche la tente et, comble de la joie, des braises ont tenu. Je réanime le feu et me couche, une fusée anti-ours amor-cée près de ma tête pour le cas d'une visite. Aïka et Bêk enlacés dessinent dans la nuit sibérienne le symbole du yin et du yang.

17 mai

LE soleil est déjà haut dans le ciel. Les petits chiens accueillent mon lever. Ils doivent espérer pitance mais je n'ai rien d'autre qu'un peu de pain. Je plie le camp et monte le long de l'arête pendant cinq heures. Les chiens gémissent quand un ressaut les arrête. Aïka, alors, trouve un passage et guide son frère, plus malhabile. Le fil se redresse et à mille six cents mètres j'atteins la couche de neige durcie. Aïka et Bêk, assis sur un bloc, regardent le lac.

Au sommet, à deux mille cent mètres, il fait un froid de *zek*. Vers l'est, le cœur de la réserve naturelle se dévoile. La perspective s'étré-cit vers le nord, parallèle au rivage. Le Baïkal : camé serti dans une châsse. Vers l'est, les vallonnements déroulent des forêts de pins gris, tachetées de lacs et striées d'affluents. Le climat qui régit ces taïgas est plus sévère qu'au bord du lac. Les compagnies de bûcherons asiatiques louchent sur ces virginités. Les Chinois rêveraient de posséder ces réserves de bois et d'eau. Elles leur tiendraient lieu de deuxième Mandchourie puisqu'ils ont épuisé les fruits de la première. Dans l'histoire des Hommes, aucune masse démographique n'a côtoyé très longtemps un espace dépeuplé et riche de ressources. L'Histoire répond aux lois de l'hydraulique. Dans l'hypothèse d'un jeu de vases communicants entre la Chine et la Sibérie, la Mongolie tiendra le rôle de valve. Si ces taïgas deviennent le terrain d'une guerre de contrôle, mon sommet fera un bon poste de verrouillage. Les Chinois auront l'avantage du nombre et de la faim, les Russes celui de la rusticité et de la haine à l'égard de tout ce qui menace *mat rodina*, la mère patrie. Les petits chiens, le nez dans la fourrure, dorment profondément.

Nous redescendons par le canyon le plus au nord. À mi-pente, les parois se resserrent et une rupture de pente à quarante-cinq degrés m'oblige à tailler des marches dans la neige. Aïka se jette dans la pente, comptant sur moi pour l'arrêter. Je la reçois puis bloque la chute de Bêk. La technique imaginée par la petite chienne est la bonne et nous arrivons au pied du mur. Dans le bas de la vallée, je rejoins mes traces de la veille. Elles sont coupées par une coulée d'ours. La bête ne semble pas avoir manifesté le moindre intérêt pour ma trace. À la lisière du bois, le torrent se libère. La langue de neige qui le recouvrait s'interrompt, crachant son flot d'eau claire. Je fais un feu pour me sécher et dors au soleil délicieux.

Retour au lac par la piste des géologues. Le soleil et les nuages jouent aux échecs. Ils placent leurs pions sur l'échiquier de marbre : les masses blanches et noires se déplacent à l'allure des charges cavalières.

18 mai

À MIDI, sous un soleil de Liban, je quitte la cabane vers l'amont de la « vallée blanche », cette combe coudée et plantée de mélèzes qui fend la montagne à un kilomètre au nord de chez moi. En haut de l'arête rocheuse d'où coulent des draperies de pierrier, l'œil prend mesure des ravages du printemps. Le lac est dévasté.

Pour atteindre le sommet qui s'élève au-dessus de la cabane, il suffit de suivre l'arête. Les blocs que les pins nains n'arriment pas à la pente roulent sous mes pas et j'ai peur d'écraser les chiens. Au soir tombant, je suis au sommet, à deux mille mètres, devant l'arcature de la chaîne baïkalienne couronnée à cent kilomètres au nord par le mont Tcherski. Des arêtes rocheuses s'étoilent aux quatre vents.

Se tenir là, au sommet. Les montagnes, je les admire. Elles gisent, indifférentes, elles se contentent d'être. Le *So ist* de Hegel est la plus intelligente parole prononcée devant l'incommensurable. J'aime l'idée d'être monté découvrir ce qui se trouve de l'autre côté de mon domaine. Le Baïkal est une vasque fermée, recélant ses propres espèces, régi par son climat. Les habitants vivent sur ses bords comme autour de la place d'un village. La plupart d'entre eux ne sont jamais montés jeter un regard derrière les herses de la place forte. On peut se contenter de ne jamais sortir du vase. Ou bien, décider d'aller voir.

Par les pentes malaisées et les couloirs instables, je gagne un bon replat planté de pins nains à mille six cents mètres et y passe une nuit divine entre les chiens, le lac, les cimes et les étoiles d'un feu qui voudraient rejoindre leurs sœurs sidérales.

19 mai

Le retour est rapide : nous glissons par les couloirs jusqu'aux premiers arbres de la « vallée blanche ». Un vent puissant souffle du nord, excitant les chiens. Un orage se prépare. Je suis dans le hamac, cigare aux lèvres et *Le Chant du monde* de Giono sous les yeux, quand il éclate. En dix minutes, la débâcle ruine les efforts de l'hiver pour ordonner le monde. Le printemps est un spectacle qui devait consterner les généraux prussiens. C'est un Russe qui a célébré son sacre.

La glace se disloque, l'eau regagne la liberté. Elle taille des chenaux entre les plaques ou submerge les morceaux de banquise. La pluie ne trouve pas le chemin de la terre. Les traînées d'eau remontent au ciel dans les tourbillons de vent. Dans la confusion, les cèdres font des signaux d'effroi. Un arc-en-ciel naît à la pointe du cap et trouve appui au milieu du lac. Sous sa courbe s'encadrent des nuées d'ébène massées au septentrion. Les éclairs fusent au moment où le ciel se referme. Seul un rai ensanglante les crêtes bouriates. Une ligne qui soutient le socle du plafond d'encre. Je viens d'assister, en dix minutes, à la mort de l'hiver.

L'orage porte sa dévastation au sud. Le lac se remet. Dans l'air frais, sous un ciel satiné, la houle libérée soulève les plaques de glace à la dérive. La débâcle a libéré la pulsation du lac. J'installe le tabouret sur une plaque de banquise et passe la soirée à dériver lentement. Les eaux sont revenues! Les eaux sont revenues! Plus rien ne sera comme avant.

20 mai

EN ce premier matin de la libération des eaux, les bergeronnettes se livrent à un exercice d'illusionnisme : elles sautillent sur l'invisible pellicule d'un millimètre de glace qui recouvre les pans d'eau libre. Vers midi, la pluie tombe dru et son tambourinement sur l'humus est voluptueux. Seul un ourlet de glace masque le contact entre les torrents et le littoral. Dans des années, dans des siècles, ces eaux auxquelles je m'abreuve seront brassées par les houles de la mer polaire. Quand on considère le trajet d'un flocon, des crêtes jusqu'au lac et du lac à la mer par le chemin des fleuves, on se sent piètre voyageur.

21 mai

CE matin, le lac est une plaine liquide. Pas un glaçon sur l'huile noire. Je pars avec les chiens vers la rivière Lednaïa, à mi-chemin entre ma cabane et celle de Volodia, pour y tenter la pêche.

Sur la grève, les événements des derniers jours ont libéré la vie. Le jour est plein de mouches. Je fais la sieste sur des galets chauffés. Sur les talus, des bouquets d'anémones piquettent le sable. Des canards se sont abattus sur les plans libres, avides d'amour et d'eau fraîche. Ils prenaient du bon temps au sud. Quand les chiens courent vers eux, ils décollent pathétiquement. Les rives sont agitées par un meeting aérien permanent. Des aigles planent, les oies patrouillent en bandes, les mouettes enchaînent les piqués et des papillons, tout étonnés de vivre, titubent dans l'air. Quarante-huit heures ont suffi au printemps pour confirmer son putsch.

Dans la forêt, le sentier tracé par les ours et les cervidés est dégagé. Il longe la rive, à quelques mètres derrière l'orée. La rivière Lednaïa est encore recouverte d'une large allée de glace. Les petits chiens aboient soudain. Un ours en contre-haut du talus rocheux passe la tête dans les rhododendrons. Je retiens Aïka par le cou. Son frère se terre dans mes jambes. Le courage a été injustement réparti dans cette portée. Les Russes sont formels : en cas de rencontre, ne pas s'enfuir, ne pas regarder la bête, ne pas faire de mouvements brusques, se retirer sur la pointe des pieds en murmurant des choses rassurantes. Le problème réside dans l'inspiration. Que dire à l'ours ? Je n'ai rien préparé et, reculant doucement, ne trouve que ceci :

— Casse-toi, mon gros lapin !

L'injonction marche, il se retire en fourrageant les taillis.

La pêche me donne deux ombles au débouché de la rivière. Nous rentrons par les grèves. Je marche avec les fusées de détresse amorcées dans la main. Les plages et les bandes de glace littorale sont constellées de traces d'ours. En cas d'inquiétude, se pénétrer des dernières pages de *Robinson Crusoé* : « L'ours se promenait tout doucement sans songer à troubler personne. »

22 mai

UNE allongée d'eau libre de cinq cents mètres court le long de la grève. Ceux qui creusent, ceux qui percent, ceux qui cassent, ceux qui malaxent et fouissent, ceux qui possèdent des pinces, ceux qui jouent de la foreuse, ceux qui se servent de grattoirs, de rostres ou de trompes, ceux qui rampent, ceux qui marchent, ceux qui volent et ceux qui se juchent sur le dos d'un plus fort, ceux qui imitent ou qui se griment, ceux de la nuit, ceux du jour et ceux du crépuscule, ceux qui voient, ceux qui sentent : tous sortent de la torpeur et viennent assister à la libération de l'eau comme ces amis qui accueillent un détenu, le jour de la sortie de cellule. Malgré le grand sommeil, ils n'ont pas oublié les gestes et les réflexes. Le peuple des insectes va envahir les bois et je me sens moins seul.

En cabane, on vit à l'heure contre-révolutionnaire. Ne jamais détruire, se dit l'ermite, barrésien, mais conserver et continuer. On cherche ici la paix, l'unité, le renouement. On croit au cycle des retours. À quoi bon la rupture puisque tout passera et que tout reviendra ? La cabane n'est pas une base de reconquête mais un point de chute. Une porte de sortie, non un point de départ.

23 mai

L'EAU continue à remporter des victoires. Ce matin, elle s'étend sur une dizaine de kilomètres de large entre les glaçons et ma rive. Le vent pousse le radeau de glace vers le large.

Selon Kierkegaard dans son *Traité du désespoir*, l'homme connaît trois âges : celui de la jouissance esthétique et donjuanesque, celui du doute faustien, celui du désespoir. Il faudrait ajouter l'âge du repli dans les bois comme juste conclusion tirée des trois temps précédents.

Autour du cou, je porte une petite croix orthodoxe. Elle brille au soleil lorsque je fends le bois, torse nu. Dans mon rêve d'enfance, un Robinson des bois à barbe blonde ne pouvait se passer de la croix du Christ sur le poitrail. J'aime cet homme qui pardonnait aux femmes adultères, marchait sur les routes la bouche pleine de paraboles pessimistes, conspuait les bourgeois et s'en fut se suicider au sommet d'une colline où il savait que l'attendait la mort. Je me sens de la chrétienté, ces étendues où des hommes, décidant de vénérer un dieu qui professait l'amour, autorisèrent la liberté, la raison et la justice à envahir le champ de leurs cités. Mais ce qui me retient, c'est le christianisme, ce nom que l'on donne au tripatouillage de la parole évangélique par un clergé, cette alchimie de sorciers à tiares et à clochettes qui ont transformé une parole brûlante en Code pénal. Le Christ aurait dû être un dieu grec.

24 mai

UNE escadrille de fuligules morillons se pose sur un pan d'eau ouvert entre trois immenses festons de glace. Ils décollent en formation parfaite dans la direction de la Mongolie. Un couple de harles se plaît dans ma baie. Je passe des heures, l'œil aux jumelles, à détailler leurs crêtes de punk. Des arlequins plongeurs atterrissent pleins gaz dans un canal étroit. Les canards sont sapés comme pour le bal, et lorsqu'ils s'envolent ils ont sacrément l'air de savoir où ils vont.

Le soir, je dîne dehors, devant un feu de bois construit sur la plage. Puis je reste à regarder les flammes avec les chiens, les mains au chaud dans leur fourrure jusqu'à ce que la lune par-dessus la montagne donne le signal d'aller se coucher.

25 mai

JE passe des heures à fumer dans mon hamac au sommet de l'éminence, les chiens à mes pieds.

Le lac : un vitrail d'albâtre dont les jointures seraient de plomb bleuté. Les squames de glace glissent vers le sud. Couché dans l'air tiède, j'assiste à la transhumance. Entre chaque plaque, la couleur de l'eau varie d'heure en heure. Deux tadornes volent au-dessus de cette lèpre. Comment peut-on préférer mettre les oiseaux dans la mire d'un fusil plutôt que dans le verre d'une jumelle ?

26 mai

Les hommes qui ressentent douloureusement la fuite du temps ne supportent pas la sédentarité. En mouvement, ils s'apaisent. Le défilement de l'espace leur donne l'illusion du ralentissement du temps, leur vie prend l'allure d'une danse de Saint-Guy. Ils s'agitent.

L'alternative, c'est l'ermitage.

Je ne me fatigue pas de détailler mon paysage. Mon regard cherche trois choses : repérer de nouvelles nuances dans ce tableau mille fois observé, approfondir l'idée que ma mémoire s'en faisait et confirmer que le choix était bon de s'installer ici. On ne se lasse pas de la splendeur, vieux principe sédentaire. Les choses sont moins figées qu'elles n'y paraissent : la lumière nuance la beauté, la métamorphose. Celle-ci se cultive et, jour après jour, se renouvelle.

Les voyageurs pressés ont besoin de changement. Ils ne trouvent pas suffisant le spectacle d'une tache de soleil sur un talus sablonneux. Leur place est dans un train, devant la télévision, mais pas dans une cabane. Finalement, avec la vodka, l'ours et les tempêtes, le syndrome de Stendhal, suffocation devant la beauté, est le seul danger qui menace l'ermite.

27 mai

Il me faut sept heures de peine sur une arête en miettes, couverte de pins nains, de lichens spongieux et de schistes, pour gagner le sommet de deux mille mètres qui couronne l'amont de ma « vallée blanche ». De l'autre côté, l'envers de mon monde. L'autre côté, toujours, est une promesse. On y jette un coup d'œil comme on jette un filet : pour ancrer la certitude d'aller y voir un jour. Une fois redescendu, le serment vit en nous : une part du regard est restée en haut…

Les chiens, couchés l'un près de l'autre sur les pierres du sommet, fixent le paysage. Ils le *contemplent*, j'en mettrais ma main au feu. « *Pauvres en monde* », les petits chiens, *Herr* Heidegger ? Non, mais rétrécis au plus juste de ce qu'ils connaissent, vouant parfaite confiance à l'instant et faisant fi de toute abstraction. Le courage du chien : il regarde ce qui surgit devant lui, sans se demander si les choses auraient pu se passer autrement. Je pense à ces efforts de l'homme pour dénier toute conscience aux animaux. Des milliers d'années de pensée aristotélicienne, chrétienne et cartésienne nous cadenassent dans la certitude qu'une marche infranchissable nous sépare de la bête. Elle serait sans morale : ses actes se trouveraient dénués d'intentionnalité même dans les gestes altruistes dont elle se montre capable. Elle vivrait sans soupçon de sa propre finitude. Adaptée à son environnement, elle ne saurait s'ouvrir à la totalité de la réalité. Elle ne serait qu'une pauvre volonté sans représentations.

Pourtant, au fond des bois, il est troublant, le spectacle des bêtes. Comment être certain que la danse des moucherons dans le rayon du soir n'a pas une signification ? Que savons-nous des pensées de l'ours ? Et si le crustacé bénissait la fraîcheur de l'eau sans aucun moyen pour lui de nous le faire savoir et sans aucun espoir pour nous de le déceler ? Et comment mesurer les émois des passereaux lorsqu'ils saluent l'aurore sur les plus hautes branches ? « Le jeune oiseau n'a aucune représentation des œufs pour lesquels il construit un nid, ni la jeune araignée de la proie pour laquelle elle tisse une toile… » (Schopenhauer *in Le Monde…*). Mais qu'en sais-tu, Arthur, d'où tiens-tu ta science en la matière, de quelle conversation avec quel oiseau t'es-tu pénétré pour avancer pareille certitude ? Mes deux chiens se tiennent face au lac, clignant des yeux. Ils goûtent la paix du jour. Ils sont conscients du bonheur de se reposer là, au sommet, après la longue grimpée. Heidegger tombe à l'eau et Schopenhauer aussi. Plouf, la pensée. Je regrette qu'un philosophe héritier du vieil humanisme (onanisme de l'esprit) n'assiste pas à l'oraison silencieuse prononcée par deux chiots de cinq mois devant une faille de vingt-cinq millions d'années.

28 mai

JE passe la journée dans le guide ornithologique de l'édition Delachaux et Niestlé. « 848 espèces et 4 000 dessins ». Ce livre est un bréviaire consacré à l'ingéniosité du vivant, aux infinies subtilités de l'évolution, une célébration du style. J'essaie d'identifier chacun des visiteurs du ciel. Nommer les bêtes et les plantes d'après les guides naturalistes, c'est comme reconnaître les stars dans la rue grâce aux journaux people. Au lieu de « Oh ! Mais c'est Madonna ! », on s'exclame « Ciel, une grue cendrée ! ».

29 mai

Je sors toujours une fusée à la main pour le cas où un ours rôderait dans la forêt. Le monde sauvage commence, sitôt passé la porte. Cerfs, lynx et ours vaquent près de la cabane, les chiens dorment derrière la porte, les mouches vrombissent sous l'auvent. Les royaumes se jouxtent. La cabane est un îlot de survie humaine en territoire édénique et non une implantation de pionniers voués à bonifier la terre. Les cosaques du tsar, lors de la conquête sibérienne, bâtissaient des camps retranchés. Ils enfermaient une église, un dépôt d'armement et quelques bâtiments derrière une palissade de pins taillés en pointe et donnaient le nom d'*ostrog* à ces postes. L'enceinte les protégeait d'un monde extérieur qui ne perdait rien pour attendre. S'ils étaient là, c'est qu'ils rêvaient de transformer la taïga. Dans un ermitage, on se contente d'être aux loges de la forêt. Les fenêtres servent à accueillir la nature en soi, non à s'en protéger. On la contemple, on y prélève ce qu'il faut, mais on ne se nourrit pas de l'ambition de la soumettre. La cabane permet une posture, mais ne donne pas un statut.

L'ermite accepte de ne compter pour rien dans la chaîne des causalités. Ses pensées ne modèleront pas le cours des choses, n'influenceront personne. Ses actes ne signifieront rien. Qu'elle est légère, cette pensée ! Et comme elle prélude au détachement final : on ne se sent jamais aussi vivant que mort au monde !

30 mai

Aujourd'hui, j'ai écrit des petits mots sur le tronc des bouleaux. « *Bouleau, je te confie un message : va dire au ciel que je le salue.* » L'écorce est aussi agréable sous la plume du stylo que le papier vélin. Certains *zeks* ont couché leurs souvenirs sur la peau de ces arbres. Ensuite je fais des ricochets et puis j'essaie de m'améliorer au lancer de couteau sur une vieille planche de bois.

Ce que c'est que d'avoir du temps libre, tout de même.

31 mai

Le versant des montagnes, haut de mille cinq cents mètres, se prolonge d'autant jusqu'au fond du lac. Ma cabane occupe une mince rupture de pente exactement à mi-chemin. J'habite en équilibre entre une paroi et un gouffre.

Un couple d'eiders prend les eaux en face du cap. Quand deux plaques de glace à la dérive menacent de le prendre en étau, il décolle vers un autre plan libre. Une allégorie de l'exil.

Parfois mon regard s'attarde sur un pan d'eau vide où deux canards se posent soudain comme si une prémonition trouvait son exaucement. Comme lorsque l'œil découvre dans un livre la phrase que l'esprit attendait depuis longtemps sans réussir à la formuler.

Les premiers capricornes sont arrivés. Ils volent lourdement dans la clairière et s'abattent sur les billots. Je ressens de l'affection pour ces insectes. Leurs longues antennes noires déjetées vers l'arrière frôlent leur carapace de jais. L'amour vrai ne serait-il pas d'aimer ce qui nous est irrémédiablement différent ? Un insecte, une paramécie. Il y a dans l'humanisme un parfum de corporatisme reposant sur l'impératif d'aimer ce qui nous ressemble. Dans la clairière, j'inverse la proposition et tente d'aimer les bêtes avec une intensité proportionnelle au degré d'éloignement biologique qu'elles entretiennent avec moi. Aimer, c'est reconnaître la valeur de ce qu'on ne pourra jamais connaître. Et non pas célébrer son propre reflet dans le visage d'un semblable. Aimer un Papou, un enfant ou son voisin, rien que de très facile. Mais une éponge ! Un lichen ! Voilà l'ardu : éprouver une infinie tendresse pour la fourmi qui restaure sa cité.

Une courte après-midi au cap des Cèdres du Milieu pour observer les oies posées sur l'étang intérieur. Au retour, je passe à nouveau devant la ruine de la cabane du *refuznik*.

V.E. de Zavarotnoe m'a souvent parlé du dissident qui vivait là et me le décrivait comme un gentil bougre. L'idée de l'existence de cette belle âme accordée à la brutale beauté de ces lieux me rend la cabane bienveillante. J'imagine le pauvre hère cueillant l'oignon sauvage pour accommoder ses ombles, parlant aux oiseaux et laissant les restes des poissons sur la grève à la disposition des renards. Il n'y a que chez moi, à Paris, que les intellectuels nourrissent une fascination à l'endroit des salauds. Les criminels ne sont pas des loups héroïques. Et les cabanes qui les ont abrités n'irradient pas d'un halo de douceur.

Les hautes pressions accumulées au pied des montagnes me plongent en léthargie pour le reste de la journée. Je n'ai même pas la force de lire. Je somnole sous un cèdre quand un orage me chasse dans la cabane. Alors, se déploie en moi un immense sentiment de sécurité procuré par le spectacle d'une tasse de thé fumant pendant que, dehors, le ciel se déchaîne. La pluie a été inventée pour que l'homme se sente heureux sous un toit. Les chiens sont sous l'auvent. Le cigare et la vodka, compagnons idéaux de ces moments de repli. Aux pauvres gens, aux solitaires, il ne reste que cela. Et les ligues hygiénistes voudraient interdire ces bienfaits ! Pour nous faire parvenir à la mort en bonne santé ?

L'orage a passé, et l'air sèche la forêt. À la jumelle, je distingue un ours dressé, à deux cents ou trois cents mètres sur la grève sud. Il reste immobile. Puis je comprends que les rochers vibrent dans l'air du soir. Je suis en train de palpiter devant un mirage.

Le soir, je fais du pain. Je pétris longtemps la pâte. Pas de contact plus doux à la main du solitaire. On comprend le rapport qui s'est exprimé par les mots et les expressions entre la pâte et la chair. Les boulangères sont des figures aphrodisiaques, elles évoquent un érotisme sain, rose, grassouillet. Je mange mon pain et me force à ne plus penser aux boulangères parce qu'il me reste deux mois à vivre dans ce trou.

JUIN
Les pleurs

1er juin

JE regarde les démonstrations aériennes des oies et des canards, assis à la table de la plage comme l'un de ces juges de patinage artistique prêts à lever leurs pancartes.

Les bouchons de glace pilée qui obstruaient la baie depuis quelques jours sont chassés par la tempête. Toute la nuit, le souffle a malmené la cabane innocente.

2 juin

CHEZ les moines zen, la grasse matinée portait le nom d'« oubli dans le sommeil ». L'oubli me mène jusqu'à midi.

J'assemble mon kayak de toile bleue. Mon manque de sens technique me ralentit. La notice stipule que c'est l'affaire de deux heures. J'en mets cinq et c'est grande victoire lorsque, au soir venu, je glisse sur l'eau. En quelques coups de pagaie, je reconquiers ce dont la débâcle me privait : la possibilité d'embrasser la montagne du regard.

Elle a verdi. Les mélèzes se sont rhabillés. Dans l'eau jusqu'au poitrail, Aïka et Bêk, désemparés, ne savent pas comment me suivre et geignent aigûment. Puis Aïka comprend que je finirai par rejoindre la terre et qu'il suffit de longer la grève dans le sens où je rame.

— Jamais à plus de cent mètres des rives.

C'est l'injonction de Volodia d'Iélochine, l'autre semaine. Les eaux du lac sont si froides que les chutes y sont mortelles. Personne ne peut tenir dans une eau à 3 °C et l'on vit des pêcheurs sombrer à portée de voix. Jules Verne relaie pourtant dans *Michel Strogoff* la légende du Baïkal : « Jamais un Russe ne s'y est noyé. »

Il y a l'eau et il y a les vents. Le *sarma*, né des montagnes, se réveille en quelques minutes et lève des vagues de trois mètres. Les barques sont emportées au large et retournées. Le lac se paie en hommes de ce qu'on lui prend en poissons. Volodia a perdu son fils dans un naufrage, il y a cinq ans. Je l'ai appris récemment et j'ai compris pourquoi il restait des heures à mariner son regard dans la clarté des vitres. Parfois, on fixe le paysage en pensant aux gens qui s'y plaisaient. Le souvenir des morts s'infuse dans l'atmosphère.

Les chiens bavent leur joie quand je regagne la rive. Des escadrilles zèbrent le ciel. Le reflet offre à l'homme de contempler deux fois la splendeur.

3 juin

Rainer Maria Rilke dans la lettre du 17 février 1903 adressée au jeune poète Franz Xaver Kappus : « Si votre quotidien vous paraît pauvre, ne l'accusez pas. Accusez-vous vous-même de ne pas être assez poète pour appeler à vous ses richesses. » Et John Burroughs, dans *L'Art de voir les choses* : « Le ton sur lequel nous parlons au monde est celui qu'il emploie avec nous. Qui donne le meilleur reçoit le meilleur. » Nous sommes seuls responsables de la morosité de nos existences. Le monde est gris de nos fadeurs. La vie paraît pâle ? Changez de vie, gagnez les cabanes. Au fond des bois, si le monde reste morne et l'entourage insupportable, c'est un verdict : vous ne vous supportez pas ! Prendre alors ses dispositions.

Je passe une heure à scier un tronc de mélèze mort, dans la clairière. Le bois est encore sain et les anneaux du temps parfaitement visibles. Couper des arbres, cueillir des fleurs : paierons-nous un jour ces minuscules libertés que nous prenons avec l'ordre des choses, ces infimes transformations de la partition initiale ? À l'un de ses disciples qui proposait de creuser des canaux d'irrigation dans le potager, Confucius, l'arrosoir à la main, répondit : « Qui sait où cela nous mènerait ? » L'avantage, dans une cabane, c'est qu'à part l'abattage d'un tronc de temps à autre, on ne modifie pas grand-chose à l'ordonnancement général.

Je glisse sur la soie. Le bruit des rames dans le silence… Volodia avait raison : après un quart d'heure de prudence, déjà, je tire des azimuts entre les caps et me retrouve à plus de deux kilomètres de la rive, assis dans une embarcation de toile soutenue par une structure de bois que j'ai montée en prenant quelques libertés avec les instructions. Je rejoins le bouchon de glace qui flotte loin de la côte. Les glaçons tintinnabulent au soleil. Je reste immobile sur l'huile froide. À deux mètres de mon étrave, un phoque sort la tête et me fixe. Il a quelque chose du vieillard dans les yeux ; un regard aussi profond que son domaine. Je lui parle, il écoute, me considère avec une attention de myope et plonge.

4 juin

CHAQUE matin, au réveil, le salut aux canards. Ils sont de plus en plus nombreux à s'abattre sur le lac. Dans le dictionnaire des symboles, on apprend que les canards, chez les Japonais, sont le symbole de l'amour et de la fidélité. Les cèdres dont je suis flanqué, eux, représentent la virginité et la pureté dans l'ésotérisme européen. Ce séjour est placé sous les auspices de la vertu.

Ma présence ici, je la dois à ce jour de juillet, il y a sept ou huit ans, où je découvris les rives du Baïkal. L'impression inocula en moi la certitude que je reverrais ces lieux. À la manière de ces ésotéristes guénoniens obsédés par l'identification de « l'âge d'or », nous sommes quelques âmes nomades qui cherchons par tous les moyens à revivre les moments intenses de nos existences. Pour certains, ils se situent dans l'enfance, pour d'autres ils correspondent au premier baiser sous le pont de la départementale, pour d'autres encore à une sensation d'épanouissement inexplicable, un soir d'été, dans le crissement des cigales, pour d'autres enfin à une nuit d'hiver où auraient afflué de hautes et bonnes pensées. Pour moi, c'était là, au bord du talus sablonneux ouvert sur le lac.

Mishima dans *Le Pavillon d'Or* : « … Ce qui donne un sens à notre comportement à l'égard de la vie est la fidélité à un certain instant et notre effort pour éterniser cet instant… » Tout ce que nous entreprenons découlerait d'une inspiration éphémère, intangible. Une fraction de seconde fonderait l'existence. Les bouddhistes nomment *Satori* ces instants où la conscience entrevoit quelque chose. À peine né, le surgissement s'évanouit. À l'aveugle, on cherche à le ramener. On avance, filet à papillons à la main, aspirant à ce qui s'est enfui. Cette tentative mille fois recommencée et mille fois contrariée de revivre le *Satori* alimente nos efforts jusqu'à ce que la mort nous délivre de l'obsession de revivifier les évanouissements.

Hélas ! on ne se baigne pas deux fois dans les mêmes lacs. Les *Satori* ne se répètent point. Les madeleines ne se réchauffent pas. Et les rives du Baïkal me sont à présent trop familières pour me tirer la moindre larme.

5 juin

JE rame vers le nord, en cette fin d'après-midi, deux cannes à pêche accrochées aux plats-bords. Les baies étalent des plages de galets roses. Passe un radeau de glace où huit mouettes prennent le soleil. Du large, je découvre la montagne, transformée. La ligne vert tendre des mélèzes soutient la bande vert-de-bronze des cèdres coiffée par la frise vert wagon des pins nains. Des névés survivants les ponctuent de virgules. Les montagnes jouent à front renversé. Les reflets sont plus beaux que la réalité. L'eau féconde l'image de sa profondeur, de son mystère. La vibration à la surface situe la vision aux lisières du rêve.

J'échoue sur le sable de la plage bordée par un torrent dont les bouillons se mêlent au lac. Un orage me chasse sous un cèdre. Les chiens me rejoignent. En cinq minutes, le ciel s'ouvre. Sous l'arc-en-ciel, en grenouillère, je pêche dans le courant. Des canards me frôlent.

Comme s'ils étaient appointés, les poissons mordent subitement. En vingt minutes, je prends six ombles. Alors que la lumière s'épuise de faire des trous dans les nuages, je me couche sur la plage, devant un feu de bois, les chiens contre le flanc, le kayak remonté de moitié sur la rive et, écoutant la musique de la houle, je regarde griller mes poissons embrochés sur des pics de bois vert en pensant que la vie ne devrait être que cela : l'hommage rendu par l'adulte à ses rêves d'enfant. Je lutte contre la tentation de prendre une photo.

Le soleil comme d'habitude choisit la Bouriatie pour se coucher.

6 juin

Au matin, l'air est aussi joyeux qu'un tableau de Dufy.

Après avoir pagayé pour régler le gouvernail défectueux du kayak, j'installe mon hamac dans la clairière. Je lis quelques lettres de Cicéron. L'ermite, n'ayant pas accès aux nouvelles du jour, se doit de rester informé des faits de la Rome antique. Dans *Les Mille et Une Nuits*, au milieu des palmes et des splendeurs, cette phrase qui sonne désagréablement : « Cette générosité que tu me joues là doit bien avoir une raison. » Je préfère cet hommage à la gratuité dans *Gilles*, une phrase pour blason d'ermite : « Moins elle avait de but et plus sa vie prenait de sens. »

7 juin

J'écris à la table de bois, les chiens dorment sur le sable chaud. Tout est silencieux, tendu et lumineux.

Sur le bord de la plage, des anémones écloses. Des guêpes et des abeilles s'y enivrent. Pourquoi Dieu, dans Son infinie sagesse, n'a-t-Il pas prévu que l'homme croirait tout benoîtement en Lui, sans manières ni questions ? Avoir inventé cette chose si parfaitement inexplicable qu'est la fécondation des fleurs par les hyménoptères et avoir oublié de donner des signes tangibles de Son existence : quelle négligence !

8 juin

Un aboiement. Un bruit de moteur grossit dans le lointain. Il est 5 heures du matin, une barque arrive du sud. À la jumelle, je reconnais l'un des petits bateaux d'aluminium de Sergueï. Quinze minutes plus tard, il aborde, accompagné de Youra. Le thé chauffe et, sur la table, j'ai disposé les blinis de la veille. Quand ils entrent, je suis assis et tout est en ordre. Sergueï ne s'en remet pas et parle de « la discipline des gens qui lisent ». Voilà qui relève le crédit de la France à peu de coût. La cabane rutile comme un poste de guet prussien. Il ne sait pas que, sans les chiens, je serais encore en train de ronfler. J'ai dû être tavernier dans une vie antérieure. Je sers mes hôtes avec un empressement mâtiné d'agacement. Une visite impromptue est un bouleversement en même temps qu'une joie. Cette année, les deux hommes sont les premiers à naviguer après la débâcle. Sergueï me déroule la chronique des coups bas et des rancœurs entre les inspecteurs des postes de garde. La théorie critique du dessèchement moderne, formulée par Emerson et Ellul, prolongée par Julien Coupat et les nostalgiques du lien communautaire, ne tient pas. Ce n'est pas l'entassement dans le *parc urbain* qui rend méchant, ni le stress provoqué par la pression marchande qui transforme l'homme en rat hargneux, ni la rivalité mimétique de la promiscuité qui « *commande aux frères de se haïr* » (Coupat dans *Tiqqun*). Au Baïkal, séparés par des dizaines de kilomètres de côtes, vivant dans la splendeur des bois, les hommes se déchirent comme les voisins de palier d'une vulgaire mégapole. Changez le cadre, la nature des « frères » restera la même. L'harmonie des lieux n'y fera rien. L'homme ne se refait pas.

Sergueï me fait le plus beau compliment de mon existence :

— Ta présence ici dissuade les braconniers. Tu auras sauvé quatre ou cinq ours.

Nous lubrifions ces amabilités avec une bouteille de vodka. Youra, sauvage, ne dit rien, ne boit pas et se tient en retrait, avalant de temps à autre un oignon ou un poisson fumé. Ils repartent vers Iélochine où ils ont à faire et me donnent rendez-vous pour le soir à Zavarotnoe où ils passeront la nuit.

Nous avons vidé la bouteille mais vingt-cinq kilomètres de kayak constituent un exercice qui dissout toute migraine. J'avance à pas de loutre et l'étrave du bateau fend les heures de silence. Bêk et Aïka sont un petit point noir et un petit point blanc au pied des coulées. Un busard me scrute au sommet d'un frêne. Après six heures de nage, Zavarotnoe. Sergueï, Youra et quelques pêcheurs sont devant un feu près de la grande cabane de leur ami V.M.

Le lac s'endort, les bêtes se calment. Jusqu'à 3 heures du matin, nous alimentons le feu, avalons des poissons fumés et vidons des bouteilles. J'aurais aimé m'écrouler dans la chaleur d'une cabane. La Russie m'a appris à ne jamais escompter la moindre réparation après l'effort. Toujours se préparer à se détruire à coups de vodka après s'être esquinté à force de kilomètres.

L'un des pêcheurs, Igor, ne tient pas la vodka. Il rend en sanglots ce qu'elle fournit en éthanol et s'effondre dans mes bras en évoquant l'enfant qui ne vient pas. Je me souviendrai toute ma vie de ses grosses larmes dans la nuit où traîne encore le cri des mouettes. Avec sa femme, ils ont recouru aux offices d'un chaman spécialiste de la fécondité et aimeraient à présent séjourner dans les temples tibétains où le pouvoir des bodhisattvas pourrait fertiliser leurs entrailles. Je n'ose le consoler en lui disant que la termitière humaine est pleine à craquer. Que Claude Lévi-Strauss désignait comme des « vers à farine » les milliards d'humains entassés sur une sphère trop étroite et constatait que nous étions en train de nous intoxiquer. Que Montherlant place ces paroles dans la bouche du souverain de *La Reine morte*, lorsqu'il découvre la grossesse de sa belle-fille : « Cela ne finira donc jamais ! » Que lancer un nourrisson dans la fosse aux lions n'est peut-être pas la plus sage des choses à faire. Et que le désir de paternité se combat aisément par l'entretien d'un petit fonds de pessimisme.

9 juin

J'AVAIS apporté la *Vie de Rancé* dans le kayak, mais à midi, par remords de laisser le soleil faire sa course seul, je me retrouve en pleine lumière à promener ma gueule de bois sur les schistes de l'ancienne mine de Zavarotnoe. Mes vêtements sont en loques, j'ai le poil en bataille, l'haleine éthylique et l'œil jaune. Même les chiens ont piteuse allure, défaits par la course de la veille. À intervalles réguliers, nous nous effondrons tous les trois sur la piste pour laisser les photons du soleil nous recharger. À mille mètres d'altitude, nous atteignons la rupture de pente créée par la lèvre de l'ombilic d'un ancien glacier. Il règne dans ce cirque défoncé par la dent des machines l'atmosphère viciée de toute mine à l'abandon. Je m'élève jusqu'à deux mille mètres en crachant les scories de ma nuit. Là-haut, la vue sur l'envers du lac invite à l'aventure. Vivre, c'est continuer, et il y a une défaite dans le retour sur ses pas. Nous redescendons, titubant, par les couloirs de neige molle. Nos organismes n'avaient pas besoin de gravir mille cinq cents mètres de dénivelé aujourd'hui. Il eût fallu lire Chateaubriand en buvant du thé noir.

À 22 heures, V.E., entouré de ses dix chiens, me sert la soupe dans sa maison.

— Alors, la mine ? dit V.E.

— Très beau, là-haut, dis-je.

— Les chiens ?

— Ils ont suivi, les salauds.

— Avant, ce village vivait, on avait un petit restaurant. Aujourd'hui, une ruine.

— Tovarich, tu es nostalgique de l'Union soviétique.

— Non, les nostalgiques ne regrettent que leur jeunesse.

10 juin

V.E. ME sert du phoque en daube au petit déjeuner. Cette viande est une charge nucléaire, elle explose dans la bouche et pulse sa force dans les vaisseaux du corps.

— Camarade, donne-moi du phoque, donne-moi un char et laisse-moi la Pologne ! dis-je.

— Ce n'est pas un proverbe russe.

— Ça pourrait.

— Ouais.

Au retour, je bénis la viande de phoque de me donner sa force. Un vent contraire et une houle hachée me demandent sept heures d'effort pour prendre au lac vingt-cinq kilomètres. Les chiens m'attendent en faisant de courtes siestes sur les rochers ronds. J'ai les muscles au martyre. La déshydratation doit y être pour quelque chose. La Russie impose aux ivrognes de vivre en athlètes. La rive se traîne. Des phoques surgissent.

J'aborde et dors une heure, sur les galets tièdes, mêlé aux chiens, près d'un feu dont la chaleur débusque de leur repaire des araignées.

À 5 heures, je touche à mon rivage au moment où un chalutier s'approche et plante son étrave d'acier sur les galets. Le capitaine me demande si les deux passagers hollandais peuvent descendre un instant.

Erwin travaille à Sakhaline pour une compagnie pétrolière. Sa femme parle un français parfait. Les deux enfants sont rouges et plus sages que mes chiens. La cabane doit leur paraître un rêve : la villégiature de Blanche-Neige peuplée par un des sept nains. Nous buvons un thé de manière très civilisée, debout sur la plage. Ils restent quinze minutes et prennent une photo, ce qu'on fait toujours lorsqu'on n'a pas six mois devant soi. En haut de la coupée, Erwin lance :

— J'ai un *Herald Tribune,* vous le voulez ?

— Oui, dis-je.

— Il date de la semaine dernière.

— Pas à ça près.

Il me le jette et je me dis que se faire livrer le *Herald Tribune* dans la taïga par porteur batave sur bateau de pêche russe vaut bien d'avoir vécu trente-huit ans.

Les nouvelles : des fillettes afghanes abusées par leurs proches puis répudiées par leurs mères. Des femmes fouettées par des mollahs (photo). Des chiites irakiens font exploser des sunnites et quelques-uns des leurs dans le tas parce que l'explosion des IED – engins explosifs improvisés – n'est pas une science exacte (photo). Des Turcs rappellent leurs diplomates en poste en Israël (analyse). Des atomistes iraniens se rengorgent parce que les programmes avancent à grands pas. À la page quatre, je me dis que je resterais bien quelques mois de plus ici. Le papier du *Herald* convient très bien à l'emballement du poisson sibérien.

11 juin

Le portrait de Rancé par Chateaubriand est effrayant. Un homme couvert d'honneurs et de richesses décide de mourir au monde. Sans prémices, il quitte les lambris, renie sa vie, entre en pénitence. Prenant l'Évangile à la lettre, il s'acquitte de sa dette aux pauvres, puis, dans les collines du Perche, fonde l'ordre de La Trappe, une congrégation à la règle mortifère, une « Sparte chrétienne ». Dans la retraite, il alterne prière, écriture et méditation, inflige à son corps malade la mortification. Il vivra trente-sept années de solitude, perclus de souffrance, cloîtré dans la « désolation » des pierres. Trente-sept années de fête contre trente-sept années de silence : un prêté pour un rendu. Avec une maniaquerie de comptable, Rancé remboursera la dette dont il était redevable au diable. Il puisera « [ses] dernières forces dans [ses] premières faiblesses ». Dans une lettre à l'évêque de Tournai, il résumera tout : « On vit pour mourir. » Sa fuite me fascine autant qu'elle me repousse. Sa radicalité m'émerveille, son mobile me rebute. « Ce qui domine chez lui est une haine passionnée de la vie », écrit Chateaubriand au livre troisième. Il y a dans cette négation de la pâte terrestre le « nihilisme chrétien » que Nietzsche abomine dans *L'Antéchrist*.

Dans la taïga, je préfère moissonner les instants de félicité que m'enivrer d'absolu. Le parfum des azalées me chatouille plus agréablement que celui de l'encens. Je me prosterne devant les corolles ouvertes plutôt que devant un ciel silencieux. Pour le reste – simplicité, austérité, oubli, abandon et indifférence au confort –, j'admire et veux bien imiter.

12 juin

Ce matin, brouillard. Le monde annulé. Un temps pour les ondines. Quand le coton se dissipe, je pars pêcher à la rivière du cap des Cèdres du Nord. La pêche : on prend un poisson mais on perd du temps. Est-on gagnant ?

13 juin

DANS la *Vie de Rancé*, cette citation des *Élégies* de Tibulle : « Qu'il est doux d'entendre les vents déchaînés quand on est dans son lit. » Le vent se déchaîne tout le jour et je fais mon Tibulle.

14 juin

LE ressac a lavé les rochers. J'avance à pas précautionneux pour ne pas glisser. Les chiens craignent les vagues. Elles ont des dents pour mordre la terre. Les pointes des caps disparaissent sous l'écume. Le vent mène grand train dans la forêt sombre. La taïga craque. Parfois une mouette fuse. Sur les galets, des millions de mouches ont éclos. Elles couvrent des pans entiers de plage. Les chiens les avalent à coups de langue. Elles ne vivent qu'une semaine, convoitées par les bêtes, offrant des protéines à peu de compte. Le sable est constellé de traces plantigrades. Les ours sont descendus au festin.

Les chiens n'arrivent pas à traverser la rivière Lednaïa. Aïka a sauté sur un rocher au milieu du courant et attend que je vienne la chercher, à gué dans le bouillon. Bêk gémit à la mort, convaincu que nous complotons son abandon. Je traverse à nouveau pour le faire passer sur mes épaules. Pour franchir la zone accore au nord de la rivière, je m'élève sur des pentes lardées d'éboulements. La grande fâcherie du vent me donne des ailes.

J'atteins la rivière que je convoitais : un torrent cascadant, à trois kilomètres au nord de la Lednaïa. L'endroit est poissonneux, mais il faut trois heures pour le gagner. Les chiens furètent un moment puis s'endorment sous les coiffes de rhododendrons. Ma nouvelle devise : en toute chose imiter le chien ! La bionique consiste à s'inspirer des inventions de la biologie pour les appliquer à la technique. Il faudrait fonder l'école de l'éthobionique. On s'inspirerait du comportement animal pour conduire nos actes. Au moment d'agir, au lieu de demander conseil à nos héros – qu'auraient décidé Marc Aurèle, Lancelot ou Geronimo – on se dirait : « Et maintenant, que ferait mon chien ? Et un cheval ? Et le tigre ? Et même l'huître (modèle de placidité) ? » Les bestiaires deviendraient nos livres de conduite. L'éthologie serait promue science morale. J'interromps mon rêve lorsqu'un omble entraîne mon bouchon de liège par le fond. Ce soir, je rapporte quatre poissons à la cabane. Et je les dévore, car c'est ainsi qu'agissent les bêtes.

15 juin

LES mouches de roche. Elles dégoulinent des troncs et des falaises en coulées soyeuses. Elles sont manne sacrée. Le mois de juin où les bêtes ont besoin de toute leur vigueur pour s'aimer constituait un problème dans le cycle de la vie. Comment faire la soudure entre le réveil de mai et l'abondance de juillet ? La nature a prévu les mouches. Ces pauvres insectes sont destinés à fournir l'énergie pendant les semaines de pénurie. Dans quinze jours, une fois l'office rempli, ils disparaîtront. Pourtant, ils n'oublient pas de vivre. Au moindre rayon, ils vibrionnent, tremblent d'une vibration légère et s'accouplent. Ils me plaisent tellement que je me tords les chevilles à tenter de les éviter sur les galets des plages.

16 juin

ET puis tout s'écroule. Sur le téléphone satellite que je réserve aux urgences et n'ai pas utilisé encore, cinq lignes s'affichent, plus douloureuses qu'un coup de fer rouge. La femme que j'aime me signifie mon congé. Elle ne veut plus pour homme d'un fétu dans les courants. J'ai péché par mes fuites, mes dérobades et cette cabane.

Lorsqu'elle m'était revenue, il y a trois ans, après des années d'absence, je partais pour un reportage sur les bords du Baïkal. Elle me quitte et je suis devant les mêmes rives. Pendant trois heures, j'erre sur la plage. J'ai laissé s'envoler le bonheur. Vivre ne devrait consister qu'en ceci : prononcer sans cesse des actions de grâce pour remercier le destin du moindre bienfait. Être heureux, c'est savoir qu'on l'est.

Il est 17 heures, la douleur afflue par vagues. Par moments, elle me donne quelque répit. J'arrive à nourrir les chiens, à pêcher même. Mais le mal revient toujours, doué d'une vie propre : plomb fondu dans les nervures de l'être.

Je rêve d'une petite maison de banlieue avec chien, femme et enfants protégés par une haie de sapins. Dans toute leur étroitesse, les bourgeois ont tout de même compris cette chose essentielle : il faut se donner la possibilité d'un bonheur minimal.

Je suis condamné à demeurer dans ce huis clos plein de canards stupides, face à ma peine.

Je dois concentrer mes forces à atteindre la prochaine heure. Je me plonge dans un livre. Dès que je lâche la lecture, les cinq lignes du message hurlent dans mon crâne.

Je ferme les livres et pleure dans le poil de mes chiens. Je ne savais pas que la fourrure des bêtes absorbe si bien les larmes. Sur la peau des êtres humains, elles glissent. Les chiens, d'habitude, sautent partout à cette heure. Ce soir, ils se tiennent tranquilles sous mon misérable petit déluge, penchant un peu la tête. Je n'ai qu'un pistolet à fusée de phosphore pour me faire sauter la cervelle. Résultat même pas garanti. Un phoque apparaît au-dessus de la ligne d'eau, juste devant la plage... Je me dis que c'est elle, venue me sourire. Il faut que j'obtienne de lui parler une dernière fois. Nous sommes toujours en retard de vivre. Le temps n'offre pas de deuxième chance. La vie se joue à un coup.

Je lis à m'épuiser, car si mes yeux se détournent, la peine m'étouffe et force à me lever. La nuit, je crois entendre des bateaux. Ce sont mes yeux qui bourdonnent.

17 juin

JE suis cadenassé dans l'éden que je me suis bâti. Le ciel est bleu mais noir. Étrange comme le temps vous retire son amitié. Hier encore, il glissait, soyeux. Chaque seconde, à présent, une aiguille.

Avoir trente-huit ans et être là, sur une plage, à ramper en demandant à un chien pourquoi les femmes s'en vont.

Sans Aïka et sans Bêk, je serais mort. Je coupe le bois de 16 h 30 à 18 h 30, jusqu'à ne plus pouvoir tenir la hache. La vague revient. Les larmes sont tenues en respect par la lecture. Dans les films, les loups reculent devant la flamme des torches.

J'ai sabordé le navire de ma vie et m'en suis rendu compte quand l'eau parvenait aux plats-bords. Il est 19 heures, comment parvenir à 20 ? La soirée est belle, avec des nuages pompadour un peu ridicules comme ces glands de velours sur les rideaux des vieilles dames.

Je griffonne toute la journée dans mes petits carnets noirs. Écrire n'importe quoi pour ne pas souffrir. Je lis *Les Stoïciens* : on trouve dans leur pratique de quoi s'endurcir, premier pas vers la consolation. Mon corps est compressé de peine. Les hautes pressions du chagrin peuvent-elles provoquer un œdème du cœur ?

Seul horizon d'espoir, l'arrivée, prévue demain, de Bertrand de

Miollis et Olivier Desvaux, deux amis peintres qui voyagent en Russie et ont promis de me visiter. Sergueï doit les amener en bateau.

Je ne vais rien leur dire, leur cacher mes larmes, me servir de leur présence pour rester en vie.

18 juin

TENIR, et pour tenir puiser la force dans l'infinie solidité des petits chiens. À 6 heures, un bruit de moteur me tire de l'hébétude. Un point noir au sud : ma délivrance. Je reçois Miollis et Desvaux comme une bénédiction, ils vont distraire ma danse macabre. Sergueï s'en retourne sans même vider un verre, car la houle se lève. Devant le lac, j'assois les deux peintres à la table de bois et tire de leurs sacs les victuailles apportées d'Irkoutsk. Du vin, de la bière, de la vodka et du fromage sec. Nous nous saoulons à en tomber. L'alcool fait ses ravages dans nos veines. Au moins balaie-t-il tout chagrin.

19 juin

LE bonheur dure une seconde. Lorsque l'on se réveille, à l'aube, il y a un moment agréable, juste avant que la conscience se souvienne et que le cœur se serre.

Depuis l'apocalypse du 16 juin, j'ai lu deux comédies de Shakespeare, le *Manuel* d'Épictète et les *Pensées* de Marc Aurèle, *Les Aventuriers* de Giovanni et un polar de Chase, *Eva*. L'auteur décrit un sale mec dont le caractère assèche tout et crée le désert autour de lui. Ce type, c'est moi. Ma main guidée par des mouvements mystérieux, après la désintégration de mon cœur, est allée chercher dans le rayonnage les livres qu'il me fallait lire. Marc Aurèle m'a aidé. Giovanni m'a montré ce que j'aurais dû être, Chase me figure ce que je suis. Les livres sont plus secourables que la psychanalyse. Dans une cabane, mêlés à la solitude, ils forment un cocktail lytique parfait.

Le rabot de la vodka sculpte notre gueule de bois. À midi, Miollis et Desvaux émergent, ils ont dormi sur le plancher de la cabane. Pour distiller le poison, nous partons à pied vers la Lednaïa et déjeunons sur les replats herbeux qui dominent la falaise de la rive droite. Les chiens courent après les canards. Toute cette joie !

Deux chevalets plantés sur une plage devant des peintres de blanc vêtus composant leurs tableaux à petites touches précautionneuses, des chiens couchés à leurs pieds dans l'air mauve d'une soirée sibérienne, est un spectacle d'une douceur très classique. Je ne me lasse pas de regarder Miollis et Desvaux. Ils voyagent depuis un mois en Sibérie et peignent « sur le motif » comme ils disent, dans la plus pure tradition des peintres ambulants de la Sainte Russie. Ils mettent l'espace à plat à l'aide de lumière et d'un peu de temps. J'écris ces lignes pendant qu'ils achèvent leurs tableaux. La cabane prend un air d'atelier d'artiste. Une villa Médicis pour moujiks.

20 juin

DANS l'aube, je me livre à une séance de pose, assis à ma table de travail. Les deux ambulants ont monté les chevalets dans la cabane. Miollis a une tête de trouvère allemand et Desvaux de pâtre suisse. Desvaux maîtrise une technique sage, appliquée et bienveillante, il fait toujours mouche. Miollis est plus irrégulier, mais produit de temps à autre une pépite échevelée. Ce matin, ils peignent un homme au cœur défoncé. Il est facile de cacher ce que l'on ressent. Les « villages Potemkine » étaient édifiés en hâte par les ministres russes dans les campagnes. Des façades repeintes et sommairement restaurées cachaient des taudis. Le tsar inspectait ses terres, ne voyait que des décors de carton et regagnait son palais, le cœur satisfait.

En une journée, Miollis et Desvaux peignent la cabane, les chiens, la plage. Il faut autant de culot pour prétendre faire tenir la beauté de ce lieu sur une toile que dans les dix mots d'un aphorisme.

21 juin

LES peintres passent la journée à capter les lueurs traversées d'oies sauvages. Ils sont devant leur chevalet comme devant une fenêtre dont il leur resterait à inventer la vue.

Je monte déjeuner au sommet de la butte éboulée avec les chiens. Là-haut, ils fixent la mer, pensifs, bavant. Il y a cinq jours, ces petits-là m'ont tendu la patte et sauvé de la noyade.

Le soir, la pêche. Desvaux attrape un dîner pour trois personnes et deux chiens. Écrire, peindre, pêcher, trois façons de rendre ses devoirs au temps.

22 juin

DU pollen s'est déposé sur le lac et ourle le littoral de traînées jaune vif. À tout moment, des phoques émergent et fixent la rive. Ils contrôlent que le monde est toujours en place, vérifient qu'ils ont bien fait de choisir les profondeurs.

Pas un bruit, pas un bruit, parfois un papillon.

Miollis et Desvaux enchaînent les tableaux, offrandes accordées à l'esprit des lieux. L'infinie supériorité du tableau sur la photo. Celle-ci ponctionne le point précis d'un instantané dans le flux de la durée et l'écartèle sur l'à-plat. Les peuples premiers n'avaient pas totalement tort de voir un vol dans le cliché photographique. Le tableau propose une interprétation historique d'un moment qui vivra longtemps sous la paupière de son contemplateur, il n'interrompt pas la course du temps : sa confection elle-même est fluide, elle s'inscrit dans un long intervalle de composition.

23 juin

PEU avant l'aube, nous partons pour une course de six heures au long des grèves.

Miollis et Desvaux rentrent à Irkoutsk et sont convenus d'un rendez-vous avec l'équipage d'un bateau qui appareille ce matin de Zavarotnoe, à vingt-cinq kilomètres de la cabane. Les énormes sacs à dos nous écrasent, remplis de vingt-cinq kilos de tubes de gouache, de lotions, d'encyclopédies de la peinture russe et surmontés des chevalets. Au cap des Cèdres du Milieu, nous saluons le fantôme de l'ermite. Près de l'étang attenant à la ruine de la cabane, nous trouvons un cadavre d'ours. Des bernaches foncent vers le nord à s'en décrocher le cou.

À Zavarotnoe, Miollis et Desvaux sautent dans le bateau dont nous entendions chauffer les diesels, une heure avant d'arriver à la station. Nous avons à peine le temps de nous serrer la main. J'aime bien ces départs, ils ressemblent à des chutes.

Le soir, Sergueï, Youra et Sacha aux doigts coupés débarquent en bateau à Zavarotnoe. Nous préparons un festin de poissons fumés, de foie de nalim, de caviar à l'oignon sauvage et de cerf grillé. Sacha nous verse son tord-boyaux maison. Ces hommes sont autonomes dans l'ordre des choses pratiques mais restent liés aux traditions des pères. Ils se tiennent aux antipodes des libres-penseurs qui ont arraché les liens à Dieu et aux princes mais dépendent de la ville et des services pour se nourrir, se déplacer ou se chauffer. Qui a raison ? Le moujik autarcique qui remet son âme au ciel mais ne pénètre jamais dans un magasin ? Ou le moderne athée, affranchi de tout corset spirituel, mais qui est contraint de téter les mamelles du système et de se plier aux injonctions imposées par la vie en société ? L'autonomie pratique et matérielle ne semble pas une conquête moins noble que l'autonomie spirituelle et intellectuelle. « L'on oublie que c'est surtout dans le détail qu'il est dangereux d'asservir les hommes. Je serais pour ma part porté à croire la liberté moins nécessaire dans les grandes choses que dans les moindres [...] », écrit Tocqueville au chapitre de *De la démocratie en Amérique* consacré à l'« espèce de despotisme que les nations démocratiques ont à craindre ». Ce soir, vidant les bouteilles avec les coureurs de la taïga, je choisis mon camp. Pour les dieux, les princes et les bêtes, et contre le Code pénal !

Soudain, Sergueï :

— On te ramène !

Et nous nous livrons à cet exercice où les Russes excellent : porter un toast, lever le camp dans la précipitation, jeter des sacs dans une barque, mettre les gaz vers n'importe où. N'importe où pourvu que le vent gifle, que le monde tangue et que l'ivresse emporte tout en ménageant l'espoir de quelque chose de nouveau, au bout du chemin.

Nul endroit n'est plus propice à la méditation qu'une barque d'aluminium voguant sur un lac embrouillardé. Des parcelles de rives apparaissent et se voilent. Cette navigation ressemble au processus de la pensée : l'esprit chemine dans l'ouate et soudain, une trouée permet d'entrevoir quelque chose. Jusqu'alors, on flottait dans l'informe. Une éclaircie permet de nommer les ombres.

Sergueï coupe les gaz et nous buvons un verre dans le silence humide. Nous ingurgitons de l'alcool depuis des heures et sommes à tordre. Passager d'un bateau qui va dans le brouillard, conduit par un capitaine ivre, je me sens rasséréné. Ayant perdu ma femme, je n'ai plus rien à perdre. Le malheur détache les amarres. Le bonheur est une entrave à la sérénité. Heureux, j'avais peur de ne plus l'être.

24 juin

POUR la Saint-Jean, le ciel déploie un spectacle superbe. Tout le jour, des nuages de fœhn s'enroulent sur les crêtes, chapeautent les sommets et couvrent la forêt avec la douceur d'une main qui voudrait cacher les amours des bêtes impudiques.

Dans le hamac, j'étudie la forme des nuages. La contemplation, c'est le mot que les gens malins donnent à la paresse pour la justifier aux yeux des sourcilleux qui veillent à ce que « chacun trouve sa place dans la société active ».

25 juin

ENCORE un jour à regarder le ciel. Des nuages d'insectes dans la poudre solaire. Plus tard, une lune couleur saumon remonte le courant de la nuit pour aller pondre dans un berceau de nuages son œuf unique et monstrueux. En termes plus simples, elle est pleine et sanglante.

26 juin

LE spectacle bouleversant des papillons noyés. Des centaines d'insectes flottent à la surface du lac. Certains trouvent encore la force de se débattre. Je transforme mon kayak en patrouilleur de sauvetage et recueille délicatement les insectes, un à un. Pauvres fleurs du ciel tombées au champ d'honneur. Bientôt, trente papillons décorent d'étoiles molles mon embarcation bleue. Je suis le pilote d'une arche pour hyménoptères.

27 juin

JE rejoins Iélochine, vent dans le dos. Le temps vire à la tempête et emporte tout espoir de soleil. Iélochine prend son air de station sinistre. J'ai rendez-vous avec Mikhaïl Hippolitov, un inspecteur de la réserve. Il a promis de m'emmener en tournée d'inspection dans une cabane située à une journée de marche au-delà des crêtes. À midi, par grand vent, écrasé sous un sac de vingt-cinq kilos (le poids de la vodka et des boîtes de conserve), je peine à suivre Hippolitov qui trotte dans la taïga. Nous gravissons les pentes boisées au-dessus du promontoire d'Iélochine. Hippolitov part comme un boulet de canon, ralentit, décrète de courtes haltes, se relève et finit par se retrouver à deux cents mètres au-dessous de moi. Sous le col, à mille trois cents mètres, alors que la bourrasque apporte des paquets de pluie, il faut un thé à mon ami. La situation devient très russe : couchés dans la bourrasque sous les ramures de pins, nous attendons que le petit feu chauffe notre demi-litre d'eau entre les ardoises schisteuses.

Deux ensellements ouverts dans la crête et recouverts d'une calade de graphite livrent l'accès à un haut plateau marécageux. Les rafales forcissent et nous laissons passer un violent grain, couchés derrière une saillie de roche. Marcher pendant des kilomètres sur le lichen spongieux est voluptueux. On rêverait d'être herbivore. Des filaments de mousse espagnole dégoulinent des arbres. Dans la vallée que nous raccordons, un cèdre millénaire se déploie. Il a connu les temps des hordes mongoles. Par N 54°36.106'/E 108°34.491 nous atteignons la cabane d'Hippolitov, construite il y a deux ans à l'exacte frontière de la réserve naturelle. C'est un havre de trois mètres sur trois bâti sur le flanc d'une vallée où serpente une rivière. Une montagne conique hérissée de résineux ferme l'horizon. La rhubarbe et l'oignon sauvages, l'ail aux ours poussent à profusion. Des nuages de moustiques assurent la garde. Nous sommes dans un de ces endroits que j'affectionne : un confin où la lumière du soir tombe avec plus de douceur qu'ailleurs, comme prise de pitié.

Mikhaïl me fait les honneurs : salade d'herbes sauvages à la mayonnaise, vodka au poivre et soupe de saindoux. Je sors de mon sac une bouteille de trois litres de bière que nous séchons avant qu'elle ait eu le temps de faire pschitt.

28 juin

LA vallée que nous remontons est encombrée de végétation. Chaque pas est arraché à un éboulis de pierres, un entrelacs de racines ou une fondrière. La rivière passe, indifférente, elle a un long chemin à faire jusqu'aux eaux de l'Arctique en prenant par la Lena. Fidèles au principe russe selon lequel rien – ni la guerre ni l'exode – ne saurait faire manquer l'heure du thé, nous consacrons une heure à enflammer quelques brindilles gorgées d'eau. Allongés dans une flaque, sous la pluie, sirotant l'eau tiède, nous conversons agréablement.

— Tes livres sont traduits ?

— Quelques-uns.

— En quoi ?

— Finlandais, italien, allemand.

— Russe ?

— Non.

— C'est normal, nous sommes encore primitifs.

Les rhododendrons entravent le passage. Le col est occupé par un petit marais. La pluie redouble. Nous gravissons les versants qui portent un plateau couvert de « toundra endémique ». Le lichen y est plus spongieux qu'une moquette de nouveau riche moscovite. Quatre rennes sauvages pâturent près d'un névé et nous tentons un contournement de Comanche. À cent mètres des bêtes, dissimulés par un rhododendron, nous nous apercevons que nous ne sommes pas les seuls. Un ours brun est en approche. Il nous détecte et se fige. L'impression de faire concurrence à un ours à l'heure du repas est désagréable. Je dégoupille ma fusée au phosphore et Hippolitov charge sa 7.62. Le claquement de la culasse épouvante les rennes qui s'égaillent. L'ours doit nous maudire mais ne risque pas un geste. On croirait une statue qui aurait mangé son piédestal. Il se dresse sur ses pattes. Il faut attendre quelques secondes avant de savoir s'il choisira la charge ou le demi-tour. Ce jour-là, pas besoin de faire feu, nous fixons longtemps la douce ondulation, par-dessus les buissons, de la fourrure en fuite.

Il faut deux heures de marche pour retrouver l'affluent par lequel nous sommes descendus hier. Il y a un an, Hippolitov a apporté un poêle de fonte jusque-là et voudrait bien que je le convoie jusqu'à la cabane. J'en suis quitte pour deux heures de gymkhana chargé des trente kilos du poêle dont les deux coins inférieurs me labourent le dos pendant que les deux coins supérieurs s'accrochent dans les branchages, provoquant à chaque pas un déluge d'eau froide très vivifiant. Je dois ressembler à ces porteurs de l'Himalaya qui charriaient à travers les jungles népalaises malles de cuir, Gramophone en acajou et tub pour le bain des officiers…

29 juin

Si l'on m'envoie un jour dans une capsule spatiale, je saurai ce que représente une journée entière couché sur un châlit à côté d'un compagnon de galaxie. J'ai emporté le *Traité du désespoir* de Kierkegaard dont je ne conseille la lecture à personne qui aurait à s'enfermer dans une cabane par temps de pluie. La petite radio d'Hippolitov crache à débit constant des informations sur la guerre de 1941-1945 et des chansons pop. La pluie tombe.

Hippolitov a oublié son livre à Iélochine et regarde le plafond d'un air hagard comme s'il allait s'animer de motifs merveilleux. À 16 heures, pris d'une soudaine fièvre d'action, nous remplaçons le vieux poêle par le nouveau et, dans la bonne chaleur qu'il diffuse, nous vidons trois petits verres de vodka conformément à la tradition qui impose de fêter « la première vapeur ». À 6 heures, une bruine succède à la pluie et nous partons gravir l'éminence pyramidale qui flanque le bord oriental de la vallée. La pluie revient au moment où nous nous mettons en marche. Les moustiques ne trouvent pas l'espace de voler. Il faut une heure pour gravir les trois cents mètres de dénivelé couronnés de cèdres vieux de trois cents ans. Sur les bords d'une ancienne tanière d'ours, les clochettes lie-de-vin des orchidées sauvages mettent un peu de joie dans ce monde.

30 juin

Dans la jungle tropicale, la chaleur et l'humidité favorisent la profusion de la vie. La croissance dans la taïga ne bénéficie pas de ces conditions d'incubateur biologique. Là où la jungle chaude produit sans discontinuer, la taïga conserve. Un cèdre sibérien met des années à pourrir. Dans les deux cas, un chaos végétal encombre le sol, fruit là-bas de l'exubérance et ici de la biostasie. La jungle froide est un musée végétal, la jungle chaude un laboratoire chlorophyllien.

À Iélochine, je retrouve les petits chiens et déjeune avec Volodia, Irina et Hippolitov de blinis aux œufs d'omble. Jamais assez de caviar. Mais beaucoup trop de vodka.

Puis, à grands coups de cuillère dans le café du lac, je m'enfuis chez moi.

JUILLET
La paix

1er juillet

UNE journée à la pêche. J'attrape huit ombles. L'œil effaré des poissons comme s'ils avaient vu des choses interdites.

Aïka et Bêk me volent trois prises. Je n'ai même pas la force de le leur reprocher. Si j'élevais des enfants, ils finiraient voyous.

2 juillet

L'AIR est chargé d'insectes. Un vrombissement s'élève dans l'atmosphère aux premières lueurs et ne le désemplit qu'à la nuit. Des scarabées escaladent les poutres de la cabane, des capricornes colonisent mes étagères. Des taons aux yeux cauchemardesques agacent les chiens. Si ces insectes pesaient cinq ou dix kilos comme aux temps carbonifères, les hommes feraient moins les malins.

3 juillet

Le printemps, levée d'écrou de l'eau.

La cascade est libérée. Le débit s'échappe par le minuscule goulet qui coiffe la paroi de cinquante mètres. Au prix d'une acrobatie sur une vire biseautant la paroi jusqu'au sommet, j'atteins la tête de la chute. La vision est vertigineuse de ce flux cristallin plongeant dans le vide. Et si c'était par désespoir que les cascades se précipitaient du haut des montagnes ?

Le soir, les chiens se battent. Le coup de sabre de leurs claquements de mâchoires. Cette plage grise. Y a-t-il plus belle surface pour assister à un combat de samouraïs, déambuler à la recherche d'un mot, déclamer un poème ?

4 juillet

Le luxe ? C'est le déploiement devers moi de vingt-quatre heures, offertes chaque jour *à mon seul désir*. Les heures sont de grandes filles blanches dressées dans le soleil pour me servir. Si je veux rester deux jours sur le châlit à lire un roman, qui m'en empêchera ? S'il me prend l'envie au soir tombant de partir dans les bois, qui m'en dissuadera ? Le solitaire des forêts a deux amours, le temps et l'espace. Le premier, il l'emplit à sa guise, le second, il le connaît comme personne.

Qu'est-ce que la société ? Le nom donné à ce faisceau de courants extérieurs qui pèsent sur le gouvernail de notre barque pour nous empêcher de la mener où bon nous semble.

Je demeure dans mon hamac sous le soleil brûlant (+ 22 °C !). Quand j'écris sur la plage, les chiens viennent lentement se coucher à mes pieds. Version baïkalienne de l'épagneul reposant au pied de la liseuse, dans le manoir d'Irlande.

Des voiles, traînées humides, tapinent à la surface du lac.

5 juillet

Le monde que je foule chaque jour, de la clairière au bord de l'eau, recèle des trésors. Dans l'herbe, sous le sable, des armées d'insectes vaquent. Leurs soldats sont des bijoux. Ils portent armures vernissées, carapaces d'or, cottes de malachite ou livrées rayées. Aux Cèdres du

Nord, je marche sur des joyaux, des brillants, des camées sans m'en douter. Certains sortent de l'imagination d'un joaillier *Jugendstil* qui se serait acoquiné avec un alchimiste faustien pour donner vie aux broches et aux émaux à la sortie du four.

Tenir en considération les insectes procure la joie. Se passionner pour l'infiniment petit précautionne d'une existence infiniment moyenne. Pour l'amoureux des insectes, une flaque d'eau deviendra le Tanganyika, un tas de sable prendra les dimensions du Takla-Makan, une broussaille se changera en Mato Grosso. Pénétrer dans la géographie de l'insecte, c'est donner enfin aux herbes la dimension d'un monde.

6 juillet

QUAND le lac est d'huile, le reflet est si pur qu'on pourrait se méprendre sur la disposition de l'envers et de l'endroit du paysage.

Je pêche un omble de trois kilos. Je lis Bachelard près de mon feu. Un brouillard d'estampe asiatique envahit la rive « belle comme l'imprécis, mobile comme un rêve, fugitive comme l'amour » (*La Psychanalyse du feu*).

7 juillet

INSOMNIE. Regrets et découragements dansent un sabbat de sorcier dans ma boîte en os. Quand le soleil revient, à 4 h 30 du matin, la lumière chasse les chauves-souris et je m'endors enfin.

Lorsque je me lève, à midi, je flotte dans un doux abrutissement. Perspective de félicité : la journée ne doit rien m'apporter de neuf. Personne à l'horizon, pas une tâche à accomplir, nul besoin à satisfaire, aucun salut à rendre. Quelques révérences vespérales éventuellement au phoque de 6 h 30 et à une escadre d'eiders.

La cabane est le lieu du *pas de côté*. Le havre de vide où l'on n'est pas forcé de *réagir* à tout. Comment mesurer le confort de ces jours libérés de la mise en demeure de *répondre* aux questions ? Je saisis à présent le caractère agressif d'une conversation. Prétendant s'intéresser à vous, un interlocuteur fracasse le halo du silence, s'immisce sur la rive du temps et vous somme de répondre à ce qu'il vous demande. Tout dialogue est une lutte.

Nietzsche dans *Ecce Homo* : « On doit autant que possible éviter le hasard, l'excitation extérieure ; s'emmurer en quelque sorte fait partie de l'élémentaire sagesse instinctive, de la gestation intellectuelle. Irai-je permettre à une pensée étrangère d'escalader secrètement ce mur ? » Plus loin, cet éloge de l'hébétement impassible : « Je considère mon avenir – un vaste avenir – comme une mer étale : aucun vœu n'en vient rider la face de l'eau. Je ne veux pour rien au monde que les choses deviennent autres que ce qu'elles sont ; pour ma part je ne veux pas devenir autre. »

Par un mystère, je me suis dépossédé de tout désir au moment précis où je conquérais le maximum de liberté. Je sens se développer dans mon cœur des paysages lacustres. J'ai réveillé le vieux Chinois en moi.

8 juillet

LE soir, je construis un feu sur la rive et y grille mes poissons.

Tous les ingrédients de la rêverie romantique se déploient vers 20 heures devant mes loges : l'eau dormante, les haillons de brouillard, les risées teintées de pastel, les oiseaux qui gagnent leurs couches en planant. La nature frôle le kitsch sans y verser jamais.

Aujourd'hui, je délaisse les livres. La mise en garde de Nietzsche dans *Ecce Homo* m'a frappé : « Je l'ai vu de mes yeux : des natures douées, riches et "portées à la liberté" , "crevées par la lecture" dès trente ans, devenues de simples allumettes, qu'il faut frotter pour qu'elles donnent des étincelles, des "pensées". » Lire compulsivement affranchit du souci de cheminer dans la forêt de la méditation à la recherche des clairières. Volume après volume, on se contente de reconnaître la formulation de pensées dont on mûrissait l'intuition. La lecture se réduit à la découverte de l'expression d'idées qui flottaient en soi ou bien se cantonne à la confection d'un tricot de correspondances entre les œuvres de centaines d'auteurs.

Nietzsche décrit ces cerveaux fatigués qui ne parviennent pas à penser s'ils « ne compulsent pas ». Seule la goutte de citron a le pouvoir de réveiller l'huître.

D'où le rayonnement de ces gens qui posent sur le monde une vue libérée de toute référence. Les souvenirs de lecture n'interposent jamais leur écran entre ces êtres et la substance des choses.

Il y avait auprès de ma vie une fille qui savait oublier ce qu'elle avait lu. Elle nourrissait une dévotion pour toutes les formes du vivant. Nous traversions la Camargue. Les escadres de flamants volaient dans les plumes du soleil couchant. Le soir, au bivouac, des nuées de moustiques. Je les écrasais, je les bombardais de produit chimique. La fille : « Moi, je les aime. Ils piquent mais il en faut pour chacun. En outre, grâce à eux, des zones infestées ont été préservées de l'homme et les autres animaux ont pu y vivre en paix. » Elle m'a quitté, il y a vingt-deux jours.

Mes amis Thomas Goisque et Bernard Hermann, convoyés par le bateau de Sergueï, atteignent la rive au soir venu. Selon la tradition des Cèdres du Nord, nous nous saoulons sur la plage, à la gloire des amours enterrées, des amitiés renouées. Goisque est ici pour un magazine de presse. Hermann est venu faire ce à quoi il consacre sa vie de sage zen depuis des décennies : contempler les nuances de la lumière sur la peau du monde. Il ressemble à un colonel de l'armée des Indes, veste de coton blanc et lunettes d'écaille.

9 juillet

SERGUEÏ a laissé hier une réserve de graisse de phoque. Je pagaie avec Goisque vers le sud pour déposer les quartiers nauséabonds sur les rochers dans l'espoir d'attirer un ours. De la table de ma plage, à la jumelle, je pourrai observer la scène. Je passe mes heures dans la promesse de l'ours.

Nous cohabitons gentiment avec Goisque et Hermann. Nous pêchons, courons les ripisylves et discutons des subtilités de distinction entre le nihilisme russe, l'acceptation bouddhiste et l'ataraxie stoïcienne. Parfois Goisque et Hermann confrontent leurs souvenirs de soldats.

10 juillet

LE ciel est plus prodigue de ses bêtes que la forêt. Aucun ours ne vient au rendez-vous de la graisse puante. Nombreuses sont les délégations de bernaches, de harles, de fuligules et d'eiders. Deux kayakistes allemands arrivent du nord au soir tombant. Ils plantent leur campement sur les plages du cap, à cinq cents mètres de la cabane, et viennent recharger leurs équipements électroniques sur mes batteries solaires. Il faut regarder leurs photos, leurs films, échanger des adresses Internet. Aujourd'hui, quand on rencontre quelqu'un, juste après la poignée de main et un regard furtif, on note les noms de sites et de blogs. La séance devant les écrans a remplacé la conversation. La société humaine a réussi son rêve : se frotter les antennes à l'image des fourmis. Un jour, on se contentera de se renifler.

11 juillet

LES kayakistes allemands repartent sur leurs embarcations parfaitement gréées. Au même moment, une escouade de quatre autres rameurs se présente dans ma baie. Ceux-là sont moins bien lotis. Équipement rapiécé : des Russes. Des sacs-poubelle font office de jupe étanche pour les hiloires. Ils sont vêtus de marinières de la flotte et ils acceptent les trois verres de brûle-gueule que les Teutons – prétextant l'heure matinale – avaient déclinés. Les Allemands et les Russes : les uns rêveraient de mettre le monde en ordre, les autres doivent subir le chaos pour exprimer leur génie.

La dernière visite du jour est digne de l'école de cinéma balkanique des années 1990. Venu du nord, annoncé par une pétarade, un radeau de planches flottant sur des chambres à air de camion Oural dérive vers ma grève. Au milieu de l'île flottante, portée par des mortaises et haubanée de câbles, trône une bagnole. Trois Russes en treillis complet échouent sur les galets :

— Notre radeau s'appelle l'Intrépide !

Ils ont des gueules de tueurs, des rayés de sous-mariniers, des poignards à la ceinture. Le cardan de la voiture a été sorti de son axe, incliné de vingt degrés et équipé d'une hélice de propulsion. Sur ce *Kon Tiki* de perdition, ils descendent vers Irkoutsk, alternant les quarts de pilotage au volant de la voiture. À l'arrière, un bidon de chantier où brûle un feu de bois fait office de cuisine. En repartant, ils tirent un coup de feu avec un petit canon portatif et je contemple ce radeau qui ressemble à la vie en Russie : une chose lourde, dangereuse, au bord du naufrage, soumise aux courants mais où l'on peut faire du thé en permanence.

12 juillet

AVEC Goisque et Hermann au cap des Cèdres du Milieu. Nous marchons en silence sur la grève. Chateaubriand, dans la *Vie de Rancé*, écrasé de modestie, se souvient avoir cheminé « sous le poids de (son) esprit ».

À la pointe du cap, une minute de recueillement devant la cabane où acheva de pourrir le naufragé du siècle rouge. Hermann :

— Une vie ici sans connaître Guy Lux.

Dans un bosquet de pins nains, Aïka réussit à croquer tout cru un petit passereau à la consternation d'Hermann qui respecte depuis quarante ans un strict végétarisme.

Le soleil de 6 heures a transformé les marais en pièces d'eau de forêt arthurienne. Une vapeur de légende ouate la surface, y ménage des trouées où se fichent mille diffractions. Spectacle pour écrivain gothique victorien. Dans un roman fantastique de la fin du XIXe siècle, les libellules deviendraient les montures ailées de fées, les araignées revêtiraient le statut de gardiennes des portes du vent et les eaux dormantes abriteraient le caveau d'un dieu tutélaire. Mais nous ne sommes que des hommes dans un monde d'atomes, il faut rentrer avant la nuit.

13 juillet

Les Européens ont poursuivi la construction des réacteurs EPR de troisième génération, relancé le projet Transgreen destiné à importer l'énergie solaire produite par les installations africaines et assisté à une marée noire au large des Florides. Je lis ces chroniques de la démiurgie humaine dans les journaux apportés par Goisque.

Chaque calorie tirée de la pêche ou de la cueillette, chaque photon assimilé par le corps est dépensé pour pêcher, cueillir, puiser l'eau et couper le bois. L'homme des bois est une machine de recyclage énergétique.

À quoi ressemblent le pétrole et l'uranium ? Qu'y a-t-il dans l'enceinte de confinement d'un réacteur EPR, de quoi se composent les houilles qui sourdent du robinet de la BP par quatre mille mètres de fond ? Qui transforme ces forces et les achemine à nous sous la forme de watts ? Le communisme de la cabane consiste à refuser les intermédiaires. L'ermite sait d'où vient son bois, son eau, la chair de ce qu'il mange et la fleur d'églantier qui parfume sa table. Le principe de proximité guide sa vie. Il refuse de vivre dans l'abstraction du progrès et de ponctionner une énergie dont il ignore tout.

Les autres nouvelles de la presse concernent les affaires de corruption du personnel de l'État français. Parfois, elles trahissent une maladresse confondante dans la dissimulation du vice. Même les valets de Sade pensaient à tourner la clef du boudoir où ils s'enfermaient. La laideur des complets-cravate et la pauvreté d'expression de ces gens sont pires que leurs malversations.

14 juillet

LE soleil lève les couleurs à 4 heures du matin, moi un peu plus tard et je n'en ai que trois. Le petit fanion – ciel, neige, sang – claque sur la plage, accroché à la canne à pêche. Pour la patrie, Goisque, Hermann et moi vidons trois fois trois verres de vodka matinale. J'organise un bal populaire et apprends la valse à Bêk. Aïka, chienne, refuse de danser. Est-il légal de planter un drapeau français sur la terre de Russie? Est-ce un geste d'agression? Penser à le demander à un constitutionnaliste qui passerait en kayak.

15 juillet

GOISQUE et Hermann sont partis ce matin. Leur présence amicale et le défilé incessant de rameurs ces derniers jours ont brisé mon horloge interne et je vais mettre quelques jours à retrouver le rythme fondé sur la seule observation de la course du soleil autour de ma clairière.

16 juillet

LA vie en cabane est un papier de verre. Elle décape l'âme, met l'être à nu, ensauvage l'esprit et embroussaille le corps, mais elle déploie au fond du cœur des papilles aussi sensibles que les spores. L'ermite gagne en douceur ce qu'il perd en civilité.

Des fleurs d'églantier bordent le pied des arbres de la lisière du bois. Elles tournent leur corolle vers leur dieu, le Soleil. Je pense à la description du jardin de la rue Plumet dans *Les Misérables*. Jean Valjean a laissé la friche pousser et Hugo file une profession de foi panthéiste : « Tout travaille à tout… Il y a entre les êtres et les choses des relations de prodige… Aucun penseur n'oserait dire que le parfum des aubépines est inutile aux constellations… »

Prolonger la question hugolienne : qui prétendrait que le ressac n'est pour rien dans les rêves du faon, que le vent n'éprouve rien à se heurter au mur, que l'aube est insensible aux trilles des mésanges?

17 juillet

COMPTER une journée pour lire *Typhon*, fendre une réserve de bois, pêcher quatre ombles, nourrir ses chiens et réparer les planches d'un auvent malmené par la tempête. Le Mac Whirr de Conrad est un anti-

Achab. Il se tient sur le seuil du destin, accepte l'ouragan, ne cherche pas d'échappatoire à l'inéluctable. Pourquoi s'émouvoir de ce qui ne procède pas de notre ressort? Aucune baleine blanche ne vaut de s'exciter. Poussée au suprême, l'indifférence donne aux hommes un air buté et Mac Whirr prend sous la plume de Conrad des traits de brute. Le capitaine ferait un bon héros russe. En Russie, pour signifier qu'on s'en fout, on dit « *mnie po figou* ». Et on appelle « pofigisme » l'accueil résigné de toute chose. Les Russes se vantent d'opposer leur pofigisme intérieur aux convulsions de l'Histoire, aux soubresauts du climat, à la vilenie de leurs chefs. Le pofigisme n'emprunte ni à la résignation des stoïciens ni au détachement des bouddhistes. Il n'ambitionne pas de mener l'homme à la vertu sénéquienne ni de dispenser des mérites karmiques. Les Russes demandent simplement qu'on les laisse vider une bouteille aujourd'hui parce que demain sera pire qu'hier. Mac Whirr, suant sur la passerelle de son bateau en attendant le typhon, pourrait être un fidèle de cette Église sans espérance.

18 juillet

LE brouillard me surprend alors que je coupe en kayak à travers les caps. Un temps à se faire attaquer par le monstre du Baïkal. J'aborde devant la cabane abandonnée et m'enfonce dans la forêt vers les marais, en quête d'oignons sauvages, de rhubarbe et d'ail aux ours. Les moustiques m'assaillent. J'aimerais traîner tout nus ici ces rédacteurs de notices de lotions anti-moustiques, pour les inciter à moins de dithyrambe sur leurs étiquettes. Les étangs pétillent. Les roses sauvages égaient les rives, les cèdres les assombrissent. Je rentre à la cabane, chargé d'herbes aromatiques.

19 juillet

UNE douche *on the beach*. Je me lave à grande eau tiédie dans les seaux quand Volodia d'Iélochine débarque sur son petit bateau, les bras chargés de poissons fumés. Il est venu m'entretenir d'un problème qui passionne les Russes.

— Il y a des émeutes dans vos villes! C'est la révolution des Arabes! Tout brûle.

Je n'ai pas assez de mots pour expliquer à Volodia que les choses sont moins graves, mais plus compliquées que cela. Il faudrait lui expliquer que ces mouvements sont des manifestations de colère sociale et que l'origine ethnique de leurs acteurs, si elle impressionne les Russes, n'est pas évoquée par les commentateurs français. Il faudrait lui dire qu'il ne s'agit pas de révolution. Ces troubles à l'ordre public ne visent pas à renverser le monde bourgeois mais à y accéder. Entend-on les jeunes gens réclamer liberté, puissance et gloire ? Pourquoi brûle-t-on les voitures dans ces couronnes de misère ? Pour critiquer les ravages de la technique et du marché sur les sociétés ou par dépit de ne pas posséder les plus belles et les plus grosses d'entre elles ?

Dieux des bois, vivre ici et faire l'affront à ces montagnes de s'occuper de ces affaires ! Dès que Volodia remet les gaz, je m'empresse de chasser ces pensées et retourne au labour des livres et des bois.

20 juillet

AUJOURD'HUI, j'escalade mille six cents mètres de dénivelé, en redescends autant. Voilà pour la statistique. J'ai décidé de grimper sur le sommet établi derrière la cabane. D'abord, c'est la pénible et longue ascension dans la taïga. Les chiens halètent dans la chaleur. Nous buvons aux filets du torrent.

Ces montagnes n'offrent rien qu'une profusion de sensations à éprouver sur-le-champ. L'homme ne les bonifiera jamais. Dans ce paysage sans promesse, écartelé de grandeur, les calculateurs en seront pour leurs frais. Rien ne soumettra cette nature. Elle repose, à la seule appréciation des âmes détachées de toute ambition. Aménageur, passe ton chemin, regagne la Toscane ! Là-bas, sous les ciels tempérés, les paysages attendaient que l'homme les façonne en campagne. Ici, dans cet amphithéâtre, les éléments règnent pour l'éternité. Il y eut des luttes dans les temps magmatiques, à présent, le calme. Le paysage, repos de la géologie.

Au sommet, à deux mille cent mètres, je dors sur les mousses, mêlé aux chiens. Les moustiques nous chassent. Ce sont les gardiens du haut lieu, chargés de ne laisser aucun intrus s'installer. La nature a eu le génie de déployer non pas des armées de cerbères monstrueux dont les balles du fusil seraient venues à bout mais de minuscules seringues volantes dont les vrombissements rendent fou.

21 juillet

PAS un oiseau ne chante. Pas une ride sur le lac. Le brouillard a avalé le monde.

22 juillet

LEUR arrivée me surprend. Ils ont échoué sur la grève en silence et je m'aperçois de leur présence au raclement des coques de leur kayak sur les galets. Ce sont deux colosses au crâne rasé. Ils ont des sourires carnassiers mais des yeux très doux. Ils se dirigent à la rame vers l'île d'Olkhon à raison de cinquante kilomètres par jour. Ils me demandent un thé et pendant que l'eau bout sur le poêle, ils me révèlent qu'ils sont shivaïstes et naviguent le long des côtes pour repérer les lieux sacrés. Le lac serait le berceau originel de leur dieu Shiva. Le comique, c'est qu'ils ont des têtes de tueurs des forces spéciales.

Un vieux résidu de patience inoculée par dix années d'éducation chez les frères m'aide à supporter la bouillie spirituelle que Sacha me déroule pendant une heure, truffant sa démonstration de mots sanskrits. Il en ressort que les montagnes du Baïkal sont liées au mont Meru, que le sud de l'Oural est un endroit du monde où la révélation celto-cosmique bat son plein, que Zarathoustra a édifié les kourgans des plaines indo-sarmates. J'admire ces convaincus qui vous parlent de ces choses avec le même aplomb que s'ils venaient de partager un verre de bière avec Dieu, dans la cabane d'à côté. Depuis que l'URSS s'est écroulée, les théories new age connaissent le succès chez les Russes. Il fallait occuper la vacance mystique laissée par l'effondrement des dogmes socialistes. Les Russes aiment l'explication ésotérique du monde et ne rechigneront jamais à prendre pour vérité une de ces théories que les professionnels de l'occulte n'osent même plus avancer en Europe de l'Ouest. Les Russes ne sont pas les fils de Raspoutine pour rien.

L'idée est belle de naviguer en essayant de reconnaître dans les formes d'un paysage la transcription physique d'une légende. Ce détournement spirituel et symbolique de la géographie maintient le regard en haleine. Pagayant sur l'eau, mes deux amis repèrent les signes, traquent les correspondances. Dans une éminence, ils voient un lingam, dans la découpure d'une crête le trident de Shiva, et dans une cabane le point vélique à la croisée des forces.

Après la soupe, Sacha et son disciple s'asseyent en position du lotus sur la plage et récitent un mantra hindou. Sacha souffle dans sa conque tibétaine. Le brame réveille Bêk, qui hurle.

— Mon chien n'aime pas le son de la conque, dis-je.

Regard bizarre de Sacha :

— Ce n'est peut-être pas un chien…

Ils me redisent que la cabane des Cèdres du Nord se tient dans un « nœud énergétique » de très grande intensité. Ils repartent vers le sud. Trois coups de conque résonnent dans le lointain.

23 juillet

Je rame vers la Lednaïa. Le lac pue le cadavre. Le brouillard est revenu. La forêt avance, se retire, revient. Là-bas, je pêche sur les rochers. Cette nuit, mon bivouac est une quintessence : l'eau clapote, la prairie vient mourir sur le tranchant d'une falaise portée sur les eaux calmes, quelques bouleaux protègent de la brise. Les poissons grillent sur le feu et les chiens attendent de recevoir leur dû alors que la lune – couleur calisson d'Aix – se vautre dans les brumes. Je fume un Partagas. Ce sont les endroits où on les grille qui consacrent les cigares. Ma mémoire est géographique. Elle retient mieux l'atmosphère et le génie des lieux que les visages et les conversations.

Ce soir, ne manque que la femme de mes rêves.

24 juillet

Un moteur dans l'aube. C'est Volodia qui vient jeter un filet au débouché de la Lednaïa. Je le hèle du haut de la falaise. Nous conversons une heure en partageant des tomates sur le capot du canot. Vladimir Jankélévitch dans ses entretiens sur l'*immédiat* parle de cette faculté des Russes à rester de longues heures assis à table, accrochés aux récifs d'une île couverte d'abondance. Autour de la table s'ouvre le monde hostile et dur où il faudra plonger tôt ou tard jusqu'à une nouvelle table, un peu plus loin.

25 juillet

Je vais me séparer des chiens. Je les regarde dormir la tête sur le seuil de la cabane. Pourquoi tout finit-il par venir ? Il n'existe qu'un moyen d'éviter l'inéluctable.

26 juillet

Sergueï vient me chercher après-demain. Nous irons déposer les chiens à Iélochine, ils y resteront en attendant de trouver maître dans une autre cabane de la réserve.

Je suis venu ici sans savoir si j'aurais la force de rester, je repars en sachant que je reviendrai. J'ai découvert qu'habiter le silence était une jouvence. J'ai appris deux ou trois choses que bien des gens savent sans recourir à l'enfermement. La virginité du temps est un trésor. Le défilé des heures est plus trépidant que l'abattage des kilomètres. L'œil ne se lasse jamais d'un spectacle de splendeur. Plus on connaît les choses, plus elles deviennent belles. J'ai rencontré deux chiens, je les ai nourris, un jour ils m'ont sauvé. J'ai parlé aux cèdres, demandé pardon aux ombles et pensé aux miens. J'ai été libre, car sans l'autre, la liberté ne connaît plus de limite. J'ai contemplé le poème des montagnes et bu du thé pendant que le lac rosissait. J'ai tué le désir de l'avenir. J'ai respiré l'haleine de la forêt et suivi l'arc de la lune. J'ai peiné dans la neige et oublié la peine au sommet des montagnes. J'ai admiré la vieillesse des arbres, apprivoisé des mésanges, saisi la vanité de tout ce qui n'est pas révérence à la beauté. J'ai jeté un regard sur l'autre rive. J'ai connu des semaines de neige silencieuse. J'ai aimé avoir chaud dans ma hutte pendant que la tempête déchaînait sa rage. J'ai salué le retour du soleil et des canards sauvages. Une femme m'a dit adieu mais des papillons se sont posés sur moi. J'ai vécu les plus belles heures de ma vie jusqu'à la réception d'un message et les plus tristes ensuite. J'ai arrosé la terre de sanglots. Je me suis demandé si on pouvait obtenir la nationalité russe non par le sang mais par les larmes versées. Je me suis mouché dans les mousses. J'ai vidé des litres de poison à quarante degrés et j'ai aimé pisser devant la Bouriatie. J'ai appris à m'asseoir devant une fenêtre. Je me suis fondu à mon royaume, j'ai senti l'odeur du lichen, mangé l'ail sauvage et croisé des ours. Ma barbe a poussé, le temps l'a dévidée. J'ai quitté le caveau des villes et vécu six mois dans l'église des taïgas. Six mois comme une vie.

Il est bon de savoir que dans une forêt du monde, là-bas, il est une cabane où quelque chose est possible, situé pas trop loin du bonheur de vivre.

27 juillet

SOLEIL cru, lac d'azur, vent dans les cèdres, ressac des vagues : dans mon hamac, je me crois sur la côte méditerranéenne. Dans la forêt, je porte un dernier toast à la vie robinsonne. J'avise une fourmilière, en tapote le sommet de la main. Les insectes se défendent et bombardent ma paume d'acide formique. Ma peau luit de fluide actif. Je m'injecte la dose dans les sinus en avalant ma vodka. L'effet des effluves ammoniaqués est fulgurant. La forêt se pare de couleurs insoupçonnées.

Je démonte le kayak, range mes sacs. Ma vie s'est dépliée ici pendant des mois. Je la replie. C'est fini. Demain, le retour.

28 juillet

UNE dernière visite en haut de l'éminence pour dire adieu au lac. Ici, j'ai demandé au génie d'un lieu de m'aider à faire la paix avec le temps. En redescendant, Aïka lève une femelle d'eider. La cane baratte l'eau de son aile droite, simulant la blessure. Bêk se laisse prendre au piège et la poursuit jusqu'à perdre pied.

Aïka cherche le nid, le trouve et égorge les six canetons avant que je puisse intervenir.

Longtemps les plaintes de la cane sur la berge.

Elle pleure les milliers de kilomètres parcourus pour rien, elle pleure ses fruits perdus. La vie consiste à tenir le coup entre la mort des êtres chers.

Il a suffi des coups de dents machinaux d'une petite carnassière pour qu'une immense clarté de solitude s'abatte sur les Cèdres du Nord.

Je suis assis sur le banc de bois et j'attends le bateau de Sergueï. Le soleil tape. Les malles et les sacs sont empilés. Les chiens dorment sur le sable. Et cette cane qui pleure dans la lumière.

La matinée a un goût de mort, le goût du départ.

Les chiens lèvent la tête. Un bourdonnement s'élève, se confirme. C'est le bateau. Un point grossit à l'horizon. Un point final.

« *Le froid, le silence et la solitude sont des états qui se négocieront demain plus chers que l'or. Sur une Terre surpeuplée, surchauffée, bruyante, une cabane forestière est l'eldorado.* »

Sylvain Tesson

Sylvain Tesson, tout en poursuivant des études de géographie, a découvert l'aventure lors d'une randonnée à VTT en Islande, puis lors d'une expédition spéléologique à Bornéo en 1991. En 1993, à vingt et un ans, il effectue un tour du monde à bicyclette avec Alexandre Poussin, avec qui il traversera l'Himalaya à pied en 1997. Voyages extrêmes que les deux aventuriers raconteront dans *On a roulé sur la terre* et *La Marche dans le ciel*. Sylvain Tesson se lance ensuite dans une chevauchée de six mois à travers les plaines d'Asie centrale en compagnie de la photographe Priscilla Telmon, avec qui il écrit *La Chevauchée des steppes*. Puis il goûte au voyage en solitaire en relevant un nouveau défi : parcourir l'itinéraire suivi naguère par des évadés du goulag, de la Sibérie au golfe du Bengale. Cette odyssée donne lieu à un ouvrage remarqué : *L'Axe du loup* (2004). L'écriture fait désormais partie intégrante de la vie de Sylvain Tesson, également journaliste et conférencier. Outre les récits de voyage, il publie des essais (*Petit traité sur l'immensité du monde, Éloge de l'énergie vagabonde*), des nouvelles - dont *Une vie à coucher dehors* qui reçoit le prix Goncourt de la Nouvelle 2009 -, et des aphorismes, forme littéraire qu'il affectionne : *Aphorismes sous la lune et autres pensées sauvages, Aphorismes dans les herbes et autres propos de la nuit*. Si cet insatiable arpenteur du monde, fasciné par l'Asie et par l'âme slave, décide un jour d'entreprendre un « voyage immobile » sur les bords du Baïkal, c'est, dit-il, parce qu'il est « tombé amoureux d'un lieu » qu'il a eu l'impression de reconnaître dès la première fois où il s'y est rendu. Il voulait faire l'expérience de la contemplation : celle-ci, tout autant que le défilement du paysage, lui a donné un sentiment de paix. Son journal d'ermitage, couronné par le prix Médicis essai 2011, a reçu un accueil enthousiaste auprès des lecteurs.

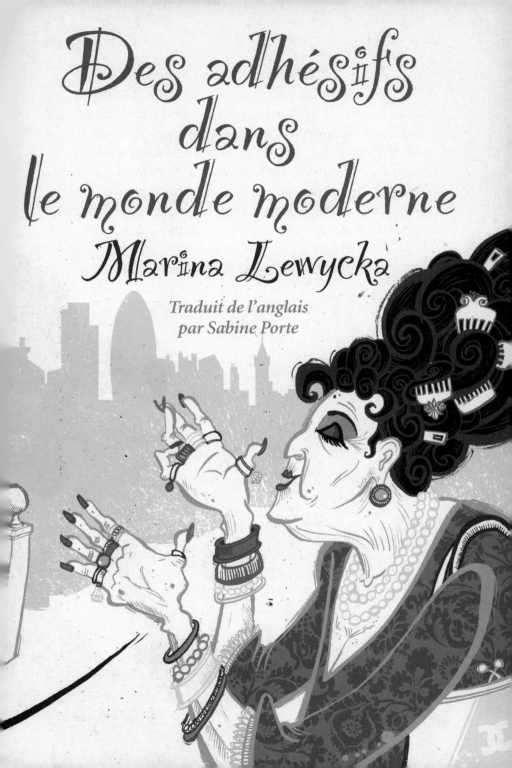

Alors qu'elle rêvait d'être romancière, Georgie Sinclair écrit sans passion pour une revue spécialisée, Adhésifs dans le monde moderne. Son moral est en berne : son mari vient de la quitter, sa fille aînée vit au loin, son fils adolescent, en pleine crise mystique, l'inquiète. Alors, quelle aubaine cette rencontre avec Naomi Shapiro ! Cette mamie juive chaleureuse et pittoresque lui offre son amitié. Les deux femmes, qui n'ont en apparence pas grand-chose en commun, deviennent inséparables. Plus leurs liens se resserrent, plus elles se sentent fortes pour affronter les épreuves que la vie leur réserve.

1

LA première fois que j'ai rencontré Wonder Boy, il m'a pissé dessus. Sans doute voulait-il me mettre en garde, ce qui était plutôt perspicace si l'on songe à ce qui est arrivé par la suite.

À la fin du mois d'octobre, quelque part entre le quartier de Stoke Newington et celui de Highbury, je m'étais aventurée dans une rue que je ne connaissais pas et j'étais tombée sur une ruelle pavée bordée de hauts murs. Au bout d'une cinquantaine de mètres, la ruelle débouchait sur une pelouse ronde et je me suis retrouvée devant une grande maison à moitié délabrée qui étouffait sous le lierre, tapie derrière une haie de troènes mal taillée. Il y avait quelque chose de gravé sur le pilier du portail. J'ai écarté le lierre et lu : CANAAN HOUSE.

Un nuage est passé et, l'espace d'un instant, un rayon de soleil rasant a illuminé les fenêtres. Puis le soleil s'est éclipsé et la lumière terne a révélé les stucs effrités, les boiseries dont la peinture s'était écaillée et un araucaria hérissé d'épines planté trop près de la maison.

Soudain, un long sanglot pareil aux pleurs d'un enfant a déchiré le silence. Mais ce n'était qu'un chat, un gros matou blanc aux allures de malabar avec une tête affreuse et trois pattes noires, qui a émergé des fourrés en se dirigeant vers moi, une lueur de détermination dans le regard.

— Coucou, le chat. Tu habites ici ?

Il s'est avancé vers moi, mais, à l'instant où je me penchais pour le caresser, sa queue s'est dressée et une puissante giclée d'eau de matou a embaumé l'atmosphère. J'ai voulu lui donner un coup de pied, mais il avait déjà disparu dans l'ombre. J'ai rebroussé chemin à travers les ronces en sentant l'odeur de pisse sur mon jean – une odeur âcre qui rappelait vaguement celle de la colle.

Je l'ai revu une semaine plus tard, et cette fois j'ai également fait la connaissance de sa maîtresse. Un soir, vers 23 heures, j'ai entendu un remue-ménage dans la rue, suivi d'un fracas de verre brisé. J'ai regardé par la fenêtre. Quelqu'un sortait des affaires de la benne installée devant chez moi.

J'ai d'abord cru que c'était un adolescent, une petite silhouette aux allures de moineau, la casquette baissée sur le visage, puis je me suis aperçue que c'était une vieille dame aussi efflanquée qu'un chat de gouttière qui tirait sur des rideaux en velours bordeaux pour atteindre le carton de vieux vinyles de mon mari à demi enfoui sous le bric-à-brac. Soudain, le carton s'est dégagé et elle est tombée à la renverse, éparpillant les disques au beau milieu de la rue. J'ai ouvert la porte et me suis précipitée pour l'aider.

— Ça va?

Elle s'est relevée péniblement en se secouant comme un chat. Elle avait le visage à demi dissimulé par la visière de sa casquette.

— Je demande quel genre de personnes qu'il peut jeter la musique comme ça. Grands compositeurs russes.

Elle avait une belle voix ambrée. J'avais du mal à reconnaître son accent.

— Il doit avoir les barbares qui habitent le coin. Regardez! Tchaïkovski. Chostakovitch. Prokofiev. Et tout qu'il est jeté dans le poubelle!

— Prenez-les, ai-je dit. Je n'ai pas de tourne-disque.

Je ne voulais pas qu'elle me considère comme une barbare.

— Merci. J'adore les sonates pour piano de Prokofiev.

J'ai alors remarqué derrière la benne un landau à l'ancienne avec de grosses suspensions recourbées, dans lequel elle avait déjà entassé des livres de mon mari.

— Vous pouvez aussi prendre les livres.

— Tous vous avez lus? m'a-t-elle demandé comme si elle cherchait à détecter d'éventuels penchants barbares.

— Tous.

— Bien. Merci.

— Je m'appelle Georgie. Georgie Sinclair. Je n'habite pas ici depuis très longtemps. Nous sommes arrivés de Leeds il y a un an.

Elle a incliné la tête avec raideur et tendu une main gantée, avec des airs de souveraine légèrement toquée saluant un de ses sujets.

— Madame Naomi Shapiro.

Je l'ai aidée à ramasser les disques éparpillés pour les empiler par-dessus les livres. « La pauvre, me disais-je, une des laissées-pour-compte de la vie qui transporte tous ses maigres biens dans un landau. » Elle est repartie en vacillant sur ses hauts talons. Malgré le froid, je sentais son odeur âcre de fromage trop fait. Après son départ, j'ai aperçu le matou blanc hirsute avec ses trois pattes bottées de noir qui s'extirpait des fourrés du jardin voisin et la suivait dans la rue. Puis j'ai vu toute une cohorte de chats sombres surgir des buissons et se glisser furtivement sur ses talons. Je l'ai suivie du regard jusqu'à ce qu'elle ait disparu au coin de la rue.

Du trottoir, je voyais la lumière allumée dans la chambre de Ben et l'écran de son ordinateur qui clignotait tandis qu'il surfait sur les vagues du monde. Ben, mon bébé, seize ans déjà et citoyen du Web. Le carré de lumière passait du bleu au rouge, puis au vert. Quelles mers parcourait-il ce soir ? Encore debout à cette heure. Mon gentil Ben si sérieux pour son âge. Comment se fait-il que les enfants de mêmes parents puissent devenir si différents ? À vingt ans, sa sœur Stella avait déjà pris la vie par les cornes, l'avait retournée, plaquée au sol et lui apprenait à lui manger dans la main dans une maison en colocation du côté de York University, où, chaque fois que j'appelais, j'avais l'impression de tomber sur une fête ou en pleine répétition d'un groupe de rock.

Là-haut, le carré de couleur a clignoté une dernière fois avant de disparaître. L'heure de se coucher. Je suis allée écrire un petit mot à mon mari, lui demandant de venir chercher ses affaires, et je l'ai mis dans une enveloppe que j'ai affranchie au tarif économique. Le lendemain matin, j'ai appelé le loueur de bennes.

Il faut que je vous explique pourquoi je mettais à la benne les affaires de mon mari – comme ça vous jugerez par vous-mêmes à qui la faute. Un matin, dans la cuisine – c'est le branle-bas général habituel, Rip qui s'apprête à partir au bureau, Ben au lycée. Rip qui tripote son BlackBerry. Je prépare du café, fais mousser le lait et brûler les toasts. Les pas de Ben résonnent à l'étage.

MOI : J'ai acheté un nouveau porte-brosses à dents. Quand tu auras un moment, tu pourras le fixer au mur ?

LUI : *(Silence.)*

MOI : C'est de la porcelaine blanche. Style scandinave.

LUI : Mais, putain, de quoi tu me parles ?

MOI : Du porte-brosses à dents. Il faut le fixer au mur. Dans la salle de bains. Je crois qu'il faut mettre une chenille.

LUI : *(Gros soupir viril.)* Il y en a qui essaient d'accomplir quelque chose qui vaille vraiment la peine dans ce monde. Tu vois, quelque chose qui puisse contribuer au progrès de l'humanité et façonner les générations futures. Et toi, tu es là à radoter sur une brosse à dents.

Je ne sais pas ce qui m'a pris. Mon bras est parti d'un coup, et soudain la mousse de lait a volé aux quatre coins de la cuisine – sur le mur, sur lui, sur son BlackBerry.

LUI *(furieux)* : Qu'est-ce qui te prend, Georgie ?

MOI *(hurlant)* : Mais tu t'en fiches ! Tout ce qui t'intéresse, c'est ton foutu boulot, changer le monde, façonner les destins !

LUI *(secouant la tête d'un air incrédule)* : Absolument, ça m'intéresse beaucoup. Je m'intéresse à ce qui se passe dans le monde. Mais j'avoue que je ne m'intéresse pas vraiment aux brosses à dents.

MOI : Un porte-brosses à dents.

LUI : Je ne vois pas pourquoi je supporterais ton attitude.

MOI : Rien ne t'oblige à la supporter. Pourquoi tu ne t'en vas pas ? Et n'oublie pas d'emporter cette saloperie de BlackBerry.

LUI : Tes crises d'hystérie n'ont rien de séduisant.

MOI : Non, et tu n'es pas séduisant non plus, espèce de gros con bouffi d'arrogance.

Mais il était séduisant. C'est bien là le problème. « Et j'ai tout fichu en l'air », me disais-je en pensant à Mme Shapiro qui se baladait dans la rue avec sa précieuse collection de grands compositeurs russes rangée dans son landau.

J'ÉTAIS assise à mon bureau, contemplant la pluie tout en essayant de boucler l'édition de novembre d'*Adhésifs dans le monde moderne*, quand le camion est venu enlever la benne. J'avoue que les adhésifs ont parfois un côté monotone et que je n'étais pas mécontente de trouver une distraction. Je l'ai regardé reculer et se positionner, abaisser les chaînes pour arrimer la benne qui débordait et balancer son chargement en l'air, les papiers en désordre, les magazines qui claquaient mollement au vent, les sacs-poubelle pleins de vêtements et les cartons qui contenaient les vestiges de son Travail de Haute Importance, puis la laisser retomber à l'arrière avec un bruit sourd. À la fin, je suis sortie régler le chauffeur et je dois dire qu'en voyant le camion s'éloigner lourdement, j'ai été saisie d'une grande appréhension. Je savais que Rip serait furieux.

Quand il était rentré du bureau ce jour-là – le jour du porte-brosses à dents –, je m'étais calmée, mais il était encore hors de lui. Il avait commencé à entasser ses affaires dans la voiture.

MOI *(inquiète)* : Qu'est-ce que tu fais ?

LUI *(visage de marbre)* : Je pars. Je vais m'installer chez Pete.

MOI *(insistante, pitoyable, me détestant)* : Ne pars pas, Rip. Je suis désolée. Ce n'est qu'un porte-brosses à dents. Je vais le fixer moi-même. Tu sais quoi ? *(Petit gloussement.)* Je vais apprendre à mettre des chenilles.

LUI *(mâchoires serrées)* : Mais il n'y a pas que ça, hein ?

MOI : Qu'est-ce que tu veux dire ? *(Une horrible vérité me vient soudain à l'esprit.)* Tu as…

LUI : Il n'y a personne d'autre, si c'est ce que tu veux savoir. Il faut que j'y aille. J'ai dit à Pete que je serais là à 7 heures.

MOI *(l'air faussement nonchalant)* : Très bien. Comme tu voudras. Ça ne me dérange pas. Dis bonjour à Pete de ma part.

Pete était australien. C'était le partenaire de squash de Rip et un de ses supérieurs hiérarchiques du Programme de développement. On l'appelait Pete les Pectos, parce qu'il portait toujours des tee-shirts blancs moulants et de grosses baskets blanches. Il habitait avec sa femme Ottoline dans une maison avec de hautes fenêtres qui donnait sur un square d'Islington, dont ils louaient parfois le dernier étage. Un soir, j'y suis allée et je suis restée un moment à regarder les fenêtres éclairées, le visage ruisselant de larmes.

Ça a duré comme ça quelques semaines, la phase des pleurs. Puis la fureur a pris le dessus.

— Je viendrai chercher le reste plus tard, avait déclaré Rip en partant.

Mais il n'était jamais venu. Les chaussures dans l'entrée, les vieux vêtements dans la penderie, les anciens numéros de *The Economist* et du *New Statesman* empilés contre le mur.

Je ne voulais pas que ma nouvelle vie soit encombrée par son vieux fatras. J'avais donc loué une benne. J'aurais peut-être mieux fait de tout donner à une association, mais je n'avais pas de voiture. Et puis, dans ce cas, cette histoire n'aurait peut-être jamais vu le jour, car c'est grâce à la benne que Mme Shapiro est entrée dans ma vie.

UNE heure après le départ de la benne, on sonnait à la porte. Déjà! Je me suis figée sur place, pétrifiée par l'énormité de mon geste. Il valait mieux ne pas répondre. Et s'il regardait par la fenêtre et me voyait plantée là ? Je me suis faufilée dans le couloir sur la pointe des pieds et je me suis allongée par terre, à l'écart des fenêtres et j'ai retenu mon souffle.

Ça a encore sonné à plusieurs reprises. De toute évidence, il n'était pas dupe. Puis la boîte aux lettres a claqué. Ensuite, plus rien. Au bout d'un moment, une chanson m'est venue à l'esprit. « *You thought I'd lay down and die. Oh no, not I! I will survive!* » (« Tu pensais que j'allais m'allonger et mourir. Oh! non, pas moi! Je survivrai! ») Gloria Gaynor. Une des préférées de maman. *I will survive!* J'ai beuglé le refrain à n'en plus finir.

C'est comme ça que Ben m'a trouvée en rentrant du lycée, braillant à tue-tête, couchée sur le dos par terre. Il avait dû entrer si doucement que je n'avais pas entendu la porte.

— Ça va, m'man ?

Il plissait les yeux d'un air inquiet.

— Bien sûr, mon cœur. C'est juste… un petit intermède musical.

Je me suis relevée péniblement et j'ai regardé par la fenêtre. La rue était déserte. Il avait recommencé à pleuvoir. Puis j'ai aperçu un prospectus sur le paillasson. Ben l'a ramassé avec curiosité. *La Tour de garde.*

— C'est quoi ?

— C'est la revue des Témoins de Jéhovah. Ça parle de la fin du monde et du retour de Jésus, où tous les vrais croyants seront expédiés au paradis.

— Hum.

Il l'a feuilletée rapidement et, à mon grand étonnement, l'a fourrée dans sa poche avant de monter à pas lourds dans sa chambre.

ÇA a sonné de nouveau au moment où je m'apprêtais à dîner avec Ben. Il est allé ouvrir.
— Salut, papa.
— Salut, Ben. Ta mère est là?
Impossible de se cacher cette fois. Je me suis retrouvée face à face avec lui de l'autre côté de la table. Il était accompagné de Pete les Pectos. Ils étaient tous les deux en jogging. Ils avaient dû faire tout le chemin d'Islington à ici en courant. La cuisine empestait les phéromones. Soudain, j'ai été prise d'un accès de désir humiliant – saletés d'hormones qui me trahissaient.

LUI *(s'affalant sur sa chaise en étendant les jambes)* : Salut, Georgie. J'ai eu ton message. Je suis venu sauver mes biens.
MOI : *(Au secours!)* Trop tard. Ils sont passés chercher la benne ce matin.
LUI *(les yeux ronds, battant des paupières)* : Tu plaisantes?
MOI : Pourquoi je plaisanterais?
LUI : Ils ont embarqué les disques? Mes grands compositeurs russes?
MOI : *(Sourire narquois.)* Hum.
LUI : Tu es tellement puérile, Georgie.

Puérile? Moi? J'ai attrapé une assiette de pâtes. De nouveau, mon bras a été agité d'un spasme. Puis j'ai aperçu le regard effrayé de Ben – pauvre Ben, il n'avait pas besoin de voir ses parents se comporter ainsi. J'ai reposé les pâtes et suis montée me réfugier à l'étage. Je me suis jetée sur mon lit en refoulant mes larmes. Je survivrai. Je serai forte. Regardez Gloria Gaynor : elle a fait de son chagrin d'amour une chanson qui s'est vendue à des millions d'exemplaires. Tandis que j'étais là à écouter les voix qui s'élevaient de la cuisine en me maudissant de ne pas avoir su garder mon sang-froid, une idée séduisante a germé dans mon esprit : je ne sais pas chanter, mais je sais écrire.

En réalité, j'avais déjà fait la moitié du chemin. J'avais un titre provisoire et un pseudonyme génial. Je me suis imaginée en auteur publié, sautant d'un avion à l'autre.

Je me suis levée pour aller chercher mes précédentes velléités de roman constituées de douze cahiers et demi, rangées au fond d'un tiroir avec tout un dossier de lettres de rejet.

> Chère Mlle Tempest,
> Je vous remercie de m'avoir soumis le manuscrit du *Cœur éclaté*. Votre livre met en scène des personnages pittoresques et présente un éventail impressionnant d'adjectifs, mais il n'a pas suscité chez moi l'enthousiasme suffisant…

C'est le genre de choses qui vous démolit le moral, et le mien était déjà bien assez bas. Mais trop tard – une graine d'optimisme s'était logée dans mon cœur et les premières lignes jaillissaient dans mon esprit. Il me restait un cahier vierge.

Le Cœur éclaté

Il était minuit passé quand Rick roula, épuisé, sur son large dos ~~musclé~~ légèrement grassouillet et passa négligemment ses doigts ~~vigoureux~~ dans ses épais cheveux bouclés ~~naturellement blonds~~ rehaussés d'un discret balayage.

Bon, d'accord, je sais que ce n'est pas du Jane Austen. La carencée de l'enthousiasme n'a peut-être pas tort au sujet des adjectifs. En étais-je déjà à l'angoisse de la page blanche ? En bas, j'ai entendu des voix, puis le cliquetis du verrou. Ensuite, la porte de ma chambre s'est entrouverte.
— Ça va, m'man ? Tu ne dînes pas ?

UNE fois Rip installé au dernier étage de la maison de Pete les Pectos, nous avons décidé que Ben passerait la moitié de la semaine chez chacun d'entre nous. On l'avait coupé en deux et on se l'était partagé. Il tenait absolument à être équitable envers nous deux.
Tandis que la rage que m'inspirait Rip se figeait peu à peu au fond de moi, j'éprouvais parfois une torpeur tellement immense que c'en était presque une souffrance. Les jours où Ben n'était pas là, je ne pouvais quasiment pas supporter de rester seule à la maison. Quand le silence devenait insupportable, j'allais me promener, juste pour sor-

tir de la maison. Vêtue d'un duffel-coat antédiluvien muni d'une large capuche flottante et de manches en forme d'ailes de chauve-souris, je me baladais au crépuscule en épiant la vie des autres par les fenêtres éclairées, et j'essayais de me rappeler ce que ça faisait d'être en couple.

Un après-midi, je suis allée à Islington avec l'intention d'acheter deux ou trois choses chez Sainsbury's et de rentrer en bus. Il était à peu près 16 heures et la responsable de l'étiquetage effectuait ses réductions de fin de journée. Les clients grouillaient autour d'elle comme un banc de piranhas à l'heure du repas. Ma mère avait toujours été une fervente adepte des produits qu'on s'apprête à retirer des rayons et je repensai avec un pincement de nostalgie à l'époque où elle m'envoyait, petite, trottiner dans les allées à la recherche des étiquettes rouge vif marquées RÉDUCTION. C'est drôle de voir comment des années après avoir quitté la maison on trimbale encore en soi des fragments de ses parents. Maintenant que je n'avais plus la sécurité liée au salaire de Rip, je comprenais le sentiment aigu d'incertitude qui avait dû poursuivre ma mère toute sa vie. Toujours est-il que je me suis précipitée dans la mêlée.

Dès que la responsable de l'étiquetage avait collé une nouvelle étiquette sur un paquet, une main surgissait de la cohue pour le lui arracher. C'était toujours la même main – osseuse, déformée, incrustée de bijoux – qui jaillissait et s'emparait de l'article. En me retournant, j'ai remarqué une vieille femme qui plongeait sous les épaules de deux grosses dames. Elle avait les cheveux ramassés sous une casquette écossaise. C'était Mme Shapiro.

— Bonjour ! ai-je lancé.

Elle a levé les yeux et m'a fixée un instant. Puis elle m'a reconnue.

— Georgine ! s'est-elle écriée.

Elle prononçait les g à l'allemande et rajoutait un é à la fin : Gheorginé !

— Bonjourrr, chérrrie !

— Je suis ravie de vous revoir, madame Shapiro.

Dans l'espace clos du rayon épicerie, elle dégageait une puanteur de vieux fromage mêlée à de vagues effluves de Chanel N° 5. Je voyais la mine des autres clients qui s'écartaient sur son passage. Ils la prenaient pour une clocharde. Ils ne savaient pas qu'elle écoutait les grands compositeurs russes.

— Plein les bonnes affaires aujourd'hui, chérrrie ! D'abord plein tarif, et hop, la minute après moitié prix – le même produit, tout pareil. C'est toujours meilleur quand tu paies moins cher, hein ?

— Je devrais vous présenter ma mère. Elle adore les bonnes affaires. Elle dit que c'est à cause de la guerre.

Elle devait être un peu plus âgée que ma mère – à mon avis, près de quatre-vingts ans. Plus ridée peut-être, mais plus énergique. Elle était à l'âge où l'on porte des bottines extra-larges à scratch, mais elle trottinait telle une reine de l'élégance, coquettement perchée sur des escarpins à bouts ouverts, d'où émergeait l'extrémité de ses chaussettes d'un blanc douteux.

— Pas juste la guerre, chérrrie. Dans ma vie, j'apprenais me débrouiller.

Les joues empourprées, l'œil vif, elle étudiait attentivement les nouvelles étiquettes apposées sur les anciennes, le front plissé par l'effort qu'exigeait d'elle le calcul mental.

— Allez, Georgine, attrapez !

Je me suis faufilée à côté d'une des grosses dames et j'ai saisi au vol un poulet *korma* passé de deux livres quatre-vingt-dix-neuf à une livre quarante-neuf. Maman aurait été fière de moi.

— Il faut être vite ! Vous aimez le saucisse ? Tenez !

Mme Shapiro a arraché un paquet de saucisses en promotion à cinquante-neuf pence des mains d'un retraité interloqué et l'a jeté dans mon panier.

— Oh… merci.

Elles étaient d'un rose peu ragoûtant. Mme Shapiro m'a tirée par le poignet pour me chuchoter à l'oreille :

— C'est pas problème. Juif. Pas saucisse. Vous juive aussi, Georgine ?

Elle avait dû remarquer que je lorgnais les saucisses d'un air écœuré.

— Non. Pas juive. Yorkshire.

— *Ach so.* Peu importe. Vous pouvez rien.

— Vous avez écouté les disques ? Ils sont en bon état ?

— Très beaux disques. Glinka. Rimski-Korsakov. Moussorgski. Quelle musique qu'elle t'emmène tout droit dans le paradis.

D'un geste théâtral, elle écartait ses mains osseuses, les bagues étincelantes, les ongles vernis aussi éclatants que de petits bouquets de cerises. En la regardant de plus près, je me suis aperçue que ses joues enflammées, que j'avais par erreur mises sur le compte de l'excitation, étaient en fait deux ronds de blush.

— Chostakovitch. Prokofiev. Miaskovski. Mon Arti qu'il a joué avec eux tous.

— C'est qui, Arti ? lui ai-je demandé, mais elle était concentrée sur une quiche lorraine à soixante-dix-neuf pence. Je n'ai pas vraiment l'oreille musicale.

— Pas tout le grand art qu'il est pour les masses, chérrrie. Mais vous voulez apprendre, non ? a-t-elle ajouté en battant ses paupières azur. Je jouera pour vous. Vous aimez la poisson ?

À l'instant même où elle prononçait ces mots, j'ai cru sentir de vagues relents de poisson émerger sous le Chanel au fromage. Ils provenaient de son chariot. J'ai vu qu'au milieu de ses articles au rabais il y avait plusieurs sachets de poisson, qui tous portaient la mention RÉDUCTION. J'ai hésité. Ils avaient vraiment une odeur d'avarié.

— Vous venez chez moi. Je préparera pour vous.

J'essayais d'inventer une excuse quand, soudain, elle a poussé un cri à vous figer le sang :

— Non, non ! Voleur !

Le retraité à qui elle avait arraché les saucisses avait essayé de les reprendre en douce dans mon panier. Mme Shapiro s'en est emparée et les a brandies en l'air.

— Voleur ! Si tu veux ton saucisse, tu le paies plein tarif !

Vaincu, humilié, l'homme a battu en retraite. Elle s'est retournée vers moi, la mine triomphale.

— Je l'habite pas loin de vous. Grand maison. Grand jardin. Totley Place. Kennen House. Vous venez samedi 8 heures.

— Vous avez la carte Nectar ? m'a demandé la caissière en passant mes achats devant le lecteur de codes-barres.

J'ai fait non de la tête en marmonnant un commentaire à la Rip sur le règne de Big Brother. Derrière moi, Mme Shapiro se disputait avec un client qui faisait la queue. Je voulais filer au plus vite.

— Bravo, chérrrie ! Partout on est surveillé maintenant, s'est-elle écriée en percutant avec son chariot les jambes d'un homme en train de payer à la caisse d'à côté.

C'était un type costaud aux cheveux blonds coupés ras, avec une carrure de joueur de rugby. Il s'est retourné et l'a fusillée du regard.

— Pardon, pardon, mon cherrr.

Un battement de paupières bleues. L'homme a secoué la tête, l'air attristé de voir des fous lâchés dans la nature, et s'est dirigé vers le parking. Je l'ai regardé charger ses provisions dans un énorme 4 × 4 aux vitres fumées garé sur un emplacement réservé aux handicapés, devant le landau de Mme Shapiro. Il est monté dans sa voiture, puis il a avancé et passé la tête par la portière.

— Vous pourriez bouger votre landau pour que je puisse manœuvrer ?

— Un moment, je vous prie ! s'est écriée Mme Shapiro.

Elle a sorti un paquet de cigarettes et une boîte d'allumettes de sous le capot du landau, m'en a offert une – que j'ai refusée – et a allumé la sienne.

— Mais tu vas le bouger, ton landau, la vieille ! a rugi le conducteur par la portière.

— Ne lui parlez pas sur ce ton, espèce de brute ! lui ai-je rétorqué.

— Pardon, pardon, mon cherrr, lui a-t-elle lancé avec un battement de paupières azur.

Elle a poussé le landau en vacillant sur ses talons et s'est éloignée à petits pas en tirant sur sa cigarette.

En rentrant, j'ai mis de l'eau à chauffer pour me faire un thé et j'ai appelé maman à Kippax, dans le Yorkshire, pour lui raconter l'histoire du landau. Elle avait eu soixante-treize ans en octobre et le poids des années se faisait sentir. Sa vue se détériorait et le médecin lui avait annoncé qu'elle ne devait plus conduire. Papa avait des « soucis de plomberie ». Mon frère Keir, qui était divorcé depuis cinq ans et ne voyait quasi jamais ses deux fils, était affecté en Irak. Et voilà que je me séparais de mon mari. Alors que ma mère aurait dû voguer sur les eaux sereines du couchant, l'orage menaçait à l'horizon.

Pour l'amuser, je me suis lancée dans la description de mes achats :

— Du poulet *korma*. Passé de deux livres quatre-vingt-dix-neuf à une livre quarante-neuf.

— Formidable. C'est quoi, du poulet coma ?

Maman n'était pas idiote, mais elle était dure d'oreille. Papa et moi, on se moquait d'elle car elle refusait de mettre un Sonotone. (« On va me prendre pour un alien si on me voit avec des bouts de fil qui me sortent du crâne. »)

— Du poulet *korma*. C'est un plat indien. Crémeux, un peu épicé.

— Holà ! je ne suis pas sûre que ton père apprécierait.

J'ai essayé autre chose :

— Tu as lu de bons livres récemment ?

Quand elle était bien lunée, c'était son sujet favori. Quand j'avais seize ans, elle m'avait fait connaître des auteurs que je dévorais avec volupté.

— Je viens de finir *Tentation en turquoise*, a-t-elle soupiré à l'autre bout du fil. Mais c'est très mauvais. C'est truffé de halètements et de sous-vêtements arrachés. Tu as revu Rip ?

Je savais qu'au fond elle espérait qu'on se réconcilierait. Je ne lui ai pas dit qu'il était passé chercher ses affaires. Au début de notre rencontre, je nous imaginais parfois comme les héros romantiques d'une folle passion au cœur des tourments de la grande grève des mineurs, transgressant les frontières de classes pour être ensemble. Je lui ouvrais les portes d'un monde exotique peuplé de nobles sauvages qui parlaient socialisme en se savonnant le dos dans les douches de la mine. Il m'ouvrait les portes du monde de Jane Austen. Nous nous faisions tellement d'illusions l'un sur l'autre, peut-être était-ce voué à l'éclatement.

Quand maman a raccroché, j'ai pris mon stylo et mon cahier.

Rick roulait par une belle journée d'octobre ensoleillée au volant de sa ~~mini~~ *Porsche qui* ~~serpentait lentement~~ *rugissait au milieu des* ~~Roaches~~ *collines éclatantes de beauté dans les somptueuses couleurs de l'automne. Après quelques kilomètres, la route bifurqua brusquement vers la droite, et Gina vit un chemin qui débouchait sur une barrière flanquée de deux piliers en pierre, et tout en bas de la vallée, à plus d'un kilomètre, se dressait* ~~Holtham House~~ *Holty Towers, voguant tel un galion de pierre sur une mer miroitante de reflets rouges, verts et or. Malgré elle, Gina* ~~était impressionnée~~ *se trouvait inéluctablement attirée par* ~~la maison~~ *l'imposante demeure et ne put s'empêcher* ~~de se dire que ces gens n'étaient pas à plaindre~~ *de remarquer les magnifiques détails d'époque. « C'est donc ainsi que vivent les privilégiés », se dit-elle.*

Pour tout dire, Rip était bien moins embarrassé que moi par les différences entre nos deux familles.

MOI *(chuchotement)* : Tu ne m'avais pas dit qu'ils étaient si huppés.

Lui *(murmure)* : Quand on a de l'argent, on s'aperçoit que ça n'a aucune importance.

Moi *(à mi-voix)* : Oui, mais c'est important quand on n'en a pas assez.

Lui : L'inégalité n'a d'importance que si les gens se sentent inférieurs. *(Il m'embrasse tendrement, puis nous finissons au lit.)*

2

QUAND j'ai remonté l'allée de Canaan House pour me rendre au dîner, il faisait déjà nuit. À mesure que je m'éloignais de la lueur sinistre des réverbères au sodium de Totley Place, mon appréhension grandissait. Dans quoi m'étais-je embarquée?

Il faisait froid et le ciel était étoilé. Le clair de lune découpait dans le noir la silhouette argentée des arbres et du toit de Canaan House. La maison présentait un tel fatras de styles qu'elle avait un côté joyeusement excentrique : des bow-windows victoriens, un porche roman orné de colonnes torsadées soutenant de petites arches rondes, d'exubérantes cheminées Tudor et une hallucinante tourelle digne de Dracula, dont un des côtés était agrémenté de fenêtres gothiques. Je me suis emmitouflée dans mon duffel-coat et j'ai regardé s'il y avait de la lumière. Avait-elle oublié que je venais?

La maison était plongée dans l'obscurité, mais j'avais le sentiment d'être épiée. Je n'entendais qu'un léger bruissement de feuilles qui pouvait provenir du vent. Je me suis avancée, et, à l'instant où j'approchais du porche, un chat a jailli des buissons, juste devant moi. Puis un autre, puis encore un autre. Une masse soyeuse qui grouillait autour de moi, ronronnant, miaulant, les yeux lançant des éclats vert et or.

À travers la vitre dépolie de la porte d'entrée, j'ai aperçu un trait de lumière tout au fond. D'un côté, il y avait une sonnette. J'ai appuyé et je l'ai entendue résonner quelque part au fond de la maison. Le trait de lumière s'est transformé en fente, puis un rectangle de porte s'est dessiné. J'ai entendu des pas traînants, et Mme Shapiro a ouvert la porte.

— Georgine! Chérrrie! Entrez!

Dès que j'ai eu franchi le seuil, les chats se sont faufilés entre mes jambes, et j'ai été assaillie par une puanteur indescriptible. C'était un mélange d'humidité, de crottes et de pipi de chat, de nourriture avariée, de saleté, d'évier encrassé, le tout mêlé d'ignobles relents de poisson qui vous soulevaient le cœur. Non sans désespoir, je me suis rendu compte que cette dernière odeur n'était autre que celle du dîner.

Mme Shapiro portait une robe cintrée à manches longues en velours carmin, audacieusement échancrée. À son cou ridé brillait un double rang de perles. Ses impressionnantes boucles noires étaient ramassées au sommet de son crâne grâce à une collection de peignes en écaille, et elle s'était maquillée d'une touche de rouge à lèvres carmin assorti à sa robe. De mon côté, j'étais en jean et grand pull sous mon duffel-coat. Elle m'a lorgnée d'un œil sévère.

— Pourquoi vous portez ce vieux *shmata*, Georgine? C'est pas fletteur pour le jeune femme. C'est pas comme ça que vous trouvez un homme.

— Je… euh… je n'ai pas besoin…

Je me suis interrompue. Peut-être avait-elle raison, après tout.

— Venez. Je trouvera quelque chose qu'il est mieux.

Elle m'a accompagnée dans le vaste hall carrelé, où trônait un escalier tournant en acajou ciré qui conduisait au premier. Sous l'escalier s'entassaient des monceaux de sacs-poubelle noirs pleins – à vrai dire, je ne sais pas ce qu'ils contenaient, mais j'apercevais des vêtements, des livres, de la vaisselle, des draps, des couvertures qui s'échappaient de quelques sacs fendus. Dans un coin, le vieux landau perché sur ses hautes roues était rempli de ballots de chiffons, sur lesquels sommeillaient deux félins tigrés. Elle les a chassés et s'est mise à fourrager dans les ballots. Au bout d'un moment, elle a tiré sur un bout de tissu vert foncé qui s'est avéré être une robe de soie avec de longues manches évasées.

— Tenez, a-t-elle dit en la tenant sous mon menton, ça, je crois, c'est plus fletteur pour vous.

J'ai regardé l'étiquette – c'était un 40, ma taille – et elle était signée Karen Millen. En fait, c'était une robe sublime. Où avait-elle bien pu la trouver?

— Elle est très jolie, mais… (À bien y réfléchir, je devinais où elle l'avait dénichée : elle avait dû la sortir d'une benne.)… mais je ne peux pas la prendre.

Qui avait pu jeter une robe pareille dans une benne? Sur ce, j'ai repensé aux vêtements de Rip que j'avais mis dans la benne, et d'un coup j'ai compris – ailleurs, un autre cœur avait éclaté.

— Trop grande pour moi, a-t-elle dit. Elle ira mieux pour vous. Prenez, je vous prie.

— Merci, madame Shapiro, mais…

En la secouant, j'ai senti la légère odeur de transpiration et le parfum de luxe de sa précédente propriétaire.

— Essayez, essayez! Pas l'embarras, chérrrie.

Elle voulait que je l'essaie, là, maintenant? Manifestement oui. Elle est restée plantée devant moi tandis que je me mettais en petite culotte et que j'enfilais par la tête le vêtement encore imprégné de la chaleur des chats. La robe a glissé sur mes épaules et sur mes hanches comme si elle avait été taillée sur mesure. Qu'est-ce qui me prenait? Qu'est-ce que je faisais là, au lieu de me rhabiller et de lui dire poliment au revoir? J'ai eu envie de fuir. Sérieusement. Puis j'ai pensé au mal qu'elle s'était donné pour préparer le dîner, à sa déception.

— Attendez, je remonte le fermeture!

J'ai senti sur ma peau ses mains aussi maigres que des griffes qui s'acharnaient sur la fermeture à glissière.

— Magnifique, chérrrie. Vous êtes beaucoup mieux déjà. Vous êtes une belle femme, Georgine. Belle peau. Beaux yeux. Bien faite. Mais combien de temps ça fait que vous n'êtes pas chez le coiffeur?

— Je ne sais plus. Je…

Je revoyais le regard de Rip, cette façon qu'il avait de me passer les doigts dans les cheveux quand il m'embrassait.

— Vous voulez que je mettais le rouge à lèvres?

— Non, non.

Elle a hésité un moment en m'examinant des pieds à la tête.

— Bon, d'accord. Pour ce soir, c'est bon. Venez.

Je l'ai suivie dans une longue salle sinistre où deux couverts avaient été dressés à l'extrémité d'une table en acajou ovale recouverte d'une nappe blanche. Un gros matou blanc dormait en rond au centre de la nappe.

— *Raus,* Wonder Boy! *Raus!* a-t-elle lancé en frappant dans ses mains.

Le chat s'est levé en s'étirant mollement, puis il a sauté de la table et s'est éloigné d'un pas nonchalant.

— C'est Wonder Boy.

Elle prononçait *Vunder Boy*.

Elle a tendu la main pour le gratter derrière les oreilles et il s'est mis à ronronner comme une moto au démarrage.

— C'est mon petite chérrri. Bientôt, vous rencontrez Violetta et Stinker (c'est-à-dire le Puant : tout un programme…). Vous connaissez déjà les petits du landau. Moussorgski qu'il est caché quelque part. Il est un petit peu jaloux du Wonder Boy. Borodine, vous ne verrez pas. Il vient que pour chercher le manger. Sept en tout. Ma petite famille.

Je lui ai tendu la bouteille de vin que j'avais apportée. Un rioja blanc. Idéal avec le poisson. Elle l'a débouchée et nous a servies.

— Aux bonnes affaires ! a-t-elle lancé.

Nous avons trinqué.

— Je peux vous aider ?

Je m'inquiétais à l'idée de ce qui pouvait se passer dans la cuisine, mais elle m'a fait signe de m'asseoir d'un geste autoritaire.

— Vous êtes invitée. Asseyez-vous, Georgine, je vous prie.

De près, je me suis aperçue que la nappe n'était pas blanche, mais d'une espèce de jaune grisâtre moucheté hérissé de poils de diverses couleurs. Les serviettes non plus n'étaient pas blanches, mais couvertes de traces roses et rouges qui pouvaient être des taches de vin, de betterave ou de soupe à la tomate. Pendant que Mme Shapiro s'activait dans la cuisine, j'ai examiné la pièce où je me trouvais. La seule lumière provenait d'une ampoule vissée dans un lustre en cuivre dont les autres ampoules étaient grillées. Face à la porte, il y avait une cheminée en marbre surmontée d'un miroir piqué si voilé que lorsque je me suis levée pour jeter un coup d'œil à l'allure que me donnait la robe, je me suis trouvée plus triste et plus vieille que je l'imaginais, les yeux cernés, les cheveux ébouriffés par le vent. Je me suis aussitôt détournée, comme si j'avais vu un fantôme.

Deux hautes fenêtres, qui semblaient condamnées derrière les rideaux, encadraient un portrait de studio représentant un jeune homme en tenue de soirée avec de beaux traits anguleux, des cheveux blonds coiffés en arrière et dans la main gauche la tête d'un violon appuyé contre son menton. Ses yeux clairs étaient si saisissants qu'il attirait irrésistiblement mon regard.

Alors que j'examinais la photo, j'ai senti flotter dans la pièce une odeur de poisson. Mme Shapiro se tenait sur le pas de la porte avec un grand plateau d'argent chargé de deux bols fumants.

— Soupe de poisson. Cuisine française, a-t-elle lancé fièrement en posant un bol devant moi avant de s'asseoir en face en prenant l'autre. Commencez. N'attendez pas.

J'ai plongé ma cuillère dans le liquide vaguement mousseux où flottaient des espèces de choses grisâtres. « Je ne vais pas en mourir », me suis-je dit. En face de moi, Mme Shapiro lampait allègrement sa soupe, ne s'arrêtant que pour se tamponner les lèvres sur sa serviette. Ah ! Voilà d'où provenaient les traces rouges. Je me suis aperçue que si je retenais mon souffle en avalant, j'arrivais à ingurgiter le liquide. Quant aux choses grisâtres, je les écrasai au fond du bol pour qu'on voie moins tout ce que je laissais.

— Délicieux, ai-je dit en essayant de trouver un coin de serviette propre pour m'essuyer la bouche.

Le second plat était meilleur à certains égards et pire à d'autres. Meilleur, car il y avait des bouts de pommes de terre et de poireaux dans une sauce blanche qui avait l'air à peu près mangeable. Pire, car le poisson, un filet racorni marron et jaunasse, avait une odeur si infecte que je savais bien que je ne réussirais jamais à l'avaler.

Pendant que je piquais les pommes de terre et les poireaux du bout de ma fourchette, j'ai subitement senti une pression sur la hanche. Puis des griffes se sont enfoncées dans ma cuisse, perforant le tissu soyeux de la robe. J'ai passé la main sous la nappe et je suis tombée sur la chaleur d'un pelage. C'est alors qu'une idée m'est venue.

— Dites-moi, qui est-ce sur la photo, là-bas ?

Elle s'est retournée et j'en ai profité pour faire glisser le filet de poisson par terre.

— C'est mon mari. Artem Shapiro. Mon Arti adoré.

Sous la table, le ronronnement se transforma en bruit de mandibules satisfait.

— Il était musicien ?

— Un de plus grands, chérrrie. Avant que les nazis l'envoyaient dans le camp.

— Il a été en camp de concentration ?

— À Kaiserwald. À côté du mer Baltique. Beaucoup de juifs de partout l'Europe qu'ils finissaient là-bas. Même les gens de Hambourg qu'on connaissait.

— Votre famille était de Hambourg ?

— Partie en 1938.

— Mais Artem, il s'en est sorti ?

— C'est l'histoire trop longue, Georgine. Trop longue et qu'elle remonte à trop longtemps.

Je ne pouvais détacher les yeux du regard clair si intense du jeune homme de la photo. J'étais frappée par l'élégance avec laquelle ses doigts serraient la tête du violon. « Dans *Le Cœur éclaté*, le bien-aimé de l'héroïne aura des doigts comme ça », me disais-je. Déjà, Mlle Tempest se mettait en quête d'une grande histoire d'amour au cœur des tourments de la Seconde Guerre mondiale.

— Racontez-moi, madame Shapiro. J'adore les histoires.

— Eh oui, c'est une histoire de l'amour, a-t-elle soupiré. Mais je sais pas que si elle finit bien.

L'histoire qu'elle m'a racontée ce soir-là était en quelque sorte une histoire d'amour, et malgré son anglais bancal mon imagination remplissait allègrement les espaces entre les mots, si bien que, par la suite, je serais incapable de distinguer ce qu'elle avait dit de ce que j'avais inventé.

Artem Shapiro était né en 1904 à Orcha, une petite ville d'un pays qui avait tour à tour appartenu à la Pologne, à la Russie et à la Litua-nie, où les gens – les juifs en tout cas – vaquaient paisiblement à leurs affaires en se faisant discrets au cours des années de guerre et de pogroms.

— On est comme ça. On croyait que tant qu'on restait tranquille on survivait.

Son père était luthier. Il pensait que son fils apprendrait lui aussi le métier, mais un beau jour Artem s'était mis à jouer du violon, et c'est ainsi que tout avait commencé. Il ne tarda pas à manifester un réel talent. Il promettait de devenir un grand violoniste.

— Tous ceux qui entendaient jouer le garçon si jeune étaient stupéfiés, chérrrie.

Quand Artem était adolescent, sa famille s'était installée à Minsk, la capitale de la Biélorussie. Ses parents lui avaient payé des leçons de violon, et son professeur avait suggéré de l'envoyer faire des études au conservatoire de Saint-Pétersbourg, ou Leningrad, comme la ville s'appelait à l'époque.

— Il a jeté dedans comme le canard dans l'eau ! a-t-elle lancé en gobant l'ignoble poisson jaunâtre avec enthousiasme.

Après la révolution, Leningrad était un centre politique et culturel important. Beaucoup d'artistes voulaient mettre leur art au service du peuple. Et parmi eux Serge Prokofiev, qui avait rencontré le jeune virtuose d'Orcha quand il dirigeait l'orchestre où jouait Artem.

À la fin des années 1930, Artem était premier violon de l'orchestre du Peuple et commençait à jouer en soliste. Mais à mesure que Staline resserrait son étau, les musiciens avaient eux aussi été forcés de rentrer dans le rang.

— Comme ce pauvre Prokofiev. Il devait se repentir. Quand j'écoute la septième symphonie, je pense toujours comme il était obligé changer la fin.

La Russie n'avait pas anticipé l'invasion allemande de l'été 1941. Quand Artem avait appris que son père était malade, il était allé sans inquiétude rendre visite à sa famille à Minsk. Il était monté dans un train de marchandises qui se dirigeait vers l'ouest, au moment précis où tous les juifs qui en avaient la possibilité fuyaient vers l'est, alors que les armées allemandes traversaient la Pologne pour envahir l'Union soviétique.

— Ses parents et ses deux sœurs qu'ils étaient toujours à Minsk. Mais les nazis construisaient le mur du barbelé autour des rues qu'ils vivaient les juifs pour que personne échappe.

— Un ghetto ?

— Ghetto. Prison. C'est égal. Trop les gens qu'il est entassé. Pas à manger. Les pluchures de la pomme de terre et les rats, qu'ils mangeaient. Et tous les jours que les soldats tiraient dans le rue. Il y avait qui suicidaient avec le désespoir.

Mme Shapiro parlait à voix si basse que j'entendais un robinet qui gouttait dans la cuisine et un félin qui se grattait sous la table.

Quand Artem était arrivé à Minsk, la ville était déjà submergée par l'afflux des milliers de juifs qui avaient fui vers l'est et des juifs allemands qui avaient échappé aux ghettos et aux camps de concentration bondés d'Allemagne et de Pologne. Malgré la famine et les épidémies de typhus et de choléra qui sévissaient dans les ghettos, malgré les exécutions sommaires quotidiennes, ils ne mouraient pas assez vite. S'ils les fusillaient tous, les nazis épuiseraient leurs stocks de munitions. C'est alors qu'un commandant avait trouvé une idée astucieuse pour tuer les juifs plus efficacement sans gaspiller les précieuses balles.

Un matin, une quarantaine de juifs avaient été emmenés dans un bois aux abords de la ville et forcés de creuser une fosse. Puis ils avaient été ligotés les uns aux autres et poussés dans la fosse qu'ils avaient creusée. Des prisonniers russes avaient alors reçu l'ordre de les enterrer vivants.

— Mais les Russes bolcheviques qu'ils refusaient, et finalement que les nazis étaient obligés de l'abattre les juifs et aussi les Russes. Ils gâchaient encore plus les balles, hein?

Parmi ces quarante hommes, il y avait le père d'Artem.

Les usines de munitions avaient du mal à trouver des ouvriers. On avait alors décidé que les juifs aptes au travail comme Artem devaient contribuer à l'effort de guerre.

— Alors ils le mettaient dans le camp de Kaiserwald.

C'était un camp de travail balayé par les vents glacés de la Baltique. Ce lieu de misère était sous contrat avec un certain nombre d'entreprises allemandes qui profitaient ainsi d'une main-d'œuvre bon marché. Mais les gardes lituaniens étaient indolents et paresseux. Un jour, en partant travailler au petit matin, Artem était tombé sur un garde en train de pisser contre un mur derrière les baraquements. Il avait aussitôt compris que c'était une occasion inespérée : il fallait qu'il la saisisse. Il avait attrapé une pierre et l'avait fracassée sur la tête du Lituanien. Puis il lui avait volé son uniforme et ses papiers.

— Et il enfuyait avec toutes les jambes dans le forêt pour rejoindre les partisans.

Mme Shapiro s'est interrompue pour prendre une cigarette. Sous la table, des chats se disputaient les restes de mon poisson.

— *Raus,* Wonder Boy! *Raus,* Stinker! *Raus,* Violetta!

Elle a essayé de les chasser à coups de pied, mais elle s'est pris les jambes dans la nappe et a poussé un soupir de résignation.

— Et après, que s'est-il passé? ai-je demandé.

Elle a allumé sa cigarette en se redressant.

— *Ach*, Georgine, c'est l'histoire que je peux pas le raconter pendant qu'on mange le bon plat. Une autre fois, je finira. Mieux maintenant que je mets la musique. Les grands compositeurs russes. Vous voulez?

J'ai hoché la tête. Sous la table, les chats avaient suspendu les hostilités en attendant le plat suivant. Mme Shapiro a débarrassé les assiettes et disparu dans la cuisine à petits pas chancelants en laissant sa cigarette se consumer dans une soucoupe. Je commençais à me sentir un peu bizarre. À nous deux, nous avions quasi fini la bouteille de vin. À moins que les images de son terrible récit n'aient fait travailler mon imagination.

Au bout d'un moment, j'ai distingué un bruit dans la pièce voisine, un bruit lugubre, étouffé, pareil à une voix appelant de l'au-delà. Tout d'abord j'ai cru que c'était un chat, avant de m'apercevoir que c'était de la musique – une musique douce, triste – qui s'échappait par la porte ouverte. Au début, il n'y avait qu'un seul violon, puis d'autres se sont joints à lui, et une mélodie d'une mélancolie lancinante s'est élevée. Je me suis mise à penser à Rip – à lui et moi, lui et moi quand nous faisions l'amour, plaisir chaque fois identique et cependant différent, répétitions et variations.

Le tempo de la musique a changé : elle est devenue plus forte, plus violente, avec des violons qui jouaient de plus en plus vite, crescendo, decrescendo, bataillant, se contredisant dans un tumulte fracassant. J'ai repensé à Rip et revu la fureur de notre dernière dispute. Soudain, j'avais l'impression d'avoir le ventre retourné. Puis Mme Shapiro est réapparue sur le seuil avec un autre plateau.

— Et maintenant le dessert.

— Euh…

Elle a posé le plateau sur la table. C'était une sorte de tarte toute faite, encore dans sa barquette d'aluminium. Là, je devais pouvoir m'en sortir : j'avais été nourrie à ça toute mon enfance.

— … Juste un peu.

J'ai goûté la tarte avec précaution. Il n'y avait rien à redire.

— Vous aimez ? m'a demandé Mme Shapiro.

— Oui, c'est très bon. Délicieux. Qu'est-ce que c'est ?

— Prokofiev. *Chanson symphonique*. Attendez. C'est meilleur après.

De nouveau, le tempo a changé, pour prendre une fluidité gracieuse, joyeuse. La mélodie initiale est revenue, avec des profondeurs et des sommets d'émotion jusqu'alors inexprimée, comme si elle basculait, par-delà les contradictions et les disputes, dans un nouveau monde où tout irait bien jusqu'à la fin des temps. Mes yeux se sont embués de larmes.

La musique s'est arrêtée et le silence a envahi la pièce. En face de moi, Mme Shapiro se tamponnait les yeux avec sa serviette.

— On vécut ici dans ce maison et on joue la musique ensemble.

Je jouais le piano, il jouait le violon. Quelle belle musique on faisait ensemble ! Maintenant je vis ici seule. La vie continue, hein ?

De nouveau, j'ai senti les larmes me monter aux yeux. « Ne serait-ce pas formidable d'aimer et d'être aimé ainsi jusqu'à ce que la mort vous sépare, me disais-je, et même après la mort, plutôt que de sentir l'amour se dessécher et mourir tandis qu'autour de vous la vie continue, morne et sans amour ? » Et zut, voilà que mon cœur éclaté s'y remettait.

— Pourquoi vous pleurez, Georgine ? Vous perdez quelqu'un, vous aussi ?

— Oui. Non. Ce n'est pas pareil. Mon mari... il m'a quittée.

— Vous êtes encore jeune, vous trouvez quelqu'un d'autre.

J'ai essuyé mes larmes en souriant.

— Si seulement c'était aussi simple !

— Chérrrie, je vous aiderai.

Ensuite je ne me souviens plus de rien, jusqu'au moment où je me suis retrouvée à vomir devant ma porte. J'avais encore la robe verte, mon jean en dessous, et par-dessus mon duffel-coat. Je me sentais horriblement mal. Puis j'ai senti la chaleur d'un pelage à côté de moi. C'était Violetta. Elle avait dû me suivre jusque chez moi.

— Coucou, le chat.

J'ai tendu la main pour la caresser et elle a arrondi le dos en ronronnant et en se frottant contre moi.

LE lendemain matin, je me suis réveillée vers 10 heures, avec un arrière-goût horrible dans la bouche. J'avais dû vomir dans la nuit, mais je ne me souvenais de rien. Un rayon de soleil impitoyable tapait entre les rideaux mal fermés, comme un burin qui m'aurait découpé le cerveau. J'avais l'impression que le plafond avançait et reculait. J'ai enfoui la tête sous les draps, mais j'ai suffoqué de panique. Je suis allée dans la salle de bains en titubant et j'ai avalé de grandes gorgées d'eau froide au robinet, puis je me suis aspergé le visage et je suis retournée dans la chambre. La lumière était trop vive. J'ai cherché dans mon tiroir quelque chose à me mettre sur les yeux et j'ai trouvé un slip noir. Je l'ai enfilé comme une cagoule. Je me suis rallongée sur le lit en laissant l'obscurité m'envelopper. C'était mieux. Si Rip avait été là, il m'aurait préparé un thé et m'aurait consolée. J'entendais encore cette musique, la mélodie bondissante ponctuée d'envolées, promesse de lendemains heureux, qui m'avait portée dans ses bras la nuit dernière. Était-ce un rêve ? Oui.

À notre mariage, l'organiste avait joué *L'Arrivée de la reine de Saba* et papa avait vaincu les scrupules qu'il nourrissait à l'égard de la religion pour me conduire à l'autel. C'était la première fois que les parents de Rip et les miens se rencontraient. Tout le monde était d'une politesse insoutenable. Rip avait discrètement ôté la gravure de la mine de charbon du Staffordshire qui avait appartenu à un de ses ancêtres, et j'avais persuadé papa de ne pas mettre sa cravate du Syndicat national des mineurs.

M. Sinclair avait discuté de rugby avec papa, Mme Sinclair avait fait des compliments à maman sur son chapeau, et maman lui avait demandé la recette des « profiteurs » au chocolat. Mme Sinclair avait éludé la question sans dévoiler que tout venait de chez un traiteur. Maman n'avait fait aucun commentaire sur les olives qui ornaient les canapés, mais je voyais bien qu'elle les lorgnait d'un œil soupçonneux. C'était en 1985, voyez-vous, et les olives n'étaient pas encore parvenues jusqu'à Kippax.

J'ai fini par m'assoupir, et quand je me suis réveillée au milieu de l'après-midi, je me sentais bien mieux. Je suis descendue au rez-de-chaussée pour aller me chercher quelque chose à manger dans le réfrigérateur, et à la place j'ai fini par me servir un verre de vin. Mon estomac était encore fragilisé par le traumatisme de la veille et il aurait sans doute été plus raisonnable de m'en tenir à un simple thé avec des toasts, mais j'avais besoin de me requinquer le moral. En remontant là-haut avec mon verre de vin, j'ai vu que la porte de la chambre de Ben était ouverte et je suis entrée sans raison particulière.

J'ai senti l'odeur de Ben, ou plus exactement des chaussettes de Ben, et, bien entendu, elles étaient là, sur un tas de linge à laver à côté de la porte. Également en tas par terre gisaient les vêtements qu'il mettait au lycée, ceux qu'il ne mettait pas au lycée, les livres qu'il avait à moitié lus, des cahiers, des carnets, une pile effondrée de DVD, une montagne de CD et divers éléments de matériel électronique. Les murs étaient ornés de posters des Arctic Monkeys et d'Amy Winehouse. J'ai parcouru des yeux la pièce encombrée et j'ai souri – mon adorable Ben.

Le bureau était jonché de papiers froissés, de stylos cassés, de capsules de bouteilles, d'emballages, le tout éclaboussé d'une substance marron gluante – on aurait dit du chocolat au lait séché – qui badigeonnait également le clavier de son ordinateur et même son écran, où un logo Windows tournoyait vainement. Une petite photo était collée en bas de l'écran. Je me suis penchée pour la regarder et mon cœur s'est serré. C'était Ben et Stella. Ils étaient assis sur un banc dans un parc, arborant leur plus beau sourire.

J'ai observé la photo de plus près, et c'est alors que ma manche s'est prise dans le verre de vin, qui a tout éclaboussé en se mélangeant à la substance marron. J'ai sorti un mouchoir de ma poche et j'ai commencé à éponger en prenant garde de ne rien déplacer, car au fond de moi je ne voulais pas que Ben sache que j'avais farfouillé dans sa chambre. Quand j'ai essuyé la souris, l'ordinateur s'est soudain mis à vrombir et l'écran s'est rallumé – un fond noir où brillait en lettres rouges un unique mot animé de flammes dansantes : ARMAGEDDON. Ça ressemblait à un jeu vidéo stupide.

APRÈS le dîner du poisson, j'ai évité Mme Shapiro pendant deux ou trois semaines, puis elle m'est sortie de l'esprit. La vie poursuivait son chemin clopin-clopant : Ben – pas Ben – Ben – pas Ben. J'apprenais à m'adapter à ce rythme boiteux et je dormais mieux avec le slip noir. Parfois, pour me remonter le moral, j'échafaudais des projets de vengeance. Dans *Le Cœur éclaté*, la courageuse Gina, ayant découvert les infidélités de Rick, fomentait d'ignobles desseins.

J'étais devant mon portable par un morne après-midi de novembre, m'efforçant d'écrire sur les adhésifs sans pouvoir m'empêcher de jeter un œil toutes les quelques minutes au cahier ouvert sur mon bureau, quand le téléphone a sonné.

— Madame Georgina Sinclair ?

Une voix de femme inconnue.

— Je suis Margaret Goodknee du Whittington Hospital.

Goodknee, « beau genou » en anglais… Mes mains sont devenues glacées et mon cœur s'est mis à battre à tout rompre.

— Qu'est-il arrivé ?

— Nous avons une certaine Mme Naomi Shapiro aux urgences.

— Ô mon Dieu !

En fait, j'éprouvais du soulagement. Ce n'était ni Ben ni Stella.

— Sur le formulaire d'admission elle a indiqué que vous étiez sa plus proche parente.

3

« POURQUOI moi ? » me demandai-je, partagée entre l'agacement et la curiosité, en parcourant les couloirs interminables d'un service d'hôpital débordé à la recherche de Mme Shapiro. « Elle n'a personne de plus proche ? »

J'ai fini par la trouver sur son lit d'hôpital, toute ratatinée sous les draps qui ne laissaient dépasser que sa petite tête et ses boucles noires étalées sur l'oreiller.

— Madame Shapiro ? Naomi ?

Quand elle m'a reconnue, son visage s'est éclairé d'un sourire et elle a sorti la main de sous les draps pour saisir la mienne.

— Georgine ? *Gott sei dank,* vous êtes venue ! Il faut me sortir d'ici.

— Je vais faire de mon mieux, madame Shapiro. Quand vous serez rétablie. Que s'est-il passé ?

— Glissé sur le glace. Poignet cassé.

Elle a agité sous mon nez sa main gauche plâtrée, couverte d'un bandage d'où émergeaient ses doigts pareils à de petites brindilles grises toutes tordues et parsemées d'éclats de vernis à ongles.

— Il faut me sortir d'ici. Le nourriture est très mauvais. Ils m'obligent manger le saucisse.

— Vous voulez que je leur demande un menu kasher ?

— Kasher panaché. Pas le jambon, pas le saucisse. Mais le bacon j'aime bien. (Elle m'a lancé un clin d'œil espiègle.)

L'infirmière de service était un petit bout de femme efficace aux cheveux tirés en arrière. Elle a froncé le nez à l'idée du menu panaché, alors je lui ai demandé d'inscrire Mme Shapiro en menu kasher. Elle l'a griffonné dans le dossier, puis elle a ajouté :

— Elle n'a pas l'air d'avoir de médecin traitant. Nous avons besoin de sa carte d'assurée ou d'une pièce d'identité quelconque pour vérifier ses droits.

Quand je suis retournée à son chevet, Mme Shapiro était redressée contre ses oreillers, toute pétillante, et essayait de lier conversation avec sa voisine qui était couchée sur le dos, avec un masque à oxygène sur la figure. Je lui ai demandé :

— Madame Shapiro, avez-vous un médecin traitant ?

— Pourquoi j'ai besoin le docteur ? Ces jeunes garçons, qu'est-ce qu'ils connaissent ? En Allemagne qu'on l'avait Dr Schinkelman – ça, c'était le vrai docteur. (Soudain son regard s'est fait lointain.) Beaucoup les remèdes. Toujours rouges. Le goût de la cerise. Et beaucoup les cachets pour *Mutti*, ma mère.

— Mais vous avez une carte d'assurée ? Une pièce d'identité ?

Elle a poussé un soupir théâtral avant de passer sa main valide sur le front.

— Soixante-dix ans je vis dans ce pays, personne ne demande jamais le carte.

— Je sais bien, l'ai-je calmée. Mais il faut une preuve quelconque que vous vivez ici depuis longtemps. Et les factures de la maison ? Les impôts locaux ? Le gaz ?

— Tous les papiers qu'ils sont dans la secrétaire. Peut-être ils trouveront quelque chose.

— Je suis sûre que c'est juste une formalité. Je vais aller les chercher si vous voulez.

Elle s'est retournée en agitant sa main bandée.

— La clef du maison qu'elle est dans le manteau.

Dans le placard se trouvait un manteau en astrakan avec un col, des poignets à revers et une taille cintrée, qui était manifestement mangé aux mites. Elle a remarqué que je l'observais.

— Vous aimez le manteau ? Vous pouvez prendre, Georgine.

— Il est très joli, mais…

— Je vous prie. Prenez. J'ai l'autre. Qu'est-ce qu'il a ? Vous aimez pas ?

— … Il a l'air un peu trop petit pour moi.

— Essayez. Essayez.

J'ai ôté mon duffel-coat pour mettre le manteau en faisant mine d'avoir du mal à l'enfiler. Il sentait le vieux fromage.

— Il vous va bien, chérrrie. Il est meilleur que votre manteau.

— Il est très beau. Merci. Mais regardez, il ne me va pas.

J'ai fait semblant de me débattre avec les boutons.

— Il faut être plus élégante, Georgine. Et regardez vos chaussures. Pourquoi vous portez pas *mit* talons ?

— Vous avez sans doute raison, madame Shapiro. Mais j'aime être à l'aise.

J'ai plongé les mains dans les poches doublées de satin.

— Où est la clef?

— Toujours dans le poche. Il faut que vous êtes plus élégante si vous voulez trouver l'homme, Georgine.

J'ai fouillé dans les poches. La clef avait glissé par un trou et cliquetait dans l'ourlet de la doublure.

— La voilà. Je regarderai dans votre secrétaire pour voir si je trouve un papier officiel pour les calmer.

— Vous devez regarder seulement dans la secrétaire. Pas partout fouiller, Georgine. (Elle lissait les draps d'un geste nerveux.) Chérrrie, je l'inquiète pour Wonder Boy. Vous voulez bien mettre manger pour lui? Les autres chats qu'ils peuvent se débrouiller, mais ce pauvre petit qu'il a toujours faim. Et la prochaine fois que vous venez, Georgine, vous apportez les cigarettes *mit* vous, d'accord?

— Je ne pense pas qu'on ait le droit de fumer à l'hôpital, madame Shapiro.

— Rien qu'il est permis. Juste dormir et manger le saucisse.

Dans le lit d'à côté, la dame au masque à oxygène s'était mise à produire des gargouillements. Deux infirmières sont arrivées en courant et ont tiré le rideau autour de son lit.

— Il faut me sortir d'ici, Georgine. (Elle m'a agrippé le poignet.) C'est plein les *Kranken*, ici. Tout le monde il meurt.

Je lui ai caressé la main jusqu'à ce qu'elle desserre l'étreinte.

— Vous allez bientôt rentrer chez vous. Vous voulez que je vous apporte quelque chose? Votre photo d'Artem? Ça ne vous dirait pas de l'avoir auprès de vous? Je suis sûre que ce serait autorisé.

— Trop les voleurs ici. Mais Wonder Boy personne qu'il volera.

Ça, c'est sûr. Comme je préférais éviter de me laisser entraîner dans une combine pour introduire clandestinement Wonder Boy dans l'hôpital, j'ai changé de sujet en me disant que ça lui ferait du bien d'évoquer ses souvenirs. Et puis j'étais curieuse de connaître la suite de l'histoire qu'elle avait commencé à me raconter le soir du poisson.

— Vous ne m'avez jamais raconté la fin de l'histoire d'Artem. Comment il est arrivé en Angleterre. Vous m'avez dit qu'il s'était enfui pour rejoindre les partisans dans la forêt.

Elle a lâché mon poignet et s'est renversée sur l'oreiller.

— Oui, à Naliboki. Presque six mois qu'il vivait *mit* les partisans de Pobeda.

SHLOMO ZORIN et son groupe de résistants de Pobeda avaient organisé un camp familial dans une clairière de la vaste forêt de Naliboki, en Biélorussie. Ils y donnaient refuge à tous les juifs qui y parvenaient et envoyaient même des éclaireurs dans les ghettos pour organiser des évasions. Artem Shapiro s'était chargé de cette mission à plusieurs reprises en utilisant de faux papiers d'identité ; avec ses cheveux blond clair hérités de son grand-père, il se faisait passer pour un Aryen.

— Un si beau *Blondi*. Il passait facilement. (La voix de Mme Shapiro a vacillé.) Alors un jour il retournait Minsk.

Artem était parti retrouver sa mère et ses sœurs en pensant les ramener avec lui au camp. Mais à son arrivée, le ghetto de Minsk avait des allures de ville fantôme peuplée de squelettes vivants. Il avait appris par un voisin que sa mère était morte de faim ou de chagrin, peu après qu'il avait été emmené. Une de ses sœurs avait succombé au typhus. Personne ne savait ce qu'il était advenu de son autre sœur.

Après cette visite à Minsk, quelque chose s'était brisé au fond de son cœur. Il avait le sentiment d'être un boulet dans le camp de Pobeda et de saper le moral de ses compagnons tant il était accablé. Alors il avait quitté Zorin et marché vers l'est à travers les forêts pour retourner dans sa ville natale d'Orcha. Mais quand il était arrivé au printemps 1942, le ghetto d'Orcha avait déjà été éliminé.

Artem s'était dirigé vers le nord pour rejoindre un groupe qui harcelait l'armée allemande autour de Leningrad. Les résistants essayaient d'ouvrir une route d'approvisionnement vers la ville assiégée. Artem se trouvait avec trois partisans qui conduisaient un traîneau chargé de pommes de terre sur le lac Lagoda gelé quand ils avaient essuyé les tirs d'une patrouille allemande. Ses compagnons étaient morts sur le coup, ainsi que leur cheval mongol court sur pattes, mais Artem n'avait été blessé qu'à l'épaule. Il avait étanché le sang de sa blessure avec un bout de tissu et s'était caché sous des peaux de loup, attendant d'être rattrapé par le destin. Soit il serait pris par les Allemands, soit il serait sauvé par les Russes, à moins qu'il ne meure de froid.

— Alors le neige commençait tomber.

Sans doute s'était-il évanoui, car soudain il y avait eu une brusque secousse et il avait repris ses esprits. Il avait légèrement soulevé les peaux de loup chargées de neige et s'était aperçu que le traîneau avait été attelé à ce qui lui semblait être un autre cheval qui trottait sur la glace dans les rafales tourbillonnantes de blizzard. Il entendait deux hommes discuter, l'un au-dessus de lui, l'autre derrière. Parlaient-ils allemand ou russe? C'était impossible à dire.

— Et pendant ce temps, le cheval marchait dans le neige et le glace, et le neige…

Elle s'est interrompue. J'ai attendu qu'elle poursuive son récit. Mais au bout d'un moment j'ai entendu un léger ronflement et je me suis rendu compte qu'elle s'était endormie.

— Quand est-ce que Mme Shapiro pourra rentrer chez elle, à votre avis? ai-je demandé en partant à la sœur de l'accueil.

— C'est un peu tôt pour le dire. On va voir comment ça évolue. Il ne faut pas qu'elle rentre chez elle et qu'elle refasse une chute. À son âge, il vaut peut-être mieux qu'elle soit placée en maison de retraite.

— Pourquoi? Quel âge a-t-elle?

— Elle nous a dit qu'elle avait quatre-vingt-seize ans.

Quand nos yeux se sont croisés, mon regard trahissait sans doute ma stupeur.

— Ce n'est pas votre grand-mère?

— Non, c'est une voisine. Je ne la connais pas très bien.

Se pouvait-il réellement qu'elle eût quatre-vingt-seize ans?

— Il est d'autant plus nécessaire que nous ayons une pièce d'identité.

En remontant l'allée, j'ai aperçu Wonder Boy tapi sous le porche de Canaan House. Il étripait un oiseau qu'il avait attrapé – on aurait dit un sansonnet. Quand il m'a vue arriver, il a filé dans les buissons en tenant l'oiseau dans ses mâchoires. « Ce chat est tout à fait capable de se débrouiller tout seul », me suis-je dit. D'habitude j'aime bien les chats, mais Wonder Boy avait un côté franchement répugnant.

La clef que m'avait donnée Mme Shapiro était une simple clef plate. En fait, n'importe quel cambrioleur aurait pu se contenter de fracasser la vitre dépolie et de passer la main à l'intérieur pour tourner le verrou. Dès que je suis entrée dans le hall, j'ai été assaillie par la puanteur. Violetta a surgi de nulle part pour se frotter à mes chevilles en miaulant désespérément. La pauvre, ça devait faire trois jours qu'elle était enfermée dans la maison.

J'ai suivi la chatte jusqu'à la cuisine. Elle était jonchée d'un fatras d'assiettes sales, de tasses où traînaient des fonds d'ignobles liquides marron, de boîtes vides et de barquettes graisseuses de plats tout préparés. La cuisinière à gaz était incrustée d'une crasse noirâtre. Il y avait un four à bois, mais il avait l'air de servir uniquement à entreposer de vieux journaux.

En fouillant, j'ai fini par trouver une douzaine de boîtes pour chats dans un placard. J'en ai mis dans un bol pour Violetta, qui a tout englouti en manquant s'étrangler. Puis j'ai ouvert la porte de derrière – la clef était à l'intérieur –, rempli le bol, et je l'ai posé sur la marche. Wonder Boy est apparu et s'est mis à cracher sur Violetta avant de la chasser d'un coup de patte pour tout engouffrer. Quelques autres mistigris efflanqués me tournaient autour. Je leur ai donné à manger, puis j'ai refermé la porte de la cuisine.

Le secrétaire dont m'avait parlé Mme Shapiro se trouvait dans une pièce du rez-de-chaussée qui ressemblait à un bureau. Derrière les rideaux tirés la fenêtre était condamnée. La seule lumière provenait de la dernière ampoule rescapée du grand lustre doré qui projetait une faible lueur sur le papier peint à fleurs suranné, les bibliothèques qui allaient du sol au plafond et la cheminée carrelée surmontée d'un miroir à patine dorée. Malgré la pénombre, on voyait bien que c'était une pièce magnifique. Il y avait un fauteuil et deux bureaux – un bureau à caissons en acajou à côté de la fenêtre et un grand secrétaire-bibliothèque en chêne à côté de la cheminée.

Le secrétaire était plein de papiers, pour la plupart des factures au nom de Naomi Shapiro, et d'autres, plus anciennes, adressées à Artem Shapiro, ainsi que des relevés de compte joint. À ma grande surprise, le dernier en date présentait un crédit d'un peu plus de trois mille livres. Apparemment, tous les mois, une petite rentrée provenant d'une rente et la pension de veuve de Mme Shapiro étaient versées à la banque. J'ai pris au hasard une série de relevés. Dans le même tiroir se trouvait un tas de reçus tenus par un élastique.

Il devait bien y avoir autre chose, un quelconque document où figuraient sa date et son lieu de naissance, un acte de baptême ou de mariage. Le bureau à caissons débordait de vieux tickets, d'horaires de train périmés, d'une carte de bibliothèque et de brochures. Dans un tiroir, il y avait une correspondance échangée avec la municipalité au sujet de l'araucaria, que Mme Shapiro voulait apparemment abattre malgré la mesure de protection dont il faisait l'objet.

Dans le dernier tiroir se trouvait une grosse enveloppe kraft bourrée de documents officiels. C'est ce que je cherchais. Un curieux passeport bleu pâle avec une bande noire sur le côté. Artem Shapiro ; date de naissance : 13 mars 1904 ; lieu de naissance : Orcha ; date de délivrance : 4 mars 1950, Londres. Livret de rationnement : Artem Shapiro, 1947. Permis de conduire : Artem Shapiro, 1948. Contrat d'assurance-vie National Bank : Artem Shapiro, 1958. Acte de décès : Artem Shapiro, 1960 ; cause du décès : cancer du poumon. Connaissant son histoire, j'ai été bouleversée par un sentiment d'intimité. J'ai replié l'acte de décès et je l'ai rangé en espérant qu'il était mort dans son sommeil, bercé par la morphine.

Et elle ? Le seul document qui portait son nom était un livret de compte épargne : Mme N. Shapiro, 13 juillet 1972. Il y avait forcément autre chose. Je me suis mise à fouiller dans les autres pièces. Dans le buffet de la salle à manger, je n'ai récolté que des assiettes et des couverts. Le salon était sombre, les fenêtres condamnées et l'interrupteur ne fonctionnait pas. Derrière le landau, sous l'escalier, une petite porte débouchait sur des marches en pierre conduisant au sous-sol. Une bouffée de renfermé s'en est échappée. J'ai cherché l'interrupteur à tâtons sur le mur et un néon tremblotant s'est allumé ; il s'est mis à clignoter furieusement, plongeant tour à tour la salle au plafond bas dans la lumière puis dans l'obscurité totale.

On aurait dit une sorte d'atelier. Un placard vitré fixé au mur abritait des outils rouillés soigneusement alignés. Dessous se trouvait un établi couvert de toutes sortes d'étaux. Des bouts de bois étaient suspendus à des crochets. Au bout d'un moment, je me suis aperçue que c'étaient des tables et des têtes de violon inachevées. Il y avait un pot de colle desséchée, translucide, ambrée, qui dégageait encore une vague odeur écœurante. C'était de la colle animale. Employée pour le travail du bois, les placages et la marqueterie, jusqu'à l'arrivée des colles synthétiques modernes.

Un jour, Nathan, mon patron, m'avait dit que les nazis fabriquaient de la colle avec des ossements humains, des abat-jour en peau humaine, des matelas garnis de cheveux. Rien ne se perdait… Brusquement, j'ai eu le tournis. J'ai remonté l'escalier. En cherchant l'interrupteur du bout des doigts, je me suis retournée vers l'atelier et c'est là que j'ai vu un éclat de couleur sur le haut du placard – quelques millimètres de bleu. Intriguée, je suis redescendue et j'ai pris une chaise pour regarder. C'était une boîte oblongue, un peu rouillée, ornée d'une image du château de Harlech. Je l'ai attrapée, puis je l'ai entrouverte. Elle ne contenait que quelques photos. Je l'ai glissée sous mon bras avant de remonter à la lumière.

Dans le hall, un grand escalier menait au premier étage. J'ai grimpé les marches, la boîte bien serrée contre moi, en soulevant un nuage de poussière du tapis mal fixé par des tiges en cuivre. La rampe en acajou se prolongeait sur le palier qui desservait neuf portes. L'une d'entre elles était légèrement entrebâillée. Je l'ai poussée. Deux chats de gouttière efflanqués ont filé entre mes jambes. C'était une grande pièce claire avec une fenêtre à deux vantaux donnant sur le jardin de devant, où trônait un énorme lit en noyer Art déco sur lequel dormait en boule un matou à l'oreille blessée. Quand je suis entrée, il a levé sa tête hirsute et m'a suivie du regard. La puanteur était épouvantable. Pouah ! J'ai ouvert la fenêtre.

— Allez, allez, fiche le camp !

Il m'a toisée avec mépris, puis il s'est déplié, avant de sauter du lit pour se diriger d'un pas nonchalant vers la porte.

Ce devait être la chambre de Mme Shapiro, à en juger d'après les vêtements éparpillés dans tous les coins – la grosse casquette à carreaux, les escarpins à bouts ouverts. L'armoire en noyer sculptée de motifs Art déco était pleine de vêtements empestant la naphtaline, alignés sur des cintres capitonnés de satin. Dans un coin, face à la fenêtre, une commode assortie avec un miroir à trois pans reflétait le jardin. J'ai épluché des strates de vieux maquillage en décomposition et de sous-vêtements défraîchis. Il n'y avait rien d'intéressant. Du coup, je me suis assise sur le lit, j'ai ouvert la boîte ornée du château de Harlech et j'ai étalé les six photos.

Elles étaient en noir et blanc, excepté celle du dessus, un vieux cliché sépia. C'était un portrait de famille : la mère en robe à col de dentelle berçant un bébé, le père avec une barbe et un haut-de-forme, et deux enfants, une fillette vêtue d'une robe à volants et un bambin incroyablement blond en culotte blanche. Il y avait quelque chose d'écrit au dos, en alphabet cyrillique. Je pouvais juste déchiffrer « 1905 ». Artem avait dû la garder sur lui pendant tout son périple, cachée dans une poche ou une doublure.

Puis une photo de mariage a attiré mon attention : un bel homme, grand, blond, qui tenait la main d'une jolie femme au regard de braise avec d'épaisses boucles noires. J'ai reconnu Artem Shapiro. Mais qui était la femme ? Je l'ai examinée de près, car les gens changent de tête avec l'âge, mais il n'y avait aucun doute. La femme qui figurait sur cette photo n'était pas Naomi Shapiro.

Soudain, j'ai entendu des voix dans le jardin. Mon cœur s'est mis à battre à tout rompre. Je me suis empressée de glisser les photos dans mon sac, j'ai refermé la boîte et l'ai rangée en haut de l'armoire, hors de vue. Un monsieur et une dame se tenaient dans l'allée, observant la maison. La dame était une rousse corpulente vêtue d'une veste vert vif. Le monsieur, râblé, portait une parka bleue et fumait une cigarette. Le temps que je descende au rez-de-chaussée, ils étaient partis.

QUAND je suis retournée à l'hôpital, l'infirmière de service n'était pas la même. Elle a examiné les documents que je lui ai montrés sans le moindre commentaire et coché une case du dossier de Mme Shapiro avant de me les rendre.

— Comment va-t-elle ? ai-je demandé.

— Bien. Elle sera en mesure de sortir dès que nous aurons pu faire une inspection de son logement.

Elle a feuilleté le dossier.

— Apparemment, vous avez la clef de chez elle. Je dirai à Mme Goodknee de vous appeler pour prendre rendez-vous.

Revoilà Mme Goodknee. La Beaugenou. J'imaginais une dame en minijupe aux genoux potelés pleins de bourrelets.

Mme Shapiro était redressée sur son lit, les cheveux bien peignés en arrière, sa blouse d'hôpital verte boutonnée jusqu'au cou. Elle avait les joues roses et ses yeux paraissaient plus bleus – oui, aucun doute, elle avait les yeux bleus.

— Bonjour, vous avez l'air en forme, madame Shapiro. C'est bon, ce qu'on vous donne à manger ? On vous sert toujours des saucisses ?

— Pas le saucisse. Maintenant c'est mieux. Maintenant que c'est le poulet et la pomme de terre sautée. Vous apportez le Wonder Boy ?

— J'ai essayé, mais il s'est enfui, ai-je menti.

J'avais envie de l'interroger sur les photos, mais je ne voulais pas lui avouer que j'avais fouillé sa maison et déniché la boîte cachée. Il fallait que je trouve un autre moyen de lui tirer les vers du nez.

Nous avons englouti consciencieusement la boîte de chocolats que j'avais apportée.

— Madame Shapiro, j'ai peur que votre maison ne soit… Comment dire ? Vous ne croyez pas qu'elle est un peu grande pour vous ?

Vous ne préféreriez pas un appartement plus confortable ? Ou une résidence où vous auriez quelqu'un pour veiller sur vous ?

Elle m'a fixée, les yeux agrandis par l'horreur, comme si je lui avais lancé une malédiction.

— Pourquoi que vous me dites ça, Georgine ?

Ne pouvant exprimer poliment l'inquiétude que m'inspiraient l'odeur et la crasse de la maison, je me suis contentée de répondre :

— Madame Shapiro, l'infirmière pense que vous êtes peut-être trop âgée pour vivre toute seule. Elle m'a dit que vous aviez quatre-vingt-seize ans.

Ses lèvres ont tremblé. Elle a cligné des yeux.

— Je vais nulle part. Qu'est-ce qui arriverait à mes chats adorés ? Parlez-moi de votre mari.

— Oh ! c'est une longue histoire.

— Mais pas longue comme la mienne, hein ? (Sourire espiègle.) C'était une histoire du coup de foudre ?

— En fait, oui. Nos regards se sont croisés dans une salle bondée.

C'était une salle du tribunal de Leeds, où deux mineurs de Castleford comparaissaient pour une bagarre lors d'un piquet de grève. Rip les défendait ; à cette époque, il écrivait encore des articles et travaillait bénévolement à la maison du droit de Chapeltown. Je débutais comme journaliste à l'*Evening Post*. Après l'annonce du verdict – ils avaient été acquittés –, nous étions allés prendre un pot pour fêter la victoire. Puis Rip m'avait raccompagnée chez mes parents, à Kippax, et nous avions fait l'amour au coin du feu. On se connaissait à peine, et pourtant c'était comme si on se connaissait depuis toujours.

— Et vos parents, ils disaient quoi ?

— Heureusement, quand ils sont rentrés, on s'était rhabillés. Maman a tout de suite craqué pour lui. Il avait un charme fou quand il voulait. Pour papa, c'était un ennemi de classe. Rip venait d'une famille fortunée, voyez-vous, et j'avais peur qu'il ne soit condescendant avec mes parents. Mais il s'est montré gentil… respectueux.

Elle a secoué impatiemment la tête.

— Parlez-moi plus de l'amour.

— Oh… (Les souvenirs me serraient la gorge.) On peut dire que c'est une histoire tumultueuse d'amour interdit entre un quasi-aristocrate et une jeune fille modeste issue d'un village de mineurs.

Elle a hoché la tête.

— C'est le bon début.

Mes parents s'étaient rendus à l'association des mineurs de Castleford – une fête en l'honneur d'un contremaître qui prenait sa retraite. Papa avait le regard vitreux et se montrait plus loquace que d'habitude. Maman, qui n'était pas censée boire car elle devait raccompagner tout le monde, n'était pas non plus un modèle de sobriété.

PAPA *(marmonnant à maman)* : T'as vu un peu ce qu'elle nous a ramené, Georgie ?

MAMAN *(me chuchotant)* : C'est un beau poisson que t'as pêché là.

MOI *(embarrassée, à Rip)* : Je te présente mes parents, Jean et Dennis Shutworth.

RIP *(tout en sourire et boucles dorées)* : Rip Sinclair. Enchanté.

MAMAN : Rip. Ce n'est pas courant comme prénom.

RIP *(le sourire faussement dépité, tout en fossettes)* : C'est l'abréviation d'Euripide. Mes parents nourrissaient de grands espoirs pour moi.

PAPA *(chuchotant à mon oreille)* : Ce n'est pas ton genre, Georgie.

MAMAN *(s'empressant d'intervenir)* : Voulez-vous rester dîner avec nous ?

J'ai jeté un œil vers Mme Shapiro. Elle avait les yeux fermés. Elle devait être assoupie depuis un bon moment.

Quand je suis rentrée à la maison, vers 15 heures, il y avait un message de Mme Goodknee sur le répondeur. Aurais-je l'amabilité de la rappeler ? J'ai téléphoné et je suis tombée à mon tour sur un répondeur. Je lui ai laissé un message. Puis je me suis fait un thé que j'ai monté dans ma chambre. J'ai sorti les six photos de mon sac et je les ai étalées par terre devant la fenêtre. Je me suis accroupie devant, essayant de reconstituer l'histoire qu'elles devaient receler.

D'abord, la famille Shapiro prise en 1905, sur laquelle Artem n'était encore qu'un bambin. Puis la photo de mariage – une autre femme. Artem Shapiro avait dû être marié une première fois avant Naomi. Le même couple, Artem et la femme mystérieuse, figurait sur une autre photo, devant une fontaine. Une inscription était griffonnée derrière : *Stockholm Drott…* Je n'arrivais pas à déchiffrer le reste.

Il y avait une photo de groupe, un homme et quatre femmes en tenue de cérémonie assis en cercle autour d'un piano. *Famille Wechsler,*

Londres 1940, était-il écrit au verso. J'ai eu beau l'examiner de près, les visages étaient trop petits pour qu'on les distingue. Sur une autre photo, j'ai reconnu Canaan House avec l'araucaria dans le fond, bien plus petit que maintenant. Deux femmes se tenaient devant le porche. La plus grande des deux ressemblait à la femme aux yeux bruns de la photo. Quant à la seconde, les cheveux bouclés, aussi menue qu'un elfe, je ne l'ai pas reconnue. J'ai retourné la photo. À l'arrière était écrit *Highbury, 1948*. J'ai regardé de plus près – bien qu'on ne pût distinguer les traits, la pose de la plus petite me rappelait vaguement quelqu'un. J'ai pensé à la mince silhouette juvénile en train d'extirper des affaires de la benne. Naomi. Elles étaient donc ensemble à Canaan House. Elles se connaissaient.

J'ai reconnu la plus grande sur une autre photo ; cette fois, elle se tenait seule sous la voûte d'un porche. Au dos était écrit *Lydda, 1950*. « C'est un joli prénom », me suis-je dit. Mais qui était-elle ?

En bas, la porte d'entrée a claqué. La maison a tremblé. C'était Ben qui rentrait du lycée à 16 h 30. J'ai entendu son sac tomber dans le hall, et son pas lourd dans l'escalier. Quelques minutes plus tard, j'ai entendu la musique d'accueil de Windows.

Je suis descendue à la cuisine préparer deux thés et je les ai montés. J'ai toqué à sa porte, mais il ne m'a pas répondu. Je l'ai poussée du pied. Ben était à son bureau, le regard rivé sur l'écran de son ordinateur. J'ai eu le temps d'entrevoir celui-ci – un éclat de lettres rouges sur un fond noir. Un seul mot m'a sauté aux yeux : ARMAGEDDON. Puis, d'un clic de souris, l'écran s'est mué en ciel de Microsoft.

— Ben...

— Quoi ?

— Qu'est-ce qui se passe, mon ange ?

— Rien.

Je lui ai ébouriffé les cheveux. Il a eu un mouvement de recul.

— C'est normal d'être perturbé, Ben. C'est dur pour nous tous en ce moment.

— Je ne suis pas perturbé.

Il continuait à fixer l'écran en silence, les poings serrés posés devant le clavier, comme s'il attendait que je m'en aille.

Ç'avait été dur pour Ben de quitter Leeds et de s'installer à Londres. Il avait mal accepté d'être arraché à sa bande de copains et d'essayer de s'intégrer dans les cercles relativement fermés de son lycée du nord de Londres. Il n'amenait jamais aucun ami à la maison, mais il était parfois rentré de ses cours plus tard que d'habitude en marmonnant qu'il était avec un certain Spike.

— Qu'est-ce que tu veux pour le dîner ?

— N'importe. Des spaghettis. Je descendrai dans une demi-heure, m'man. OK ? a-t-il répondu, l'air de dire : « Fiche-moi la paix ! »

Je suis allée dans la cuisine et je me suis servi un verre de rioja, envahie par un profond sentiment d'échec. Épouse ratée. Mère ratée. Sans amis – car mes anciens amis de Leeds étaient aussi ceux de Rip. J'ai essayé d'appeler Stella à York, mais elle était sortie. J'ai vidé le rioja quasi d'un trait et je me suis resservie. Je devrais peut-être prendre un chat – ou sept ou huit.

Non, il fallait juste que je me ressaisisse et que je me fasse de nouveaux amis à Londres. Je m'en étais déjà fait une. Certes, son hygiène alimentaire laissait à désirer, mais nous étions copines. Et j'avais aussi mes collègues travaillant comme moi en ligne, que je connaissais depuis des années sans les avoir jamais rencontrés. Je passerais les voir un jour au bureau d'*Adhésifs* à Southwark. J'étais particulièrement curieuse de rencontrer Nathan, le patron. Au téléphone, il s'exprimait d'une voix douce sur le ton de la confidence. Je m'imaginais un beau mec intelligent avec des lunettes à monture d'écaille. Penny, la directrice administrative, m'avait dit qu'il était célibataire et qu'il vivait chez son père âgé, ce qui lui donnait un côté gentil et attentionné.

Les nouveaux collègues de Rip qui travaillaient avec lui au Programme de développement étaient effrayants d'ambition. J'en avais rencontré quelques-uns à la soirée de Noël l'an dernier. Il m'avait présentée à un couple du nom de Tarquin et Jacquetta ainsi qu'à Pete les Pectos et à sa femme Ottoline. Le torse bombé de Pete était sanglé dans une veste à carreaux tape-à-l'œil. Sa femme ressemblait à une poupée de porcelaine – délicate, inexpressive, la voix cristalline, la bouche en cœur écarlate parfaitement dessinée. Rip avait passé les trois quarts de la soirée à tapoter sur son BlackBerry.

Je suis allée chercher mon cahier.

— Chérie, j'ai un travail très important à finir sur mon BlackBerry, ~~dit~~ *remarqua Rick un soir.*

— Bien sûr, mon amour, ~~dit~~ *murmura Gina. Ton travail est très important et doit toujours prendre le pas sur le reste.*

— Comme j'ai de la chance d'avoir une femme aussi compréhensive! ~~dit~~ déclara-t-il, et il l'embrassa sur la joue avant de disparaître.

Une heure plus tard, Gina fut surprise d'entendre une sonnerie qui ressemblait étonnamment à celle du BlackBerry de Rick retentir dans son bureau. Mais il n'y avait pas la moindre trace de Rick.

Soudain, j'ai senti la chaleur d'une main sur mon épaule.

— Le dîner est bientôt prêt?

Je me suis empressée de fermer mon cahier et de pousser la bouteille presque vide.

— Désolée. J'avais du retard à rattraper.

Il a froncé les sourcils.

— Vas-y mollo là-dessus.

— Quoi? Ça? (J'ai gloussé.) C'est juste un petit rioja.

Craignait-il que je ne devienne une mère indigne? J'ai surpris l'inquiétude dans son regard et je me suis ressaisie. Il avait peut-être raison.

Nous avons préparé le dîner ensemble. Des pâtes aux anchois, aux brocolis et au parmesan. Ben a englouti bruyamment ses spaghettis en prenant un air de benêt pour me faire rire. Dans la pièce d'à côté la télévision braillait, c'était l'heure des informations. Je n'y prêtais pas attention. Je pensais encore à Rip – son obsession du BlackBerry, mon obsession du porte-brosses à dents. Comment avions-nous pu laisser des choses aussi insignifiantes détruire notre bonheur?

— Pourquoi ils font ça? a soudain demandé Ben.

— Quoi?

— Les terroristes kamikazes… Pourquoi ils se font exploser?

Il suivait attentivement les informations.

— C'est… quand les gens sont désespérés… c'est une manière d'attirer l'attention… C'est quand on veut tellement faire souffrir quelqu'un qu'on se fiche de souffrir également.

— Mais pourquoi faire ça? C'est ignoble. (Il enroula les derniers spaghettis autour de sa fourchette, puis, sans lever les yeux, il ajouta :) C'est comme… Il y a un élève au lycée qui s'est tailladé les bras avec un rasoir.

— Oh, Ben! Pourquoi?…

Soudain, j'ai été submergée par l'inquiétude – je savais à quel point les enfants peuvent se montrer cruels.

— Je sais pas. Comme tu dis. Pour attirer l'attention.

Mon cœur a fait un bond.

— Ben, si tu te sens…

— Ça va, m'man. Je vais bien. Ne t'inquiète pas.

Il a eu un sourire fugace, puis il a mis son assiette dans le lave-vaisselle avant de remonter mollement dans sa chambre.

Le lendemain matin, je me suis retrouvée à soigner le mal de tête que m'avait donnée le rioja de la veille et à m'inquiéter pour Ben tout en bataillant avec une chaîne de polymères. La polymérisation est la clef de la chimie de l'adhésion – c'est lorsqu'une molécule unique s'accroche soudain à deux autres molécules similaires pour former une longue chaîne. Un peu comme une farandole. Puis le téléphone a sonné. C'était Mme Goodknee qui voulait me convaincre de sa voix grinçante de lui confier la clef pour qu'elle puisse procéder à sa visite d'inspection. J'ai insisté pour qu'on se retrouve à Canaan House à midi.

Comme je voulais laisser toutes ses chances à Mme Shapiro, j'y suis allée une heure en avance pour préparer la visite. J'ai empilé dans un seau des produits ménagers, un spray désodorisant et des gants en caoutchouc et je suis partie d'un bon pas. J'avais revêtu une élégante veste grise dans l'espoir de faire bonne impression.

Les chats devaient m'attendre, car dès que j'ai approché de la maison, ils ont tous surgi autour de moi, miaulant à qui mieux mieux en ouvrant leurs gueules roses affamées. Je leur ai donné à manger dehors. Puis je me suis attaquée à la cuisine. J'ai enfilé les gants en caoutchouc et évacué les détritus putrides. J'ai versé de l'eau de Javel dans l'évier et balayé le sol de la cuisine et du hall, en enlevant au passage un tas de crottes de chat.

Il me restait encore un quart d'heure avant midi. Je suis montée dans la chambre de Mme Shapiro, j'ai ouvert les fenêtres, aspergé du désodorisant un peu partout, ramassé les vêtements qui traînaient par terre et secoué les draps et les couvertures par la fenêtre. J'admirais mon travail quand j'ai entendu une voix de femme dans le jardin. Une horrible voix métallique aussi grinçante qu'un portail rouillé et braillant comme souvent les gens dans leurs portables.

— Je vais juste faire un petit tour. (Silence, elle écoutait son interlocuteur à l'autre bout du fil.) Je te dirai. (Silence.) Elle est occupée par une vieille bique. Elle va être placée en maison de retraite. (Silence.) Je vais obtenir une bonne estimation. (Silence.) Hendrix. (Silence.) Cash. Cinq mille. (Silence.) Damian. (Silence.) Je demanderai pour l'arbre. Il faut que j'y aille. Salut !

Quelques instants plus tard, je l'ai vue remonter l'allée. J'ai reconnu aussitôt la rousse qui était l'autre jour dans le jardin – avec sa veste d'un vert toxique. Elle s'est arrêtée au portail – elle m'attendait, croyant que j'arriverais de la rue. Je ne voulais pas qu'elle me voie émerger de la maison, alors je suis passée par la porte de la cuisine, j'ai refermé derrière moi et j'ai cherché une autre sortie. À l'arrière, un chemin couvert de mousse traversait le jardin tout en longueur et aboutissait à une rangée de dépendances délabrées. Juste à côté il y avait un portail. Il était verrouillé, mais j'ai réussi à l'ouvrir et je suis tombée sur une autre ruelle pavée envahie par les ronces qui débouchait sur Totley Place. En arrivant dans la rue, j'ai vu Mme Goodknee qui m'attendait devant le portail en feuilletant un dossier.

— Bonjour, je suis Georgie Sinclair. Désolée d'être en retard.

Elle devait avoir dans les quarante-cinq ans, à peu près mon âge. Elle m'a tendu une carte de visite. Ah ! Ce n'était pas Goodknee.

— Margaret Goodney. Je suis assistante sociale à l'hôpital. Merci d'être venue. Avez-vous la clef ?

Elle m'a suivie dans l'allée. Heureusement, les chats étaient partis faire leurs bêtises de chats ailleurs. Seule la jolie Violetta est venue se frotter contre nos jambes.

— Minou, minou, a couiné Mme Goodney. C'est qui le joli minou ?

Elle a sorti un carnet à spirale de son sac en bandoulière et l'a ouvert à une nouvelle page. *Canaan House, Totley Place,* a-t-elle écrit en haut.

— C'est un peu la jungle. Il faut abattre cet arbre.

— Il est protégé par un arrêté.

Elle a noté. En voyant la maison de Mme Shapiro à travers le regard d'assistante sociale de Mme Goodney, je me rendais compte à quel point mes efforts de nettoyage étaient dérisoires. Elle a plissé le nez dès que nous avons franchi le seuil.

— Pouah ! On se croirait dans une prison de Calcutta ici !

Le désodorisant s'était déjà évaporé. Les talons de Mme Goodney cliquetaient sur les dalles disjointes du hall. Ses yeux allaient et venaient. Elle prenait des notes sur toutes les pièces que nous visitions. Sur la salle à manger, elle avait écrit : *Belles proportions. Cheminée d'origine.* Sur la cuisine : *Rénovation complète.* Quand elle s'est aperçue que je tendais le cou pour voir ce qu'elle écrivait, elle a tourné la page.

— Une maison de cette taille est une lourde charge, m'a-t-elle lancé, non sans bienveillance. Elle serait bien mieux dans une bonne maison de retraite.

Elle a noté autre chose.

— Hum. Le réfrigérateur est vide. C'est un signe de négligence incontestable.

— C'est moi qui l'ai vidé.

— Et pourquoi ça?

— Ça moisissait.

— C'est bien ce que je dis. Nous devons faire ce qu'il y a de mieux pour elle, n'est-ce pas, madame…

— Sinclair. Appelez-moi Georgie. Mais n'a-t-elle pas son mot à dire?

— Si, il va de soi que nous devrons obtenir son consentement. C'est là que vous pourriez nous être très utile, madame Sinclair.

Je me suis sentie rougir de colère. Allait-elle m'offrir cinq mille livres? Mais elle s'est contentée de sourire de ses dents chevalines.

En entrant dans la chambre, elle a frémi et s'est mis la main sur le nez. Moussorgski avait repris position sur le lit. Nous voyant arriver, il a levé la tête en miaulant. Violetta, qui s'était faufilée avec nous, était tapie sur le seuil.

— Ces chats… il faudra qu'ils s'en aillent.

— Ce sont ses amis. Elle se sent seule.

— Oui, de la compagnie… C'est un des autres avantages des maisons de retraite.

Par terre, au pied du lit, traînait une jolie combinaison-culotte qui avait échappé à l'opération tornade blanche. Elle s'est penchée pour la ramasser et l'a tenue un moment entre le pouce et l'index, avant de la laisser tomber.

— Elle ne se refuse rien…

Je l'ai vue s'essuyer les doigts discrètement sur un mouchoir. Je ne sais pas pourquoi, mais c'est cette façon de s'essuyer les doigts avec mépris qui m'a définitivement poussée à la haïr.

Nous avons été toutes les deux choquées en ouvrant la salle de bains. La cuvette des toilettes qui était à l'origine en porcelaine blanche ornée d'iris bleus était tachée de marron et fissurée. La tache s'était propagée, formant une auréole humide qui rongeait les lames du parquet. Le lavabo orné du même motif d'iris était à moitié détaché du mur et couvert de traces d'un jaune verdâtre sous le robinet. Sous la fenêtre il y avait une grande baignoire à pattes de lion en émail. À l'intérieur, les couches de crasse accumulées ressemblaient aux anneaux d'un vieil arbre.

— Tout va devoir partir, a-t-elle murmuré en notant quelque chose dans son carnet. Quel dommage !

Dans le hall, au rez-de-chaussée, elle m'a tendu la main.

— Merci beaucoup, madame… Georgie. Je vais faire mon rapport.

— Vous allez l'envoyer en maison de retraite, c'est ça ? ai-je lâché.

— Naturellement, ce que je recommande est totalement confidentiel. Mais je crois qu'il est effectivement préférable de la placer en maison de retraite. Nous devons faire ce qui est le mieux pour elle, et non pas ce qui nous arrange, n'est-ce pas, Georgie ?

— Comment ça, ce qui nous arrange ?

— Les aidants ont parfois du mal à lâcher prise. Ils ont tendance à penser qu'ils font tout pour l'autre, alors que ce ne sont que des égoïstes qui s'accrochent à leur rôle d'auxiliaires parce qu'ils veulent se sentir valorisés. (Elle m'a regardée en arborant son impassible sourire professionnel.) Nous ne voudrions pas être responsables d'un nouvel accident, n'est-ce pas ?

Sur ce, elle est repartie en cliquetant des talons dans l'allée.

Dès que je suis rentrée à la maison, j'ai sorti la carte que m'avait donnée Mme Goodney et composé le numéro de téléphone. J'ai demandé à parler à Damian Hendrix. Il y a eu un long silence.

— C'est le service d'assistance sociale de l'hôpital, m'a répondu une voix de femme. Vous êtes sûre que vous ne voulez pas les services sociaux de la ville ?

J'ai cherché le numéro des services municipaux et j'ai réessayé.

— Pourrais-je parler à M. Damian Hendrix ?

— Je suis désolée, il n'y a personne de ce nom ici. C'est à quel sujet ?

— C'est au sujet d'une vieille dame qui doit être placée en maison de retraite.

— Ne quittez pas, je vous passe le service du troisième âge.

Il y a eu un grésillement sur la ligne.

— Troisième âge ! a carillonné à mon oreille une voix enjouée.

— Je cherche M. Damian Hendrix.

— Mmm. Il n'y a pas de Hendrix ici. Vous êtes sûre que vous ne vous êtes pas trompée de nom ?

— Je suis sûre du Damian. Vous avez des Damian ?

— Mmm…

J'ai entendu la voix lancer derrière elle :

— Eileen, on a des Damian ?

— On n'a que celui-là en magasin, a répondu Eileen.

— Il n'y en a qu'un qui travaille à la documentation, m'a dit la voix enjouée.

— Non, ça doit être quelqu'un d'autre. Merci.

J'ai raccroché.

Eileen – cet accent – elle devait venir du Yorkshire. Soudain, j'ai éprouvé une pointe de nostalgie en repensant à ce que j'avais ressenti à l'époque où nous avions quitté Leeds pour venir nous installer à Londres, quand Rip s'était vu offrir un poste au Programme de développement. Nous avions erré comme des âmes en peine pendant des semaines dans les limbes des agences immobilières, à la recherche d'un endroit où nous pourrions un jour nous sentir chez nous. La petite maison mitoyenne de l'époque édouardienne que nous avions fini par acheter sentait le neuf et le plâtre frais. À l'époque, elle m'avait plu – c'était comme une toile vierge, sur laquelle peindre notre nouvelle vie. Mais ça ne s'était pas passé comme prévu. Peut-être que ça s'était détérioré depuis longtemps et que je n'avais pas repéré les signaux d'alerte.

Plus tard dans l'après-midi, en parcourant la dizaine de commerces en enfilade, je me suis rappelé ce qui nous avait également poussés à choisir cette maison. Ce petit quartier nous avait paru un îlot de convivialité au milieu de l'immense agitation anonyme de Londres. Il y avait la boulangerie turque, curieusement réputée pour ses pâtisseries scandinaves, le Song Bee, notre traiteur préféré, spécialisé en cuisine chinoise et malaisienne, Peppe's, le traiteur italien, le vendeur de journaux à côté de l'arrêt de bus, et deux agences immobilières, une succursale de Wolfe & Diabello juste à l'angle de la rue où je me trouvais et, en face, Hendricks & Wilson.

Soudain, j'ai eu une illumination. Hendricks! Que faire? Débouler dans l'agence pour provoquer un esclandre? Sur un coup de tête, j'ai poussé la porte de Wolfe & Diabello. Puisque Mme Goodney avait demandé à son petit Damian d'établir une estimation de Canaan House, je pouvais toujours en faire établir une de mon côté, juste à titre de comparaison.

Une jeune blonde à la poitrine généreuse était installée derrière un bureau. D'après son badge, elle s'appelait Suzi Brentwood.

— Ma tante a l'intention de vendre sa maison. Pourriez-vous nous donner une première estimation?

— Bien sûr. Je vais vous fixer un rendez-vous avec un des associés. Vendredi prochain, ça vous irait? Quelle est l'adresse?

Quand je la lui ai donnée, elle a haussé imperceptiblement les sourcils.

LE vendredi, il pleuvait de nouveau, un triste crachin de décembre qui couvrait les rues et les toits d'un gris mélancolique. Je suis partie précipitamment de chez moi sans prendre de parapluie et la capuche de mon duffel-coat n'arrêtait pas de glisser quand je courais, si bien qu'en arrivant j'étais hors d'haleine et passablement débraillée. Au coin de Totley Place, j'ai aperçu un coupé sport noir qui rôdait furtivement devant Canaan House comme un prédateur à l'affût. Quand je me suis approchée, la portière du conducteur s'est ouverte et une longue silhouette mince s'est dépliée sur le trottoir. Grand, brun, beau garçon. Je me suis arrêtée net en retenant mon souffle. Sa tête me disait curieusement quelque chose.

— Madame Sinclair?

Il m'a tendu une main chaude et ferme.

— Je suis Mark Diabello.

Ses yeux de braise semblaient plonger au fond de mon âme.

— Ça veut dire « belle journée », paraît-il.

Il avait une voix douce, mais avec une pointe de dureté minérale.

— Pas comme aujourd'hui.

J'ai joué de mes cils mouillés. Qu'est-ce qu'il m'arrivait? Cet homme n'était pas du tout mon genre.

— Euh… ce n'est pas courant comme nom. Italien?

Je regrettais d'avoir mis ma tenue de vieille folle.

— Espagnol. Mon père était un joueur de mandoline ambulant.

— Ah oui?

Il continuait à sourire et j'étais incapable de dire s'il plaisantait ou pas.

— J'ai la clef, ai-je balbutié. Vous voulez visiter?

Wonder Boy, Violetta et leurs copains s'étaient rassemblés devant la porte. Je les ai fait rentrer et leur ai donné à manger dans la cuisine. À l'intérieur, nous avons été assaillis par une humidité glaciale accompagnée de relents de vieille pâtée pour chats, auxquels se mêlaient d'autres odeurs bien pires. Puis j'ai remarqué une autre odeur, plus agréable celle-là, le parfum discret et épicé d'un savon de luxe. C'était lui. Je l'ai suivi dans la maison, inéluctablement attirée, tandis qu'il parcourait les pièces. Il avait un petit instrument semblable à une torche électrique, muni d'un faisceau laser qui rebondissait de manière ensorcelante d'un mur à l'autre en lui donnant les dimensions des pièces. Il notait les mesures au dos de ce qui ressemblait à un ticket de caisse froissé.

Il avait l'air parfaitement indifférent à l'odeur. Même quand il a mis le pied sur une crotte de chat toute fraîche dans le hall, il s'est contenté de se pencher pour la ramasser avec une pochette en coton blanc immaculé tirée de son veston. Je l'ai regardé, impressionnée, la déposer dans la poubelle de la cuisine.

— Je me vois bien vivre dans un endroit comme ça, a-t-il murmuré d'un ton rauque, sa voix virile au timbre minéral touchant directement mes hormones sans même transiter par mon cerveau.

Je savais où je l'avais déjà croisé – dans les pages du *Cœur éclaté*. Il était tel que j'imaginais mon héros. Si ce n'est que dans mon livre le héros était poète et non agent immobilier.

— Le cachet. C'est devenu si rare sur le marché.

Nous nous tenions sous le porche de l'entrée à la fin de sa visite.

— Moulures, voûtes d'époque, corniches décoratives. Cela étant, comprenez-moi bien, madame Sinclair, il y a beaucoup à faire. Évidemment, il faut y aller en douceur. Conserver tous ces magnifiques détails d'époque. Faire venir un ou deux architectes d'intérieur pour vous donner des idées. Vous pourriez ouvrir le grenier, par exemple. Créer un fabuleux appartement de grand standing sous les toits.

Une flamme étincelait au fond de ses yeux.

— Visiblement, tout le monde tombe amoureux de cette maison.

— C'est le potentiel. On voit tout de suite le potentiel. Il faut commencer par abattre cet arbre.

— Il est protégé par un arrêté.

— Ça ne fait rien. Il faut juste payer l'amende. L'arbre est abattu, la municipalité empoche sa part et tout le monde est content.

Jusque-là, je n'aimais pas particulièrement cet arbre, mais soudain il m'a fait l'effet d'un vieil ami.

— Vous ne pouvez pas faire ça !

— Alors, quand est-ce que votre tante a l'intention de la mettre sur le marché ?

— Elle voulait juste se faire une idée de sa valeur, au cas où elle se déciderait à vendre. Qu'en dites-vous ?

Il a regardé les notes qu'il avait griffonnées sur le reçu en plissant les yeux et en fronçant les sourcils.

— Un demi-million peut-être ?

Je ne sais pas au juste à quoi je m'attendais, mais notre maison mitoyenne avec ses trois chambres exiguës nous avait quasiment coûté ce prix-là. Il a vu ma tête.

— Le quartier fait baisser le prix. Et puis, ce que nous voulons, c'est un acheteur qui paie comptant, pas à crédit. Je vais vous mettre tout ça par écrit.

Je lui ai donné mon adresse. Nous nous sommes serré la main. Il est remonté dans son engin à l'allure vorace et, en deux bouffées d'air chaud de son double pot d'échappement joufflu, il a disparu.

Je suis rentrée à pas lents, encore étourdie par cette rencontre. En arrivant près de la maison, je me suis aperçue que Ben était déjà revenu en voyant par la fenêtre le carré bleu de son écran qui clignotait tandis qu'il parcourait les océans du cyberespace. Mon cœur de mère s'est serré : ce n'était pas bon pour lui de passer ses soirées là-haut tout seul. Je suis montée à l'étage et j'ai frappé à sa porte.

— Coucou, Ben ! Tu veux qu'on aille au cinéma ce soir ? On pourrait voir Daniel Craig dans le dernier James Bond.

Il a entrouvert la porte.

— Ça a l'air nul.

— C'est sûrement nul, mais ça doit être marrant.

— Moi, les trucs nuls, je ne trouve pas ça marrant. Mais on peut y aller si tu veux ?

Il y avait quelque chose de changé dans sa voix – une intonation montante à la fin de ses phrases, en manière d'interrogation ou d'excuse.

Je me demandais s'il était comme ça quand il était chez Rip. En fait, j'imaginais que la vie à Islington n'était qu'une suite ininterrompue d'activités stimulantes et de discussions de haut vol, et qu'il n'y avait qu'avec moi qu'il passait des heures enfermé avec son ordinateur. Si nous avions été en bons termes, j'aurais appelé Rip pour en savoir plus, mais comme ce n'était pas le cas, je me suis abstenue.

Au lieu de sortir, nous nous sommes fait livrer par Song Bee et nous avons dîné en regardant la télé. C'était une fiction policière. Je me disais que le héros ressemblait un peu à Mark Diabello quand soudain Ben s'est tourné vers moi.

— Dis, m'man, tu crois en Jésus?

Sa question m'a saisie à l'improviste.

— Je ne sais pas. Je crois que Jésus a vraiment existé, si c'est ce que tu veux savoir.

— Non, je veux dire : est-ce que tu crois que Jésus te sauvera à la fin du monde?

— Mais Ben, mon ange, il n'y aura pas de fin du monde.

Soudain, je me suis revue à son âge – je croyais que la guerre nucléaire anéantirait l'espèce humaine. Avec mes copains, à Leeds, on passait nos samedis au café Kardomah à imaginer ce qu'on ferait les quatre dernières minutes suivant l'ultime avertissement.

— C'est juste que… Je t'aime vraiment, m'man. Et papa aussi. Je ne veux pas… Le tout, c'est d'accepter Jésus dans ta vie?

Quand il m'a regardée, ses yeux étaient écarquillés, ses pupilles dilatées.

— Les signes sont là, m'man? Tous les signes sont établis?

— Il y a longtemps que le monde existe, Ben. Ne t'en fais pas.

Je l'ai pris dans mes bras et serré contre moi. Il a commencé par se raidir, mais je l'ai tenu ainsi jusqu'à ce que je le sente se relâcher, la tête posée sur mon épaule.

Le lendemain, j'ai surmonté mon orgueil et téléphoné à Rip.

— Je suis inquiète pour Ben. On peut en parler?

— Je suis en train de finir un truc. Je peux te rappeler dans une demi-heure?

Mais il n'a pas rappelé.

Le samedi, Ben a passé sa journée là-haut sur son ordinateur, et moi à travailler sur *Le Cœur éclaté*. On s'est préparé du thé tour à tour. Chaque fois que j'entrais dans sa chambre, il réduisait la taille de ce qu'il regardait sur son ordinateur.

Rip a appelé vers 18 heures pour passer chercher Ben au volant de sa Saab décapotable et ils sont allés tout droit au cinéma – voir Daniel Craig dans le dernier James Bond. Après leur départ, la maison a replongé dans son horrible silence.

4

*L*E lundi matin, je me suis rappelé que je n'avais pas donné à manger aux chats de Mme Shapiro. J'ai entendu un miaulement familier dans le jardin, et quand j'ai jeté un œil par la fenêtre d'en haut, j'ai aperçu Wonder Boy tapi dans le buisson de laurier. Il regardait la fenêtre d'un air réprobateur. Autour de lui, le sol était jonché d'un tapis de plumes trempées par la pluie. J'étais furieuse de le voir là, dans mon jardin – je ne voulais pas qu'il tue mes oiseaux ; en fait, je ne voulais pas de lui, point final. J'ai enfilé mon duffel-coat et mes bottes et, d'un bon pas, j'ai pris le chemin de Totley Place. Il m'a suivie furtivement à distance.

Ce jour-là, j'ai été frappée par trois détails bizarres. D'abord, une crotte toute fraîche posée quasi au même endroit que celle dans laquelle M. Diabello avait marché. J'étais certaine d'avoir fait sortir tous les chats quand j'étais partie. Qui était le coupable – et comment était-il entré ? Je l'ai ramassée et j'ai compté les chats qui grouillaient entre mes jambes – un, deux, trois, quatre, cinq, six, sept. En repartant, je veillerais à ce qu'ils soient tous sortis.

Quand je me suis relevée, mon regard est tombé sur une photo accrochée au mur, juste au-dessus de l'endroit où la crotte avait été déposée. C'était une vieille photo, avec du grain, qui représentait un porche en pierre voûté surmonté d'une croix, flanqué de colonnes corinthiennes. J'avais bien dû regarder cette photo une dizaine de fois sans réellement la voir. Et soudain je me rendais compte que c'était le même porche voûté que celui qui figurait sur un des clichés de la boîte décorée du château de Harlech. Celui de la jeune femme aux yeux noirs, Lydda.

La troisième chose que j'ai remarquée, en allant à la cuisine pour nourrir les chats, c'est qu'il manquait la clef de la porte de derrière qui aurait dû se trouver dans la serrure. Quelqu'un l'avait prise. J'ai aussitôt compris que ça ne pouvait être que M. Diabello.

Je suis rentrée chez moi, furieuse, mais au moment où j'allais décrocher le combiné pour décharger ma colère sur Wolfe & Diabello, le téléphone a sonné. C'était Penny, la directrice administrative d'*Adhésifs*, qui voulait savoir si j'avais reçu le communiqué de presse sur les nouvelles recherches en adhésifs biologiques marins. En fait, il était arrivé depuis deux jours et je n'y avais pas même jeté un coup d'œil. J'ai marmonné une vague excuse, mais elle n'a pas été dupe.

— Qu'est-ce qui se passe, Georgie ? a-t-elle tonné. Il y a quelque chose qui ne va pas. Je le sens. C'est encore ton mari ?

— Non, c'est un autre pervers cette fois.

Je lui ai parlé de la clef manquante et de l'agent immobilier louche.

— Hum. Pas de précipitation, ma belle. Tu t'es peut-être trompée pour la clef, auquel cas tu n'as plus aucune chance avec ce type sexy.

Comment savait-elle qu'il était sexy ? C'était si évident que ça ?

— Tu devrais demander un deuxième avis. Et sur le prix de la maison, et sur l'assistante sociale.

Je lui ai promis de m'attaquer aux adhésifs biologiques marins – tout de suite, oui –, mais avant j'allais suivre ses conseils et essayer d'obtenir un autre avis des services sociaux.

Je savais que Mme Goodney travaillait à l'hôpital et non à la municipalité, aussi le lendemain j'ai retéléphoné aux services sociaux de la ville. J'ai expliqué à la voix enjouée du « Troisième âge ! » qu'une vieille voisine était hospitalisée et avait besoin d'une inspection de son logement afin de pouvoir rentrer chez elle.

— Il faut s'adresser à Mme Bad Eel. Elle est en réunion. Voulez-vous que je prenne votre numéro et qu'elle vous rappelle ?

Eel ? Comme « Anguille » ? J'imaginais une femme mince et fourbe, avec du rouge à lèvres écarlate et un petit revolver en argent glissé sous sa jarretière à volants.

J'ai passé la matinée à attendre que l'Anguille me rappelle. J'étais censée travailler sur le communiqué de presse concernant les adhésifs biologiques marins que Penny m'avait envoyé. Une entreprise était en train de mettre au point une version synthétique de la colle dont les bivalves comme les moules et les huîtres se servent pour s'accrocher aux rochers. Un des adhésifs les plus puissants de la nature, apparemment. Ce devait être fabuleux d'être un bivalve, de pouvoir se calfeutrer dans son petit univers de nacre en s'accrochant aux rochers dans l'agitation des vagues et des courants. Mlle Tempest est venue à ma rescousse : *Cloîtrés dans les profondeurs des eaux miroitantes, les fidèles bivalves s'agrippent fiévreusement les uns aux autres...* Décidément, les bivalves avaient beaucoup à nous apprendre. Leurs applications commerciales ne m'intéressaient guère, et à midi, voyant que l'autre créature aquatique insaisissable n'avait toujours pas appelé, je me suis emmitouflée pour affronter le vent et je suis allée à l'hôpital.

En arrivant, j'ai trouvé Mme Shapiro assise dans la salle de détente, avec une espèce de robe de chambre d'hôpital fermée derrière et des chaussettes en laine aux pieds. Je me suis soudain sentie coupable. En tant que proche parente, c'était à moi de lui apporter des vêtements convenables pour l'hôpital. J'essaierais d'y penser la prochaine fois.

Elle était manifestement occupée à échanger des propos aussi agressifs qu'incohérents avec la vieille dame à côté d'elle. Elle a levé la tête et m'a vue sur le seuil.

— Georgine, il faut que vous me sortez d'ici. Tout ce gens qu'il est fou.

— Elle radote, a lancé la vieille dame.

Celle-ci s'est soulevée péniblement de sa chaise et s'est éloignée à petits pas en marmonnant.

— Que se passe-t-il ? ai-je demandé.

— Elle est frappée, a dit Mme Shapiro. Le cerveau qu'il est amputé.

J'ai tiré une chaise à côté d'elle.

— Comment allez-vous ? Je croyais que vous deviez rentrer chez vous.

— Je vais nulle part, a répondu Mme Shapiro. Ils disent que je dois aller dans la maison de vieux. Je leur dis je vais nulle part.

Elle a croisé les bras. Sa dispute avec la vieille dame n'était manifestement qu'une petite mise en train avant l'affrontement bien plus sérieux qui se préparait.

Il y avait une nouvelle infirmière de service, une jeune fille qui avait l'air à peine plus âgée que Ben.

— Qu'a donné la visite d'inspection ? lui ai-je demandé.

— Le rapport vient juste d'arriver. Il recommande le placement en maison de retraite.

— Je ne vois vraiment pas pourquoi elle a besoin d'être placée en maison de retraite. Elle se débrouillait très bien.

— Oui, mais quand ils commencent à tomber, ils perdent facilement confiance en eux.

— Et si elle refuse d'y aller ?

— Nous ne pouvons pas l'autoriser à rentrer chez elle si elle n'y est pas en sécurité. Écoutez, il vaut mieux que vous parliez à Mme Goodney. Le bureau des services sociaux est du côté de la kiné.

Je suis revenue m'asseoir près de Mme Shapiro.

— Ça ira, lui ai-je dit. Je vais demander une autre inspection.

— Merci, chérrrie, m'a-t-elle répondu en m'agrippant les mains. Merci beaucoup. Et mes chats adorés, comment ils vont ?

— Ils vont bien. Mais Wonder Boy passe son temps à tuer des oiseaux.

— *Ach*, pauvre petit, il est perturbé. Il faut l'apporter ici. Prochaine fois. Vous promettez, Georgine ?

J'ai vaguement marmonné quelque chose et, sur ce, la préposée au thé est arrivée avec le chariot.

Mme Shapiro a pris une tasse au creux des mains et s'est radossée contre le dossier de son fauteuil.

— Et maintenant, le mari qu'il enfuit. Vous avez pas fini me raconter.

— Je vous ai tout raconté. C'était tellement ennuyeux que vous vous êtes endormie.

Elle a croisé mon regard et pouffé de rire.

— Vous parlez vos parents. Ça, c'était très ennuyeux. Mais le mari ? Il était gentil ? Vous étiez heureuse dans l'amour ?

— Au début, on était heureux. Ensuite… je ne sais pas… Il était très occupé par son travail. J'ai eu des enfants. Une fille et un garçon. Et une fausse couche entre les deux. Je me suis mise à écrire un livre.

Après la fausse couche, j'avais démissionné pour me mettre à mon compte. Rip avait effectué son stage, mais il trouvait le travail d'avocat monotone et avait postulé au bureau d'une association caritative nationale. Il était totalement investi et voyageait en permanence, et il fallait bien que l'un d'entre nous reste à la maison. Ce n'était pas évident de travailler à son compte avec les enfants dans les jambes. Alors j'ai décidé de m'essayer à la littérature sentimentale. J'ai réussi à faire publier deux nouvelles dans un magazine féminin, et après ce début prometteur je me suis attelée à un roman d'amour. Je croyais avoir maîtrisé toutes les ficelles du genre et j'ai été chagrinée de voir que personne ne voulait le publier.

— Et votre livre, il était publié ?

— Non. Pas encore. J'ai une autre activité maintenant, j'écris pour des magazines on-line.

— *Ohne lein ?* C'est quoi ?

— Ce sont des publications sur Internet – *Adhésifs dans le monde moderne, Céramiques dans le monde moderne, Préfabrication dans le monde moderne,* des titres de ce genre. Je travaille pour tous les titres, mais surtout pour les *Adhésifs.* Je fais ça depuis neuf ans.

— Mais c'est fascinant !

— Oh ! c'est seulement destiné au secteur de la construction. Ce n'est pas ça qui va bouleverser le monde.

— Il y a trop le bouleversement aujourd'hui, Georgine. Le construction est beaucoup mieux.

« La colle, ne vous inquiétez pas, on finit par s'y intéresser », avait dit Nathan après m'avoir annoncé que j'étais la personne qu'il lui fallait. Certes, ce n'était pas très romantique, mais ça payait les factures et ça me permettait d'être à la maison pour les enfants. Et, curieusement, j'avais fini par m'y intéresser.

— Voilà mon histoire. Elle n'est pas bien passionnante.

— Bon, il faut voir si on peut faire le *happy end.* (Elle a levé sa tasse.) Aux *happy ends* !

EN rentrant de l'hôpital, je suis passée à Canaan House nourrir les chats et faire un peu de ménage au cas où l'Anguille daignerait venir. Le vent continuait à faire rage, balayant des tourbillons de feuilles mortes et d'ordures sur le trottoir. Je me suis emmitouflée dans mon manteau. Dès que je suis arrivée à Totley Place, j'ai remarqué une tache de couleur vive à l'entrée de la ruelle pavée qui menait à Canaan House. Je me suis approchée, en proie à une fureur telle que mon cœur battait à tout rompre. C'est bien ce que je soupçonnais, à demi dissimulé dans la végétation : un grand panneau vert et orange À VENDRE, avec, en dessous, le nom de l'agence en gros caractères noirs : WOLFE & DIABELLO.

Il était planté à côté du mur. J'ai saisi le piquet et j'ai tiré. Il était solidement enfoncé. Je l'ai poussé d'avant en arrière pour le dégager, puis je suis passée par-derrière et je l'ai attrapé à deux mains. Il s'est enlevé facilement. J'ai glissé, titubé, perdu l'équilibre, et je suis partie à la renverse au milieu de l'églantier. Une épine m'a égratigné la joue. Sur ce, Wonder Boy a surgi des broussailles en miaulant. Et il s'est mis à pleuvoir.

J'étais suffisamment remontée pour débouler chez Wolfe & Diabello afin d'exiger une explication, mais je suis d'abord passée chez moi prendre un imperméable, et quand j'ai ouvert la porte, le téléphone sonnait. C'était Rip.

— Salut, Georgie, je veux juste qu'on parle un peu de Noël.

Je me suis armée de courage. Il a repris :

— J'avais l'intention d'emmener Ben et Stella à Holtham…

— Très bien, ai-je répondu, parvenant vaillamment à afficher une fausse nonchalance. C'est bon. Ça ne me dérange pas.

Après avoir raccroché, je suis montée dans ma chambre, je me suis jetée sur le lit et j'ai fondu en larmes. J'ai pleuré à n'en plus finir, pleuré sur mon mariage brisé et ma famille anéantie, mes parents souffrants, les bébés africains qui mouraient de faim ; tout s'est déversé en flots salés, charrié par l'immense, l'implacable océan un et indivisible de la misère humaine. J'ai pensé aux bivalves, aux parois courbes et nacrées qui tapissent l'intérieur de leurs coquilles, la lumière glauque que laissait filtrer l'eau de mer ; je ne sais pas au juste quelle colle prodigieuse leur permettait de tenir bon dans le tourbillon des tempêtes, mais c'était précisément ce dont j'avais besoin.

Le lendemain, j'avais perdu un peu de mon humeur belliqueuse. J'ai tout de même décidé d'aller chez Wolfe & Diabello. Quand je suis entrée, j'ai trouvé les bureaux vides. J'ai ouvert et refermé la porte pour la faire tinter, mais toujours personne. Au bout de trois fois, Suzi Brentwood est apparue. L'espace d'un instant, j'ai cru entrevoir un regard insidieux avant qu'elle affiche son sourire professionnel.

— Bonjour, madame… Puis-je vous aider ?

— Ma tante a l'intention de vendre sa maison avant Noël, ai-je lancé d'une voix retentissante.

Comme par magie, la porte du fond s'est ouverte et M. Diabello est apparu. Il portait le même costume sombre élégant orné d'une pochette immaculée fraîchement pliée.

— Bonjour, madame Sinclair. Que puis-je pour vous ?

— Le panneau À VENDRE dans le jardin de Canaan House, c'est vous qui l'avez mis ?

Il a souri.

— Nous devons prendre de l'avance sur la concurrence. Nous avons entendu dire que Hendricks a envoyé un expert sur place.

« À tous les coups, c'est Damian », me suis-je dit. Mais comment avait-il fait pour entrer ?

— Il n'y a pas de mal à ça, madame Sinclair. Le marché est libre. Mais, voyez-vous, après notre petite discussion de l'autre jour, il me semble que vous méritez – comment dirais-je ? – de pouvoir vous faire une idée plus précise du service que nous proposons chez Wolfe & Diabello.

Des flammes énigmatiques étincelaient dans son regard.

— Vous voulez dire que vous êtes entré comme ça et que vous avez collé un panneau À VENDRE dans un jardin sans la permission de son propriétaire ?

— La concurrence est acharnée par ici, a-t-il murmuré d'un air contrit. Hendricks & Wilson… ce ne sont pas les plus recommandables dans le milieu. Ils vont même parfois jusqu'à arracher nos panneaux. Quelle estimation vous ont-ils donnée, au fait ?

Je l'ai regardé droit dans les yeux.

— D'après eux, elle devrait pouvoir en tirer un million.

Il n'a pas cillé.

— Nous devrions pouvoir faire une offre équivalente, j'en suis sûr. Et nous pourrions vous accorder un tarif spécial sur la commission. (Ses belles narines se dilataient. L'ombre d'un sourire jouait au coin de sa bouche sensuelle.) Si votre tante décide de vendre avant Noël.

J'étais prête à me pâmer entre ses bras rudes et virils quand je me suis souvenue de l'autre raison qui m'amenait là.

— La clef. Vous avez volé la clef de la cuisine.

Il a écarquillé imperceptiblement les yeux.

— Vous devez faire erreur. Madame Sinclair, ce n'est pas moi, je vous l'assure. Avez-vous pensé à l'autre possibilité ?

— Quelle autre possibilité ?

Ses lèvres se sont pincées.

— Eux. (Il a eu un mouvement de tête vers la gauche.) Hendricks.

— Ça ne peut pas être eux.

J'ai repensé à la scène. M. Diabello déambulait en griffonnant des notes au dos de son reçu. Je donnais à manger aux chats dans la cuisine parce qu'il pleuvait. Je n'avais pas ouvert la porte de derrière. Était-elle fermée ? La clef était-elle dans la serrure ? Je ne me rappelais pas. Quand avais-je vu cette clef pour la dernière fois ? Était-ce quand je faisais visiter la maison à Mme Goodney ?

— Je vais voir. Si je me suis trompée, je m'en excuse, ai-je dit d'un ton guindé.

« De toute façon, il suffit que je change la serrure », me suis-je dit. Ça se trouve où, les serrures ? Soudain, je me suis souvenue d'une publicité que j'avais vue à la télévision pour les magasins de bricolage B & Q. Je ne sais pas trop pourquoi, mais ça m'évoquait des choses agréables. Le B & Q le plus proche était à Tottenham.

CE n'est que le lendemain, après avoir franchi les portes coulissantes, que j'ai compris ce qui m'attirait dans les magasins de bricolage : c'était les hommes. Car Rip était peut-être à la fois beau et intelligent, rayon bricolage il était totalement incompétent. Il y a quelque chose de profondément séduisant chez un homme avec un tournevis à la main. Les clients qui fréquentaient B & Q n'étaient pas des façonneurs de destin, pas même de beaux bruns aux traits burinés à vous briser le cœur, mais de braves types tout ce qu'il y a de plus normal, en jean et pull, avec des poches pleines de mètres à ruban et parfois un peu de bedaine. Quelle importance, tant qu'ils ne passaient pas leur temps à se précipiter quelque part pour changer le monde ? Peut-être que si je traînais dans les parages, il y en aurait un qui viendrait me mesurer, s'émerveiller de mes détails d'époque...

« Je devrais venir là plus souvent », me disais-je en parcourant les mystérieuses allées. J'ai fini par trouver le rayon des serrures. J'en ai pris une ou deux au hasard en essayant de me souvenir à quoi ressemblait celle qui se trouvait sur la porte de Mme Shapiro. Ce n'était pas une serrure de sûreté. C'était l'autre type de serrure — celle avec une grosse clef. À mortaise. Le problème, c'est qu'il y avait tellement de tailles et de modèles différents.

Au bout de l'allée, il y avait un monsieur occupé à fouiller parmi les poignées de porte — un petit Oriental rondouillard. Dès que j'ai croisé son regard, j'ai esquissé mon plus beau sourire. Il est aussitôt venu vers moi.

— Vous avez besoin l'aide ?

Une lueur mystérieuse pétillait dans son regard. Avec sa moustache et sa barbe bien taillées, il ressemblait à un hamster tout fringant.

— Je cherche une serrure. À mortaise. Avec une grosse clef. Seulement j'ai perdu la clef.

— Vous connaissez le type ? Union ? Chupp ? Vous pouvez décrire ?

— Je ne me rappelle plus trop. Je crois qu'elle est un peu comme celle-ci. Ou celle-là.

J'ai tendu le doigt au hasard.

— Dans mon pays on a un proverbe : le savoir est la clef. Mais vous avez pas le savoir et pas la clef.

Il a poussé un soupir, fouillé dans la poche de son pantalon et m'a donné une petite carte de visite écornée.

QUAND je suis rentrée, il y avait un message sur le répondeur :

— Bonjour, madame Sinclair. Je suis Cindy Bad Eel, des services sociaux. Je vous rappelais comme convenu.

J'ai aussitôt fait le numéro, mais je suis tombée sur un répondeur. J'ai laissé un message lui demandant de me téléphoner dès son retour.

Le lendemain, elle n'avait toujours pas appelé, et j'ai donc réessayé les services sociaux.

— Troisième âge !

— Pourrais-je parler à Mme Bad Eel ?

— C'est de la part de qui, je vous prie ?

— Georgie Sinclair. J'ai appelé au sujet de la vieille dame qui doit être placée en maison de retraite.

(« Eileen, elle est où, Mlle Bad Eel ? C'est la dame à propos de la vieille dame. — Elle dit qu'elle la rappelle dans une minute. »)

— Elle est en réunion. Elle vous rappelle dès qu'elle a fini.

— Non, s'il vous plaît, dites-lui que c'est urgent. Il faut absolument que je lui parle.

Il y a eu beaucoup de chuchotis dans le fond, puis j'ai entendu une nouvelle voix au bout du fil – une voix basse, douce, sensuelle, aux voyelles légèrement traînantes.

— Bonjoouur. Cindy Bad Eel.

— Oh, bonjour, madame Bad Eel. J'ai vraiment besoin de votre aide – enfin, une de mes amies a besoin de votre aide. (Je parlais à toute vitesse, craignant qu'elle ne raccroche.) Mme Shapiro. Elle est à l'hôpital. Elle s'est cassé le poignet. Et maintenant, ils ne veulent pas la laisser rentrer chez elle. Ils veulent la placer en maison de retraite.

— Pluuus lentement, je vous prie. Qui êtes-vous ?

— Je m'appelle Georgie Sinclair. Je vous ai laissé un message.

— En effet, madame Sinclair. Inspirez à fond. Maintenant comptez un, deux, trois, quatre. Soufflez. Un, deux, trois, quatre. Détendez-vous ! C'est mieux. Bien. Diriez-vous que vous êtes son aidante – une aidante officieuse ?

— Oui, c'est ça, une aidante. Officieuse. C'est exactement ça.

Une vague de paix m'a submergée. Je me sentais soudain d'une extrême bienveillance.

— Quel âge a cette dame ?

J'ai hésité.

— Je ne sais pas exactement. Elle est relativement âgée, mais jusque-là elle se débrouillait très bien.

— Mais vous dites qu'elle a eu un accident ?

— C'est arrivé dans la rue, pas chez elle. Elle a glissé sur une plaque de verglas.

— Et vous dites qu'elle a eu une visite d'inspection de son domicile ?

— C'était quelqu'un de l'hôpital, Mme Goodney. La maison n'était pas très bien rangée, mais ce n'était pas si dramatique que ça.

Il y a eu un long silence. Puis elle a parlé en s'exprimant lentement :

— Chacun est libre de choisir son mode de vie, ce n'est pas à nous de juger. Je vais visiter la maison, mais j'ai besoin de son autorisation. Dans quel hôpital se trouve-t-elle ?

Dès que j'ai eu raccroché, j'ai couru dans ma chambre et fourré quelques affaires dans un sac – l'ancienne robe de chambre de Stella, des pantoufles, une brosse, une chemise de nuit – et je suis partie pour l'hôpital. Je voulais prévenir Mme Shapiro et m'assurer qu'elle dirait ce qu'il fallait.

Je me suis retrouvée seule sur l'impériale du bus numéro 4 qui bringuebalait dans les rues devenues si familières en passant au ras des arbres. Sous l'abri de bus qui se trouvait devant l'entrée de l'hôpital, il y avait le petit attroupement habituel de fumeurs recroquevillés sur leurs cigarettes. Quelqu'un m'a hélée :

— Hé! Georgine!

J'ai mis un moment à reconnaître Mme Shapiro. Elle était enveloppée dans une robe de chambre en chenille trois fois trop grande pour elle. En dessous, pointant à peine, on apercevait d'énormes pantoufles – comme celles que portent les enfants, avec des têtes d'animaux devant. C'étaient des Roi Lion, je crois. Elle était en compagnie de la dame un peu cinglée avec laquelle elle s'était disputée la dernière fois. Elles fumaient à tour de rôle, se partageant une cigarette.

— Madame Shapiro – je ne vous avais pas reconnue. Vous avez une jolie robe de chambre.

— C'est vient la dame à côté. Qu'elle est morte, hein? (Elle a arraché la cigarette des doigts de la frappée.) Les cigarettes qu'elle était dans le poche.

— Les pantoufles aussi sont jolies.

— L'infirmière qu'elle me donnait.

— Moi, elle m'a donné ça, a dit la frappée en soulevant le bas de sa robe de chambre pour exhiber des mules à pompons bleu pâle et à talons compensés.

Ses orteils dépassaient au bout, dévoilant d'ignobles ongles jaunes et racornis.

— Que normalement c'était moi qui l'avais, a ronchonné Mme Shapiro.

Nous avons laissé la frappée finir la cigarette pour retourner dans le service, où je lui ai donné le sac d'affaires que j'avais apportées. Elle n'a pris que la brosse à cheveux et m'a rendu le reste.

— J'ai les chemises de nuit mieux que ça dans mon maison. Vraie soie. Vous apportez un prochaine fois, promis, Georgine? Et Wonder Boy. Pourquoi que vous l'avez pas apporté?

— Je ne pense pas qu'on le laisserait entrer. Il n'est pas très…

— Ils ont trop les préjugés idiots. Mais vous avez pas les préjugés, ma Georgine? a-t-elle ajouté d'un ton enjôleur. Je suis sûre que vous trouvez le solution.

— Je ferai de mon mieux, ai-je menti.

Comme il y avait une foule de visiteurs dans le service, j'ai installé deux fauteuils près de la fenêtre dans la salle de détente. C'était une pièce carrée anonyme, garnie de chaises vertes matelassées dispersées au hasard et d'un poste de télévision fixé trop haut. Elle sentait le malheur et le désinfectant.

— Madame Shapiro, j'ai demandé une autre inspection des services sociaux. Une dame va venir vous voir. Elle s'appelle Mlle Bad Eel.

— C'est bien. Bed Eel que c'est le bon nom juif.

Ça m'a étonnée, mais qu'est-ce que j'en savais, après tout ? Il n'y avait pas de juifs à Kippax.

— Dites-lui que j'ai la clef et que je la retrouverai sur place pour lui faire visiter la maison. Elle a mon téléphone, mais je vais vous le redonner. (J'ai noté mon numéro sur un bout de papier, qu'elle a fourré dans une poche de sa robe de chambre.) Si on vous annonce que vous devez aller en maison de retraite, dites seulement qu'on doit faire une nouvelle inspection.

Elle s'est penchée et m'a saisi la main.

— Georgine, chérrrie. Comment je peux remercier ?

— Il y a un problème. Elle va certainement vous demander votre âge. Vous devez dire la vérité.

Elle a hésité, puis elle s'est penchée et m'a glissé à l'oreille :

— J'ai seulement quatre-vingt un ans. Je dis que j'ai quatre-vingt-seize.

— Pourquoi ça ?

— Pourquoi ? Je sais pas pourquoi.

Elle a eu un petit mouvement de tête obstiné.

J'ai essayé de me remémorer la photo des deux femmes devant la maison. *Highbury, 1948*. Elle devait avoir vingt-trois ans quand elle avait été prise.

— Vous connaissez votre date de naissance ? ai-je insisté. Elle va sûrement vous la demander.

— 8 octobre 1925.

Une réponse rapide et précise. Mais était-ce la vérité ? J'avais envie de l'interroger davantage, mais je ne voulais pas lui avouer que je ne m'étais pas contentée de chercher dans le secrétaire.

— Vous n'avez pas fini l'histoire d'Artem.

— Vous parlez pas de votre mari qu'il enfuit.

— C'est votre tour, madame Shapiro. Je vous raconterai mon histoire la prochaine fois.

— *Ach so.* (Elle a ri.) Je l'étais où ?

— Le cheval…

— Oui, le cheval qu'il trottait sur le glace. Mais vous voyez, c'était pas le cheval, c'était le renne. Le peuple du renne il emmenait avec eux.

Les Saami qui avaient attelé le traîneau d'Artem venaient de Laponie. Moitié négociants, moitié bandits, ils traversaient les étendues gelées pour troquer du poisson fumé, de la viande de renne et des fourrures contre du blé, du tabac et de la vodka. Quand ils l'avaient découvert sous les peaux de loup, ils avaient hésité à le tuer. Mais, en ouvrant les yeux, il avait souri parce qu'il était toujours en vie et s'était mis à chanter une chanson folklorique russe.

— *Ochi tchornye, ochi strastnye…*, a fredonné Mme Shapiro d'une voix tremblotante. C'est sur l'amour pour la femme *mit* les yeux noirs passionnés. Il la chantait souvent.

Cette chanson lui avait sauvé la vie. La voix enrouée du soldat les avait fait rire et ils l'avaient emmené jusqu'à leur village, où il était resté jusqu'à son complet rétablissement. Les Saami lui avaient alors proposé de le ramener en Russie. Il leur avait expliqué par des gestes qu'il voulait aller dans l'autre direction, vers la Suède. Ils l'avaient donc accompagné jusqu'à la frontière suédoise.

— Il cherchait sa sœur. Mais qu'elle était déjà partie. Peut-être qu'elle était jamais là. À cette époque, la Suède était plein de juifs.

— Quand l'avez-vous rencontré ? Vous êtes allée en Suède, madame Shapiro ?

Elle a commencé à dire quelque chose, mais elle s'est interrompue.

— Maintenant c'est votre tour, Georgine. Ce mari – pourquoi il enfuit ? Il y avait l'autre femme ?

J'ai hésité. Je n'avais pas envie de lui expliquer en détail l'histoire du porte-brosses à dents, mais je me suis entendue lui répondre :

— Je ne pense pas. Il m'a dit qu'il n'y avait personne d'autre. Il était trop obsédé par son travail. Il voulait changer le monde. La routine domestique l'ennuyait, je crois.

Voilà, c'était dit.

Mme Shapiro a froncé le nez.

— *Ach so.* C'est l'histoire typique. Il veut changer le monde, mais il veut pas changer les couches, c'est ça ?

— Un peu, oui.

Si ce n'est que les enfants avaient passé l'âge des couches.

Je voulais lui dire que c'était ce même côté aventurier, curieux d'esprit, qui l'avait amené jusqu'à moi.

— Quand on s'est rencontrés, j'étais différente de tous les gens qu'il connaissait. Il m'appelait sa « vagabonde du Yorkshire ».

— N'inquiétez pas, Georgine. Quand je suis réparée, on recommence vagabonder. Alors ce mari – quand il finit le vagabondage, vous croyez il revient ?

— Non, je ne crois pas. J'ai jeté toutes ses affaires à la benne.

— Bravo ! (Elle a applaudi.) Qu'est-ce qu'il disait alors ?

— Il a dit… (J'ai pris un ton snob.) « Tu es si puérile, Georgie. » Elle s'est renversée dans son fauteuil en hurlant de rire.

— Ce mari qu'il enfuit, il est le vrai couillon, hein ?

C'était un rire si jovial, si tonitruant que je me suis surprise à rire également. On devait nous entendre rire jusqu'au fond du service, car quelques minutes plus tard la frappée a débarqué pour voir ce qui se passait. Elle m'a glissé un clin d'œil en sortant une cigarette de sa poche, qu'elle a brandie sous le nez de Mme Shapiro.

— Z'avez vu c'qu'un gardien y m'a donné ? Mais bon, j'ai dû laisser tomber la culott' dans l'ascenseur.

Mme Shapiro a poussé un autre glapissement et la frappée s'est remise aussitôt à ricaner. Nous étions toutes pliées en deux, braillant et glapissant à qui mieux mieux, quand la sœur de garde est venue nous gronder. Dans le bus, en rentrant, je me suis rendu compte que je n'avais pas autant ri depuis… depuis que Rip était parti.

L'Anguille maléfique m'a rappelée quelques jours plus tard. Nous nous sommes fixé rendez-vous devant la maison. Comme les fois précédentes, j'y suis allée en avance avec des produits ménagers. Le Crotteur fantôme avait de nouveau fait des siennes : il y avait deux nouveaux dépôts dans le couloir. Je les ai enlevés et j'ai rapidement fait le tour de la maison avec un chiffon et une brosse, en aspergeant copieusement les pièces de désodorisant. Comme je n'avais plus la clef de la porte de derrière, j'ai été obligée de nourrir les chats dans la cuisine malgré le temps sec et je les ai recomptés. Ils n'étaient que cinq. Moussorgski et Violetta manquaient à l'appel. Violetta est apparue à la porte quelques instants plus tard, suivie d'une personne qui ne pouvait être que l'Anguille maléfique.

Première déception, elle ne ressemblait aucunement à une anguille. Elle affichait sans complexes d'exubérantes rondeurs qui débordaient en bourrelets moelleux sous une tenue rose entremets.

Elle m'a tendu la main. Ses doigts ressemblaient à des petites chipolatas bien charnues.

— Bonjour, madame Sinclair. Je suis Cindy Baddiel.

Elle mettait l'accent sur la seconde syllabe. Voilà pour la deuxième déception. Ce n'était en rien une anguille, et encore moins maléfique. Ses cheveux miel attachés au-dessus des oreilles par deux grosses pinces papillons retombaient en boucles souples de part et d'autre de son visage. Ses yeux avaient la couleur de l'angélique, elle avait une peau de pêche et sentait la vanille.

Je devais la fixer avec grossièreté. Violetta a rompu le silence en poussant un miaulement amical. Nous nous sommes penchées pour la caresser au même moment et nos têtes se sont frôlées. Nous avons éclaté de rire, et à partir de là l'atmosphère s'est détendue. Elle s'est promenée dans toute la maison. (« Chaaarmant. Paaarfait. ») Elle a eu un léger mouvement de recul en voyant la salle de bains, mais s'est contentée de dire : « Simple différence de culture. »

— Ce qui me surprend, a-t-elle observé en redescendant l'escalier, c'est qu'elle n'a pas l'air d'être soutenue par la communauté juive. D'habitude, ils s'occupent bien de leurs aînés.

Je m'étais fait la même remarque, mais je me rendais compte désormais que Mme Shapiro vivait en retrait, tout comme moi.

— Ça doit être un choix.

Elle avait sorti un calepin de son sac – il était orné d'une photo de chiot labrador assis sur un coussin – et notait quelque chose.

À la fin de la visite, je lui ai demandé :

— Qu'adviendrait-il de sa maison si elle devait être placée en maison de retraite ? Est-ce que la municipalité la lui prendrait ?

— Mais non ! Qu'est-ce qui vous a mis ça en tête ? Si la propriétaire est en maison de retraite, la maison pourrait être vendue pour couvrir les frais. Mais ne vous inquiétez pas. Je vais préconiser un programme d'aide à domicile sous conditions de ressources qui lui permette de continuer à vivre chez elle.

Après son départ, je me suis précipitée à l'hôpital pour annoncer la bonne nouvelle à Mme Shapiro. Nous sommes retournées dans la salle de détente. La frappée n'arrêtait pas d'entrer et de sortir en mimant le geste de fumer pour attirer mon attention.

— Elle a dit que vous pouviez avoir un programme d'aide à domicile.

— C'est quoi cette programme? C'est quoi il y a dedans?

— Peut-être une aide à domicile, pour vous aider à faire le ménage. Quelqu'un qui vous aide à faire les courses et la cuisine.

— Je veux pas. Ces gens-là que c'est tous les voleurs.

J'ai essayé de la persuader, craignant qu'elle ne perde ses chances de rentrer chez elle par simple obstination, mais elle m'a regardée avec un petit sourire.

— Vous êtes le malin petite *Knödel*, Georgine. Mais moi que j'ai l'autre nouvelle pour vous. J'avais une visiteur.

Elle a sorti une carte de visite de la poche de la robe de chambre. Une carte orange et vert criarde barrée en haut d'une inscription noire : *Wolfe & Diabello*. En plus petit, dessous, il y avait écrit *M. Nick Wolfe*.

— Le monsieur tout à fait charmante. Qu'il me fait l'offre pour acheter mon maison.

Elle a retourné la carte. Au dos figurait la somme : 2 millions de livres.

J'étais totalement perdue. Les assistantes sociales, les infirmières, je pouvais les gérer. Mais les hommes qui étalent des sommes aussi astronomiques me terrifiaient.

— C'est une très grosse somme. Que lui avez-vous dit?

— J'ai dit je vais réfléchir. (Elle a surpris mon regard et souri d'un air espiègle.) Pourquoi j'ai besoin de deux millions? Je suis trop vieille. J'ai déjà tout que j'ai besoin.

L'infirmière était satisfaite du programme d'aide à domicile et une date a été fixée pour le retour de Mme Shapiro. J'ai promis que je serais là pour l'accueillir et que je passerais régulièrement la voir jusqu'à ce qu'elle soit bien installée. J'avais un dernier détail à régler. Il fallait que je demande à l'artisan oriental de changer la serrure de la porte de derrière. J'ai appelé le numéro qui figurait sur la carte et pris rendez-vous avec lui pour le lendemain.

M. ALI est arrivé à bicyclette. Je m'attendais à le voir au volant d'une camionnette, et lorsque j'ai aperçu la silhouette qui remontait la ruelle en se dandinant sur le vélo, je n'y ai pas prêté attention. Il était plus petit et plus replet que dans mon souvenir et portait un bonnet de laine à rayures roses et mauves tiré sur les oreilles. C'était difficile de lui donner un âge ; il avait le visage jeune, mais sa barbe et sa moustache étaient grisonnantes.

Il a sauté de sa bicyclette, ôté ses pinces à vélo et tiré sur le bas de son pantalon de flanelle grise. J'ai remarqué alors qu'il portait en travers de la poitrine une petite sacoche en cuir d'où émergeait la tête d'un marteau.

— J'ai venu rébarer le serrure, a-t-il annoncé.

Il a appuyé sa bicyclette contre le mur du porche.

— Il habite les juifs ici?

— Oui. Comment le savez-vous?

— *Mezuzah.*

Il a montré une espèce de petit rouleau en métal accroché sur l'encadrement de la porte. Il était couvert de peinture et je ne l'avais pas remarqué auparavant.

— C'est bizarre pour moi, a-t-il marmonné. Ça fait rien. Ici, à Londres, pas le broblème.

Il a ôté son bonnet rose et mauve et l'a fourré dans sa poche avec ses pinces à vélo.

— Vous juive?

J'ai fait non de la tête.

— Yorkshire. C'est presque une religion.

Il m'a regardée d'un drôle d'air – il n'avait pas dû comprendre que c'était une plaisanterie.

— Où est le serrure avec le broblème?

Je l'ai conduit dans la cuisine. La lourde porte de pin massif était ornée de deux panneaux de vitres bleues gravées.

— C'est pour celui-là vous avez perdu le clef?

— C'est ça.

— Hum. (Il a caressé sa barbe.) Seule façon d'ouvrir, c'est avec la force. Mais d'habitude, il existe plus qu'un clef pour chaque porte. Vous avez pas un autre clef?

— Ce n'est pas chez moi. Je nourris juste les chats parce que la propriétaire est à l'hôpital.

— C'est mieux de pas casser la porte si on peut ouvrir autrement. Vous avez cherché un autre clef?

Il commençait à m'agacer.

— Où voulez-vous que je cherche?

— Comment je peux savoir? Je suis artisan, pas détective.

Il a scruté la pièce, puis il s'est mis à ouvrir les tiroirs. Le placard en pin encastré à côté de la cheminée était plein de vaisselle, de casseroles, de boîtes en métal, de pots. M. Ali est monté sur une chaise et a tout inspecté méthodiquement. Au fond d'une cafetière en argent, il a trouvé un trousseau de clefs.

— Essayez.

Il me l'a passé. Une des clefs entrait dans la serrure.

— Votre broblème, il est rébaré, a-t-il lancé d'un air réjoui.

— Oui, merci beaucoup, monsieur Ali. Mais j'aimerais tout de même que vous changiez la serrure pour que celui qui a pris l'autre clef ne puisse pas s'en servir.

— Je comprends. Alors je dois acheter nouveau serrure.

Il a remis ses pinces à vélo et filé en se dandinant sur sa bicyclette. J'en ai profité pour continuer à fouiller la maison. J'étais convaincue qu'il devait y avoir quelque part une liasse de documents ou de lettres susceptibles d'éclaircir l'histoire de Mme Shapiro et l'identité de la mystérieuse inconnue aux beaux yeux.

Je suis montée dans la chambre de Mme Shapiro et je me suis assise au bord du lit. C'est à ce moment-là que mes yeux sont tombés sur un petit tiroir courbe sans poignée dissimulé sous le miroir de la coiffeuse. Je l'ai ouvert avec précaution. Il était plein de bijoux entassés en vrac – colliers, boucles d'oreilles, broches. En soulevant un collier de perles bleues, j'ai repéré une photo au fond du tiroir. Ce n'était qu'un cliché en noir et blanc d'une colline aride et rocailleuse plantée d'arbustes en terrasses. Au bas de la colline, la vallée était parsemée de toits plats éparpillés. Je l'ai retournée. Il y avait une inscription : Kefar Daniyyel, suivie de deux vers d'un poème.

Par-delà la mer je t'envoie mon amour
Et prie pour que tu me rejoignes
Naomi

Daniyyel. Naomi avait-elle un amant ? À l'arrière-plan, on discernait l'ombre allongée d'une silhouette – ce devait être celle du photographe. Qui avait pris cette photo ?

Puis j'ai entendu le tintement d'une sonnette de vélo.

— Très désolé pour retard. Je cherchais partout pour le bonne taille du serrure.

M. Ali a mis moins de dix minutes à changer la serrure. J'ai pris une des nouvelles clefs pour l'accrocher au trousseau, que j'ai remis dans la cafetière. Quant à l'autre, je l'ai glissée dans ma poche avec un sourire. J'imaginais Mme Goodney et Damian se glisser derrière la maison à la tombée de la nuit et trifouiller en vain avec la vieille clef.

J'ai réglé M. Ali – il a demandé dix livres, plus le montant de la serrure, mais je l'ai persuadé d'en accepter vingt – et l'ai abondamment remercié.

— Toujours mieux, a-t-il dit en rangeant ses outils dans sa sacoche, d'abord essayer le solution non violent.

MME Shapiro a pu sortir le lendemain et rentrer en taxi chez elle, où elle a été accueillie par une Violetta en extase, un Moussorgski alangui et un pigeon mort, offrande de Wonder Boy. Les quatre autres étaient également là, se frottant contre ses jambes et ronronnant comme des motos tout-terrain.

J'avais nettoyé les cochonneries du hall, installé un radiateur soufflant pour réchauffer un tant soit peu les lieux, fait les courses et placé un vase de fleurs sur la table du hall. J'avais également remis la clef dans la serrure de la porte de la cuisine. Mme Shapiro avait l'air en forme et tout excitée d'être de retour.

J'ai préparé du café et des sardines sur des toasts – ce qui n'était pas franchement une bonne idée, ai-je vite compris – et nous nous sommes attablées dans la cuisine. Attirés par l'odeur des sardines, les chats nous tournaient autour et je leur ai posé par terre des bouts de pain trempés dans l'huile. Ils ont tout englouti en un clin d'œil.

— Vous êtes la très bonne amie pour moi, Georgine. Sans vous, je suis sûre qu'ils me mettaient dans le maison de vieux.

Nous avons trinqué avec nos tasses.

— Vous n'avez pas de famille, madame Shapiro ? Des sœurs ? Ou des frères ? Quelqu'un qui puisse s'occuper de vous ?

— Pourquoi que j'ai besoin quelqu'un pour s'occuper de moi ? Tout était bien avant l'accident. Je crois je attaquera le mairie. Ils devaient s'occuper mieux les trottoirs. Je paie les impôts sur ce maison depuis soixante ans. Oui, je réclamera l'indemnisation. J'allais au bureau d'aide de citoyen l'après-midi.

— Pour l'instant, ce n'est pas une bonne idée d'aller où que ce soit, madame Shapiro. Attendez de vous être un peu remise. Et la dame de la mairie vient cet après-midi. Vous vous souvenez ? Le programme d'aide à domicile ?

— Programme de *schmock*. Je veux pas le programme.

Le programme d'aide de Mme Shapiro consistait en une revêche Estonienne maigrichonne du nom d'Elvina. Sa présence a eu un certain impact sur la cuisine, et d'une manière générale la maison avait l'air plus propre, mais, comme en réaction, le Crotteur fantôme a redoublé d'efforts. Elvina criait sur les chats en estonien et les pourchassait avec un balai. Mme Shapiro la traitait de collabo nazie, et elle a fini par la renvoyer.

5

QUELQUES jours avant Noël, je me suis rendue à Canaan House déposer mon cadeau – un petit panier garni d'un savon parfumé et d'une lotion pour le corps qui devait plaire à Mme Shapiro. Au détour de la place, j'ai aperçu, garé au pied de l'allée, un énorme 4 × 4 noir aux vitres fumées avec des pneus dignes d'un tracteur et sans nul doute un moteur digne du réchauffement climatique. Violetta m'attendait sous le porche en gonflant le poil pour se protéger du froid. J'ai sonné.

Mme Shapiro est apparue sur le seuil. Elle était toute maquillée et vêtue d'un élégant pull rayé assorti d'un pantalon marron et d'escarpins à talons hauts en peau de serpent. Elle avait encore le poignet gauche bandé et tenait une cigarette dans la main droite.

— Georgine! Chérrrie!

Elle m'a prise dans ses bras en agitant dangereusement sa cigarette près de mes cheveux.

— Entrez! Entrez! J'ai le visiteur!

Je l'ai suivie dans le hall glacé jusqu'à la cuisine, où le radiateur était à fond. Un homme était assis à la table. Malgré son dos tourné, je voyais bien qu'il était costaud, les cheveux blonds coupés ras. Il devait faire un bon mètre quatre-vingt-dix et il était bâti comme une armoire à glace, avec des airs de rugbyman sur le retour.

— Nicky, a dit Mme Shapiro en battant de ses cils décatis, voici ma chère amie Georgine. (Elle s'est tournée vers moi.) Voici mon nouveau ami, M. Nicky Wolfe.

— Enchanté de faire votre connaissance.

Il s'est emparé de ma main et l'a secouée d'une poigne vigoureuse.

— Bonjour, monsieur Wolfe.

— Appelez-moi donc Nick.

— Vous devez être un des agents immobiliers.

— Bravo! Comment avez-vous deviné?

— Naomi m'a montré votre carte. Elle m'a dit que vous lui aviez fait une offre pour sa maison.

— Une offre qu'elle ne pourra pas refuser, je l'espère.

Il la lorgna avec convoitise.

— Georgine, chérrrie, voulez-vous un verre?

Sous les deux petits cercles de rouge, les joues de Mme Shapiro étaient empourprées.

— Un thé, volontiers.

Au milieu du fouillis, j'ai aperçu sur la table une bouteille de sherry et deux verres, celui de Nicky plein et celui de Mme Shapiro vide.

— Pourquoi vous prenez pas le petite apéritif?

— C'est un peu tôt pour moi, Naomi. Il n'est pas encore 10 heures du matin.

— Si tôt que ça?

Elle a écarquillé les yeux et regardé autour d'elle d'un air scandalisé, puis elle s'est mise à pouffer de rire.

— Vous êtes très vilain, monsieur Nick.

Il a ricané – un ricanement de violeur.

— Il n'est jamais trop tôt pour s'amuser un peu.

— Joyeux Noël! ai-je dit. Enfin, joyeuses fêtes, Naomi!

Je lui ai donné mon petit paquet.

— Merci, chérrrie.

Elle l'a collé sous son nez en humant, les yeux fermés de plaisir.

— Que faites-vous pour… pour les fêtes, Naomi? Ça ira, toute seule?

— Je serai pas seule, chérrrie. D'abord Noël on célèbre et puis Hanouka. Fêtes panachées, hein, le Wonder Boy?

Mais Wonder Boy avait disparu.

— Il vaut mieux que j'y aille. Je vous laisse vous amuser, mesdames. (Nick Wolfe s'est dressé devant nous.) Les agents immobiliers n'arrêtent jamais de travailler.

Mme Shapiro l'a raccompagné jusqu'à la porte. Puis elle est revenue dans la cuisine en trottinant, rayonnante.

— La prochaine fois que je l'invite, il faut venir. Il faut mettre un peu le maquillage, chérrrie. Et les vêtements plus jolis. J'ai le beau manteau que je vais vous le donner.

— C'est très aimable à vous de penser à moi, mais…

— Pas besoin faire le timide, Georgine. Quand tu vois l'homme qu'il est bien, il faut l'attraper.

LE lendemain matin – c'était la veille de Noël –, j'ai été réveillée à 7 heures par la sonnerie du téléphone.

— Georgine? Venez vite. Quelque chose est arrivé mon *Wasser*.

— Il y a une fuite? Une canalisation rompue? ai-je marmonné d'un ton groggy.

— Non, rien. J'ai tourne robinet et que rien il se passe.

— Écoutez, je ne m'y connais pas en plomberie. Mais je connais un homme à tout faire. Voulez-vous que je l'appelle?

— Combien il prend?

— Ça dépend d'où vient le problème. Il est très gentil. Il s'appelle M. Ali.

— C'est un Pekistanais?

— Oui. Non. Je ne sais pas. Écoutez, vous voulez que je l'appelle ou non?

— C'est bon. Je l'appellerai mon bon ami monsieur Nick.

Quelques minutes plus tard, Mme Shapiro a rappelé.

— Il est pas là. Juste le répondeur dans le bureau. Ces gens dorment tout le matin à la place travailler. C'est quoi le numéro votre Peki?

Quand je suis arrivée à Totley Place vers 10 heures, j'ai vu que le vélo de M. Ali était déjà rangé sous le porche. Il s'est levé lorsque je suis entrée dans la cuisine et m'a saluée chaleureusement.

— Rébaré broblème, madame George.

— Ça venait d'où?

— Quelque chose qu'il est étrange, a expliqué Mme Shapiro. Quelqu'un fermait le *Wasser* robinet dehors.

— L'eau était toute coupée, a acquiescé M. Ali d'un air radieux. Maintenant, revenue.

— Mais pourquoi?

— Comment je peux savoir ça? (Il a haussé les épaules.) Je suis artisan, pas bsychologue.

— C'est vraiment bizarre, ai-je dit.

Qui avait bien pu faire une chose pareille ?

M. Ali s'est levé pour prendre congé.

— Un autre broblème, vous me téléphone, madame Naomi.

— Mais attendez, que je dois vous payer. C'est combien ?

Mme Shapiro a fouillé dans un cabas marron.

— C'est bon. Cette fois pas payer. Moi juste tourner robinet.

Il a jeté sa sacoche d'outils par-dessus son épaule et je me suis levée pour le raccompagner. Soudain, dans le hall, il s'est arrêté près de la petite table de téléphone. Il avait les yeux rivés sur la photo encadrée de la voûte en pierre.

— Église Saint-Georges, a-t-il dit, à Lydda.

— Lydda.

C'était donc un lieu et non une personne.

— Vous y êtes déjà allé ?

— Un jour, j'ai revenu. Chercher ma famille. (Il avait parlé doucement, en murmurant presque.) Je suis né à côté de là.

— En Grèce ?

J'étais étonnée. Il n'avait pas l'air grec.

Il a fait non de la tête.

— Palestine.

Avant que je sache quoi lui répondre, il avait disparu. Quand je suis retournée dans la cuisine, Mme Shapiro était rayonnante.

— Très bon Peki.

Je ne lui ai pas dit qu'il était palestinien.

Mon esprit continuait à tournoyer. Rien n'était conforme aux apparences. Lydda était un lieu et non une personne. M. Ali venait de Palestine et non du Pakistan, et quelqu'un avait fermé le robinet d'arrivée d'eau de Mme Shapiro. Pourquoi ? Plus j'y pensais, plus j'avais la certitude que c'était M. Wolfe.

Sur ce, le téléphone s'est mis à sonner. Mme Shapiro est allée dans le hall d'un pas traînant. Par la porte ouverte, je l'ai vue parler en gesticulant.

— Nicky ! Vous avez eu mon message au bureau… Merci d'appeler. C'est bon. Problème *Wasser* résolu, mais vous pouvez venir quand même… *Ach so.* Tant pis. Oui, et joyeux Noël pour vous, Nicky. (Quand elle a raccroché, elle s'est tournée vers moi.) Un homme très gentil. Il ferait le mari parfait pour vous, Georgine. Riche. Beau. Qu'est-ce que vous pensez ?

— Pas tout à fait mon genre.

— *Ach*, aujourd'hui, vous avez trop le choix. De mon temps, si tu vois l'homme qu'il est bien, il fallait attraper.

Je suis allée passer Noël à Kippax, pourtant je n'étais pas d'humeur à faire la fête. C'était mon premier Noël sans Ben et Stella, et j'avais dans le cœur une sensation de cavité douloureuse comme lorsqu'on a une dent arrachée. Papa était encore souffrant ; sa dernière opération d'une hernie l'avait affaibli, mais il était déterminé à ne rien laisser paraître et faisait le tour de la maison en accrochant les décorations. La télévision était au volume maximal. Maman errait dans la cuisine, se demandant ce qu'elle avait bien pu faire de la sauce au pain et soutenant mordicus qu'elle se devait de préparer un vrai Noël dans les règles de l'art.

Le jour de Noël, maman nous a servi un rôti de dinde façon traditionnelle. Papa avait mis un tablier pour l'occasion.

Maman a levé un verre de Country Manor tiède – son troisième.

— Aux amis absents ! Et mort aux Irakiens !

— Maman, ai-je dit à voix basse, Keir est censé les libérer, pas les tuer.

Mais il était trop tard. Papa a plaqué ses mains sur la table.

— De toute façon, il a rien à faire là-bas. (Il parlait si fort que les voisins pouvaient l'entendre.) S'ils avaient pas fermé tous les puits, ils seraient pas tous là à courir après le pétrole, hein ?

— Ne commence pas, Dennis.

Maman a posé la main sur son bras.

— Que penses-tu de cette dinde ? m'a demandé maman en changeant de sujet. Elle était en promotion.

Mais impossible de détourner papa de ses idées fixes.

— Moi, je t'aurais plutôt pris le Tony Blair et je te l'aurais ficelé pour faire un bon rôti.

J'ai vu papa grimacer de douleur en remuant sur sa chaise et j'ai eu mal pour lui. J'ai pensé avec une pointe de tristesse à Rip, Stella et Ben qui passaient leur Noël à Holtham. Le repas y serait meilleur, les cadeaux plus dispendieux, le décor plein de goût. Stella se prélasserait dans le jacuzzi et Ben reviendrait avec un gadget high-tech pour son ordinateur, qu'il s'empresserait de cacher dans sa chambre pour ne pas me faire de peine.

Nous avons trinqué, maman avec le reste de Country Manor, papa et moi à la bière brune. Le mystère de la sauce au pain s'est dissipé quand papa l'a versée sur le *Christmas pudding*.

QUAND je suis rentrée à Londres le lendemain de Noël, Wonder Boy m'attendait devant la porte. Je l'ai laissé entrer dans la cuisine et je lui ai donné une soucoupe de lait, malgré toutes les bonnes résolutions que j'avais prises de ne pas l'encourager. C'était Noël après tout. Il m'a remerciée en levant la queue pour arroser le lave-vaisselle.

Ben ne devait pas rentrer avant quelques jours. Même *Adhésifs* s'était mis en congé – le prochain numéro n'était prévu qu'en mars.

La première nuit que j'ai passée chez moi, je n'ai pas arrêté de me tourner et me retourner dans mon grand lit à moitié vide en regrettant de ne pas être dans mon ancienne chambre de Kippax. Évidemment, je savais bien que si j'avais été là-bas, j'aurais regretté de ne pas être ici – le problème, ce n'était pas ici, ce n'était pas Kippax, mais quelque chose qui me rongeait de l'intérieur.

QUELQUES jours avant le Nouvel An, le téléphone a sonné à minuit. Il m'a brusquement arrachée à un sommeil de plomb. J'ai cherché à tâtons le combiné.

— Allô ?

— C'est moi, Ben. (La voix était grinçante et comme étouffée.) Tu es là demain ? Je rentre. J'ai oublié ma clef.

Je reconnaissais à peine sa voix – elle était légèrement éraillée.

— Bien sûr. Mais je croyais que tu restais jusqu'au Nouvel An.

— Finalement je rentre demain. Le train arrive à 15 h 10.

Il avait un léger tremblement dans la voix.

— Tu veux que je vienne te chercher à Paddington ?

— Non, ça va. Je prendrai le bus.

En fait, Ben n'est rentré que vers 16 h 30 le lendemain. J'étais là à regarder la pendule, attendant avec anxiété. Puis on a sonné à la porte et mon fils était là, planté sur le seuil, avec son gros sac à dos et un grand sac dans chaque main. J'avais le cœur débordant de joie.

— Bonjour, m'man.

— Bonjour, Ben.

Il a laissé tomber ses sacs dans l'entrée et il est resté là les bras ballants, le sourire contraint, pendant que je le serrais dans mes bras. Il semblait plus grand, comme s'il avait pris trois ou quatre centimètres en une semaine. Il avait une ombre de moustache sur la lèvre supérieure. Ses cheveux avaient poussé, eux aussi, et il les avait attachés avec un petit foulard noué derrière ses oreilles, style pirate.

— Comment s'est passé Noël ? lui ai-je demandé.

— Bien.

La maturité avec laquelle Ben avait géré la séparation entre Rip et moi avait quelque chose de terrible. Il était farouchement loyal envers nous deux, ce qui me remplissait d'effroi et d'admiration. Mais j'étais saisie d'une curiosité aussi immature que malveillante et brûlais de savoir ce qui s'était passé là-bas à Noël.

— Alors pourquoi es-tu rentré plus tôt que prévu ? lui ai-je demandé d'un ton désinvolte.

— Oh ! c'est juste que j'en avais marre.

J'aurais pu le croire, mais je me souvenais du coup de fil, de sa voix tremblante à minuit. Ce n'était pas seulement qu'il en avait marre.

— Et Stella ? Elle était là ?

— Oui. Mais elle est partie. Je crois qu'elle est allée chez son copain.

Je lui avais envoyé un cadeau, un châle en soie fait à la main dans un camaïeu rose – il lui irait à merveille. J'espérais qu'elle m'appellerait, mais je n'avais eu qu'un texto : « Mci m'man Kdo gnial jyx noël à + bises. »

BIEN que je lui aie laissé un message avant Noël, Mark Diabello ne m'a rappelée que le 31 décembre au matin. J'essayais d'éclaircir l'histoire de l'eau coupée chez Mme Shapiro, et j'avais la certitude que le coupable était soit lui, soit Nick Wolfe.

— Madame Sinclair ? En quoi puis-je vous aider ? Avez-vous vu votre tante à Noël ?

Bon, d'accord, je n'avais pas été honnête non plus.

— Écoutez, monsieur Diabello, je veux juste savoir ce qui se passe. Vous proposez un demi-million à Mme Shapiro pour sa maison. Puis vous faites passer le prix à un million, là, comme ça. Ensuite, votre associé lui offre deux millions…

Il n'a eu qu'une seconde d'hésitation.

— Avec un bien aussi particulier que celui-ci, madame Sinclair, il est difficile d'établir une estimation précise, car il n'y a rien de comparable sur le marché. En fin de compte, le prix du marché – comment dire? – est celui que le plus offrant est prêt à payer. C'est pour cette raison que je suggère de la mettre sur le marché et de voir les offres qui se présentent. C'est logique, non?

En fait, ça m'avait l'air parfaitement plausible.

— Sur ce, il vient couper l'eau au beau milieu de la nuit.

Il a eu un moment d'hésitation.

— Nick a fait ça?

— Je suis sûre que c'est lui. Le matin même, il était là à faire boire du sherry à Mme Shapiro.

Silence.

— Ne tirez pas de conclusions hâtives, madame Sinclair. Vous permettez que je vous appelle Georgina?

Allez savoir si ça me dérangeait. Mes hormones faisaient un tel raffut que je ne m'entendais plus penser.

— Je vais lui en toucher un mot, si vous voulez. Quelquefois, Nick… s'emballe. Il craque pour un bien et il oublie qu'il appartient à quelqu'un d'autre. Vous savez, Georgina, ça va peut-être vous surprendre, mais pour être agent immobilier, il faut y mettre de la passion. Si on se lance là-dedans, c'est qu'on a une passion pour les biens. Chacun d'eux représente toute une vie – un rêve qui se réalise pour quelqu'un. Notre job, c'est d'accorder le rêve au bien. (À l'autre bout du fil, il y a eu un soupir.) Il arrive parfois qu'on déniche quelque chose de vraiment extraordinaire, quelque chose dont on tombe follement amoureux. Comme Canaan House.

J'ai fait taire mes hormones rugissantes – il était agent immobilier et, qui plus est, probablement véreux.

— Ce n'est pas un bien, c'est une maison. Et elle n'est pas à vendre, ai-je rétorqué.

Ce n'est qu'en raccrochant que je me suis rendu compte de l'incohérence de leurs discours. Mark Diabello avait parlé de vendre la maison au prix du marché, quel qu'il soit. Mais Nick Wolfe, lui, voulait l'acheter.

— Qu'est-ce que tu fais pour le Nouvel An, m'man?

Ben est venu s'asseoir sur l'accoudoir de mon fauteuil, interrompant ma réflexion.

— Je ne sais pas – je n'y ai pas pensé. C'est ce soir, non? Je n'ai aucun projet, Ben. On peut se préparer un dîner de fête, ouvrir une bouteille de vin et regarder les feux d'artifice à la télévision. Et toi, qu'est-ce que tu as envie de faire ?

Il s'est agité sur l'accoudoir.

— Je pensais peut-être sortir avec des potes du bahut…

— Vas-y. Je… (J'ai réfléchi à toute vitesse.) Je vais aller voir Mme Shapiro.

— … mais je peux rester si tu veux. Si t'es seule.

— Non, non. Vas-y. C'est super.

Je ne voulais pas qu'il s'aperçoive que j'exultais. Il avait des amis, il faisait partie d'une bande, il ne passerait pas le Nouvel An chez lui devant la télé avec sa mère.

— Mme Shapiro et moi, on va descendre une bouteille de sherry et brailler des chansons idiotes. On va bien s'amuser.

Au fond de moi, je me disais que je ne serais pas mécontente d'éviter Mme Shapiro et la puanteur de son entourage pendant quelques jours et de passer la soirée seule à la maison.

Vers 18 heures, le téléphone a sonné. C'était Penny, d'*Adhésifs*.

— Salut, Georgie… Tu as des projets pour ce soir ? a-t-elle lancé de sa voix de stentor. Je fais une petite fête à la maison. Il y aura des gens du boulot. Apporte une bouteille et des chaussures pour danser.

Elle m'a donné l'adresse, juste à côté de Seven Sisters Road. Je me suis demandé rapidement ce que j'allais mettre, puis j'ai repensé à la robe de soie verte. J'avais l'intention de la faire nettoyer, mais tant pis.

La musique s'entendait jusqu'au bout de la rue. Penny m'a accueillie en me serrant contre elle et a pris la bouteille de rioja que j'avais apportée. Elle était petite et plantureuse, blonde, la quarantaine, vêtue d'une minijupe noire brodée de tourbillons en sequins et d'un haut rouge très décolleté.

— Merci de m'avoir invitée, Penny. Je suis contente de faire enfin ta connaissance.

Je l'ai embrassée sur ses bonnes joues toutes chaudes, j'ai retiré mon manteau et je l'ai suivie dans une pièce où toutes les lumières étaient éteintes et la sono assourdissante. Une foule de gens se balançaient en piétinant et l'atmosphère était saturée de fumée.

— Ils sont tous là. Nathan est venu avec son père.

Elle m'a donné un petit coup de coude. Je me suis retrouvée propulsée en avant. Au départ, je ne me sentais pas d'humeur à faire la fête, mais soudain j'ai été entraînée par l'ambiance et je me suis frayé un chemin en me dandinant en rythme au milieu des corps qui se pressaient dans la pièce.

— Voici Sheila.

Penny m'a présentée à une fille qui devait avoir à peu près l'âge de Stella, vêtue d'une petite bande de satin rouge – le minimum de tissu nécessaire à une robe –, qui dansait langoureusement dans les bras d'un sublime jeune Noir élancé. Penny les a laissés pour m'emmener au fond de la pièce.

— Tiens, je te présente Paul. Paul, voici Georgie. Tu sais, d'*Adhésifs*.

Paul était un garçon frêle aux épaules voûtées, avec un tatouage sur l'avant-bras. Il m'a saluée de la tête en continuant à danser, fasciné par la toute petite brune dont le torse virevoltait devant lui. Quand je me suis retournée, Sheila avait disparu, et le sublime garçon élancé se jetait sur moi. J'ai senti mes genoux se dérober, mais je me suis surprise à rouler les hanches de manière inhabituelle. Il s'est rapproché.

— Salut, ma belle. Je suis le cousin de Penny, a-t-il hurlé pour couvrir le vacarme de la musique. Darryl Samson. Je suis médecin.

Avec un médecin pareil, il y avait de quoi rester cloué au lit.

— Ça m'étonne que vos patients prennent la peine de guérir.

Il a éclaté d'un rire profond incroyablement sexy.

— Moi, c'est Georgie. Je suis… écrivain.

— Sérieux?

Je sentais ses hanches se coller à moi. Puis Penny a surgi à mon côté et m'a entraînée avec elle.

— Viens, tu as besoin de boire quelque chose.

Elle a jeté à Darryl un regard d'avertissement et ce dernier a écarté les paumes avec un sourire d'excuse.

— Il ne faut rien croire de ce qu'il raconte. Il a dit à Lucy qu'il était gynécologue. Et elle l'a cru.

J'étais plantée devant les boissons dans la pièce d'à côté, un verre de rouge à la main, râlant intérieurement contre Penny, quand, brusquement, elle a plongé parmi la foule et m'a pêché quelqu'un d'autre.

— Georgie, voilà quelqu'un qu'il faut absolument que tu rencontres.

J'ai écarquillé les yeux. C'était incroyable. Lunettes à monture d'écaille. Yeux bleu marine. Cheveux bruns, front haut. Le type même du beau mec intelligent – il ne lui manquait plus que la blouse blanche. Bon, d'accord, il était un peu petit – mais étais-je superficielle au point de ne pas pouvoir être attirée par un homme qui avait un ou deux centimètres de moins que moi ? J'en étais à ce point de mes réflexions quand le beau mec intelligent mais petit m'a tendu la main.

— Bonjour, je suis Nathan.

— Et moi Georgie. (Je me suis sentie rougir.) Ravie de faire enfin ta connaissance.

Il portait une chemise en soie bleu nuit assortie à ses yeux, et la barbe de trois jours qui jetait une ombre sur ses joues et son menton était parsemée de poils argentés tout à fait séduisants.

— Tu as une robe magnifique.

— Merci. Elle vient de…

— J'avais hâte de faire ta connaissance, Georgie.

Cette voix basse, confidentielle, avec une pointe d'accent chic.

— Moi aussi.

Sur ce, un monsieur plus âgé que je n'avais pas remarqué, avec une barbe blanche en broussaille et un verre de vin rouge à la main, s'est approché de moi.

— Alors, Nathan, tu ne me présentes pas ta jeune amie ?

J'ai cru apercevoir une brève lueur d'agacement dans le regard de Nathan, mais il s'est contenté de dire :

— Voici ma collègue Georgie. Georgie, je te présente mon père.

— Georgie ! Ah, ah ! L'État ou la république ?

— Euh…

J'ai été sauvée par le carillon de Big Ben. Le vieux monsieur a posé son verre, croisé les bras, saisi ma main gauche et tendu son autre main à Nathan. Puis il a pris son souffle et entonné :

— Ce n'est qu'un au revoir, mes frères…

Sa voix avait un écho grave et mélodieux. Il s'est alors produit une sorte de polymérisation – subitement, toutes les molécules de gens qui s'agitaient dans la pièce se sont prises par la main pour former une longue chaîne covalente. Et bientôt nous étions tous là à nous balancer main dans la main et à nous embrasser les uns les autres. J'ai même eu droit à une petite bise de Darryl. Ce n'était pas désagréable. Puis le vieux monsieur s'est mis à m'embrasser vigoureusement, un baiser moustachu. Je me suis débattue, mais il me tenait fermement. Nathan est venu à ma rescousse.

— Bonne année, Georgie! a-t-il murmuré comme si nous partagions un secret.

Nos lèvres se sont frôlées. Tout s'est mis à tournoyer autour de moi. Mais le vieil homme s'est interposé entre nous, repassant à l'attaque, du coup je me suis dégagée, j'ai attrapé mon manteau sur la pile entassée dans la pièce d'à côté et je me suis ruée dehors.

Quand je suis rentrée chez moi, je n'ai pas allumé les lumières. J'ai balancé mon manteau et mes chaussures, je me suis allongée sur le lit et endormie quasi aussitôt. Je me suis réveillée deux heures plus tard, gelée. J'ai fait ma toilette, je me suis brossé les dents, j'ai enfilé ma chemise de nuit et je suis retournée me coucher. J'ai essayé d'appeler Ben, mais il avait éteint son portable. Je me suis réveillée peu après le lever du jour et je suis allée voir de l'autre côté du palier si Ben était rentré. Il n'était pas dans son lit. Une lumière rouge clignotait sur son ordinateur. C'était l'écran de veille. Je suis allée l'éteindre et dès que j'ai touché la souris, la page qu'il regardait a surgi sous mes yeux.

C'étaient les mêmes caractères rouges sur fond noir. Mais, cette fois, le mot qui brillait en lettres rouges encerclées de flammes dansantes était ANTÉCHRIST. Qu'est-ce que c'était que ces imbécillités? Par curiosité, je suis allée sur la page précédente et je me suis retrouvée sur un forum de discussion. Il n'y avait que deux noms : Benbo et Spikey.

SPIKEY : salut benbo bonne année gaffe c'est l'année du règne de l'antéchrist.

BENBO : c'est qui à ton avis l'antéchrist poutine ou bush?

SPIKEY : poutine est le roi du nord qui va s'allier avec le roi du sud dans la bataille d'armageddon daniel 11,40.

BENBO : c'est où armageddon?

SPIKEY : c'est dans le nord d'israël.

BENBO : c'est vachement loin d'highbury c'est qui le roi du sud?

SPIKEY : kadafi ou sadam hussain ou ousama ben-laden au choix.

BENBO : j'ai lu quelque part que le prince charles est l'antéchrist à cause des codes-barres du duché de cornouailles.

SPIKEY : 666 est la marque de la bête va voir ce lien <u>antéchrist</u>.

Benbo devait être Ben. Mais qui était Spikey?

J'ai cliqué sur le lien, qui m'a amenée sur le site d'un certain Isiah. C'était un homme d'âge mûr aux cheveux ras avec des paupières tombantes et une grosse croix en bois attachée autour du cou. Sous sa photo il y avait un titre :

QUI EST L'ANTÉCHRIST ?

Beaucoup de chrétiens ont cru que l'Antéchrist était le communisme et qu'Armageddon serait la guerre nucléaire entre la Russie et l'Amérique. Cependant il semblerait qu'aujourd'hui les forces de l'Islam et de la Chrétienté se préparent à la bataille définitive avant que le troisième Temple soit reconstruit à Jérusalem et que le Christ revienne régner sur la Terre dans toute sa gloire.

En fait tous les signes montrent que l'Antéchrist, Satan le grand imposteur, hante déjà le monde. « Prenez garde qu'on ne vous abuse. Car il en viendra beaucoup sous mon nom qui diront : "C'est moi le Christ", et ils abuseront bien des gens » (Matthieu 24,4-5).

Dans l'Apocalypse la Marque de la Bête est révélée comme étant 666.

Je me suis frotté les yeux. Il était bien trop tôt pour ce genre d'idioties. Mais j'étais curieuse de savoir à quoi Ben passait son temps quand il était cloîtré dans sa chambre. Il y avait une liste de noms, tous soulignés par un lien et marqués d'une petite crête de flammes. J'ai ouvert le dernier lien :

Charles, prince de Galles
Cet aristocrate anglais est un candidat surprise – mais voyez les preves. Son titre officiel complet est égal en anglais comme en hébreu à 666… et ses emblèmes héraldiques son basé sur les bêtes de Daniel et de l'Apocalypse. De plus, c'est un autantique prince, comme il est prédit dans Daniel 9. Rome est à l'évidence la nouvelle Babylone et l'Union européenne maléfique est le nouveau Saint-Empire romain. Sa Constitution est en voie d'élaboration et le prince Charles pourrait être un jour son souverain…

Jusque-là, j'avais lu avec une sorte de fascination horrifiée, mais l'histoire du prince Charles m'a fait éclater de rire. Comment pouvait-on prendre au sérieux un texte à ce point truffé de fautes ? Il fallait que je taquine Ben à ce sujet.

En souriant, je suis descendue et j'ai mis de l'eau à bouillir. Quand je suis passée dans le salon avec mon café, j'ai trouvé Ben qui dormait sur le canapé. Il a bougé et ouvert les yeux.

— Bonne année, m'man.

— Bonne année, mon ange.

Avant que j'aie pu l'interroger sur les sites Internet, il s'était rendormi.

Mon répondeur clignotait.

« Georgie, c'est Nathan. Mon père s'excuse pour hier soir. Il a tendance à se lâcher un peu quand il a bu. J'espère que tu es bien rentrée. Bonne année ! »

Il avait dû m'appeler à l'aube. Voilà, c'était fini : Noël et le Nouvel An, les fêtes étaient passées. J'avais survécu.

6

*T*ROIS semaines environ après le Nouvel An, je suis descendue au petit matin pour me faire du thé après une nuit agitée. Il faisait froid, le chauffage central n'était pas encore en route. Je m'apprêtais à remonter me coucher quand le téléphone a sonné. C'était Mme Shapiro.

— Georgine, venez vite. Il y a le cambriolage. Le porte a cassé.

Vaguement agacée, je me suis habillée, j'ai enfilé mon manteau et j'y suis allée aussitôt. Il s'était mis à neiger – une espèce de poudre qui pleuvait du ciel comme des pellicules gelées. Mme Shapiro est venue m'ouvrir en robe de chambre rose et pantoufles du *Roi Lion*, le cheveu ébouriffé. Elle m'a emmenée dans la cuisine. Une des vitres bleues des panneaux victoriens avait été cassée, laissant passer un courant d'air glacé. La clef avait été volée à l'intérieur. Apparemment, il ne manquait rien d'autre.

— Peut-être c'est votre Peki. Peut-être c'est le voleur.

— Pourquoi ce serait lui ? (Je ne pouvais masquer mon irritation.) Il ne s'est même pas fait payer la dernière fois. Il n'a rien volé, n'est-ce pas ? Ça peut être n'importe qui.

J'ai aperçu une expression terrifiée sur son visage et je m'en suis aussitôt voulu de ne pas avoir tenu ma langue. Je ne lui avais pas dit que M. Ali avait déjà changé la serrure – je ne voulais pas l'inquiéter.

— Mais pourquoi il veut me faire peur ? Pourquoi il entre pas dans le maison ? Pourquoi il prend juste le clef ?

Elle est allée mettre de l'eau à chauffer en traînant des pantoufles.

— C'est peut-être quelqu'un qui a l'intention de revenir. Vous feriez mieux de faire réparer la vitre et changer la serrure aujourd'hui. Vous devriez appeler M. Ali. À moins que vous ne connaissiez quelqu'un de mieux.

Elle s'est mise à farfouiller dans ses placards.

— C'est le malin petite *Knödel*, ce Peki. Mais je crois je demande à M. Wolfe. Mon Nicky.

Puis elle m'a lancé un petit sourire rusé, l'air de dire : « J'ai peut-être quatre-vingt un ans, mais je sais encore m'y prendre pour t'énerver. » Et elle a réussi.

— C'est parfait. On ne peut pas rêver mieux. Vous pouvez régler ça avec votre M. Wolfe.

Je me suis brusquement levée et me suis dirigée vers la porte. J'en avais assez de ses perpétuelles exigences et de ses préjugés mesquins. « Qu'elle se débrouille », me suis-je dit.

Une fois rentrée, j'ai fait réchauffer le thé au micro-ondes et me suis mise au lit tout habillée. Par la fenêtre, le jour blafard commençait à peine à se lever. J'ai tiré le slip noir sur mes yeux pour me protéger de la lumière, mais j'étais trop remontée pour trouver le sommeil. Pour une raison ou pour une autre, j'ai repensé au site Internet que regardait Ben – l'Antéchrist, l'Imposteur qui rôdait sur terre.

Le téléphone a sonné.

— Il faut pas être colère *mit mir*, Georgine. Je plaisante. Je suis une vieille femme. Je vous prie téléphonez M. Ali. Je perdais le numéro.

— Bon, bon, d'accord.

Elle m'a rappelée quelques heures plus tard pour me dire que M. Ali était passé clouer des planches sur la porte de derrière et changer la serrure. Il avait posé une nouvelle serrure à mortaise devant, en plus de la serrure de sûreté, et mis des verrous aux deux portes. « Vous serez en sécurité comme prison, avait-il dit. »

— Combien vous a-t-il pris ? ai-je demandé.

— Je lui ai donné dix livres. Plus qu'il me fait payer plein tarif pour serrures et verrous.

Elle avait dit ça en ronchonnant comme si elle estimait avoir été escroquée.

— Vous devriez lui être reconnaissante, surtout un dimanche, ai-je répliqué, bien que, manifestement, ce ne soit pas le cas.

— Vous êtes encore colère *mit mir*, Georgine, hein? Pas colère. Vous êtes le seul ami que j'ai.

— Je ne suis pas en colère, madame Shapiro.

Et c'était vrai, je ne lui en voulais plus. J'avais d'autres préoccupations.

Rip m'avait appelée vers l'heure du déjeuner pour m'annoncer qu'il viendrait chercher Ben le lendemain, après le travail. J'avais besoin d'un peu de temps pour me préparer mentalement à l'affronter.

LE lundi après-midi, on a sonné à la porte plus tôt que prévu. Je suis allée ouvrir, un sourire bravache plaqué sur le visage. Mais ce n'était pas Rip qui se tenait sur le seuil, c'était Mark Diabello. Sa Jaguar noire était garée devant le portail et il affichait lui aussi un sourire bravache.

— Bonjour, madame Sinclair. Georgina. (Les rides profondes de ses joues burinées se sont creusées avec une rudesse virile.) J'espère que vous ne m'en voulez pas de passer à l'improviste. J'ai mené ma petite enquête au sujet des craintes que vous avez évoquées lors de notre dernière conversation, et je voulais vous tenir au courant.

Si je ne m'attendais pas que Rip apparaisse à tout moment, peut-être ne l'aurais-je pas invité à entrer. Mais l'occasion était trop belle pour la laisser passer.

— C'est aimable à vous, monsieur Diabello. Je vous offre un café?

— Appelez-moi Mark.

Il m'a suivie dans le salon en regardant autour de lui. Je l'ai installé sur le canapé près du bow-window, pour qu'on le voie de la rue. Puis j'ai mis de l'eau à chauffer et versé du café dans la cafetière.

— Du lait? Du sucre?

— Noir, avec quatre sucres.

J'ai ri.

— Ça va avoir un goût de mélasse noire.

— Mmm. C'est comme ça que je l'aime.

Puis un coup de klaxon a retenti dehors – j'ai reconnu le bruit caractéristique de la Saab de Rip.

— Veuillez m'excuser. (Je suis allée au bas de l'escalier et j'ai crié :) Ben ! Rip est là !

Quelques instants plus tard, Ben est apparu, son gros sac à dos sur l'épaule. Je l'ai accompagné jusqu'à la voiture, mon sourire bravache soigneusement plaqué sur les lèvres. Cependant Rip s'est contenté d'ouvrir le coffre de l'intérieur et a attendu que Ben y mette son sac à dos sans bouger de derrière le volant. Il n'a même pas descendu sa vitre. Je ne savais pas s'il avait remarqué la Jaguar noire ou l'homme à la fenêtre. J'avais envie de donner des coups de pied dans les portières, mais Ben me faisait au revoir de la main, alors je lui ai soufflé un baiser et je suis rentrée.

Quand je suis retournée dans le salon, je devais être livide, car Mark Diabello a posé sa tasse et m'a dit :

— Ça va comme vous voulez ?

— Pas exactement.

Il a haussé légèrement le sourcil gauche et crispé les joues, et, en le voyant, je me suis aperçue qu'il avait tout compris de ma situation.

— Vous avez envie d'en parler ? (Il avait le ton dégoulinant de compassion.) Je peux vous conseiller un bon avocat.

— Non. Je n'en suis pas encore là.

En m'entendant prononcer ces mots, je me suis rendu compte que les choses en étaient bel et bien arrivées là et que j'avais sans doute besoin des conseils d'un avocat.

— Tenons-nous-en à ce que vous étiez venu me dire.

— Oui… vous craigniez que mon associé Nick Wolfe ne se conduise… de manière déplacée. J'ai parlé avec Nick. Il admet qu'il a craqué pour la maison et qu'il s'est peut-être montré un peu trop… euh… enthousiaste dans sa manière d'approcher Mme Shapiro. Mais il nie avoir fait quoi que ce soit de déplacé.

— Mais il reconnaît lui avoir fait boire du sherry, en espérant qu'elle signerait le bout de papier qu'il avait comme par hasard dans sa mallette ?

Mme Shapiro avait beau m'agacer, je n'allais tout de même pas rester là à la regarder se faire plumer par ces deux salauds.

— Le sherry n'était qu'un geste, à mon avis. Un cadeau. Il ne pensait pas qu'elle allait le déboucher et l'attaquer tout de suite.

— Et puis quoi encore ! De toute façon, pourquoi lui apporter un cadeau ?

— Un geste de considération envers une bonne cliente.

— Mais ce n'est pas une cliente. Il a débarqué à son chevet à l'hôpital.

— À ce que dit Nick, elle s'est montrée tout à fait disposée. Extrêmement empressée. Il m'a également dit que ce n'était pas votre tante. (Il m'a regardée par en dessous avec un léger sourire flottant sur ses lèvres.) Ça pose la question de savoir quel est votre intérêt là-dedans.

— Je n'ai aucun intérêt. C'est juste que je ne veux pas voir une vieille dame se faire dépouiller. Quelqu'un a dû lui parler de la maison. (Puis j'ai compris.) C'est vous qui lui en avez parlé.

Nos regards se sont croisés. Je me suis aperçue qu'il n'avait pas les yeux bruns, comme je l'avais cru au premier abord, mais d'un bleu-vert sombre moucheté d'or et d'obsidienne.

— Je lui ai parlé de notre conversation. Je ne pensais pas qu'il s'enthousiasmerait à ce point. C'est un homme très passionné, vous savez.

« Passion » – il avait une drôle de manière de s'attarder sur le mot.

— Il a estimé que Mme Shapiro méritait de pouvoir se faire une idée plus précise de vos services ?

— Exactement.

— Comme moi ?

— Ça dépend de vous, Georgina.

— Merci. Ravie d'avoir discuté avec vous.

Je me suis levée brusquement. Il s'est levé également et s'est dirigé vers la porte en me frôlant au passage.

— Tout le plaisir est pour moi, a-t-il répondu.

Après son départ, je me suis assise dans le canapé et j'ai respiré à pleins poumons. Au fond de moi, je savais que s'il y avait bien une chose dont je n'avais pas besoin, c'était d'un homme comme Mark Diabello dans ma vie – un agent immobilier à la voix sirupeuse, avec des yeux mouchetés d'éclats noir et or. Mais j'étais malheureuse, furieuse, en manque d'affection. Et il y avait si longtemps que je n'avais pas lu du désir dans les yeux d'un homme. Et puis une petite voix dans ma tête me chuchotait : Pourquoi pas ?

L͏e lendemain, quand je suis passée devant l'agence Wolfe & Diabello en allant prendre le bus, la neige continuait à tomber, toujours aussi poudreuse. J'ai jeté un œil à l'intérieur et j'ai aperçu Nick Wolfe penché sur le bureau d'une jeune blonde. Cédant à l'impulsion, j'ai poussé la porte et suis entrée. Ils ont tous les deux levé la tête en entendant la sonnette.

— Monsieur Wolfe. Ça tombe bien. Vous avez une minute?

Il m'a conduite dans un bureau situé au fond et a avancé deux chaises.

— Que puis-je pour vous, Georgette?

Il m'a souri avec ses airs de loup.

Je lui ai fait part de mes craintes au sujet du robinet d'arrivée d'eau et des clefs de la porte de derrière, prenant soin de garder un ton neutre et d'éviter le moindre soupçon d'accusation.

— Vous en avez parlé à mon collègue Mark Diabello, n'est-ce pas?

Il a regardé sa montre avec insistance. J'ai fait celle qui n'avait rien remarqué.

— Ce que je ne comprends pas, c'est ce que vous trafiquez au juste, vous et M. Diabello. Il veut la vendre un demi-million. Puis il la fait passer à un million. Et, sur ce, vous débarquez à l'hôpital avec une offre de deux millions. (Je parlais à toute vitesse, sentant peser sur moi son regard hostile.) Vous admettrez que c'est pour le moins... préoccupant.

— Écoutez, madame... Georgette. Pour être franc, je vois mal en quoi ça vous regarde. C'est à Mme Shapiro de décider ce qu'elle fait de sa maison, non? Si j'ai bien compris, elle n'a aucun lien de parenté avec vous. (Il a jeté de nouveau un œil à sa montre.) Je lui ai fait ce que j'estime être une offre très généreuse. Je ne sais pas ce que Mark vous a dit, mais que ce soit bien clair. (J'ai perçu une pointe d'intimidation dans sa voix.) Ce n'est pas parce qu'elle est mise sur le marché qu'elle a atteint le prix du marché. Ni que la personne qui l'achète en premier est l'acheteur final, si vous voyez ce que je veux dire.

— Vous voulez dire que M. Diabello l'achète un demi-million, la revend deux millions à quelqu'un d'autre et empoche la différence?

— Je n'ai pas dit ça, Georgette. Ce n'est pas ce que j'ai dit. (Il a de nouveau regardé sa montre, puis s'est levé.) Si vous voulez bien m'excuser, j'ai à faire.

Je suis restée sur le trottoir à vaciller. Puis j'ai remarqué que Hendricks & Wilson était encore ouvert. Après tout, qu'est-ce que j'avais à perdre?

Si les devantures des deux agences se ressemblaient, à l'intérieur elles étaient radicalement différentes. Alors que Wolfe & Diabello était tout en verre et chrome avec un parquet stratifié, style bistrot contemporain, Hendricks & Wilson était décoré d'une moquette rouge et de fauteuils de cuir, style club de gentlemen. Un jeune homme mince avec les cheveux hérissés au gel était assis derrière un ordinateur. Il a levé la tête, tout sourire, en me voyant entrer.

— Je cherche Damian, ai-je dit.

— C'est moi, m'a-t-il répondu, rayonnant. Qu'est-ce que je peux faire pour vous?

Je n'avais pas vraiment préparé mon discours, alors je lui ai sorti le laïus habituel de ma tante qui souhaitait vendre sa maison de Totley Place. Je scrutais attentivement son visage, mais, manifestement, ça ne lui disait rien. Quelles que soient les intentions de Mme Goodney, elle n'était pas encore passée à l'action.

— Pour ça, il vaut mieux que vous vous adressiez à un de nos associés. Voulez-vous que je vous fixe un rendez-vous?

J'ai hésité. N'avais-je pas déjà suffisamment d'agents immobiliers dans ma vie?

— Vous ne pouvez pas me donner une petite idée?

— Hum. Vous savez quoi? Je passerai devant en rentrant ce soir et je jetterai un coup d'œil.

— Merci. Je vous appelle demain. Merci, Damian.

— Comment savez-vous que…

Je me suis hâtée de sortir.

Après avoir appelé Damian le lendemain matin, j'ai été encore plus convaincue qu'il n'était pas mêlé aux manigances. Il a refusé de me donner une estimation, mais il m'a dit :

— Un grand terrain comme ça en plein cœur de Highbury – il y a un vrai potentiel de développement immobilier. Plusieurs millions en tout cas. Il vaut mieux en discuter avec M. Wilson.

— Je ne pense pas que ma tante souhaite la vendre à des promoteurs immobiliers. Mais je vous remercie de votre aide.

Je me suis empressée de raccrocher avant qu'il puisse me poser des questions.

Si Damian n'avait rien à y voir, ça ne pouvait être que Wolfe & Diabello. Je bouillais de rage. J'ai essayé de me calmer avec les exercices de respiration de Mlle Baddiel. J'ai ensuite appelé à leur agence.

Comme les deux associés n'étaient pas là, j'ai laissé un message à Suzi Brentwood :

— Pouvez-vous demander à l'un ou l'autre de me rappeler ? Non, je ne peux pas dire de quoi il s'agit. Mais je suis au courant de leur petite combine. Dites-leur qu'ils ne sont qu'une bande de sales escrocs et de faux culs.

C'est Mark Diabello qui m'a rappelée dix minutes plus tard.

— J'ai eu votre message, Georgina. Vous n'y allez pas de main morte. Qu'avons-nous fait pour vous mettre dans cet état ?

— Ce n'est pas ce que vous avez fait, c'est ce que moi j'ai fait. J'ai demandé une autre estimation.

— Vous avez bien raison, Georgina. Et alors ?

— Quelqu'un de chez Hendricks m'a dit que c'était un terrain à fort potentiel de développement immobilier. Il m'a dit que ça valait sans doute plusieurs millions.

— L'assistant ? Ils donnent toujours des estimations au hasard. Et vous avez oublié ce que je vous ai dit : que j'étais prêt à renchérir sur n'importe quelle estimation sérieuse.

Avait-il dit ça ? Si c'était le cas, j'avais oublié.

— Mais l'autre, votre acolyte, il lui a offert deux millions.

— Je ne peux pas parler pour mon associé. Mais j'ai dit que je ferais une offre équivalente. Vous me devez des excuses, Georgina.

— Moi, je vous dois des excuses ?

J'ai raccroché. Je tremblais. Peut-être avais-je été un peu vite en besogne. Damian devait être l'assistant. Mais il avait l'air de dire vrai. En fait, ils avaient tous l'air de dire vrai. Comment savoir qui croire ?

« Des ruptures par fatigue peuvent se produire dans les assemblages adhésifs quand les matériaux possèdent des coefficients différents d'expansion thermique. »

Je fixais cette phrase sur mon écran depuis au moins une demi-heure en me disant que c'était peut-être ce qui nous était arrivé, à Rip et moi. Il ne se met pas facilement en colère, mais quand il s'énerve, ça dure un moment. Je m'emporte vite, mais je me calme presque aussitôt. J'ai repensé à la conversation que j'avais eue ce matin-là avec Mark Diabello – peut-être m'étais-je emportée trop vite. Qu'avait-il dit exactement ? Je ne m'en souvenais pas. La colle m'avait englué le cerveau.

C'était l'heure de faire une pause pour le déjeuner. Je suis allée inspecter le réfrigérateur. Dans la porte, il y avait une bouteille de rioja entamée. Me laisserais-je tenter ? Oui ? Non ?

J'essayais de prendre une décision quand on a sonné à la porte. Mark Diabello se tenait sur le seuil, une bouteille de champagne à la main. Et pas n'importe quel champagne. Du Bollinger. Sans doute était-ce la lumière qui me jouait des tours, mais j'aurais juré qu'il y avait des braises dans ses yeux.

— Un geste de considération envers une bonne cliente, a-t-il murmuré.

— Je ne suis pas votre cliente.

— Mais vous pourriez le devenir.

— Je ne pense pas. Mais entrez.

Je suis allée chercher deux verres dans la cuisine. Je n'avais pas de flûtes à champagne. Nous avons trinqué.

— Êtes-vous venu me donner une idée plus précise de vos services ?

— Ça vous dirait ?

Je n'ai pas dit oui. Mais je n'ai pas dit non.

Nous avons fini dans ma chambre. Il a montré le chemin. Évidemment, c'était un agent immobilier, il savait où aller. Tout s'est passé étonnamment vite, avec la précision bien huilée d'un moteur de Jaguar. Il m'a donné exactement ce qu'il fallait de champagne, m'a embrassée comme il fallait. Ses mains tombaient infailliblement pile au bon endroit. Aucune maladresse en ôtant les vêtements – ceux-ci tombaient tout seuls. Si j'avais eu le temps de réfléchir, je me serais peut-être dit : Qu'est-ce que je fais ? Mais je n'ai réfléchi à rien. J'avais le cerveau plein de bulles. Des picotements électriques sur la peau. Mon corps ronronnait entre ses mains. Ça avait un côté impersonnel plutôt rassurant. Et, en fait, c'était fabuleux. C'était le premier homme, à part Rip, avec lequel je couchais depuis vingt ans. J'avais l'impression de m'être glissée hors de ma peau pour devenir une autre.

Après, nous sommes restés allongés côte à côte à contempler les ombres qui s'étiraient dans le jardin. Il m'a prise dans ses bras et m'a caressé les cheveux. Il est parti avant que Ben rentre du lycée. Je craignais de me sentir sale, de me dégoûter, mais sans doute, au plus profond de moi, je savais qu'en couchant avec quelqu'un d'autre je ne faisais que suivre un processus de réparation indispensable.

Une demi-heure plus tard, j'ai entendu Ben qui ouvrait la porte d'entrée. Je me suis rhabillée et suis descendue lui dire bonjour.

— Ça va, m'man ? (Il m'a dévisagée attentivement.) Tu as l'air un peu… bizarre.

— Bizarre comment ?

— Agitée. Hyper-agitée.

— Ça doit être tout ce café que j'ai avalé. Je suis engluée dans un passage d'*Adhésifs*. Ah, ah, ah ! Et toi ? Comment ça se passe à Islington ?

— Ça va. Papa est un peu agité, lui aussi. Il dit qu'il se lance dans un nouveau projet ?

Il avait retrouvé cette intonation montante à la fin de ses phrases. C'était troublant.

— Pas le Programme de développement ?

— Il dit que le programme passe à un niveau supérieur ?

— Oui, il a toujours eu de grandes ambitions.

Une pointe de sarcasme avait dû se glisser dans ma voix. D'un regard, Ben m'a avertie que je risquais de transgresser la frontière subtile qu'il avait tracée entre ses deux mondes.

Ce soir-là, après que Ben est allé se coucher, je me suis servi un verre de vin et j'ai pris mon cahier.

Rejetée par son mari volage, le cœur brisé, Gina trouva enfin ~~l'amour la plénitude~~ *la consolation dans les bras d'un joueur de mandoline ambulant aux yeux* ~~d'obsidienne d'azur de saphir d'améthyste de jade~~ *de lapis-lazuli. Il lui apporta de magnifiques cadeaux –* ~~des dessous, jarretières, mouchoirs~~ *mantilles espagnoles brodées à la main.*

En refermant mon cahier une heure plus tard, je me suis aperçue que la bouteille de vin était vide et que j'en avais ouvert une autre. Je filais un mauvais coton. Peut-être que Ben avait raison – il fallait que j'y aille doucement sur le rioja.

Mark Diabello est revenu le mercredi suivant, sans champagne cette fois, mais avec un bouquet de fleurs – des roses rouges. Je l'attendais, vêtue d'un haut plutôt décolleté que j'avais acheté la veille et d'un slip en dentelle sous une élégante jupe moulante, également achetée la veille. En m'apercevant dans le miroir de l'entrée, les joues en feu, les yeux brillants, je ne me suis pas reconnue. Je me suis mise à fondre dès qu'il m'a embrassée. En cinq minutes à peine, nous étions passés de l'entrée à la chambre.

Ce n'était pas moi, Georgie Sinclair, mais une autre – une femme sexy et dépravée qui fondait comme du sucre sous la flamme dans les bras d'un beau brun ténébreux.

Après nos ébats, ça a été plus fort que moi – je me suis mise à pleurer. Mark Diabello a tamponné mes yeux avec son mouchoir et m'a embrassé longuement la gorge et le cou.

— Tu es très belle, Georgina. On te l'a déjà dit?

J'avais envie de le croire. Je l'ai presque cru, mais dans ma tête une voix impassible me murmurait qu'il couchait sans doute avec des dizaines de femmes à qui il répétait ça.

— Il faut que tu y ailles. Il est presque 16 heures.

— Que se passe-t-il à 16 heures? Tu te changes en citrouille?

— Non, je me change en mère.

À 16 HEURES tout juste passées, j'ai entendu la clef tourner dans la serrure et je me suis bel et bien changée en mère.

— Salut, m'man.

Ben a jeté son sac par terre. Il était pâle et tendu.

— Ça va?

— Oui, oui. Super.

Il ne me regardait pas.

— Tu veux un sandwich? Des Choco-Puff?

— Non. Je vais juste prendre de l'eau. Depuis un moment, je me sens un peu... bizarre.

Mon pouls s'est accéléré, mais j'ai conservé un ton dégagé.

— Comment ça, bizarre?

— J'ai des sensations bizarres. Genre... liminales.

— Liminales?

Je n'avais aucune idée de ce qu'il voulait dire. J'ai attendu la suite.

— Comme si on vivait dans un temps liminal. Ça se voit à la lumière. Regarde, on dirait qu'elle s'échappe d'un autre monde.

Il indiquait la fenêtre. Je me suis retournée. Entre les maisons, la lumière rosée du soleil rasant éclairait par en dessous un amas de cumulus violets. Les bâtisses et les arbres dépouillés de leurs feuilles étaient tous à contre-jour, plongés dans l'ombre malgré la lumière éclatante. Je comprenais ce qu'il voulait dire – c'était surnaturel.

— C'est l'hiver, Ben. Le soleil est toujours bas à cette époque de l'année. Plus au nord, en Scandinavie, on ne voit même pas le jour.

Il a levé la tête en esquissant un sourire fugace.

— Tu es tellement terre à terre, m'man.

Les nuages se sont déplacés et le rayon de soleil a disparu, mais l'envers du ciel était encore teinté d'une lueur rougeoyante.

— J'ai des sensations comme ça en permanence, comme si le monde allait bientôt disparaître. (Il s'est interrompu pour avaler une grande gorgée d'eau.) Comme si la fin des temps était proche?

— Ben, tu aurais dû m'en…

— Alors j'ai cherché *fin du monde* sur Google. Et là je me suis aperçu qu'il n'y avait pas que moi?

Ils sont comme ça, les jeunes de cette génération. Ils ne parlent pas à leurs parents ou à des amis, comme nous – ils cherchent sur Internet.

— Il y a plein de signes – des prédictions de la Bible sur la fin des temps? Des guerres, des tremblements de terre, des crues, des épidémies, tout ça – et c'est en train de se réaliser?

Il avait la voix tendue, éraillée.

— Mais tu ne crois tout de même pas à toutes ces histoires de prophétie, Ben?

— Non, mais… s'il y a autant de gens qui y croient… Les crues, les tremblements de terre, il y en a tous les ans. Et puis il y a le sida, le SRAS, la grippe aviaire – toutes ces nouvelles maladies. C'est en train de se réaliser. Comme dans la Bible, il est prédit que les juifs retourneront en Israël, et c'est ce qu'ils ont fait, en 1948. Ça a entraîné toutes les guerres au Moyen-Orient. L'invasion du Liban. Tu n'as qu'à lire, m'man – tout ça c'est dans la Bible. Et il n'y a pas que les juifs et les chrétiens? Beaucoup de musulmans croient à l'arrivée de leur grand prophète? Ils l'appellent le dernier imam?

L'intonation montante de ses phrases appelait la contradiction.

Comment lui expliquer sans pontifier que ce n'était pas parce que des millions de gens croyaient quelque chose que c'était vrai?

— Pourquoi tu ne m'as pas dit que tu avais cette sensation-là? Ou à Rip?

— Je pensais que tu me prendrais pour un fou? Que tu ne m'écouterais pas? Papa et toi, vous n'écoutez jamais personne.

Ce n'était pas dit sur le ton du reproche, mais c'était tout aussi blessant. Nous étions si absorbés par nos vies et nos problèmes que nous n'avions pas entendu que notre fils nous appelait à l'aide.

— Je suis désolée, Ben. Tu as raison, nous n'écoutons pas toujours. Tu veux qu'on en parle maintenant?

— Non, ça va. Je me sens mieux maintenant. Je crois que je vais prendre des Choco-Puff.

Quand il est monté dans sa chambre, je me suis installée dans la cuisine avec un verre de vin en me demandant ce que nous avions fait de travers. Nous l'avions élevé dans le respect des différences, de la diversité. Toutes les croyances se valaient. Le christianisme, l'islam, l'hindouisme, le judaïsme, l'astrologie, l'astronomie, la relativité, l'évolution, le créationnisme, le socialisme, le monétarisme, le réchauffement climatique, la dégradation de la couche d'ozone, la guérison par les cristaux, Darwin, Nostradamus. Comment distinguer le vrai du faux?

Après le départ de Ben pour l'école, le lendemain matin, j'ai essayé de me concentrer sur un article pour *Adhésifs*. « L'attraction entre les surfaces dans les assemblages adhésifs. » Il y avait quelque chose de très romantique dans la durabilité de ces forces de viscosité, cette puissance d'adhérence telle qu'elle pouvait même survivre aux matériaux. Mmm. Je me suis laissée aller à rêvasser.

J'ai téléphoné à Mme Shapiro pour voir si elle avait besoin que je lui fasse quelques courses. Comme ça ne répondait pas, j'ai enfilé mes bottes et mon manteau, et j'y suis tout de même allée. Il avait neigé dans la nuit. Le soleil était bas sur l'horizon mais éclatant, et il saupoudrait de paillettes d'or toutes les surfaces blanches. Wonder Boy me suivait à la trace.

Quand je suis arrivée à Canaan House, j'ai vu que la gouttière s'était décrochée d'un côté sous le poids de la neige. Il faudrait peut-être que je fasse revenir M. Ali. Dans l'allée, il y avait des empreintes de pas qui s'éloignaient de la maison. J'ai frappé à la porte, mais je n'ai pas été étonnée de ne pas obtenir de réponse. Elle avait déjà dû sortir. Je suis donc partie faire mes courses.

L'après-midi, j'ai rappelé Mme Shapiro. Toujours pas de réponse. C'était bizarre. J'ai commencé à m'inquiéter. Puis Ben est rentré du lycée et je me suis mise à préparer le dîner. Vers 19 heures, le téléphone a sonné. C'était une voix de vieille dame gutturale.

— L'est là.

— Pardon?

— Vot' copin'. L'est là. Mais l'a pas sa rob' de chamb'.

— Je suis désolée. Vous avez dû vous tromper de numéro.

— Non. C't'elle qui m'l'a donné. C'est ben vous qu'êt' v'nue à l'hôpital, pas vrai? La dame avec la rob' de chamb' rose. Elle dit qu'elle veut sa rob' de chamb'. Et pis ses pantouf'.

Subitement, j'ai compris que ce devait être la frappée.

— Oh! merci de m'avoir appelée. Je…

— Et pis elle dit que vous pouvez y porter des clopes quand vous venez.

Il y a eu des bips dans le téléphone, puis plus rien. Elle avait dû appeler d'une cabine de l'hôpital. J'ai jeté un œil à la pendule. Les visites devaient être encore autorisées pendant environ une demi-heure. Comme je lui avais rendu sa clef, j'ai mis dans un sac mes pantoufles, une chemise de nuit et la robe de chambre de Stella.

— Je reviens tout à l'heure, Ben, ai-je lancé au bas de l'escalier avant d'aller prendre le bus.

Le tabac-presse à côté de l'arrêt de bus était encore ouvert. J'ai acheté des cigarettes. En arrivant à l'hôpital, j'ai trouvé la frappée qui traînait dans le foyer. Je lui ai tendu ses cigarettes et elle s'est empressée de les empocher.

— Merci, mon chou. L'est aux Horreurs.

Il m'a fallu un moment pour retrouver Mme Shapiro dans l'unité Aurora. J'ai tout de suite vu qu'elle était dans un sale état. Ses joues étaient couvertes d'ecchymoses, elle avait un œil presque fermé et un bandage autour de la tête. Elle m'a agrippée par le bras.

— Georgine. *Gott sei dank*, vous êtes venue. (Elle avait la voix faible et rauque.) Tombée dans le neige. Tout cassé.

— Je vous ai apporté ce que vous vouliez. (J'ai sorti les affaires du sac et les ai posées sur le meuble de chevet.) Votre amie m'a appelée.

— C'est pas mon amie. Qu'elle est frappée. Tout ce qu'elle veut, c'est le cigarette.

— Mais qu'est-ce qui s'est passé? Je vous ai appelée aujourd'hui pour savoir si vous aviez besoin de quelque chose.

— Quelqu'un m'appelait ce matin. Il disait que mon chat qu'il était dans l'arbre coincé dans le parc. Je sais pas qui m'appelait. Je croyais que c'est le Wonder Boy qu'il est coincé.

— Et il était coincé ?

— Je sais pas. Je le voyais pas. On me rentrait dedans, je glissais et je tombais. On me remet dans le maison de *Kranken*.

Les visites étaient terminées et les gens commençaient à se diriger vers la porte.

— Vous nourrissez encore le Wonder Boy, hein, Georgine ? Le clef sont dans le poche, pareil qu'avant. Merci, Georgine. Vous êtes l'ange pour moi.

Je dois dire que je me sentais plutôt grincheuse pour un ange. J'ai tout de même repris les clefs dans la poche de son astrakan et rejoint le flot de visiteurs qui se massaient vers la sortie. « Est-ce réellement un accident ? me suis-je demandé sur le chemin du retour. Ou l'avait-on incitée à sortir dans la neige avant de la faire tomber ? »

Ben était encore debout quand je suis rentrée.

— Quelqu'un a appelé pour toi. Il a dit que tu pouvais le rappeler. M. Diabello.

— Ah ! oui, l'agent immobilier. (J'ai gardé un ton parfaitement impassible.) J'essaie d'obtenir une estimation de la maison de Mme Shapiro. Je l'appellerai demain.

SAMEDI, une fois Ben parti avec Rip, j'ai enfilé mon vieux jean, mis une lampe électrique et un tournevis dans mon sac, et pris le chemin de Canaan House. C'était l'occasion de recommencer à farfouiller dans la maison. J'étais bien décidée à découvrir quel âge avait réellement Mme Shapiro et l'identité de la femme mystérieuse sur la photo. Il y avait deux endroits que je n'avais pas encore explorés – le salon au bow-window où il n'y avait plus de lumière et le grenier. J'ai donné à manger aux chats et enlevé la crotte de l'entrée. Puis j'ai poussé la porte du salon en braquant ma lampe électrique.

Dans le faisceau, j'ai aperçu un haut plafond à moulures et son lustre défunt, une énorme cheminée en marbre, deux canapés et quatre fauteuils recouverts de draps blancs, un buffet en acajou sculpté et, près de la fenêtre, un piano à queue également drapé de blanc. Les murs étaient ornés de tableaux – de sombres peintures victoriennes.

Le bow-window était fermé par de lourds rideaux de brocart à franges. Une énorme lézarde courait du sol au plafond, juste au-dessus du linteau, laissant passer un courant d'air glacé. En bas, à l'endroit où elle disparaissait dans le sol, elle devait avoir plusieurs centimètres de large. Ce devait être les racines de l'araucaria qui avaient causé ces dégâts. Pas étonnant qu'elle veuille le couper.

Je me suis assise au piano, puis j'ai soulevé la housse et ouvert le couvercle du clavier – c'était un Bechstein. J'ai fait courir mes doigts sur les touches. L'écho mélancolique de notes désaccordées a résonné dans le silence. Il y avait des partitions dans le tabouret – Beethoven, Chopin, Delius, Grieg. Le concerto pour piano de Grieg portait un nom rédigé en écriture anglaise : *Hannah Wechsler*. Sur les lieder de Delius il y avait un autre nom : *Ella Wechsler*. Je me suis souvenue de la photo de la famille Wechsler assise autour du piano. Qui étaient-ils ? Quand j'ai feuilleté la partition, un bout de papier est tombé par terre. Je l'ai ramassé.

> Kefar Daniyyel, près de Lydda, 18 juin 1950
> Mon très cher Artem,
> Pourquoi ne réponds-tu pas à mes lettres ? Chaque jour je pense à toi, chaque nuit je rêve de toi. Tout le temps je me demande si j'ai bien fait de venir ici en te laissant à Londres. Mais je ne peux pas revenir sur ma décision. Car ce sera notre lieu de refuge, mon amour, le lieu où notre peuple venu de tous les pays où nous étions des exilés s'est rassemblé pour pouvoir enfin vivre en paix. Ici, dans notre Terre promise, notre nation dispersée peut enfin trouver le repos. Nous vieillirons et mourrons ici, mais nous bâtirons un avenir pour nos enfants. Ils grandiront libres et sans peur dans ce pays que nous leur construisons – un pays sans barbelés, dont aucune personne jamais plus ne nous chassera. Si seulement tu pouvais être ici avec nous, Artem.
> Nous quittons enfin notre maison temporaire de Lydda pour nous installer dans notre nouveau *moshav*, ici, à Kefar Daniyyel, sur une colline exposée à l'ouest qui donne sur la ville. Quelques hectares de terre aride avec un filet d'eau, un lieu désert, abandonné, mais ce sera notre jardin.
> Le matin, avant que le soleil ne soit trop chaud, nous travaillons à enlever les pierres de la colline et préparer des terrasses pour les plantations de l'automne. Yitzak a obtenu des noyaux d'un nouveau type d'arbre fruitier appelé *avo-kado*, qu'il pense pouvoir implanter ici.

Mon amour, j'ai une grande nouvelle qui, j'espère, te convaincra de venir. Arti, tu vas être père. J'attends un enfant. Souvent le soir quand il fait frais, je monte au sommet de la colline à Tel-Hadid et je regarde le soleil se coucher sur la mer en pensant à toi qui vis là-bas, au-delà de la mer, et à ton bébé qui grandit en moi. Mon cher amour, viens nous rejoindre, je t'en prie, si tu le peux.

Avec mes tendres baisers,
Naomi.

La lettre avait-elle été cachée ou perdue? Je l'ai repliée et l'ai glissée dans mon sac. Avait-il fini par la rejoindre? Ou est-ce Naomi qui était revenue? Était-il marié à une autre? Et qu'était-il advenu de l'enfant?

Le faisceau de la lampe commençait à faiblir. Je l'ai éteinte et je suis montée au premier. Les neuf portes étaient toutes fermées. J'ai pris dans la chambre de Mme Shapiro la chemise de nuit en satin grisâtre, la robe de chambre rose en chenille et les pantoufles du *Roi Lion*. Puis j'ai refermé la porte derrière moi et j'ai ouvert celle qui menait au grenier.

Lorsque Mark Diabello avait parlé d'un fabuleux appartement, j'avais ricané intérieurement, mais en escaladant l'escalier raide, j'ai vu un flot de lumière se déverser de deux hautes fenêtres en œil-de-bœuf offrant un panorama sublime sur les cimes des arbres de Highbury Fields.

Mais les chambres mansardées étaient pleines de cartons poussiéreux empilés. J'ai été prise de découragement. Il me faudrait une éternité pour fouiller tout ça. À ma gauche, une petite porte débouchait sur un escalier en colimaçon qui conduisait à une pièce ronde, à peine assez grande pour y mettre un fauteuil capitonné de velours bleu fané. Je m'y suis assise et j'ai regardé la jungle du jardin lavé par la pluie. Puis, subitement, j'ai eu la sensation intense d'une présence. À qui appartenait ce fauteuil? En caressant nerveusement le velours, mes doigts sont tombés sur un objet dur – une pièce. Un de ces gros pennies d'autrefois à l'effigie de la reine Victoria enfoncé sur le côté du fauteuil. J'ai continué à tâtonner du bout des doigts et j'ai sorti une petite photo froissée. Je l'ai lissée. C'était la photo d'un bébé, un magnifique bébé aux yeux bruns.

— Hou, hou! Il y a quelqu'un?

J'ai fait un bond. Je me suis rappelé que j'avais laissé la porte d'entrée ouverte. Je me suis honteusement dépêchée de remettre la pièce et la photo dans le fauteuil et je suis descendue. Mme Goodney était plantée dans le hall.

— Je savais bien que je vous trouverais là. On fouine dans tous les coins, à ce que je vois.

Elle portait les mêmes souliers pointus à talons carrés et un horrible imperméable à la texture légèrement écailleuse du même vert lézard.

— Mme Shapiro m'a demandé de nourrir ses chats. Elle m'a donné la clef.

— Dans les chambres? Ça m'étonnerait. Quoi qu'il en soit, vous pouvez rendre les clefs maintenant, car nous avons établi qu'en fait vous n'étiez pas sa plus proche parente. Elle a un fils.

J'ai eu le souffle coupé – le bébé! Mais quelque chose dans son regard me disait qu'elle bluffait. Ou cherchait à obtenir des informations. Qu'à cela ne tienne, moi aussi je pouvais jouer à ce petit jeu-là.

— Je ne pense pas qu'il vienne d'Israël pour nourrir les chats.

Elle a cillé, un bref cillement reptilien.

— Nous sommes en contact avec les agences internationales, vous savez. Nous l'inviterons à nous aider à régler les affaires de sa mère quand la maison sera mise en vente. (Elle m'a scrutée.) Mais pour l'instant elle est confiée aux services sociaux. Au fait, elle a dit qu'elle ne veut plus que vous lui rendiez visite.

À ces mots, j'ai frémi. Mme Shapiro avait-elle réellement dit ça?

Mme Goodney a tendu la main pour que je lui donne les clefs.

— Je prends la relève pour m'occuper des chats.

— Je refuse de rendre les clefs sans son autorisation écrite.

— Je peux toujours obtenir une ordonnance du tribunal, a-t-elle rétorqué.

— Très bien. Allez-y.

Après son départ, j'ai refermé soigneusement la maison, mis la nouvelle clef de la porte de derrière sur mon trousseau, pris le sac contenant les affaires de Mme Shapiro et j'ai filé directement à l'hôpital. Mais quand je suis arrivée dans l'unité Aurora, elle était déjà partie. Il y avait quelqu'un d'autre dans son lit.

— Où est Mme Shapiro? ai-je demandé à l'infirmière de service.

Elle a pris l'air vague.

— Elle est partie en maison de retraite, je crois.

— Vous pouvez me dire où elle est allée ?

— Il faut demander au bureau des services sociaux.

À la seule idée du sourire suffisant de Mme Goodney si jamais je posais la question, mon sang s'est mis à bouillir. Peut-être la frappée était-elle au courant. En sortant, je l'ai vue qui traînait devant l'entrée principale. Elle était en train de se chamailler avec deux jeunes à casquettes de base-ball, dont l'un avait une jambe dans le plâtre. Elle m'a agrippée au passage.

— Y m'ont piqué mes clopes.

Elle a pointé le doigt sur les jeunes qui tiraient sur des cigarettes.

— C'est mieux pour votre santé, ai-je tenté de la consoler.

Elle m'a fixée en silence d'un regard où se mêlaient le mépris et la désolation.

— Bon, d'accord, j'irai vous en chercher. Vous savez où est mon amie Mme Shapiro ? La dame avec la robe de chambre rose ?

— Y l'ont embarquée. C'matin. Y vont la mett' en maison de retrait'.

— Vous savez comment elle s'appelle, cette maison ? Où elle est ?

— Nightmare 'ouse.

La « Maison des cauchemars », voilà qui ne présageait rien de bon.

— C'est là qu'y vont tous. Du côté d'Lea Bridge.

— Merci, merci beaucoup.

Il n'y avait de Nightmare House ni dans l'annuaire ni sur Internet. J'ai téléphoné à Mlle Baddiel et lui ai laissé un message, mais elle ne m'a pas rappelée. Devais-je aller à la police dire que mon amie avait été enlevée par les services sociaux ? Je voyais d'ici leurs têtes. Il m'est venu à l'esprit que la seule personne qui pouvait nous aider était Mark Diabello. Il était dans son intérêt de s'assurer que la maison de Mme Shapiro ne soit pas vendue à son insu.

Depuis notre dernière rencontre, je ne l'avais pas rappelé. Non seulement j'avais décidé que ce n'était pas mon genre, mais j'en étais venue à la conclusion que je n'étais pas le sien non plus. Mais j'ai ravalé mes doutes et fait son numéro. Ça n'a sonné qu'une fois.

— Bonjour, Georgina. (Mon numéro devait être enregistré sur son portable.) Ravi de t'entendre.

— Mme Shapiro a disparu, ai-je lâché. Elle est dans une maison de retraite, mais je ne sais pas où.

Il n'a pas eu l'air surpris.

— Laisse-moi faire, Georgina.

— Merci, Mark.

C'est Mme Shapiro elle-même qui a trouvé le moyen de me contacter. Un jour, en passant à Canaan House, j'ai trouvé une lettre sur le paillasson, au milieu de tout le courrier publicitaire. J'ai failli ne pas la voir. C'était une enveloppe réutilisée, adressée initialement à une certaine Mme Lillian Brown à Northmere House, Lea Gardens Close. L'adresse avait été barrée et celle de Mme Shapiro écrite à la place. L'enveloppe ne contenait qu'un coin de journal déchiré, où deux mots avaient été griffonnés avec un crayon à sourcils noir : *AIDEZ-MOI*.

7

*N*ORTHMERE HOUSE était une grosse bâtisse carrée à un étage en parpaings enduits de plâtre dont la façade était percée de fenêtres également carrées, qui s'ouvraient suffisamment pour pouvoir aérer mais non pour s'échapper. On y accédait uniquement par une porte vitrée coulissante dont l'ouverture était déclenchée par un bouton situé derrière l'accueil, placé sous la garde d'une matrone revêche en uniforme d'entreprise.

— Que puis-je pour vous ? a-t-elle aboyé.

— Je viens voir Mme Shapiro.

Elle a tapoté sur son clavier et, sans même lever les yeux de son écran, m'a lancé :

— Elle n'a pas le droit de recevoir des visites.

— Comment ça ? Ce n'est pas une prison, n'est-ce pas ? Qui a pris cette décision ?

— La directrice.

— Je peux lui parler ?

— Elle est en réunion. (Elle m'a indiqué une rangée de fauteuils roses rembourrés.) Vous pouvez attendre, si vous voulez.

D'une fenêtre du hall, je voyais une cour centrale. On y accédait par une double porte située à l'autre extrémité de la cour, qui devait être également actionnée par un bouton. Mme Shapiro devait attendre que je vienne la délivrer. Il fallait que je me débrouille pour lui faire parvenir un message lui disant que je faisais tout mon possible.

Je me suis installée dans un fauteuil rose en me demandant quoi faire. Entre l'épaisse moquette rose et les doubles portes fermées qui étouffaient tous les bruits, le silence était pesant, et l'atmosphère inerte était imprégnée d'une odeur de synthèse chimique aux relents douceâtres. De temps en temps, un ascenseur débarquait des gens dans le hall et le cerbère de l'accueil appuyait sur le bouton pour les laisser sortir. Sur une table basse, à côté des fauteuils, trônait une coupe de fruits bien lustrés. J'ai pris une pomme vert vif et j'ai croqué dedans à pleines dents. Le bruit de mes mandibules a résonné dans le hall. Le cerbère m'a fusillée du regard. Une fois fini, j'ai posé le trognon de pomme sur le bureau de l'accueil et je suis partie.

En rentrant chez moi, j'ai mis l'eau à chauffer et écouté mon répondeur. Il y avait un message de Mark Diabello me demandant de lui passer un coup de fil quand j'aurais un moment, un de Nathan d'*Adhésifs dans le monde moderne*, me rappelant le nouveau délai, un autre de Pete les Pectos – aucune idée de ce qu'il voulait – et un message aussi laconique que péremptoire de Rip : « Rappelle-moi tout de suite. » Et puis quoi encore ?

J'ai mis un sachet de thé dans la tasse et cherché du lait dans le réfrigérateur. Zut. Je n'en avais plus. J'ai fouillé partout en espérant trouver du lait en poudre et j'ai fini par me servir un verre de vin à la place. Puis le téléphone a sonné. C'était Mark Diabello.

— Georgina, j'ai fait… ma petite enquête. Je peux passer ?

J'aurais dû inventer une excuse quelconque et raccrocher, mais le vin me rendait sentimentale et la douceur sirupeuse de sa voix éveillait en moi un besoin soudain. Non de sexe. Je voulais juste que quelqu'un soit gentil avec moi.

— Désolée de ne pas t'avoir rappelé. Je ne suis pas très…

Je ne suis pas parvenue au bout de ma phrase. Un gros sanglot m'a noué la gorge. Dix minutes plus tard, il était là.

J'espérais sans doute un peu de tendresse, mais dès que j'ai vu son regard sur le pas de la porte, j'ai compris qu'au menu c'était sexe à volonté. Il m'a emmenée tout droit dans la chambre, et je me suis abandonnée entre ses mains.

Tandis que les draps refroidissaient contre ma peau, il m'a enlacée en me lissant les cheveux en arrière.

— Tu es une femme très sensible. Ça me plaît. J'aimerais te voir plus souvent, Georgina.

Ce baratin sentimental était probablement feint, et tout ce qui l'intéressait, c'était de coucher avec moi.

— Tu sais, Mark, je continue à me demander, pour la maison… ce que vous manigancez, toi et ton associé.

— Je pourrais te poser la même question, tu sais. Pourquoi es-tu venue me voir pour la faire évaluer ? Mme Shapiro n'est pas ta tante. Il est évident qu'elle ne veut pas vendre, alors pourquoi ce soudain intérêt de ta part ?

Il s'est redressé sur un coude en me dévisageant.

— Je n'arrête pas de me demander : Quel est son intérêt dans l'histoire ? Pourquoi avoir déclenché tout ça ?

J'en ai eu le souffle coupé. Il pensait… que j'étais comme lui.

Je me suis souvenue brusquement de la voix de portail rouillé qui parlait sur un portable.

— C'est l'assistante sociale qui a commencé. Mme Goodney. Elle voulait placer Mme Shapiro en maison de retraite et la forcer à vendre la maison. Elle voulait la faire estimer par Damian de Hendricks & Wilson.

Il s'est redressé.

— Tu aurais dû me dire ça avant. C'est une arnaque bien connue. Tous les agents immobiliers ont leurs contacts avec les services sociaux. C'est comme ça qu'on entend parler des biens qui ont du potentiel avant leur mise en vente. Quelquefois, il y a un client caché là-dessous, un investisseur ou un promoteur immobilier, qui est prêt à payer un bon prix pour le tuyau.

J'avais du mal à le suivre. Puis je me suis rappelé autre chose.

— Maintenant que j'y pense, la première fois, il y avait un type avec l'assistante sociale. Ça pouvait être un entrepreneur – elle lui montrait la maison. Mais… et si Mme Shapiro a de la famille ?

— Ils s'entendent avec la famille, Georgina. Une vente au comptant, personne ne pose de questions, la famille empoche l'argent et on la débarrasse de la maison.

Il m'a embrassée sur le front d'une telle manière que j'ai soudain eu la nausée.

— Il vaut mieux que tu y ailles. Ben va bientôt rentrer. De toute façon, je ne crois pas qu'elle ait de la famille.

Il m'a regardée d'un œil perçant, comme s'il savait que je mentais au sujet de Ben.

— Dans ce cas, l'assistante sociale travaille peut-être en solo, a-t-il dit.

— Vole en solo, tu veux dire.

— Si tu veux. Mais mets-toi à la place de l'assistante sociale : ils ne sont pas très bien payés. Et c'est un boulot plutôt ingrat. Or voilà que pour une fois dans sa vie, une occasion comme celle-là se présente. La vieille dame n'a pas besoin de millions, elle a juste besoin d'un toit agréable, propre, où elle soit à l'abri. Pourquoi ne pas l'aider et s'aider soi-même en même temps?

J'étais choquée.

— Mais les assistantes sociales ne sont-elles pas censées se soucier du bien-être des personnes âgées?

Il a eu un rire blasé.

— Personne ne se soucie de personne en ce bas monde.

— Tu as pourtant l'air de tenir à moi.

— C'est différent. Tu es différente, Georgina.

Il s'est penché et m'a embrassée si tendrement que je me suis dit qu'après tout il était peut-être sincère. Puis il a levé la tête.

— Au fait, à combien Hendricks & Wilson l'évaluent-ils?

— Sept millions, ai-je hasardé.

Il a ri.

— Tu mens.

Tandis qu'il repartait dans la nuit tombante, j'ai ramassé mes vêtements pêle-mêle.

LE lendemain, il pleuvait à verse et je me suis attelée à mon ordinateur en essayant de réfléchir aux adhésifs. Au bout d'un moment, j'ai renoncé à travailler, et je suis allée donner à manger aux chats de Mme Shapiro. Quand je suis arrivée, ils m'attendaient devant Canaan House en tournant désespérément en rond sous la pluie. Le porche sous lequel ils se mettaient d'habitude n'était qu'une énorme flaque. L'eau ruisselait à présent de la gouttière cassée et se déversait directement sous le porche. Je leur ai donné à manger dans la cuisine, puis je les ai fait sortir par la porte de derrière.

Sitôt rentrée chez moi, j'ai téléphoné à M. Ali. Quand j'ai décrit le problème, il a tout d'abord hésité.

— Je suis un artisan, pas le maçon. Il faut les grandes échelles pour cette travail.

Il a cependant accepté de venir jeter un coup d'œil. Puis j'ai appelé Northmere House. J'ai été contrariée sans pour autant être étonnée d'apprendre que Mme Shapiro n'avait pas plus le droit de recevoir des appels que des visiteurs.

Ensuite j'ai appelé Nathan.

— Nathan, je suis désolée, j'ai effacé ton message par erreur. Quel est le nouveau délai?

— Tss, tss, a-t-il fait en soupirant.

De toute évidence, il n'était pas réellement fâché.

— 25 février. Tu crois que tu pourras être dans les temps, ma petite Georgie?

— Oui, je pense. Au fait, Nathan, tu as déjà entendu parler d'une ville qui s'appelle Lydda?

— Lydda, à côté de Tel-Aviv? Ça s'appelle Lod maintenant. La côte est belle par là-bas. J'ai des cousins qui habitent à Jaffa.

En fait, il ne m'était pas venu à l'esprit que Nathan puisse être juif, lui aussi.

— Je rends parfois visite à une dame juive âgée qui habite pas loin de chez moi. Elle a une vieille photo de Lydda dans son entrée.

— En 1972, il y a eu un attentat terroriste là-bas. Un groupe de Japonais a abattu un paquet de gens à l'aéroport.

J'ai creusé dans mes souvenirs. À l'époque, j'avais douze ans.

— Pourquoi ils ont fait ça?

— Ils vengeaient deux pirates de l'air palestiniens qui avaient été abattus par les Israéliens.

J'ai décroché. Des Palestiniens et des Israéliens qui se tuaient – une haine aussi ancienne qu'inexplicable. Ce n'était pas mon problème.

Le lendemain, j'ai attendu qu'il cesse de pleuvoir pour filer à Canaan House. J'ai donné à manger aux chats dans la cuisine, et alors même que je m'apprêtais à refermer la maison pour rentrer chez moi, de grosses gouttes se sont mises à tomber. J'aurais pu me dépêcher, mais je n'étais pas emballée à la perspective de retrouver *Adhésifs*. Je me suis donné pour prétexte d'aller vérifier s'il n'y avait pas de fuite dans le toit et je suis montée au grenier. Le toit était étonnamment solide. Il y avait juste un endroit du côté de la façade où il manquait quelques tuiles et où l'eau s'infiltrait. J'ai déniché un joli pot de chambre victorien pour recueillir les gouttes.

Dans la tourelle, il n'y avait aucune trace d'humidité au plafond. Je me suis assise dans le fauteuil bleu en attendant qu'il cesse de pleuvoir et j'ai cherché la photo en passant la main sur les côtés. J'ai scruté ces beaux yeux sombres de bébé tout écarquillés. Cet enfant devait avoir au moins un parent aux yeux bruns. Mme Shapiro avait les yeux bleus. Et Artem Shapiro aussi.

Cette fois, ma curiosité était réellement en éveil. J'ai exploré le creux du fauteuil. Près de l'accoudoir de gauche, je suis tombée sur quelque chose qui ressemblait à du papier. D'une main j'ai écarté l'étoffe bleue du rembourrage et de l'autre j'ai plongé deux doigts suffisamment loin pour l'attraper par un bout et je l'ai retiré.

Kefar Daniyyel, près de Lydda, 26 novembre 1950
Mon très cher Artem,
Je t'écris pour t'apprendre une nouvelle merveilleuse. Notre enfant est né le 12 novembre, c'est un petit garçon. Tous les jours, je le regarde devenir de plus en plus beau comme son père. Il a vraiment ton visage, Arti, mais il a mes yeux bruns. Je lui parle souvent de son père à Londres et il sourit en levant ses petites mains en l'air comme s'il comprenait tout. Je l'ai appelé Chaïm comme notre grand président Chaïm Weizmann. Pourquoi tu ne viens pas, Arti? Pourquoi tu n'écris pas? Nous as-tu oubliés?
Avec tout mon amour,
Naomi.

J'ai replié la lettre et je l'ai remise dans le creux du fauteuil avec la photo. Qui était donc Naomi? Ce devait être la jolie jeune femme aux yeux bruns – la mère du bébé. Mais dans ce cas qui était la vieille dame qui se trouvait à Northmere House?

J'ai regardé ma montre. Il était 15 heures, Ben serait bientôt rentré. J'ai fini par me résigner à me faire tremper et j'ai foncé à la maison. En arrivant, j'ai enfilé des vêtements secs et me suis attelée à l'ordinateur non sans culpabilité. Allez. On se concentre. La colle. « Le durcissement de l'adhésif est le passage de l'état liquide à l'état solide. »

Quelquefois, la science du collage est d'une évidence accablante. Je me suis forcée à me concentrer. C'était *Adhésifs dans le monde moderne* qui réglait les factures. Il y avait autre chose qui me tracassait. Ben semblait devoir rentrer plus tard que d'habitude.

Quand j'ai enfin entendu la clef dans la serrure, je suis descendue l'accueillir. En arrivant dans l'entrée, je me suis arrêtée, le souffle coupé. Un inconnu se tenait là – un drôle de type chauve qui s'était introduit par effraction.

— Salut, m'man. Ne me regarde pas comme ça.

— Qu'est-ce?…

Tous ses cheveux avaient disparu. Son crâne pâle et bosselé était d'une nudité obscène. Il m'a regardée dans les yeux.

— Ne dis rien, m'man.

J'ai mis ma main sur ma bouche. Nous avons éclaté de rire.

— Tu veux des Choco-Puff?

Il a fait non de la tête.

— Je ne sais pas pourquoi tu m'en achètes tout le temps. Papa aussi. Je déteste ça.

Il s'est fait un toast qu'il a tartiné d'un bon centimètre de beurre de cacahuètes, suivi d'une couche de confiture de fraises, le tout saupoudré de chocolat en poudre. Je me suis fait un thé.

— Et ça ne fait pas… un peu froid à la tête?

Il m'a lancé un regard de reproche.

— Si, mais quand on pense que Notre Seigneur a été crucifié, on relativise?

À entendre son ton interrogateur, j'avais l'impression qu'il était sur la défensive. J'ai été gagnée par la panique.

— Tu penses souvent à ça, Ben?

Il a pris son sac de lycéen, ouvert une poche intérieure à fermeture Éclair et sorti un livre. J'ai eu un choc en reconnaissant l'ancienne bible scolaire de Rip. Il l'a ouverte à une page marquée avec un vieux ticket de bus.

— « Quand vous verrez… l'abomination de la désolation… (il trébuchait sur les termes empesés)… installée là où elle ne doit pas être, alors que ceux qui seront en Judée s'enfuient dans les montagnes… Et alors on verra le Fils de l'homme venant dans des nuées avec grande puissance et gloire. Et il enverra les anges pour rassembler ses élus, des quatre vents, de l'extrémité de la terre à l'extrémité du ciel. »

— Ben…

J'avais envie de le serrer dans mes bras. J'avais envie de retrouver mon petit garçon, mais ce n'était plus lui.

— Je ne dis pas que ce sont des foutaises, Ben. C'est un langage… d'une grande force. Mais tu ne crois pas que ça fait allusion à des événements qui se sont déroulés il y a longtemps ?

— L'abomination de la désolation, ça ne date pas d'il y a longtemps, m'man, c'est dans le futur – bientôt. Un cinglé va balancer une bombe nucléaire sur le mont du Temple à Jérusalem. Le lieu saint.

Il a pris le chocolat en poudre pour en saupoudrer encore sur son toast.

— C'est Daniel qui l'a prédit en premier. Dans l'Ancien Testament ? Et puis Matthieu et Marc ont repris ses prédictions ? Ils n'avaient jamais entendu parler des armes nucléaires, mais quand on voit leur description… Et les grands qui dirigent le monde, ils savent tous ce qui va se passer ? George Bush et Tony Blair ? Pourquoi tu crois qu'ils sont complètement obsédés par le Moyen-Orient ? Pourquoi ça les fait tellement flipper que l'Iran se mette au nucléaire ? Eux, ils savent que c'est la prophétie du Second Avènement qui va se réaliser à notre époque ? Tu veux savoir pourquoi l'Amérique soutient Israël ? Parce que dans la Bible il est dit que quand le peuple élu retournera sur sa Terre promise, comme ils ont fait en 1948, ça sera le début de la fin des temps. C'est les pauvres gens comme toi et papa qui seront les oubliés.

— Les oubliés de quoi ?

— L'enlèvement ? Le Second Avènement ? Quand les élus seront enlevés au ciel ? Ne sois pas aussi aveugle, m'man.

Il m'a lancé un regard où la colère se mêlait à la pitié. Puis il a avalé de l'eau, s'est levé brusquement en emportant son sac et sa bible, et il est monté à pas lourds dans sa chambre.

Mon ventre s'est noué. J'ai fini mon thé et je suis allée dans ma chambre. J'ai ouvert mon ordinateur, et j'ai tapé « fin des temps » sur Google, comme Ben l'avait fait. Il y avait littéralement des millions d'entrées. J'en ai consulté quelques-unes au hasard, suivi des liens, et brusquement, je me suis aperçue que j'avais plongé dans un effrayant monde parallèle dans lequel la guerre, la maladie, le terrorisme, le réchauffement climatique – les fléaux de notre époque – étaient allégrement brandis comme les signes du Second Avènement. Un lien m'a conduite à une page entière de sites chrétiens et juifs discutant de la promesse de Dieu faite aux juifs. Quand était-elle censée se réaliser ? Les cyber-querelles faisaient rage.

Les juifs et les chrétiens n'étaient pas les seuls à être préoccupés par le Second Avènement. Google donnait plus d'un million de liens vers des sites annonçant le retour imminent de l'imam Al-Mahdi.

Je commençais à comprendre pourquoi Ben était aussi ébranlé. Comparé à l'implacable inéluctabilité de cette machine à ravir les âmes, l'univers de notre petite famille semblait aussi pitoyable que futile.

SAMEDI, quand je suis allée à Canaan House retrouver M. Ali, il avait cessé de pleuvoir mais de grosses gouttes tombaient des branches d'arbres. J'étais partie en avance car j'espérais le voir tête à tête. Je voulais lui poser des questions sur Lydda. Je voulais qu'il me parle de l'islam et du dernier imam. Mais en arrivant à Totley Place, j'ai vu une camionnette rouge cabossée garée dans la ruelle, puis j'ai entendu des voix d'hommes dans le jardin ou plus exactement des cris.

En approchant du portail, j'ai aperçu entre les arbres une vision terrifiante : M. Ali se balançait en l'air, se raccrochant à un bout de gouttière en fonte qui s'était détaché du mur. Il n'était retenu que par un vieux crochet de métal rouillé d'un côté, et de l'autre par une branche de lierre qui était montée jusqu'au toit et s'était heureusement enroulée autour des cheminées. Au sol, empêtrés dans les ronces mouillées, deux jeunes hommes en djellaba blanche et chèche se débattaient avec une échelle qui s'était désarticulée.

Ils ont finalement réussi à remboîter les trois parties et brandi l'échelle en essayant d'attraper M. Ali, qui n'avait plus que la pointe d'un pied précairement posé sur le rebord de la fenêtre. M. Ali a lancé un chapelet d'invectives. Je voyais le crochet céder lentement sous son poids et le lierre se détacher du mur. S'ils ne se bougeaient pas un peu, il allait atterrir une dizaine de mètres plus bas sur la terrasse de pierre. J'ai retenu mon souffle et soudain j'ai eu un déclic – mais quelle bande d'incapables, ces deux jeunes !

J'ai couru les aider et à nous trois, nous avons réussi à appuyer l'échelle solidement au mur, sous les pieds de M. Ali. Il est descendu en hurlant sur les deux autres. Mais dès que ses pieds ont touché le sol, il a semblé perdre toute son agressivité et s'est avachi par terre.

— C'est le travail pour le plus jeune. Pas le monsieur mon âge. (Il a croisé les bras sur son ventre de hamster.) Ma femme me donne trop manger. C'est pas bon pour grimper l'échelle.

J'ai ri.

— La prochaine fois, il faudra demander à un des deux autres de le faire.

Il a secoué la tête avec un soupir mélancolique, mais n'a rien dit.

Les deux autres étaient en train d'allumer des cigarettes qu'ils avaient sorties de leurs poches. Je me demandais pourquoi ils portaient ces tenues bizarres – ils ressemblaient davantage à des figurants de *Lawrence d'Arabie* qu'aux Palestiniens que je voyais à la télévision. Ils étaient plus jeunes que M. Ali, plus grands et d'une beauté saisissante, dans le genre œil noir étincelant et dents blanches.

— Bonjour, ai-je dit en souriant. Je m'appelle Georgie.

Ils ont hoché la tête en me lançant un sourire. Visiblement, ils ne parlaient pas un mot d'anglais. M. Ali s'est relevé péniblement.

— Permets-moi de présenter, madame George. Lui, c'est mon neveu Ishmaïl. Il est complètement incapable. Lui, c'est son ami Nabeel. Lui aussi est complètement incapable.

Les deux jeunes Incapables ont hoché la tête avec un sourire puis se sont mis à se donner des coups avec un journal plié imprimé en arabe en riant comme des garnements.

M. Ali a soupiré :

— Cette maison, il a besoin beaucoup de travail. Je sais pas si je peux faire avec ces incapables.

— Mais si, j'en suis sûre, ai-je déclaré. Ce n'est pas pressé. Mme Shapiro devrait être absente un moment.

— Vous croyez? (Il s'est interrompu pour me lancer un regard oblique.) Vous savez, madame George, c'est dommage que la maison grande comme ça, elle reste vide. Lui, mon neveu Ishmaïl, il dorme par terre dans mon appartement. Il rend ma femme folle. L'autre incapable quelquefois il dorme là aussi.

Je voyais ce qu'il voulait dire : moi aussi, ils me rendraient folle.

— C'est que… je ne sais pas ce que dirait Mme Shapiro…, ai-je commencé avant de songer subitement que ces deux-là étaient peut-être des incapables pour ce qui était de réparer une maison, mais qu'ils pouvaient s'avérer très utiles pour tenir à l'écart les Mme Goodney et autres Nick Wolfe.

De plus, ils pouvaient nourrir les chats.

— En ce cas, il faudrait que ce soit à la condition expresse qu'ils s'en aillent dès que Mme Shapiro revient.

— Pas le broblème. Même s'ils restent pas longtemps, c'est changer beaucoup pour ma femme. Comme ça elle peut nettoyer.

Je me demandais ce qu'en penserait Mme Shapiro si je lui disais qu'ils étaient palestiniens.

— Je suis désolé qu'ils ont pas l'argent pour payer loyer. Mais ils rébareront la maison. Je supervise, bien sûr.

Sans doute aurais-je dû refuser, mais je flairais une nouvelle histoire.

— C'est à Lydda que vous avez acquis vos connaissances en bâtiment, monsieur Ali ?

— Non. On était chassés de Lydda. Vous savez pas qu'est-ce qui se passe là-bas ?

— Vous parlez de l'attentat terroriste ? J'en ai entendu parler, oui, ai-je répondu, très fière de moi.

— Ah, ça, tout le monde il sait ! Les terroristes qu'ils tuent les Israéliens innocents. Mais vous savez pourquoi ? En 1948, tous les Palestiniens ils étaient mis dehors de Lydda. Pas juste Lydda – beaucoup beaucoup les villes et les villages de notre pays ils étaient détruits. Pour faire la place pour les juifs. Les gens encore ils vivent dans camps de réfugiés.

— Mais vous avez appris le métier du bâtiment ? l'ai-je encouragé pour me rassurer en cherchant un côté positif à tous ces déplacements.

— À Ramallah, je faisais études de l'ingénieur. Ici, en Angleterre, je dois refaire nouveaux examens. Mais je suis vieux et le temps, il a tout lâché sur moi. Cet incapable (il a montré son neveu), il va faire les études de l'ingénieur aussi. Aéronautique.

— En aéronautique ?

A priori, il fallait être plutôt calé pour ça.

— Il a le bourse. (Il chuchotait fièrement.) L'autre, je sais pas. Maintenant, tous les deux apprend l'anglais. Cours d'anglais à côté d'ici – Metropolitan University, pas loin stade Arsenal.

S'apercevant qu'il était question d'eux, les Incapables sont venus mettre leur grain de sel :

— Arsenal. Oui, merci.

— Et pourquoi êtes-vous venu en Angleterre, monsieur Ali ? Votre famille n'était-elle pas restée là-bas ?

— Vous posez les questions difficiles, madame George. Après mon plus jeune fils il est mort, je ne vois plus le fin possible pour ce conflit. Tout ce je veux, c'est partir. J'ai un bon ami, un Anglais, il était professeur à Ramallah. Il m'aidait venir ici.

— Votre fils est mort ?…

— Il a eu le perforation de l'appendice. On était à Rantis, dans la famille de ma femme. On voulait l'emmener dans l'hôpital de Tel-Aviv, mais on était retardés au check-point. Un soldat disait on doit retourner à Ramallah. Quand on arrivait là-bas, il est trop tard. (Un éclat dur a traversé son regard.) Comment je peux pardonner ? Mon fils, il avait quatorze ans.

— Alors vous avez voulu partir ?…

— Maintenant, ma fille est mariée avec cet Anglais. J'ai trois petits-enfants. (Il a esquissé un sourire.) Ils rendent ma femme folle.

Je me suis dit que j'aimerais bien rencontrer sa femme un jour.

Les Incapables étaient partis s'asseoir dans la camionnette. Ils devaient avoir un lecteur de CD dedans, car j'entendais des accents doux et mélancoliques de musique arabe qui s'élevaient incongrûment au-dessus de la pelouse détrempée et des ronces ruisselantes.

« Mais sans doute tous les lieux ont-ils leur histoire de souffrances et de déplacements, me disais-je. Des gens arrivent, d'autres s'en vont. De nouvelles vies, de nouvelles communautés naissent au milieu des pierres laissées par les anciennes. »

— Alors, qu'est-ce que vous dites, madame George ? Ils restent et ils rébarent la maison ?

— Je ne sais pas, ai-je répondu mollement.

Je compatissais avec le pauvre exilé et ses assistants incapables, mais j'avais un devoir vis-à-vis de Mme Shapiro.

— Peut-être que si vous réparez d'abord la gouttière, ça me donnera le temps d'en parler à Mme Shapiro.

PARFOIS, quand j'essaie de comprendre ce qui se passe dans le monde, je me surprends à penser à la colle. Chaque adhésif interagit à sa manière avec les surfaces et l'environnement. Le secret d'un bon collage consiste à trouver l'adhésif le mieux adapté aux supports à assembler.

On sait, par exemple, que les acryliques durcissent rapidement et n'exigent pas autant de préparation de surface que les époxy, qui ont une force de cohésion élevée mais un temps de prise plus long. Les adhésifs époxy ont deux composants : l'adhésif lui-même et un agent de durcissement, qui accélère le processus. Vendredi, j'étais devant mon ordinateur, méditant cette profonde dualité philosophique, quand une idée s'est fait jour dans mon esprit. Ce qu'il me fallait pour entrer en contact avec Mme Shapiro, c'était un agent de durcissement. Et quoi de plus dur que M. Wolfe ?

Saisie d'une brusque inspiration, j'ai cherché une carte dans le tiroir du bureau et j'ai écrit un petit mot à Mme Shapiro pour lui souhaiter un prompt rétablissement, ajoutant que je faisais de mon mieux pour lui rendre visite et lui recommandant de ne signer aucun papier sans m'en parler. Je lui ai dit que j'avais trouvé des ouvriers qui feraient des travaux dans la maison et resteraient peut-être sur place – j'avoue que je ne suis pas entrée dans les détails. Je lui ai dit que les chats allaient très bien et que Wonder Boy se languissait d'elle (ce qui était sans doute le cas, à sa façon brutale et égoïste). J'ai pris une enveloppe timbrée à mon adresse et une feuille de papier vierge, glissé le tout avec le petit mot dans une enveloppe que j'ai fermée. Puis je suis allée à l'agence Wolfe & Diabello. J'ai fait une petite reconnaissance dans le parking de derrière et constaté que Nick Wolfe était bien là, mais pas Mark Diabello.

Il m'a saluée en me broyant la main. J'ai pris mon ton le plus aimable et lui ai expliqué que Mme Shapiro souhaitait le voir. J'ai griffonné l'adresse de Northmere House sur un Post-It jaune, puis je lui ai tendu l'enveloppe en lui demandant d'en profiter pour lui donner ma carte s'il avait le temps d'y faire un tour.

— D'accord, m'a-t-il répondu.

Puis je suis rentrée à la maison et je me suis mise à *Adhésifs dans le monde moderne*. L'article que je révisais traitait de l'importance d'une bonne conception du joint dans le collage. « L'atraction de surface, est augmantée en rendant rugeuse, les surfaces à coller. » L'article avait été écrit par un jeune homme qui connaissait ses colles, mais semblait avoir un parfait mépris pour l'orthographe et la ponctuation. Qu'est-ce qu'on leur apprenait à l'école aujourd'hui ? Ben n'était pas plus doué. Subitement, je me suis demandé comment s'était passée sa journée au lycée. En arrivant de Leeds, il avait eu du mal à s'adapter à sa nouvelle classe. Et je craignais qu'avec ses cheveux rasés et ses penchants religieux il ne devienne la cible des tyranneaux du lycée.

Le soir même, au dîner, je lui en ai parlé :

— Qu'est-ce qu'ils ont dit au lycée quand tu es arrivé avec ta nouvelle coiffure – ta non-coiffure ? Ils ne t'ont pas charrié ?

Il a haussé les épaules.

— Un peu, oui, mais je m'en fiche. Jésus a bien reçu des sarcasmes ?

Oui, et regarde ce qui lui est arrivé… J'ai retenu ma langue et pris une voix empreinte de sollicitude maternelle :

— Mais ce n'était pas trop… terrible ? Les gamins peuvent être très cruels.

— Bof. Ça me dérange pas. Ça me rapproche de Notre Seigneur.

Une fois son repas terminé, il a joint un instant les mains et fermé les yeux. Puis il a pris son sac et disparu en haut. J'aurais peut-être dû me réjouir qu'il ne vole pas de voitures ni ne prenne de drogues, mais il se dégageait de lui une telle intensité qu'on aurait dit une aura de martyr. Était-ce notre échec en tant que parents qui l'avait amené à se chercher une forme de certitude ?

Parfois, j'avais l'impression de ne pas être assez adulte moi-même pour être parent – d'improviser au fur et à mesure avec seulement une petite longueur d'avance.

Sur un coup de tête, j'ai pris le téléphone et j'ai appelé Rip. Une jeune femme a répondu – j'ai failli ne pas reconnaître sa voix.

— Stella ?

— Maman ?

Le chagrin de son absence m'a frappée comme un coup de poing en pleine poitrine.

— Mais tu n'es pas censée être à la fac ? (Pourquoi allait-elle chez Rip et pas chez moi ?)

— Je… C'est la semaine de révision. Tu veux parler à papa ?

Sa voix douce et flûtée qui avait conservé des accents enfantins était empreinte d'une assurance d'adulte. Elle avait toujours été proche de son père.

— Oui… non. Écoute, je m'inquiète pour Ben. D'après toi, est-ce qu'il a l'air malheureux ? Tu n'as pas remarqué qu'il a changé ?

Je me suis rappelé qu'elle n'avait pas encore vu sa nouvelle coupe de cheveux, mais ils étaient très proches, tous les deux. Ils avaient passé leur enfance à se disputer tout en s'adorant.

— Il va bien, maman. Il est à fond dans la religion, c'est tout. Moi, c'était Leonardo DiCaprio quand j'avais son âge.

— C'est justement ça : la religion. À seize ans, ce n'est pas normal.

— Je ne sais pas ce que tu as, maman. Il pourrait se piquer ou faucher des bagnoles, et toi, tu stresses sous prétexte qu'il lit la Bible.

Peut-être avait-elle raison, peut-être que ce n'était qu'un truc de gamin. Mais ce côté intense, ces yeux dilatés avaient quelque chose de terrifiant.

— Il parle de la fin du monde comme si ça devait se produire d'un instant à l'autre.

— Oui, papa n'arrête pas de l'enquiquiner là-dessus. Ils ont eu une grosse dispute à Noël. Ben s'est mis à délirer sur la religion. Il disait que le caractère sacré de Noël était traîné dans la boue de l'alcool et du consumérisme. Ils ont tous ri.

— Le pauvre.

Je gardais un ton calme, mais au fond de moi je bouillais de rage.

— C'était dégoûtant. Grand-père l'a traité de tapette.

— Qu'est-ce qu'il a répondu ?

— Il a dit : « Je te pardonne, grand-père. »

Elle a pouffé de rire. Moi aussi.

— Il a bien fait. Je suis contente qu'on discute, Stella. Tu as fini ta formation pédagogique ?

— Oui. Je ne sais pas si c'est vraiment fait pour moi, l'enseignement. Mais de toute façon je continue jusqu'à la fin et je verrai après. Ne t'inquiète pas pour Ben, maman. Ça ira.

Quand j'ai raccroché, j'ai éprouvé un bien-être extraordinaire, comme si on m'avait ôté un sac de pierres des épaules. J'ai débarqué dans la chambre de Ben et je l'ai pris dans mes bras.

— Je viens de parler avec Stella.

Il a levé la tête de l'ordinateur.

— Qu'est-ce qu'elle a dit ?

— Oh… elle a dit qu'elle n'était pas sûre de vouloir enseigner… que ce soit fait pour elle.

Il m'a fixée longuement d'un regard intense.

— Il faut que tu te calmes, m'man.

L<small>E</small> samedi matin, alors que Ben venait de partir chez Rip, j'ai reçu un coup de fil de M. Ali :

— Vous pouvez venir voir, madame George. La maison, il est tout rébarée.

Quand je suis arrivée, ils m'attendaient tous – tous les trois, plus les chats. Les Incapables étaient en jean et casquette de base-ball. Je ne sais pas ce qu'ils avaient fait de leurs djellabas. M. Ali arborait un sourire de fierté.

— Vous voyez ?

Une nouvelle gouttière en PVC blanc courait tout le long du mur de la maison. Les ronces avaient été taillées pour laisser la place à une table et à des chaises en PVC blanc et une vasque en PVC blanc était posée au milieu de la pelouse.

— C'est… euh… très joli.

Je me suis forcée à sourire. Les Incapables étaient rayonnants.

— Vous les laisse rester, ils rébarent tout pour vous, a dit M. Ali.

— Pas trop de réparations, peut-être. Juste l'essentiel. Juste poncer les boiseries et mettre une petite couche de peinture.

— Beinture, oui, a-t-il répété en hochant la tête avec enthousiasme.

Les Incapables ont également hoché la tête avec enthousiasme.

— Je vous appellerai. Il faut que je refasse faire des clefs, ai-je répondu pour gagner du temps, en me disant que M<small>me</small> Shapiro serait peut-être de retour d'ici peu.

Mais le mercredi matin une lettre m'attendait sur le paillasson. J'ai reconnu mon écriture sur l'enveloppe.

> Très chère Georgine,
> Merci pour votre Carte et d'envoyer mon Nicky pour me réconforter en Prison. Il est absolument adorable ! Il venait avec le Champagne et les Roses blanches. Un vrai Gentleman ! Nous parlons pendant des Heures de Musique Poésie Philosophie le Temps passait trop vite comme l'Eau coulant sous un Pont. C'était comme ça avec Artem il avait vingt ans de plus vieux que moi mais nous trouvons la Joie ensemble. Je me demande si je retrouverai jamais une Joie pareille avec un autre Homme sentir les bras d'un autre Homme autour de moi et la chaleur d'un bon Corps tout près du mien mieux que les Chats. Il a dit qu'il

reviendra maintenant toutes les Heures traînent trop longtemps j'attends qu'il vienne et vous aussi ma chère Georgine.
Pourquoi j'échappais au Déportation et Emprisonnement dans
toute ma Vie seulement pour le vivre maintenant seule dans
mon vieil Âge ? Ils veulent que je signais une Confession avant
que je peux retourner dans mon Maison. Ils disent que je donnais le Pouvoir mais mon Nicky dit aussi que je dois rien signer
alors je résiste avec courageuse. Je dois arrêter l'Infirmière vient
bientôt avec le piqûre. Je vous prie aidez-moi.
Naomi Shapiro.

J'ai relu la lettre deux fois. Puis j'ai fini par appeler M. Wolfe.
— Merci d'avoir déposé ma carte. Comment allait-elle ? Elle était
dans un triste état à l'hôpital. J'étais étonnée qu'ils l'aient laissée sor-
tir si vite.
— Quelques bleus. Une plaie à la tête. Rien de grave. On a bien ri.
— J'ai l'impression qu'elle vous aime beaucoup.
— Oui. Et vous savez, curieusement, je me suis attaché à elle.
Il parlait avec désinvolture.
— Vous êtes au courant de cette confession qu'elle est censée
signer ? Une histoire de pouvoir.
— Ah ! Oui. Ils veulent qu'elle signe un pouvoir. Ça signifie que
la personne à laquelle elle signe ce pouvoir aurait la possibilité de
signer des documents légaux en son nom.
— La vente d'une maison, par exemple ?
— Exact.
Mon cœur s'est mis à battre à tout rompre.
— Qu'est-ce qu'on peut faire pour arrêter ça ?
— Je me le demande.
Je ne sais pas ce qu'il avait en tête, mais, de toute évidence, il n'avait
aucune intention de me mettre dans la confidence. Il fallait que je
découvre ce qu'il savait sans trop en dire moi-même. Puis j'ai pensé
à quelque chose qui le déstabiliserait.
— Elle vous a parlé de son fils ? Apparemment, il va venir d'Israël.
Ça pourrait nous aider, non ?
J'ai cru percevoir un silence interloqué à l'autre bout du fil.
— En effet.
— Au fait, vous n'avez pas eu de problèmes pour entrer ?

— Si, on m'a dit qu'elle n'avait pas le droit de recevoir de visiteurs. Je leur ai juste dit d'arrêter de raconter n'importe quoi.

« C'est donc ça le secret », ai-je pensé.

Environ une heure plus tard, le téléphone a sonné. C'était Mark Diabello.

— Bonjour, Georgina. Je suis content de te trouver chez toi. Écoute, je crois avoir la réponse à ton dilemme : comment éviter à Mme Shapiro d'être obligée de vendre si elle va en maison de retraite. C'est comme une hypothèque – la maison est vendue après le décès de la personne, et c'est là que la municipalité exige le remboursement de la dette. Le reliquat, si tant est qu'il y en ait, est reversé à la succession.

— Mais elle n'a pas besoin d'être en maison de retraite, Mark. Elle est très bien chez elle. Elle aime son indépendance.

— Alors tu as intérêt à la ramener au plus vite chez elle. Ou trouver quelqu'un pour habiter chez elle en attendant qu'elle rentre. Dans ce genre de situations, les choses s'accélèrent parfois très vite.

J'AVAIS rendez-vous avec M. Ali et les Incapables. À mon arrivée à Canaan House, la camionnette était déjà garée dehors et ils étaient tous les trois recroquevillés à l'avant. Dès qu'ils m'ont vue, les Incapables sont descendus d'un bond en parlant avec excitation en arabe et m'ont suivie dans l'allée avec leurs affaires entassées dans une bonne douzaine de cabas. Je les ai conduits au premier, puis j'ai fait faire le tour de la maison à M. Ali en lui montrant ce qu'il fallait réparer.

Il poussait des murmures d'appréciation tandis que ses petits yeux de hamster exploraient les pièces en détail.

— Hum, hum, faisait-il en notant tout dans un carnet. Tout il sera rébaré bien, madame George.

Quand nous sommes montés au grenier, il a été estomaqué.

— Là on peut faire le très beau appartement standing.

— Concentrons-nous sur l'essentiel pour l'instant, ai-je dit.

En redescendant dans le hall, il s'est arrêté de nouveau devant la photo de l'église de Lydda.

— Vous savez, juste à côté cette église il y avait le mosquée. Le croix et le croissant à côté l'un l'autre en paix.

— Parlez-moi de Lydda. Votre famille y vit toujours ?

— Vous connaissez pas la Nakba ?

— La Nakba ? Qu'est-ce que c'est ?

— Hum. Vous êtes complètement ignorante, a-t-il soupiré.

— Je suis désolée. Je vais faire du thé et vous allez m'expliquer.

J'ai mis de l'eau à chauffer, rincé deux des tasses les moins crasseuses sous le robinet de l'évier et mis dans chacune un sachet de *Kräutertee*. Nous nous sommes installés à la table de la cuisine. M. Ali a bu son eau stagnante avec trois bonnes cuillerées de sucre, et j'ai fait de même. Nous avons remué notre tisane, puis nous avons bu.

— Vous alliez me parler de votre famille, l'ai-je encouragé.

— Je vais vous dire comment ils ont quitté Lydda. Mais vous connaissez l'histoire – le mandat britannique en Palestine?

— Un peu. Pas vraiment, en fait.

Il a de nouveau soupiré.

— Mais vous avez entendu parler l'Holocauste?

— Oui, ça je connais.

— Bien sûr, tout le monde il connaît le souffrance des juifs. Juste le souffrance du peuple palestinien personne connaît. À la fin de la guerre, le monde entier il cherchait une patrie pour les juifs. Et les Anglais disent : écoute, on va donner cette terre en Palestine. Une terre sans peuple, un peuple sans terre. Typique les Anglais, ils donnent quelque chose qui leur appartient pas.

Il a levé les yeux. Je l'ai encouragé d'un hochement de tête.

— Cette terre, elle est pas déserte, madame George. Des Palestiniens vivent là, ils cultivent notre terre depuis des générations. Maintenant ils disent qu'il faut donner la moitié aux juifs. Vous avez pas appris ça à l'école?

— Non. (J'étais embarrassée par mon ignorance.) En cours d'histoire, on apprenait les rois et les reines d'Angleterre. Henri VIII et ses six femmes.

— Six femmes? Toutes en même temps?

— Non. Il y en a deux qu'il a tuées, deux dont il a divorcé, et une qui est morte.

— Typique les Anglais. Comme avec nous. Quelques-uns tués. Quelques-uns envoyés en exil. Quelques-uns morts.

M. Ali a secoué la tête d'un air furieux.

— Mais c'était il y a longtemps.

— Non. 1948. Pareil que les Romains ont fait aux juifs, les juifs ont fait aux Palestiniens. Ils les ont chassés. On appelle ça la Nakba. Ça veut dire « Catastrophe » dans notre langue.

— Non, je disais qu'Henri VIII, c'était il y a longtemps.

— Avant les Romains ?

— Non, après les Romains, mais… Peu importe.

Visiblement, ça n'a fait que l'exaspérer encore plus.

— Vous avez rien appris à l'école. Juste un homme avec six femmes. L'histoire, elle a pas les frontières, madame George. Le passé s'enroule dans le présent qui s'enroule dans le futur. Les jeunes Israéliens aussi sont ignorants. À l'école, leurs professeurs disent que les juifs ils sont arrivés sur une terre déserte, mais pas comment cette terre est devenue déserte.

J'ai repensé à la lettre du tabouret de piano. C'était en effet ce qu'écrivait Naomi – « une terre aride et déserte ».

— Mais les juifs aussi ont besoin d'une patrie, non ? Et c'était leur terre, non ? Avant qu'ils soient chassés par les Romains ?

— Cette terre appartient à tous les peuples nomades qui voyagent en suivant leurs moutons. Palestine, Liban, Syrie, Jordanie, Égypte, Arabie, Mésopotamie. Qui peut savoir d'où venaient tous les gens ? Ils vous diront les Palestiniens ils abandonnent leurs fermes et leurs maisons et ils fuient parce que leurs chefs leur demandent. Non, ils fuient à cause du terreur. L'État israélien, il était fait par les terroristes. Vous croyez les terroristes, c'est juste les Arabes fous ?

— Excusez mon ignorance. À l'école on n'a appris que l'histoire britannique.

— Alors vous devez connaître déclaration Balfour ?

— Un peu. Il ne s'agissait pas de la partition du Moyen-Orient à la fin de la Première Guerre mondiale ?

J'avais vu un jour *Lawrence d'Arabie* avec Peter O'Toole. Il était fantastique. Quels yeux ! Mais je n'avais jamais compris qui avait trahi qui et à propos de quoi.

— Balfour, il a dit de satisfaire aux aspirations juives sans porter atteinte aux droits des Palestiniens. Mais les Palestiniens, il est encore dans les camps réfugiés. Ils ont perdu leurs terres, leurs champs, leurs vergers. Ils ont pas le travail, pas l'espoir. Alors ils restent dans les camps de réfugiés et ils rêvent de la vengeance. (Il avait une lueur de férocité inhabituelle dans le regard.) Ils ont pas les armes, alors ils utilisent leurs enfants comme les armes.

J'ai remis de l'eau à chauffer en songeant à Ben. Comment avait-il atterri dans ce monde biblique épineux ?

— N'y a-t-il pas une prophétie, monsieur Ali? Les juifs ne sont-ils pas censés reconstruire le Temple de Jérusalem, où le Messie viendra? Le troisième Temple?

— Leur livre dit qu'ils doivent reconstruire le Temple. Mais c'est plus possible, parce que sur ce site maintenant il y a notre mosquée – le mosquée Al Aqsa. À côté le dôme du Rocher. Un des lieux pour nous les plus sacrés.

— Mais est-il vrai que les musulmans, eux aussi, attendent le dernier imam? L'imam Al-Mahdi. Vous y croyez, monsieur Ali?

Il ne m'avait pas donné l'impression d'avoir des croyances excessives, hormis une croyance aussi excessive que fâcheuse dans le PVC blanc.

— Surtout les chiites croient le retour d'Al-Mahdi. Je suis sunnite. (Il m'a lancé un regard intrigué.) Vous apprenez ça à l'école?

— Non. Sur Internet.

Ce que j'avais cru être un éclat de dureté dans son regard n'était qu'un effet de lumière et quand il s'est retourné vers moi, il avait un visage doux empreint de tristesse.

— En fait, c'est mon fils qui me l'a dit. Il a trouvé des sites bizarres sur la fin des temps. L'Antéchrist. Armageddon. Ça le préoccupe tellement… Je voulais comprendre de quoi il s'agissait.

La bouilloire a sifflé et j'ai refait du *Kräutertee*. M. Ali a ajouté trois cuillerées de sucre dans sa tasse et remué en me regardant d'un air grave.

— Madame George, les jeunes, il est prêt à croire n'importe quoi qui le conduit au paradis. Et il y a toujours les gens pour les chuchoter que la mort est la porte de la vie.

J'ai frissonné. J'ai soudain imaginé Ben – mon adorable Ben avec ses boucles brunes –, les yeux rayonnant de la foi du converti, son corps adolescent ligoté à la charge mortelle, esquissant un sourire ou une plaisanterie en disant adieu. Cette idée me donnait la nausée.

À l'étage, j'entendais les jeunes piétiner – ils avaient réussi à brancher le lecteur de CD et des tourbillons endiablés de musique discordante nous parvenaient en bas.

— N'inquiète pas pour votre fils, madame George. Bientôt il grandit. Ishmaïl et Nabeel parlaient eux aussi comme ça.

Brusquement, les bruits de piétinement se sont mués en un grondement dans l'escalier, et quelques secondes plus tard les Incapables ont surgi dans le hall. Ils ont dit quelque chose en arabe à M. Ali, qui m'a traduit leurs propos :

— Ils veulent dire merci. C'est une très bonne maison.

— Il y a autre chose qu'ils doivent faire, ai-je dit. Ils doivent nourrir les chats.

Je leur ai montré le placard de la cuisine où étaient rangées les boîtes. Ils ont hoché la tête d'un air enthousiaste.

— Et ils doivent nettoyer leurs saletés.

Je les ai emmenés dans l'entrée et leur ai montré un petit dépôt que le Crotteur fantôme avait laissé à sa place habituelle.

Le plus grand – je crois que c'était Ishmaïl, le neveu de M. Ali – s'est couvert la bouche et le nez, puis il est allé chercher un bout d'essuie-tout et a commencé à nettoyer. L'autre, Nabeel, s'est mis à parler avec véhémence en arabe.

Comme il était temps que j'y aille, j'ai sorti de ma poche le double des clefs que j'avais fait faire.

— Si quelqu'un vient, quelqu'un que vous ne connaissez pas, vous ne devez pas le laisser entrer.

M. Ali a traduit en arabe et ils ont hoché la tête avec emphase.

— Pas entrer. Pas entrer.

Ils ont fait le signe d'interdiction de passer. Je leur ai donné les clefs. Et je dois admettre que j'ai été saisie d'une soudaine appréhension.

Le samedi après-midi suivant, je suis allée faire mes grandes courses hebdomadaires au Sainsbury's d'Islington. Au bout de l'allée principale, j'ai aperçu une foule qui grouillait – c'était la responsable de l'étiquetage qui effectuait ses réductions – et, par habitude, je suis allée m'y joindre. En l'absence de Mme Shapiro, les choses se déroulaient avec plus d'élégance, tout juste une discrète bousculade de paniers quand il y avait une véritable aubaine.

J'ai tout de même réussi à faire de bonnes affaires en dénichant des fromages à prix cassé et trois avocats dans une boîte plastique soldés à soixante-dix-neuf pence. J'ai repensé à la lettre que j'avais trouvée dans le tabouret de piano à Canaan House – *avo-kado*, disait-elle. Sans doute avaient-ils été découverts depuis peu à l'époque.

Il y avait aussi des promotions dans les allées des produits frais. Des bananes, des filets d'oranges, des fraises importées de Dieu sait où, avec un bel aspect mais sans goût. « Où peut-on bien trouver des fraises début mars ? » me demandai-je en sortant du magasin.

Une jeune femme distribuait des prospectus près de l'entrée. J'en ai pris un distraitement et je m'apprêtais à le fourrer avec mes courses quand les mots m'ont sauté aux yeux : BOYCOTTEZ LES PRODUITS D'ISRAËL. En me voyant intéressée, elle m'a tendu une feuille attachée sur une écritoire.

— Vous voulez signer notre pétition ? Nous voulons que le gouvernement s'engage à cesser d'importer des produits fabriqués en Israël. Jusqu'à ce qu'Israël accepte la résolution 242 de l'ONU.

— Ce n'est pas un peu…

— Ils poussent sur des terres volées. Irriguées par de l'eau volée, a-t-elle expliqué.

— Je sais, mais… tout ça s'est passé il y a si longtemps. C'était horrible, je sais. Mais… pouvaient-ils faire autrement ?

Je me suis aperçue qu'elle était très jeune – à peine plus âgée que Ben. Elle avait des cheveux courts hérissés sur le crâne.

— Mais ce n'est pas seulement quelque chose qui s'est passé il y a longtemps. Ça se passe encore aujourd'hui. Tous les jours. Ils volent des terres palestiniennes. Démolissent des maisons palestiniennes au bulldozer. Font venir des colons juifs. De Moscou, de New York, de Manchester.

Elle parlait très vite, en hachant ses phrases, comme si elle avait peur de perdre mon attention.

— Ce n'est pas possible.

— Si, c'est vrai. La Cour internationale de justice dit que c'est illégal. Mais l'Amérique les soutient. L'Angleterre aussi.

J'ai retourné la feuille. De l'autre côté, il y avait des photos de produits israéliens. Avocats, citrons, oranges, fraises. Au moins, je n'avais pas acheté de fraises.

Elle a brusquement pivoté la tête et, en suivant son regard, j'ai vu une voiture de police qui se garait et deux policiers en sortir – un homme et une femme.

— Pourriez-vous aller ailleurs ? lui a dit le policier. Vous encombrez la voie publique.

— Absolument pas, ai-je répondu tout en voyant bien qu'il s'adressait à la jeune fille.

Elle était en train de fourrer ses tracts et son écritoire dans un sac.

— Nous bavardons, ai-je dit. Des avocats.

La policière a souri.

— Nous avons reçu une plainte, a-t-elle expliqué.

Je me suis retournée vers la fille, mais elle avait disparu.

Il y avait une longue file d'attente à l'arrêt de bus. Un vent glacé s'était levé et je commençais à avoir faim. J'ai fouillé dans mes sacs et pris une banane mûre – au moins elles étaient à peu près correctes. J'ai remarqué un couple de dos devant une vitrine. L'homme était grand, blond, bien bâti. Il avait quelque chose de vaguement familier. Sa tête était légèrement disproportionnée par rapport à son corps. Brusquement, j'ai été choquée de reconnaître Rip. La femme était petite malgré ses talons hauts, avec un carré brun et du rouge à lèvres écarlate. J'ai écarquillé les yeux en voyant son reflet dans la devanture de la boutique. Ottoline Walker, la femme de Pete les Pectos. Qu'est-ce que c'était que cette histoire ? Ils se tenaient la main. Elle riait en levant le visage vers lui. Il s'est penché et l'a embrassée.

Un son s'est élevé dans ma poitrine, s'amplifiant peu à peu avant de jaillir brusquement – « Aaah ! Yaaah ! » –, un hurlement suraigu. Ils se sont retournés. Tout le monde s'est retourné. Je me suis ruée sur le trottoir. La banane est partie en avant, s'écrasant sur la figure d'Ottoline en une espèce de bouillie visqueuse. Elle s'est débattue, mais la banane que je tenais à la main n'arrêtait pas de tourner, s'enfonçant dans ses narines, étalant le rouge à lèvres écarlate autour de sa bouche. Rip m'a agrippé le bras.

— Georgie ! Arrête ! Tu es folle ou quoi !

Sur ce, elle s'est tournée vers moi, postillonnant.

— Qu'est-ce que j'ai fait pour mériter ça ?

Il suffisait de l'entendre pour savoir qu'elle avait l'habitude d'obtenir tout ce qu'elle voulait.

— Tu t'es dit que tu pouvais l'avoir, hein ? Tu n'as pas pensé une seconde à moi. À Ben, Stella et moi. Il est à nous, pas à toi.

— Comment ça ?

Elle avait un bout de banane qui lui pendait au nez. Ça m'a fait rire.

— On n'était que des gêneurs qui faisaient obstacle à ton beau rêve.

Je riais comme une folle en me tenant les côtes devant tant de symétrie.

Puis – quel plaisir – Bouche de salope a raclé à deux mains la bouillie de sa figure et a commencé à l'étaler sur Rip, sur ses vêtements et ses cheveux. Et il a crié :

— Ottie, arrête ! Qu'est-ce qui te prend ?

Et elle a répondu :

— Et toi alors ? Tu m'as dit que ça ne la dérangeait pas. Tu m'as menti. Tu m'as dit qu'elle était partie avec un autre ! En Jaguar !

— C'est vrai. Vous êtes complètement cinglées toutes les deux !

Il s'est mis à courir. Elle lui a couru après en titubant sur ses talons de salope. Et moi aussi, j'ai couru en esquivant les piétons ahuris.

Finalement, j'ai été obligée de renoncer. Je l'ai perdu de vue. J'avais le souffle court, la poitrine haletante, la gorge irritée à force de crier. Je l'ai perdue de vue, elle aussi.

Il y avait moins d'affluence à l'arrêt de bus. Mes sacs à provisions avaient disparu. Quelqu'un les avait pris. Les avocats des colons. Les oranges baignées de sang. Tout avait disparu.

En rentrant, j'ai vu le répondeur qui clignotait. Il y avait un message de Mlle Baddiel. Je l'ai rappelée aussitôt, mais elle n'était pas là. Le second message était de Nathan. Il voulait savoir si j'acceptais d'aller au Salon des adhésifs à Peterborough le lendemain avec son père et lui. Je l'ai effacé. Je suis déprimée, mais pas à ce point. Je me suis servi un verre de vin et installée devant la télévision.

Puis j'ai songé à la perspective des trois jours sans Ben qui m'attendaient et je me suis dit qu'après tout ça ne me ferait pas de mal d'aller à un salon à Peterborough. Peut-être le père de Nathan savait-il se tenir quand il était sobre. Et plus j'y pensais, plus je me disais que les hommes petits peuvent être incroyablement sexy. J'ai téléphoné à Nathan.

8

NATHAN est passé me chercher à 10 heures le lendemain matin. Je m'étais demandé quel genre de voiture il conduirait, mais s'il y avait bien quelque chose à quoi je ne m'attendais pas, c'était de le voir débarquer au volant d'un coupé sport décapotable, une Morgan bleu ciel. Il m'a saluée en me prenant dans ses bras. J'ai plié les genoux pour que nos joues soient à la même hauteur.

— Désolé, mon père n'a pas pu venir.

— Alors on est juste tous les deux ?

Mon cœur a fait un bond.

— J'en ai bien peur. Tu vas pouvoir me supporter toute une journée ? Il faut mettre quelque chose de plus chaud. (J'avais déjà enfilé mon élégante veste grise sur mon haut décolleté.) Et un foulard ou autre chose.

Je suis allée mettre mon duffel-coat marron boutonné jusqu'en haut et un foulard sur les oreilles.

— On ne bouge plus !

Nous avons remonté Holloway Road à toute allure jusqu'à l'embranchement de l'A1. Le vent me fouettait le visage, les yeux me piquaient. Des magasins. Des maisons. Des arbres. Des immeubles. Des maisons. Des arbres. Zoum ! Impossible de parler. Tandis qu'il se concentrait sur la route, j'en étais réduite à regarder les mains de Nathan sur le volant et le levier de vitesses ainsi que son beau profil. Sa mâchoire couverte d'une discrète barbe grisonnante était crispée d'un air de défi. Chez moi, c'était le ventre qui était crispé.

Peterborough a brusquement surgi de la brume des Fens, dominée par les arches et les tours élégantes de sa cathédrale. Le centre d'exposition était une espèce de morne hangar situé aux abords de la ville. Nathan a coupé le contact et s'est tourné vers moi avec un sourire plein de fossettes.

— Ça t'a plu, Georgia ?

J'ai souri mollement. Je ne pouvais pas me résoudre à mentir, même à lui.

Le Salon en lui-même n'avait rien d'aussi palpitant que le voyage. En gros, c'était un étalage de tubes et de fioles accompagnés de longs panneaux explicatifs et d'exemples de collages. Nous étions quasi les seuls visiteurs. Nos pas résonnaient dans la grande halle. Le plus intéressant était une vieille Jaguar, dont le toit était collé à une plaque en métal arrimée à une chaîne, elle-même accrochée au plafond, si bien qu'elle était suspendue en l'air et tournoyait lentement dès qu'on la touchait, en tenant par le seul pouvoir de l'adhésion.

— Waouh ! C'est hallucinant ! (Soudain, j'ai eu une idée.) Tu crois que je pourrais utiliser de la colle pour coller un porte-brosses à dents sur des carreaux de salle de bains ?

— Absolument. Il y a une quantité d'adhésifs spécifiques. Cherche les marques où il y a « clou » dans le nom. Genre Sans clou, Adieu clou.

— Mais on ne met pas de clous dans une salle de bains. Il faut des chenilles, non ?

Il m'a lancé un sourire oblique.

— Tu veux dire des chevilles ? Elles sont en passe de devenir obsolètes. Aujourd'hui, les adhésifs peuvent souvent remplir le même rôle.

J'étais aux anges. Les « chenilles » appartenaient au passé !

— Hé ! regarde ça, Georgia.

Nathan s'était arrêté devant une photo. C'était un gros plan cruel tout en couleur d'un derrière collé à un siège de toilettes en plastique bleu. Manifestement, elle avait été prise dans un hôpital : on distinguait dans le fond quelqu'un qui portait des gants chirurgicaux. Imaginez un peu si c'était vous – le seul fait déjà de se retrouver collé sur les toilettes et de devoir appeler à l'aide, et puis de voir débarquer des types avec des outils qui défoncent la porte, dévissent le siège et vous transportent en urgence à l'hôpital… Et tout ce temps, vous seriez là à vous demander qui a pu mettre la colle ; en fait, vous pourriez probablement deviner. Vous seriez furax, mais impuissant. Sur ce, vous seriez photographié pour les archives médicales. On vous traiterait avec respect et dignité, mais dans votre dos ils seraient tous là à se tordre de rire. Sur la légende de la photo, il était simplement écrit : Cyanoacrylate AXP-36C. Une bonne blague !

— Ce n'est pas vrai…, a soupiré Nathan.

« En fait, ce n'est pas une mauvaise idée », me suis-je dit…

Je marchais tout près de Nathan, en espérant qu'il passe son bras autour de mes épaules ou qu'il me prenne la main, mais apparemment, il n'a rien remarqué.

Le stand suivant était consacré à une exposition sur l'histoire de la colle. Il a sorti un carnet et un stylo de sa poche.

J'ai alors essayé autre chose.

— Tu as l'air d'être très proche de ton père…, ai-je hasardé.

— Ah oui.

— Tu as toujours vécu avec lui ?

— Pas toujours. Je ne suis pas sûr de pouvoir vivre avec lui très longtemps.

Je l'ai effleuré. Mes intentions devaient être transparentes à présent. Il a ouvert son carnet et griffonné quelque chose.

— Ça pourrait faire un bon article pour *Adhésifs dans le monde moderne*, a-t-il suggéré. Une histoire de l'adhésion. Qu'est-ce que tu en penses ?

Peut-être que je ne l'attirais pas. Peut-être n'étais-je pas assez intelligente pour lui. Peut-être avait-il quelqu'un d'autre dans sa vie.

— Mmm. Bonne idée.

— « La colle : passé et présent ». Ou même « La colle : passé, présent et futur ».

— Je ne pense pas pouvoir me charger du futur.

J'ai repensé à Mme Shapiro. Quand on voit un homme bien, il faut l'attraper vite. Fallait-il que je l'attrape ?

— On pourrait se contenter d'hypothèses. De la colle fabriquée à partir de sacs recyclés. À partir de sous-produits dérivés de la liposuccion. À partir de chats et de chiens errants. À partir d'exclus de la société fondus. (Il m'a glissé un sourire en biais.) Non ?

— Comme ce que tu m'as raconté des nazis qui utilisaient les juifs pour faire de la colle ?

— Et une excellente colle d'ailleurs. Maintenant les juifs essaient de faire de la colle avec les Palestiniens. Mais ça marche moins bien. Ils disent que c'est Dieu qui le leur a demandé.

Je l'ai regardé fixement. Comment pouvait-il plaisanter là-dessus ? Il a vu mon regard.

— Désolé, ce n'est qu'une colle métaphorique. Un merdier gluant. Et je parle de l'État d'Israël, pas des juifs. Il ne faut pas confondre.

— Ah oui ? (Mais qu'est-ce qu'il racontait ?) Je ne suis pas sûre de comprendre…

— Je suis ce qu'on appelle un juif qui se hait. Un juif gay qui se hait.

Ah ! Gay ! Ça expliquait tout. Mais pourquoi se détestait-il ?

Peut-être était-ce sa taille.

— Désolé, Georgia. La haine de soi n'est qu'une étiquette que collent les néosionistes à ceux qui ne sont pas d'accord avec eux.

Il m'a lancé son sourire de beau mec intelligent.

Gay. Quel dommage ! J'ai repensé aux blagues qui fusaient à l'association des mineurs de Kippax. Tapette. Tarlouze. Pédale. Pédé. Autant de démonstrations quotidiennes de mépris qui étaient monnaie courante par chez nous. Je n'avais jamais entendu mon père menacer de cogner qui que ce soit pour avoir employé ces mots-là.

— Et ton père ? Il se montre grossier avec tes amis ?

— Oh ! non. Il se contente de chanter.

J'ai ri.

— C'est sympa.

— Oui. Mais les lieder, on finit par s'en lasser. Il s'est installé chez moi quand ma mère est morte, et Raoul est parti. Ça a fichu en l'air ma vie amoureuse. (Il s'est mis à chuchoter avec des airs de conspirateur.) Je passe mon temps à espérer qu'une gentille veuve vienne m'en débarrasser.

Nous nous étions arrêtés devant une autre photo – c'était une petite fille aux mains collées. Elle pleurait, les yeux plissés de douleur.

— Oh ! Comme il est dit dans le mode d'emploi, un des inconvénients du collage par adhésif est qu'il est généralement impossible de démonter sans détruire les composants, a observé Nathan d'un ton laconique.

C'est un aspect des adhésifs qui m'avait toujours perturbée. Je regardais fixement. La fillette était dans une situation si désespérante que je compatissais de tout cœur avec elle.

— Je sais ce que c'est quand tu parles de haine de soi. Moi aussi, ça m'arrive de me détester. Souvent, je me sens stupide. J'ai l'impression d'avoir gâché ma vie.

Le problème, c'est que j'étais liée à Rip ; au cyanoacrylate : un lien définitif. C'était le seul homme que j'aie réellement aimé et je savais bien que je n'aimerais jamais personne autant que lui. J'avais les larmes aux yeux. Nathan m'a enlacée et m'a serrée amicalement.

— Ça peut faire des dégâts, la colle.

J'ai posé la tête sur son épaule qui était juste à la bonne hauteur si je pliais légèrement les genoux, et j'ai laissé rouler de grosses larmes le long de mes joues. Nathan est resté là en me laissant pleurer. Au bout d'un moment, je me suis tamponné les yeux avec un mouchoir.

— J'ai quelque chose à te demander, Nathan.

— Vas-y.

— En rentrant, ça ne t'embêterait pas de conduire moins vite ?

LE lendemain au réveil, je débordais d'énergie. Je me suis installée sur mon lit et j'ai allumé mon ordinateur. L'article sur lequel je travaillais traitait des usages médicaux de la colle. Le cyanoacrylate (la Super Glue) avait été employé en urgence sur les champs de bataille du Vietnam pour refermer des plaies en attendant qu'elles puissent être correctement suturées. Et aujourd'hui un certain nombre d'entreprises essayaient de concevoir des adhésifs spécifiques susceptibles de remplacer les sutures. La cohésion à usage humain. Il y avait deux difficultés techniques à surmonter, semblait-il. La première : maintenir les rebords de la plaie en contact suffisamment longtemps pour que le collage prenne. La seconde : effectuer la séparation sans arracher la chair.

Subitement, je me suis rappelé. Cyanoacrylate AXP-36C. J'ai cherché un bout de papier dans le tiroir de la table de chevet pour le noter avant d'oublier. J'imaginais la tête de Rip quand il s'apercevrait qu'il était collé. Qui viendrait à sa rescousse ? Qui appellerait l'ambulance ? Ottoline Walker ? Ou serait-ce moi ? Est-ce que je me tordrais de rire ? Prodiguerais-je des soins délicats à son postérieur collé ?

Je me suis extirpée du lit pour aller à la fenêtre et j'ai contemplé le jardin. Le sol était trempé et les feuilles du laurier scintillaient de gouttes de pluie captives, mais le soleil jouait avec les nuages, projetant de fugaces arcs-en-ciel.

Puis j'ai aperçu Wonder Boy qui approchait furtivement d'un couple de merles. J'ai tapé sur le carreau et ils se sont envolés. Wonder Boy a levé la tête et m'a fixée d'un regard réprobateur. J'ai senti une pointe de culpabilité. L'appel à l'aide que m'avait envoyé Mme Shapiro était sur ma table de chevet – j'avais noté l'appellation de la colle sur l'enveloppe. Je regardais l'enveloppe avec le nom et l'adresse griffonnés dessus quand j'ai eu une idée de génie.

Après le déjeuner, je me suis accoutrée d'une veste rouge qui avait appartenu à Stella, assortie d'un foulard scintillant provenant d'un magasin de fripes, et j'ai tiré un bonnet de laine sur mes cheveux. J'ai mis du rouge à lèvres rouge vif et une paire de lunettes de soleil en guise de camouflage.

Mais en arrivant à Northmere House, je me suis aperçue que mon déguisement était inutile, car le cerbère de l'entrée avait changé.

— Je peux vous aider ? a-t-elle aboyé.

— Je viens voir Mme Lillian Brown. Je suis sa cousine.

Elle a consulté sa liste.

— Signez là, je vous prie. Chambre 23.

Elle a appuyé sur le bouton qui commandait la porte coulissante. Et j'ai pénétré dans l'univers feutré de la moquette rose et des rangées de portes fermées que transperçait parfois l'écho sinistre d'une télévision. Une sonnette hystérique retentissait dans le fond, rappelant au personnel absent que derrière une de ces portes fermées quelqu'un avait désespérément besoin d'aide.

J'ai frappé à la porte numéro 23. Comme il n'y a pas eu de réponse, je l'ai poussée. Dans la petite chambre surchauffée, j'ai posé les yeux sur la minuscule silhouette qui gisait immobile sur le lit.

— Madame Brown?

Elle n'a pas répondu. J'ai crié plus fort :

— Madame Brown? Lillian?

Je me suis approchée de son lit sur la pointe des pieds. Elle avait les yeux fermés. J'étais incapable de dire si elle respirait.

Je suis sortie en laissant la porte se refermer derrière moi. J'avais le cœur qui cognait. En m'éloignant, j'ai regardé par la baie vitrée qui donnait sur la cour et j'ai remarqué qu'il y avait quelqu'un assis sur un des bancs, une silhouette solitaire recroquevillée sur elle-même en robe de chambre bleu pâle et mules à pompons assorties qui tirait sur une cigarette. C'était la frappée. J'ai tapé sur la vitre en lui faisant signe. Elle a levé les yeux et m'a fait un signe à son tour. J'ai alors ouvert la baie vitrée pour la rejoindre dans la cour.

— Vous la cherchez? Vot' copine?

— Mme Shapiro? Oui.

— L'est en isolement. L'a pas droit aux visites. L'est vilaine.

— Pourquoi? Qu'est-ce qu'elle a fait?

— Ce qu'el' fait pas, plutôt. L'veut pas signer l'pouvoir, l'r'fuse.

— Vous savez dans quelle chambre elle est?

— 27.

La chambre de Mme Shapiro était aussi petite que l'autre et tout aussi surchauffée. Elle était étendue sur son lit, les yeux fixés au plafond. Elle avait les cheveux hirsutes, et sa peau flasque retombait en sillons jaunâtres creusés autour de la bouche et du menton.

— Madame Shapiro?

— Georgine?

Elle s'est redressée péniblement.

— Comment allez-vous?

Je l'ai prise dans mes bras. Elle était aussi fragile qu'un oiseau. Un sac d'os.

— *Gott sei dank*, vous êtes là.

— Je suis désolée de ne pas être venue plus tôt. J'ai essayé, mais ils ne m'ont pas laissée entrer.

— Ça fait rien. C'est bien que vous êtes venue, Georgine. Je veux pas mourir ici !

Elle a fondu en larmes, ses maigres épaules secouées par les sanglots. Je me suis assise à côté d'elle en lui caressant le dos jusqu'à ce qu'elle cesse de pleurer et se mette à renifler. Je lui ai donné un mouchoir.

— Il faut qu'on vous ramène chez vous. Mais je ne sais pas comment.

— Trop les gardes ici. Comme le prison. Comment ils vont, mes chers chats ?

— Ils vous attendent. J'ai installé des jeunes gens chez vous. Ils réparent la maison. (J'ai vu son air inquiet.) Ne vous faites pas de souci. Dès que vous serez prête à rentrer, ils s'en iront.

L'odeur de la chambre me faisait défaillir. Je suis allée ouvrir la fenêtre. Un frémissement a parcouru l'air surchauffé, et Mme Shapiro a respiré à pleins poumons.

— Merci, chérrrie. (Elle m'a serré la main en me scrutant de ses yeux ridés.) Vous avez l'air mieux, Georgine. Joli rouge à lèvres. Joli foulard. Vous trouvez le nouveau mari ?

— Pas encore.

— Peut-être bientôt que je l'aurai le nouveau mari. (Elle a souri malicieusement en voyant mon air étonné.) Nicky dit qu'il veut marier *mit mir*.

— M. Wolfe ?

La misérable crapule ! Je la revoyais tout en émoi dans la cuisine quand il l'amadouait au sherry.

— Je pensais qu'il sera le parfait mari pour vous, Georgine. Mais peut-être c'est l'occasion pour moi.

À présent, elle souriait coquettement d'un air charmeur. Elle avait manifestement repris du poil de la bête.

— Qu'est-ce que vous pensez ? Est-ce que je dois marier mon Nicky ?

— Il sait quel âge vous avez ?

— Je lui disais que j'ai soixante et un ans.

Elle a surpris mon regard et s'est mise à pouffer de rire.

— Vous êtes un peu coquine, madame Shapiro. (Puis je me suis rappelé un détail.) C'est peut-être parce que je lui ai dit que vous aviez un fils.

Un fils qui hériterait de ses biens. À moins, évidemment, qu'elle ne se remarie.

Elle m'a lancé un regard perçant.

— Comment vous savez pour le fils ?

— C'est l'assistante sociale qui me l'a dit. Mme Goodney.

— *Ach*, cette femme. Tout ce qu'elle a dans sa tête, c'est comment me *shvindel*. Je lui disais que je l'ai un fils parce qu'elle veut je signe le pouvoir. Je disais que mon fils, il va revenir. Il aura la maison.

— Mais ce n'est pas votre fils, n'est-ce pas ? lui ai-je demandé avec douceur.

Il y a eu un silence.

— Pas le mien. Non.

— Alors qui était sa mère ?

Elle a poussé un soupir.

— C'était l'autre. Naomi Shapiro.

Peu à peu, je l'ai fait parler. En réalité, elle s'appelait Ella Wechsler. Elle était née à Hambourg en 1925. Sa famille était juive, mais du style panaché. Du *speck*, mais pas de saucisses. Shabbat et dimanche. Noël et Hanouka – non que ça ait changé quoi que ce soit pour les nazis, l'heure venue. Son père, Otto Wechsler, dirigeait une imprimerie prospère ; sa mère, Hannah, était pianiste ; ses deux grandes sœurs, Martina et Lisabet, étaient étudiantes. Leur maison était un refuge peuplé de musiciens, d'artistes, de voyageurs sur le départ ou le retour, de quatre chats et d'une domestique allemande. Il y avait toujours du café, de la musique et des conversations animées.

— On était plus allemands que les Allemands. Je croyais c'était le vie normale. Je ne savais pas ce bonheur il était pas permis aux juifs, Georgine.

À partir de 1938, le message de Hitler avait été clair. Les Wechsler avaient donc fui à Londres. Ella avait presque treize ans, Martina dix-sept et Lisabet vingt. Ils avaient réussi à quitter l'Allemagne moyennant un pot-de-vin, mais l'Angleterre ne les avait pas pour autant accueillis à bras ouverts. La loi sur les étrangers de 1905 stipulait qu'ils n'étaient autorisés à venir en Grande-Bretagne que s'ils avaient déjà l'assurance d'un travail.

Par l'intermédiaire d'un cousin, Otto Wechsler avait réussi à trouver un travail dans une imprimerie sur Whitechapel Road. M. Gribb, le propriétaire, s'appelait à l'origine Gribovitch et avait changé de nom lorsque sa famille avait fui les pogroms en 1881. Hannah Wechsler était devenue sa gouvernante. Lisabet était employée dans une boulangerie. Martina suivait des études d'infirmière. Ella allait au lycée juif de Stepney. Ils vivaient dans un deux-pièces juste au-dessus de l'imprimerie, au cœur de la communauté juive d'East End. Ils estimaient avoir de la chance.

— Parlez-moi d'Artem. Quand l'avez-vous rencontré ?

— En 1944 il arrivait à Londres. Il demandait encore s'ils avaient vu sa sœur.

Squelettique, les yeux creux, il s'était retrouvé sur les quais de New-castle, débarquant d'un navire marchand britannique qui avait discrètement appareillé de Göteborg. La Mission de la mer l'avait recueilli avant de l'envoyer, via les organisations de secours juif, à l'appartement de Whitechapel Road. Il était resté un an avec eux, aidant à l'imprimerie et dormant sur un lit de camp au fond de l'atelier. Il était peu loquace – il parlait russe et quelques bribes d'allemand et d'anglais –, mais pour les filles son silence mystérieux en disait long. À ses heures perdues, il avait entrepris de fabriquer un violon, travaillant à la scie à découper et à la colle. À l'époque, Ella avait dix-huit ans, Martina vingt-trois et Lisabet vingt-six. Elles étaient toutes un peu amoureuses de lui.

— Il a fini le violon ?

— Oui. Dieu sait où il trouvait le cordes. Quand il jouait, c'était comme les anges dans le paradis. Quelquefois, *Mutti* ou moi, on accompagnait *mit* le piano.

— Vous jouez encore du piano, madame Shapiro ? Ella ?

Curieusement, ce nouveau nom ne semblait pas convenir à la vieille dame pour laquelle je m'étais prise d'affection.

— Regarde mes mains, chérrrie.

Elle les a tendues devant elle, osseuses, gonflées aux articulations. Je les ai serrées entre les miennes pour les réchauffer. Elles étaient si froides.

— Et Naomi ? Qui était-ce ?

J'avais un souvenir si clair des photos du visage en forme de cœur, de la masse de boucles brunes, des yeux espiègles. Quand Mme Shapiro a enfin ouvert la bouche, elle a simplement lâché :

— Naomi Lowentahl. Elle était assez grande. Oui, jolie. Toujours *mit* rouge à lèvres. Qui pensait qu'elle sera le genre qu'il va aller creuser la terre chez Israël?

Elle a retiré ses mains des miennes et s'est mise à triturer ses bagues.

— Elle était amoureuse d'Arti, bien sûr.

— Et lui?

Elle a reniflé.

— Oui. Et lui.

Artem Shapiro et Naomi Lowentahl s'étaient mariés à la synagogue de Whitechapel en octobre 1945, après la fin de la guerre. Ella, Hannah et Otto Wechsler avaient assisté au mariage. Lisabet était dans le Dorset en lune de miel avec un aviateur juif polonais. Martina avait été tuée par un tir de V2 en juillet 1944.

Un petit coup sec sur la porte nous a fait sursauter. Sans attendre de réponse, une dame en uniforme rose a débarqué dans la chambre.

— L'heure du dîner, madame Shapiro.

Elle m'a aperçue.

— Il faut que vous partiez. Mme Shapiro n'a pas droit aux visites.

— Je ne suis pas en visite. Je suis consultante en adhésion. (Je me suis levée et j'ai pris un ton hautain.) Auriez-vous l'amabilité de nous laisser, je vous prie? Nous avons presque fini notre consultation.

— Je dois le signaler à la directrice. On ne peut pas avoir des gens qui débarquent ici comme dans un moulin.

Quand je me suis retrouvée seule avec elle, Mme Shapiro m'a agrippé les mains.

— Vous gardez mon secret, Georgine?

— Bien sûr. Surtout, ne signez rien. N'épousez pas Nicky. Je vais essayer de vous faire sortir.

Soudain, il y a eu un bruit de pas précipités et de voix dans le couloir. J'ai embrassé Mme Shapiro et je lui ai dit rapidement au revoir à l'instant même où ils sont arrivés devant la porte. En premier, il y avait la dame en blouse rose, suivie d'une dame corpulente en cardigan vert et d'un vigile. La détermination leur congestionnait les traits. Mais avant même d'avoir pu dire quoi que ce soit, ils ont été interrompus par un cri épouvantable qui provenait du fond du couloir, devant la chambre 23. Je me suis précipitée, et j'ai vu la frappée qui agitait les bras en hurlant:

— Au s'cours! Au s'cours! Y a un cadav' là-d'dans!

Dans la confusion qui a suivi, ils m'ont tous oubliée. J'ai profité que quelqu'un entrait pour me faufiler en douce par la porte coulissante. J'ai passé tout le trajet sur l'impériale du bus à imaginer un stratagème pour sortir Mme Shapiro de là.

L<small>E</small> lendemain matin, j'ai appelé Mlle Baddiel.

— Dieu merci, je vous ai enfin. C'est affreux. Mme Shapiro a été enlevée, ai-je bafouillé à toute vitesse.

— On se calme, madame Sinclair. Allez, faites-moi plaisir, inspirez à fond. Retenez. Deux, trois, quatre. Expirez en soufflant. Deux, trois, quatre. Et relâchez.

Je me suis exécutée. Mon estomac s'est dénoué et mes poings serrés se sont décontractés. J'ai essayé de lui expliquer que Mme Shapiro avait été enlevée et qu'elle était retenue contre son gré jusqu'à ce qu'elle accepte de signer un pouvoir pour sa maison. Je me suis abstenue d'accuser ouvertement Mme Goodney de vol, mais ce qui préoccupait davantage Mlle Baddiel était que Mme Shapiro se soit vu dénier le droit de choisir librement son mode de vie.

— Un certain nombre de possibilités s'offrent à elle. Si elle doit vivre chez elle, la maison doit être adaptée. On peut installer un monte-escalier…

— Oui. Bonne idée.

J'ai essayé d'imaginer M. Ali et les Incapables installer un monte-escalier.

— … mais il faut malheureusement financer les travaux soi-même. Vous savez si elle a des fonds ?

— Je ne suis pas sûre. Je lui demanderai.

À tous les coups, elle ne me le dirait pas. J'étais découragée.

— Et nous pourrions étendre son programme d'aide à domicile.

— Formidable.

Nous nous sommes donné rendez-vous à la maison trois jours plus tard. Entre-temps, Mlle Baddiel devait se rendre à Northmere House afin de contester les conditions de l'internement de Mme Shapiro.

— C'est une violation des droits de l'homme, m'a-t-elle glissé sur le ton de la confidence.

L<small>E</small> mercredi après-midi, j'ai décidé de retourner à Northmere House pour rendre visite à Mme Shapiro. J'ai dû m'assoupir pendant le trajet en bus car, subitement, en regardant par la vitre, je me suis aperçue que j'avais loupé mon arrêt. Je me suis dépêchée d'appuyer sur la sonnette et quand le bus s'est enfin arrêté, je me suis retrouvée devant un bâtiment orange et gris à l'air familier. Un autre magasin B & Q! Ça devait être le destin.

Une jeune caissière asiatique absolument ravissante avec un piercing brillant au nez m'a indiqué où se trouvaient les adhésifs. Cyanoacrylate AXP-36C. J'avais sorti de ma poche l'enveloppe froissée de Mme Brown et je me suis mise à regarder les étiquettes sur les emballages. J'ai fourré un assortiment de Super Glue dans mon panier d'un air nonchalant.

Après avoir repris le bus, je me suis subitement rappelé que j'avais l'intention de passer à Northmere House au retour, mais j'avais encore loupé l'arrêt. Ça attendrait un autre jour.

Je suis descendue à mon arrêt, décidée à rentrer à la maison. Au détour de ma rue, j'ai vu une voiture garée devant chez moi. Une voiture noire. Une Jaguar. Je me suis arrêtée. M'attendait-il depuis longtemps? Quand je me suis approchée, la portière côté conducteur s'est ouverte et Mark Diabello est sorti.

— Tu fais un peu de bricolage, Georgina? (Il examinait le sac du B & Q.) Tu as un moment? C'est au sujet de Canaan House. Il y a... euh... du nouveau, il faut que je te parle.

— Du nouveau?

J'ai regardé ma montre. Il était 15 heures pile.

— Rapidement alors. Ben va bientôt rentrer.

— J'ai pensé qu'il fallait que tu saches. Mon collègue, Nick Wolfe. Tu avais raison. Ses intentions ne sont pas honorables.

— Entre, c'est mieux.

Il m'a suivie à l'intérieur de la maison. En allant à la cuisine, j'ai fourré le sac du B & Q au fond d'un placard du bureau, puis j'ai mis de l'eau à chauffer.

— Raconte, lui ai-je dit.

— Nick est devenu obsédé par Canaan House. Il a pris un architecte. Il lui a demandé des plans pour en faire une résidence protégée. Des appartements de luxe. Plus six studios.

— Et qu'est-ce qu'il a l'intention de faire de Mme Shapiro?

— Il a l'intention de l'épouser. (Il a lâché son scoop avec un léger haussement de sourcils.) Apparemment, ils sont devenus très amis.

Un jour, il a jeté un œil en douce à son dossier médical dans la maison de retraite. Ils avaient noté qu'elle avait quatre-vingt-seize ans. Il s'est dit qu'à cet âge son espérance de vie... Comment dire?... Laissait à désirer. Un ou deux ans, tout au plus.

— Il t'a dit qu'elle avait un fils?

— C'est bien pour ça qu'il est pressé de lui mettre la bague au doigt. S'ils sont mariés, il héritera de tout quand elle passera l'arme à gauche. À moins qu'elle n'ait fait un testament, évidemment.

— Le fils est censé venir d'Israël. Manifestement, lui aussi pense être sur un bon coup. Mais je ne sais pas si c'est vraiment son fils. Son mari avait déjà été marié avant, tu sais.

Avant quoi? C'est ce que j'avais du mal à comprendre. Si Ella Wechsler avait épousé Artem Shapiro, elle serait devenue Ella Shapiro. Mais pourquoi avait-elle renoncé à son prénom d'Ella pour prendre celui de Naomi?

— Si elle n'était pas mariée avec lui, ai-je réfléchi à voix haute tout en versant l'eau dans la cafetière, si elle vivait juste avec lui...

— Mmm. C'est juste. Aurait-elle tout de même des droits sur la maison?

— Qu'est-ce que ça change de savoir qui était marié avec qui? (Je lui ai tendu une tasse de café.) Si elle a vécu tant d'années avec lui, la maison doit être à elle, non?

— Ça dépend de la manière dont l'acte de propriété a été rédigé. Tu ne saurais pas où il se trouve, par hasard?

Il devait être parmi les liasses de papiers entreposés au grenier.

— Je n'en ai aucune idée, lui ai-je répondu.

— On peut se renseigner au cadastre, a-t-il murmuré.

Il a fini son café, puis il s'est dirigé vers la porte d'entrée. Je l'ai suivi dans le vestibule. La porte s'est refermée derrière lui.

Je suis montée dans ma chambre et je me suis souvenue des moments que nous avions partagés dans cette pièce la dernière fois qu'il était venu. Puis j'ai repensé à Rip. J'ai été soudain envahie par une immense nostalgie – nostalgie de son corps, de son esprit vif. Malgré le Programme de développement et les destins à façonner, malgré le laisser-aller dans les tâches de bricolage et son irritante manie du BlackBerry, malgré Bouche de salope, il demeurait le père de Ben et Stella. Et il demeurait l'homme que j'aimais. Il était peut-être temps d'essayer de recoller mon couple.

BEN et moi avions pris l'habitude de dîner devant la cheminée à gaz du salon, avec la télévision allumée dans le fond. Jeudi, nous étions donc là, l'assiette en équilibre sur les genoux, à regarder les informations de 19 heures, quand nous avons entendu un moteur de voiture, des pas dans l'allée, des coups à la porte. Je me suis levée et j'ai ouvert. Je n'avais jamais vu l'homme qui se tenait sur le seuil, mais j'ai compris que ce devait être le chauffeur du taxi qui s'était garé devant la maison. Sur ce, la portière du taxi s'est ouverte et Mme Shapiro est descendue péniblement.

— Georgine! s'est-elle exclamée. Je vous prie, aidez-moi! Vous avez l'argent pour le taxi?

— Bien sûr. Combien?

— Cinquante-quatre livres, a répondu le chauffeur.

Il ne souriait pas.

— Ce n'est pas…

— Ça devrait être plus. Ça fait des heures qu'on tourne en rond.

Je suis allée regarder dans mon portefeuille. J'avais quarante livres et un peu de monnaie. Avec l'aide de Ben, j'ai réussi à rassembler cinquante-deux livres soixante-treize. Le chauffeur les a prises et a marmonné quelque chose avant de disparaître.

— Entrez, entrez, ai-je dit à Mme Shapiro.

— Merci. Il a les gens qui habitent dans mon maison. Il veut pas que j'entre.

Au moment où Mme Shapiro franchissait le seuil, Wonder Boy a surgi et s'est faufilé le long de ses jambes. Elle s'est assise au coin du feu en serrant le mug de thé que Ben lui avait apporté sur un plateau avec des biscuits au chocolat.

— Merci, jeune homme. Charmant. Je suis madame Naomi Shapiro.

Entre deux gorgées de thé, Mme Shapiro nous a fait le récit de son évasion, la bouche pleine de miettes de biscuit.

Après la découverte du cadavre, la frappée avait définitivement perdu les pédales.

— Folle. Le cerveau complètement pourri.

Non contente de traîner dans les couloirs en tapant des cigarettes aux visiteurs, elle agrémentait son boniment d'une invitation :

— J'vous mont' le cadav' si vous m'filez un' clope.

La situation était devenue critique le jour où des proches venus visiter les lieux en compagnie de leur vieille mère avaient été accostés par la frappée, qui avait réussi à les convaincre qu'on trouvait des cadavres quasi tous les jours. La responsable chargée de la visite avait perdu patience et tenté de la repousser dans sa chambre.

— Mais elle battait comme le tigre. Elle grattait et griffait avec le mains.

Finalement, on avait dû appeler la sécurité, mais la frappée avait continué à se débattre en hurlant : « Au s'cours ! Au s'cours ! Y vont m'tuer ! »

Dans le tohu-bohu, Mme Shapiro avait réussi à se faufiler dans le hall sans se faire remarquer, puis à franchir la porte de sortie, et s'était retrouvée sur Lea Bridge Road, où un taxi qui passait par là l'avait emmenée en lieu sûr.

— Et me voilà, mes chérrris ! s'est-elle exclamée, les joues enflammées par le récit de ses aventures. Seul problème, c'est que les personnes habitent dans mon maison. Il faut les chasser tout de suite !

Nous nous sommes donc mis en route, Mme Shapiro en tête. Quand nous sommes arrivés à Totley Place, deux des autres chats ont surgi des buissons et se sont joints à nous. Violetta nous attendait sous le porche, saluant le retour de Mme Shapiro avec des débordements de joie extatique. Wonder Boy a craché et l'a envoyée sur les roses.

Plusieurs fenêtres étaient éclairées. J'ai remarqué que la porte d'entrée avait été repeinte en jaune et les carreaux du porche remplacés par de banals carreaux de salle de bains. Tandis que Mme Shapiro cherchait ses clefs au fond de son sac, j'ai sonné.

C'est Ishmaïl, le neveu de M. Ali, qui est venu ouvrir. Il nous a invités à entrer avec un grand sourire.

— Bienvenue ! Bienvenue !

Il avait appris un nouveau mot. L'intérieur de la maison avait également été repeint en blanc et jaune. C'était plus lumineux et plus propre, et ça sentait bien meilleur. J'ai vu que Mme Shapiro regardait autour d'elle. Elle avait l'air relativement contente.

— Vous avez beaucoup travaillé, ai-je dit à Ishmaïl. Voici Mme Shapiro. C'est la propriétaire de la maison. Elle est de retour et vous devez partir, j'en ai bien peur.

Il a souri et hoché la tête sans comprendre. Il n'avait manifestement aucune idée de ce que je racontais. Puis Nabeel est apparu sur la scène et s'est joint aux sourires et aux hochements de tête. On tournait en rond. Sur ce, Ishmaïl a sorti son portable et composé un numéro, puis s'est mis à parler en arabe à son interlocuteur. Au bout d'un moment, il m'a passé le téléphone. C'était M. Ali.

— Il faut leur dire de partir, ai-je expliqué. Maintenant que Mme Shapiro est de retour, ils ne peuvent pas rester. Je suis vraiment désolée. Je pensais qu'on serait prévenus, mais…

— Ce soir trop tard. J'ai pas le camionnette. (Il avait la voix faible et craquelée.) Laissez-les rester ce soir, s'il vous plaît. Demain, je viens avec camionnette.

— D'accord, ai-je répondu. Je vais parler à Mme Shapiro. Monsieur Ali, merci pour le travail que vous avez fait – la peinture –, c'est magnifique.

— Vous aimez ce couleur jaune ?

— Beaucoup.

— Je savais vous allez aimer.

Il avait l'air content.

Cette conversation à trois avait fait perdre patience à Mme Shapiro, qui s'était volatilisée. Ben et Nabeel avaient disparu dans le bureau, où une télévision avait été équipée d'une antenne intérieure. Ils regardaient le football en souriant, poussant des acclamations dès qu'un but était marqué. Le doigt pointé sur lui-même, Nabeel a lancé :

— Bonjour ! S'il vous plaît ! Arsenal !

À son tour, Ben a pointé le doigt sur lui-même et répondu :

— Bonjour, Leeds United !

J'ai trouvé Mme Shapiro pelotonnée dans son lit avec Wonder Boy, Violetta, Moussorgski et un des petits du landau. Wonder Boy s'était même glissé avec elle sous les draps. Ils ronronnaient tous et Mme Shapiro ronflait.

LE lendemain matin, je me suis réveillée avec l'impression que j'avais quelque chose d'important à faire, mais j'étais incapable de me rappeler quoi. Puis le téléphone a sonné. C'était Mlle Baddiel qui me rappelait notre rendez-vous. Après avoir raccroché, j'ai eu subitement une idée. J'ai repris le téléphone pour appeler Nathan :

— Je me demande si tu pourrais nous donner quelques conseils… Sur l'utilisation des adhésifs dans les rénovations… Ce matin… 11 heures… Très bien. (Je lui ai donné l'adresse.) Amène également ton père.

En raccrochant, j'ai souri. Moi aussi, je savais jouer les entremetteuses.

J'y suis allée un peu en avance pour m'assurer que tout était impeccable pour l'arrivée de Mlle Baddiel et superviser le départ des Incapables. Quand j'ai sonné, c'est Ishmaïl qui est venu m'ouvrir. Il faisait bon, la maison sentait le feu de bois, le café fraîchement passé et les cigarettes. Je l'ai suivi jusqu'au bureau au fond de la maison, où un feu avait été allumé dans la cheminée. Ils brûlaient de vieux bouts de bois – dont certaines planches qui avaient été enlevées des fenêtres.

Mme Shapiro était assise sur le canapé en compagnie de Nabeel. Ils fumaient et buvaient du café servi dans la cafetière en argent en regardant à la télévision *Le Chien des Baskerville*. Mme Shapiro portait sa robe de chambre rose et ses pantoufles du *Roi Lion*. Violetta était roulée en boule sur ses genoux, Moussorgski sur les genoux de Nabeel, et Wonder Boy était étalé sur le tapis devant le feu.

— Georgine! Chérrrie! (Elle s'est retournée en tapotant la place vide au bout du canapé.) Venez boire le café *mit uns*.

— Tout à l'heure peut-être. Il faut se préparer. L'assistante sociale va passer.

— Pourquoi j'ai besoin l'assistant social? Je l'ai mes jeunes hommes.

— Mais ils vont rentrer chez eux. Ils doivent partir.

Sur l'écran, le chien des Baskerville s'est mis à gronder sauvagement. Wonder Boy a dressé les oreilles en faisant tournoyer sa queue. Mme Shapiro a agrippé ma main.

— Ce chien est le monstre. Pareil comme le directrice de Nightmare House. Grrrah! Je retournera pas là-bas. Jamais.

— Non, certainement pas. Mais cette assistante sociale est très gentille. Elle va faire en sorte que vous puissiez rester chez vous. C'est Mlle Baddiel. Vous l'avez déjà rencontrée. Vous vous souvenez?

— Je souviens. Pas juive. Trop grasse.

Ishmaïl m'a mis une tasse de café dans les mains. Je remuais ma cuillère dans le breuvage noir et amer quand on a sonné à la porte. Les trois autres étaient si captivés par le suspense que je suis allée ouvrir. Mlle Baddiel se tenait sur le pas de la porte. Elle était vêtue d'un manteau de soie flottant bleu lagon et ses cheveux couleur de miel étaient attachés en une natte souple. Juste derrière elle, sous le porche, se trouvait Nathan, qui portait une très grosse mallette sous le bras, et le père de Nathan, très fringant en chemise et cravate. Visiblement, ils avaient déjà fait connaissance.

— Nathan est venu nous conseiller sur les adhésifs, ai-je dit. Au cas où il y aurait des réparations urgentes à effectuer.

— Paaarfait. (Elle m'a suivie jusqu'au bureau en humant l'air et en regardant autour d'elle, appréciant d'un coup d'œil toutes les rénovations.) Très bien.

C'est à peine si Mme Shapiro a levé un œil quand nous sommes entrés dans la pièce, mais Ishmaïl s'est levé d'un bond et a offert son coin du canapé à Mlle Baddiel.

— Bonjour, madame Shapiro. Comment allez-vous? J'ai cru comprendre que vous aviez eu des mésaventures.

— Chhhuut! a fait Mme Shapiro, le doigt sur la bouche. Le chien il tue.

Près d'une demi-heure plus tard, alors que le générique défilait, elle s'est tournée vers nous et d'une voix éraillée nous a dit :

— J'ai vu ce film déjà. *Mit* Arti. Quand on était toujours amoureux. Avant que le maladie il l'emporte. Il y a tellement longtemps.

Elle avait des larmes au coin de l'œil. Mlle Baddiel a pêché un mouchoir au fond de son sac.

— Tout va bien maintenant. Laissez-vous aller. Respirez à fond. Retenez. Soufflez. Voilà. Parfait.

Violetta a étiré les pattes et frotté sa tête contre les cuisses de Mme Shapiro. Le père de Nathan a mis un morceau de bois – qui ressemblait fâcheusement à un pied de chaise ancienne – dans le feu et caressé Wonder Boy, qui a roulé sur le dos et commencé à ronronner. Nathan et moi avons échangé un sourire. Nabeel est allé refaire du café. Ishmaïl a proposé des cigarettes à tout le monde.

— Vous êtes son aidant? lui a demandé Mlle Baddiel.

— Bonjour. Oui. S'il vous plaît, lui a-t-il lancé de toutes ses belles dents.

Elle a sorti son calepin et noté quelque chose. Puis Nabeel est revenu de la cuisine avec une cafetière fumante et des tasses propres.

— Et vous? Vous êtes également un aidant?

— Bonjour. Oui. Bienvenue!

— Eh bien, vous avez peut-être le droit de demander l'allocation aux aidants, a-t-elle déclaré. Vous recevez l'allocation d'assistance, madame Shapiro?

— Pourquoi j'ai besoin de l'assistant? a rétorqué Mme Shapiro.

— Vous savez, après tout ce que vous avez vécu, je crois que vous méritez un peu d'aide. Mais, bien sûr, c'est à vous de décider.

Puis on a de nouveau sonné à la porte. Ishmaïl, qui était déjà debout, est allé ouvrir. Je l'ai entendu parler avec animation. Quelques instants plus tard, M. Ali nous a rejoints dans le bureau.

Il s'est tourné vers Mme Shapiro.

— Ils disent qu'ils veulent rester ici. Ils disent qu'ils peuvent beindre tout le maison et aider de nettoyer. Je supervise, bien sûr. Vous payez juste les matériaux.

Une lueur fugace a traversé le regard de Mme Shapiro. Elle n'a rien dit.

— Vous savez, dans notre culture on a le grand respect pour les anciens, a insisté M. Ali. Mais je crois peut-être vous aimez pas avoir les jeunes hommes dedans votre maison, madame Naomi?

Tout le monde avait les yeux braqués sur Mme Shapiro. Elle a regardé autour d'elle d'un air circonspect.

— Je sais pas. Je sais pas.

Elle a mis une main sur son front d'un geste théâtral et passé l'autre sur le ventre hirsute de Wonder Boy.

— Wonder Boy, qu'est-ce que tu penses? (Wonder Boy a ronronné avec extase.) D'accord. On essaie.

Il y a eu un soupir de soulagement général.

M. Ali nous a fait faire le tour de la maison pour nous montrer ses aménagements. Le changement le plus spectaculaire était dans la salle de bains. Il y avait un lavabo rose assorti de toilettes roses avec un siège en plastique également rose, et sous la fenêtre une baignoire vert avocat. Le parquet pourri sous le lavabo avait été rafistolé, et un bout de lino à motifs de mosaïque bleu et blanc couvrait tout le sol. Aux yeux d'un daltonien, ç'aurait été très joli.

En parcourant la pièce du regard, je suis tombée sur un porte-brosses à dents en porcelaine fixé au mur au-dessus du lavabo. Je me suis penchée pour l'examiner. C'était bien le même. Il était légèrement ébréché sur le côté – ce devait être quand je l'avais jeté dans la benne. Il était assez élégant, mais ce n'était qu'un porte-brosses à dents. Et dire que j'avais fait toute une histoire pour ça!

Sur ce, M. Ali a ouvert et fermé les robinets pour prouver qu'ils fonctionnaient tous. Quand il a tiré la chasse d'eau, un nuage de vapeur s'est élevé. Il a fixé la cuvette des toilettes d'un air perplexe.

— Petite erreur. Peut-être le mauvais conduite. Rébaré très vite.

— Mais l'eau chaude, elle est beaucoup mieux ! s'est écriée Mᵐᵉ Shapiro. Vous êtes le malin petite *Knödel*, monsieur Ali.

Il a fait un large sourire.

— Couleur vous aimez ?

— Le rose est joli, a-t-elle dit. Mieux que le vert.

— Très joli, a acquiescé Mˡˡᵉ Baddiel, qui avait vu – et humé – la salle de bains d'origine.

— On est en train de mettre au point un adhésif souple pour carrelage spécial anti-fissures, a déclaré Nathan en sortant un tube de son kit de démonstration. Si vous envisagez de remplacer les carreaux.

La chambre de Mᵐᵉ Shapiro était intacte, avec son papier peint fauve décoloré parsemé de petites fleurs.

— On va la beindre juste après. Quelle couleur vous voulez ? a demandé M. Ali.

Elle a appuyé les doigts sur le front en s'efforçant de visualiser sa nouvelle chambre.

— Et l'appartement du dernier étage ? ai-je chuchoté à M. Ali. Vous avez commencé là-haut ?

— Pas encore. On débarrasse encore le saleté. Les garçons brûlent. Mais doucement.

— Ils brûlent tous les papiers ? (J'ai imaginé d'inestimables archives historiques partant en fumée.) Madame Shapiro ? Vous n'avez pas des affaires là-haut ?

— C'est toute le saleté qu'il appartenait les occupants d'avant, a-t-elle répondu d'un ton dédaigneux. Avant, c'était l'espèce de personnes religieuses que l'habitait ici. Orsodoxes ou ketoliques, je sais pas. Ils laissaient derrière tout le saleté et ils enfuyaient dans le bombardement. Oui, eau de Nil. Eau de Nil qu'il est le couleur très charmante pour le chambre, n'est-ce pas ?

— Un choix admirable, a murmuré le père de Nathan d'une voix sonore à l'oreille de Mᵐᵉ Shapiro, en lui effleurant la joue du bout de ses moustaches.

Quand nous avons redescendu l'escalier, il a offert son bras à Mᵐᵉ Shapiro, qui s'y est appuyée légèrement. Mon plan fonctionnait !

La dernière pièce que nous avons visitée était le grand salon, où se trouvait le piano. M. Ali avait ôté les planches qui condamnaient la fenêtre, et au jour on voyait une énorme fissure dans le bow-window, si large qu'on apercevait la lumière du dehors et l'araucaria. La moquette était marquée d'une traînée d'empreintes de pattes boueuses qui menait du bas de la fissure à la porte. Voilà qui expliquait le mystère des allées et venues du Crotteur fantôme – même si je ne savais toujours pas quel était le coupable.

Nathan, son père et M. Ali sont allés examiner la fissure.

— Il y a maintenant des nouveaux types de mousses de remplissage haute résistance à prise rapide appelés « adhésifs structuraux méthacrylates », qui conviennent aux travaux de bâtiment, a hasardé Nathan.

— Mais ça rébare pas le broblème. (M. Ali s'est gratté la barbe.) D'abord on doit trouver quelles causes. Peut-être cet arbre…

Ils scrutaient l'espace entre les planches, sous la plinthe cassée.

— On pourrait couper l'arbre, enlever les racines et remplir la cavité de mousse méthacrylate, a suggéré Nathan.

— Qu'en pensez-vous, madame Shapiro ? Faut-il couper l'arbre ? a demandé Mlle Baddiel.

Mme Shapiro a pris l'air évasif.

— Non. Oui. Peut-être.

Je me suis rappelé l'échange de courrier avec le service des arbres de la mairie.

— Il est possible qu'il soit protégé par un arrêté, ai-je dit. Voulez-vous que je me renseigne ?

Cette suggestion a eu l'air de plaire à tout le monde. Nous scrutions la fente quand une tête de félin a pointé le museau entre les planches. Stinker s'est faufilé dans le salon, a regardé le demi-cercle de jambes humaines et a filé vers la porte.

Mme Shapiro s'est approchée du piano, l'a ouvert et a égrené quelques notes. Bien que désaccordées, les touches semblaient s'animer sous ses doigts. À ma grande surprise, elle s'est lancée sans partition dans l'air du toréador, en enjolivant son jeu d'arpèges et de trilles, et le père de Nathan qui s'était planté derrière elle nous a interprété tout le morceau de sa voix de baryton. À la fin, Mme Shapiro s'est reculée sur son tabouret en croisant les mains avec un soupir.

— Les mains qu'elle vaut rien, hein ?

— Mais non, Naomi, l'a rassurée le père de Nathan en lui prenant les mains entre les siennes.

Puis nous nous sommes dirigés vers le hall d'entrée pour nous dire au revoir. Mme Shapiro s'est glissée à côté de moi et m'a chuchoté en me montrant Nathan d'un signe de tête :

— C'est votre nouveau petit ami, Georgine ?

— Pas mon petit ami. Juste un ami.

— C'est bien, a-t-elle murmuré. Il est trop petite pour vous. Mais très intelligent. Le père aussi, il est charmant. Dommage, il est trop vieux pour moi.

Après leur départ, Mme Shapiro et sa suite sont retournées s'asseoir au coin du feu, me laissant seule un moment dans le hall, et c'est là que je me suis aperçue que la photo de Lydda avait disparu. Seul un clou planté dans le mur témoignait qu'elle avait été là. Qui avait bien pu l'enlever ? Je m'interrogeais encore quand j'ai entendu le claquement du portail.

Mme Goodney remontait l'allée qui menait à la maison, une impressionnante mallette noire sous le bras. Elle était suivie d'un brun râblé que je n'avais jamais vu, un monsieur d'âge mûr en costume marron froissé. Ils ne souriaient ni l'un ni l'autre. Le monsieur me regardait de manière bizarre : ses yeux semblaient asymétriques.

En me voyant sur le seuil, Mme Goodney s'est arrêtée net. Puis elle a continué à avancer. Sur ces entrefaites, une troisième personne, un grand jeune homme dégingandé, est apparue dans l'allée et s'est dirigée vers nous. C'était Damian, de chez Hendricks & Wilson.

— Encore là à nourrir les chats, à ce que je vois ! m'a lancé Mme Goodney. (Elle s'est tournée vers Damian en lui adressant un sourire chevalin.) Contente que vous soyez là, monsieur Lee. Monsieur a juste besoin d'une première estimation, à ce stade.

Le type râblé a acquiescé d'un signe de tête. Il contemplait la maison avec une stupéfaction non déguisée, balayant la façade de ses yeux mal alignés. C'est alors que je me suis rendu compte qu'il avait un œil de verre.

— Ça doit valoir pas mal, hein ? Grande maison comme ça. Bon côté de Londres. Je suis impressionné.

Il parlait mieux anglais que Mme Shapiro, quoique avec une pointe d'accent guttural.

— Malheureusement, elle vaut moins que vous le pensez. Elle est en mauvais état, comme vous voyez. J'ai fait venir un entrepreneur réputé. Je vous montrerai son rapport, si vous le souhaitez.

(Mme Goodney a souri à l'homme.) Mais ne vous inquiétez pas, M. Lee va vous donner un bon prix. N'est-ce pas, monsieur Lee ?

Puis j'ai remarqué que son regard était désormais fixé derrière mon épaule gauche. Je me suis retournée. Mme Shapiro était là, avec Nabeel et Ishmaïl.

— Bonjour, madame Shapiro, a couiné Mme Goodney avec une gaieté feinte de sa voix de portail rouillé. Qu'est-ce que vous faites là ?

— J'ai rentré chez moi. Terminé *mit* Nightmare.

— Mais vous n'êtes pas en sûreté dans cette maison, mon chou.

— *Chutzpah !*

Elle s'est dressée sur ses ergots du haut de son mètre cinquante, menton levé, fixant l'assistante sociale droit dans les yeux. Elle avait les joues enflammées.

— J'ai mes assistants. J'ai allé demander l'allocation assistance.

Soudain, l'homme à l'œil de verre s'est avancé et a fixé Mme Shapiro.

— Ella ? Vous êtes Ella Wechsler ?

Mme Shapiro s'est reculée. Je ne voyais pas son visage, mais j'ai entendu son souffle rauque.

— Vous trompez. Je suis Naomi Shapiro.

— Vous n'êtes pas Naomi Shapiro. C'était ma mère.

— Je sais pas quoi vous parlez.

Mme Shapiro m'a poussée du coude, a tendu le bras vers la porte et l'a claquée.

Ils ont mis une bonne demi-heure à partir. Nous sommes restés tous les quatre dans le hall d'entrée fraîchement repeint à les écouter sonner et agiter le clapet de la boîte aux lettres. Puis nous les avons entendus faire le tour de la maison et taper à la porte de la cuisine. Ils ont fini par renoncer.

J'ai attendu d'être sûre que la voie était libre pour partir. Je suis rentrée à la maison, en essayant de comprendre ce qui s'était passé. Sans doute ce monsieur d'âge mûr était-il le fils de la vraie Naomi Shapiro, l'enfant dont elle parlait dans ses lettres, qui incarnait tous les espoirs de sa jolie maman. Mais comment Mme Goodney avait-elle réussi à le joindre ? Peut-être était-ce pour cela que je n'avais pas retrouvé de documents dans la maison – Mme Goodney était déjà passée par là.

Sitôt rentrée, je suis allée dans ma chambre et j'ai étalé les photos par terre. Artem bébé ; la photo de mariage ; le couple près de la fontaine ; la femme sous la voûte du porche ; les deux femmes devant la maison de Highbury ; la famille Wechsler ; le *moshav* près de Lydda. Ben est venu voir ce que je faisais. Il a pris la photo de la femme qui se tenait sous la voûte et l'a retournée.

— C'est marqué « Lydda ».

— C'est une ville. En Israël.

— Je sais, m'man. C'est dans une des prophéties. C'est là que l'Antéchrist est censé revenir. Les musulmans l'appellent Dajjal ? Il est borgne ? Il se fait tuer par Jésus dans un grand combat aux portes de Lydda ? Je sais qu'il y a une part de vrai là-dedans. Je le sais, c'est tout. Je sens que c'est pour bientôt, tu comprends ?

9

J'AI fait un saut à Canaan House le lendemain, espérant pouvoir parler à M. Ali. Je voulais l'interroger sur Lydda. Après la discussion que j'avais eue la veille avec Ben, j'avais cherché sur Internet des informations sur les prophéties liées à Lydda. Cette histoire, à cause de Ben, était devenue un peu mon histoire et je savais qu'il fallait que j'aille jusqu'au bout.

Pour une fois, il y avait du soleil et même un soupçon de chaleur : une vraie journée de printemps. Autour de la bordure de la pelouse, les jonquilles pointaient leurs têtes jaunes. M. Ali était là, perché sur une échelle, occupé à peindre l'extérieur de la fenêtre de la chambre de Mme Shapiro. Wonder Boy le surveillait, assis sur une des chaises en PVC blanc du jardin.

— Bonjour, monsieur Ali ! Tout se passe bien ?

Il est descendu de l'échelle et s'est essuyé les mains sur un bout de chiffon.

— Bonjour, madame George. Beau temps ! Demain j'emprunte le camionnette, on emmène Mme Shapiro choisir le couleur de beinture pour dedans.

— C'est bien.

— Comment va votre fils ?

— Ça va, mais…

J'ai revu Ben, le teint cireux, le regard apeuré. La veille, il était allé se coucher sans manger. J'avais frappé à la porte de sa chambre, mais elle était fermée de l'intérieur.

— Monsieur Ali, la photo dans le hall – celle de Lydda. C'est vous qui l'avez enlevée ?

— Lydda. Autrefois, c'était une ville célèbre pour les beaux mosquées. Mais vous savez, madame George, que pour vous aussi c'est une ville spéciale ? C'est la ville où votre saint Georges chrétien il est originaire. Vous portez son nom, je pense ?

— Ah oui ? Saint Georges, le pourfendeur de dragon, venait de Lydda ?

— Son image, elle est gravée au-dessus de la porte de l'église.

Mais Ben avait également parlé d'un diable borgne.

— La photo de Lydda qui était dans le hall, pourquoi l'avez-vous enlevée ?

— Pourquoi vous posez toujours les questions, madame George ?

Il n'était pas exactement grossier, mais la familiarité de notre précédente conversation avait disparu.

— Tout est OK. Il fait beau. Je travaille. Tout le monde est content. Maintenant vous commencez poser les questions, et si je dis la vérité, vous serez plus contente.

— Vous alliez me parler de votre famille, vous vous souvenez ? Que s'est-il passé à Lydda ?

Il n'a rien dit. Il était occupé à nettoyer ses pinceaux. Puis il a tiré une des chaises en plastique et s'est assis à la table.

— Vous voulez savoir ? D'accord. Je vais vous dire. Je viens de Lydda. J'avais un frère, né en même temps.

Mustafa Al-Ali, autrement dit M. Ali, était né à Lydda en 1948. Il ne connaissait pas le prénom de sa mère, ni celui de son frère jumeau, pas même sa date de naissance exacte, et savait seulement que le 11 juillet 1948 il devait être âgé de quelques mois.

— Pourquoi ? Que s'est-il passé ce jour-là ?

— Patience. Je vais vous dire.

Lydda était à cette époque une ville animée d'une vingtaine de milliers d'habitants ; elle s'était développée au fil des siècles sur la fertile plaine côtière qui borde la Méditerranée, au pied des montagnes de Judée. Mais cet été-là, l'été de la Nakba, la ville était envahie de réfugiés de Jaffa et des villages qui longeaient la côte.

— Tout le monde il parlait des expulsions et des massacres.

Un jour de juillet, en fin de matinée, il y avait eu un grondement dans le ciel. Puis les explosions s'étaient succédé, à mesure que les avions déchargeaient leurs bombes sur la petite ville assoupie.

— Mais leur but principalement, c'était pas tuer, a poursuivi M. Ali, les yeux fixés sur moi. Ils voulaient nous chasser avec le terreur.

Le lendemain, alors que les habitants émergeaient des décombres pour inspecter les dégâts et enterrer leurs morts, un bataillon armé de mitrailleuses montées sur des Jeep avait subitement débarqué. Des soldats étaient passés de maison en maison en frappant sur les portes à coups de crosse, ordonnant à leurs occupants de partir immédiatement.

La famille Al-Ali – les femmes et les enfants, car leur père avait disparu – avait été traînée de force dehors et n'avait eu que quelques minutes pour ramasser ses objets de valeur. Ils avaient été escortés jusqu'aux abords de la ville par les soldats qui tiraient en l'air pour les obliger à courir. Au moment de franchir un cordon de militaires, ils avaient été dépossédés de leurs biens. Devant eux, un de leurs voisins qui venait de se marier et rechignait à donner ses économies avait été abattu sous les yeux de sa jeune épouse.

Les Al-Ali avaient été dépouillés de leur argent, de leurs bijoux en or et de leurs montres. Ils n'avaient eu le droit de garder qu'un balluchon de vêtements, du pain, des olives et un sac d'oranges. Ils avaient tous été forcés de s'enfuir en direction de l'est à travers les champs couverts de chaume qui venaient d'être moissonnés. Ils voyaient au loin le misérable cortège de leurs compatriotes cheminant péniblement vers l'horizon de pierre.

Le troisième jour de marche avait été effroyable. Les sandales des femmes étaient déchirées, elles avaient les pieds gonflés, en sang.

— Pars, avait dit la mère à Tariq, son fils aîné. Pars devant nous chercher de l'eau à boire. Peut-être que là-haut il y a un village avec un puits.

Tout au long du chemin, les gens s'évanouissaient de soif et d'épuisement. Sur un éboulis, l'adolescent avait aperçu une femme qui titubait sous le poids d'un énorme ballot. On aurait cru deux pastèques ; il s'était dit : si elle les laisse tomber, je les ramasserai et je les rapporterai à ma mère. Mais quand il s'était approché, la femme s'était affalée au sol et il avait vu qu'elle portait deux bébés.

— Aide-moi, l'avait-elle supplié. Mes fils sont trop lourds pour moi. Je ne peux pas les porter.

L'adolescent avait hésité. Il fallait déjà qu'il s'occupe de sa mère et de ses sœurs, mais il était clair que cette femme n'allait pas y arriver.

— Prends-en un, lui avait-elle dit dans un souffle.

Tariq avait regardé les deux bébés. Comment choisir ? Puis l'un des deux avait ouvert des yeux noirs brillants. Le voyant hésiter, la femme lui avait mis le bébé dans les bras.

— Pars devant. Ne m'attends pas. Je te retrouverai à Ramallah.

M. Ali s'est tu. J'ai posé le regard sur le jardin où les jonquilles étaient en train d'éclore, mais sur ma joue je sentais le vent du désert et je ne voyais que de la rocaille aride et des buissons d'épines.

— C'était vous ? Le bébé dans le ballot ?

Il a hoché la tête.

Une porte s'est ouverte et de l'intérieur de la maison se sont échappés des flots rythmés de musique arabe mêlés au jacassement de la télévision. Puis Mme Shapiro est apparue sur le seuil.

— Vous voulez prendre le café *mit uns* ?

M. Ali n'a pas répondu.

— Je m'appelle Mustafa, m'a-t-il dit à mi-voix. Ça veut dire « Celui qui est élu ». Mon frère Tariq, il m'a raconté cette histoire.

J'avais envie de le toucher, mais il y avait chez lui une sorte de réserve qui m'en empêchait.

— Vous a-t-il dit ce qui est arrivé à l'autre bébé ?

M. Ali a fait non de la tête.

— Il m'a dit que le soldat qui a tué le jeune marié, il avait le tatouage sur le bras – un numéro.

J'ai eu du mal à me joindre à la discussion animée autour du café. J'ai croisé le regard de M. Ali une ou deux fois et j'ai eu envie de lui demander ce qui était arrivé aux Al-Ali ; s'ils avaient fini par arriver à Ramallah, si lui, Mustafa, avait retrouvé son frère et sa mère. Mais, au fond de moi, je connaissais la réponse.

J'étais également troublée par l'histoire du soldat au numéro tatoué sur le bras. Comment un juif qui avait lui-même survécu aux déferlements de mort en Europe pouvait-il agir avec une cruauté aussi désinvolte envers les malheureux civils qui peuplaient sa terre promise ? Qu'avait-il éprouvé au fond de son cœur ? Puis j'ai songé à Naomi. Quand elle s'était laissé photographier sous le porche voûté à Lydda, ignorait-elle ce qui s'était déroulé là deux ans auparavant ? Ou était-elle au courant, estimant que c'était le prix à payer ?

Le dimanche, j'avais prévu de profiter du beau temps pour faire un peu de jardinage, mais j'ai passé toute la journée au téléphone et chaque coup de fil me laissait de plus en plus désemparée. Le téléphone a commencé à sonner à 9 heures (un dimanche matin – non, mais franchement!). C'était Ottoline Walker, Bouche de salope.

— Allô? Georgie Sinclair?

— Qui est à l'appareil?

Je reconnaissais déjà vaguement sa voix.

— C'est moi. Ottoline. Nous nous sommes rencontrées. Vous vous souvenez?

— Oui, je me souviens. Que voulez-vous?

— C'est à propos de Rip… (Ça, on s'en serait douté.) Je voulais juste vous dire que je ne savais pas que vous étiez encore… comme qui dirait… ensemble.

— Comme qui dirait mariés, en fait.

— Il m'a dit que c'était fini depuis longtemps entre vous. Il m'a dit que ça ne vous dérangeait pas… Écoutez, je suis vraiment désolée. Je veux dire, quand on est amoureux, on n'agit pas toujours très bien… on ne pense pas aux conséquences que ça peut avoir pour les autres.

— Et Pete? Il est au courant, lui?

J'avais failli l'appeler Pete les Pectos.

— Il l'a appris. Pauvre Pete. C'était affreux. Il voulait se suicider.

J'ai cru l'entendre renifler à l'autre bout du fil, et l'espace d'un instant elle m'a fait de la peine.

— Côté engagement, vous n'obtiendrez pas grand-chose de Rip. Le seul engagement qu'il connaisse, c'est vis-à-vis de son Programme de développement.

Il y a eu un silence.

— Ce Programme de développement, c'est quoi, au juste? Pete n'est pas très doué pour les explications.

— Pourquoi ne pas le lui demander, à lui?

J'ai raccroché.

J'ai attrapé mon sécateur, mis mes gants de jardin et filé dehors au pas de charge. Il y avait du soleil, mais j'avais des nuages sombres dans la tête. Gonflée à bloc à la seule idée de Rip et sa Bouche de salope, j'ai impitoyablement taillé l'affreux buisson de laurier.

Au bout d'une heure environ, nouveau coup de fil. J'ai continué à tailler le buisson en laissant sonner le téléphone jusqu'à ce que le répondeur s'enclenche. Puis, une minute plus tard, il a de nouveau sonné. J'ai posé le sécateur et je suis allée répondre. Mark Diabello.

— Bonjour, Georgina. Ça fait un moment que j'essaie de te joindre. Je voulais juste te dire que j'ai eu la réponse du cadastre pour Canaan House.

J'ai respiré à fond.

Il m'a expliqué que la maison n'était pas enregistrée au cadastre, et que si Mme Shapiro souhaitait la vendre, elle devrait tout d'abord l'enregistrer, et pour cela il lui faudrait le titre de propriété.

— Et ce fils dont tu parlais, Georgina? Le fils en Israël? Il sait peut-être où il se trouve.

Il cherchait encore à me soutirer des informations.

— J'ai fait sa connaissance l'autre jour.

Je lui ai donné une version édulcorée de notre rencontre. J'ai aussi mentionné Damian.

— Damian Lee, de Hendricks & Wilson.

— Ah!

Mark Diabello en avait le souffle coupé.

— Voilà qui explique la BMW que j'ai vue garée derrière leur agence.

— Le boulot de Damian, c'est donc…

— De persuader le fils de céder la maison à l'aimable entrepreneur de l'assistante sociale pour, mettons, un quart de million, et de repartir en Israël en empochant le cash.

— Comme tu as essayé de le faire avec moi?

— Ce n'est pas pareil. Je ne travaillais pas pour l'acheteur. Tss, tss. C'est un petit vilain, Damian. Je t'ai dit que c'étaient des escrocs

Vers 17 heures, j'étais en train de me tâter pour savoir ce que j'allais faire à dîner quand Rip a appelé. Je l'ai écouté laisser un message sur le répondeur avec sa voix de cadre confronté à des défis sans précédent, me demandant de le rappeler immédiatement. Il y avait quelque chose dans le ton de son message qui m'évoquait… de la colle. Cyanoacrylate AXP-36C. J'ai repensé au sac de B & Q que j'avais rangé dans le bureau et j'ai souri intérieurement. La paix dans le monde, c'est bien gentil, mais ça n'allait tout de même pas s'étendre à Rip et à moi. Hors de question. Quand quelqu'un vous a fait mal à ce point, ce qu'on veut, c'est la vengeance. Pas la paix.

Je n'ai pas rappelé. Je suis montée dans ma chambre et j'ai sorti mon cahier.

Le lendemain matin, le cœur brisé, Gina se rendit en larmes au B & Q de Castleford. La vision de la joyeuse bâtisse revêtue d'orange fit bondir son cœur brisé. L'intérieur immense résonnait de sinistres échos pareils à ceux d'une église et était empli d'hommes étranges qui rôdaient dans les allées en lorgnant la ravissante et pulpeuse Gina. Elle se dirigea vers le vaste rayon des adhésifs. Ses yeux finirent par tomber sur un tube de colle qui comportait en gros caractères la mention DANGER ! ÉVITER TOUT CONTACT AVEC LA PEAU.

Je me suis interrompue. J'étais hantée par l'image de la fillette de l'exposition sur la colle. La cohésion version humaine. Ça pouvait faire des dégâts.

Le dernier coup de fil, c'était au moment où je m'apprêtais à me coucher. Je savais que c'était maman – elle appelle généralement vers cette heure-là –, mais j'ai été décontenancée par son ton laconique.

— Ton père, ça va pas trop. Il faut qu'on opère sa prostate.

La date de l'opération n'était pas encore fixée, mais ce serait juste après Pâques. J'ai cogité à toute vitesse, essayant de mettre en place une logistique qui me permette d'aller à Kippax en laissant Ben chez Rip tout en respectant le délai de Nathan.

LUNDI après-midi, je passais l'aspirateur dans la maison, préoccupée par papa et maman, quand le téléphone a sonné. Je me suis dit que ce devait être maman qui me donnait des nouvelles de l'opération de papa, mais c'était Mme Shapiro.

— Venez vite, Georgine. Chaïm, il fait les ennuis.

En fait, je m'y attendais un peu. Apparemment, Mme Shapiro et Ishmaïl étaient partis dans la camionnette avec M. Ali pour choisir de la peinture au B & Q de Tottenham. Nabeel était resté pour commencer à poncer les boiseries et la porte de la cuisine n'était pas fermée. En rentrant vers 16 heures avec leurs cinq litres d'émulsion mate – « Eau de Nil, couleur charmante, vous verrez » –, ils avaient trouvé Nabeel et le fils de Mme Shapiro qui se bagarraient dans la salle à manger.

— Ils battent comme le tigre. Il faut que vous venez leur parler, Georgine.

Le temps que j'arrive, la bagarre, si bagarre il y avait eu, était terminée, et autour de la table de la salle à manger la trêve était instaurée dans une atmosphère pesante. M. Ali, flanqué des Incapables, était assis en face du fils de Mme Shapiro. Installée à côté de lui, Mme Shapiro fumait cigarette sur cigarette. Wonder Boy était posé sur une chaise au bout de la table, l'air impérieux.

— Bonjour, tout le monde ! ai-je lancé à la cantonade.

Personne ne m'a rendu mon sourire.

J'ai pris place à l'autre bout de la table, en face de Wonder Boy. Mme Shapiro a pris une carafe pour me servir un verre d'eau et m'a présenté Chaïm Shapiro, puis a ajouté :

— Voici Georgine, ma bonne voisine.

Il m'a attaquée aussitôt, exigeant de savoir de quel droit j'avais invité ces étrangers dans sa maison – j'ai sursauté en l'entendant souligner « ma maison » –, mais sans même me laisser le temps d'ouvrir la bouche, Mme Shapiro a contre-attaqué :

— Ce n'est pas ton maison, Chaïm. Je l'habite ici depuis soixante ans et je paie l'impôt.

— Ferme ta gueule, Ella. Tu n'avais aucune raison de laisser des Arabes entrer chez toi.

J'ai entrepris de lui expliquer qu'il y avait des réparations à faire dans la maison et que c'est la raison pour laquelle j'avais fait venir M. Ali et ses assistants. Sans compter les questions de sécurité, ai-je rajouté, et je lui ai raconté l'histoire de la clef volée et du robinet d'arrivée d'eau coupé, en mentionnant au passage que Mme Goodney n'y était sans doute pas étrangère. D'un coup, il s'est redressé.

— Cette Goody avec son *nogoudnik*, ils croient que je vais leur vendre ma maison pas cher pour qu'ils se fassent l'argent sur mon dos. Mais j'ai un autre plan.

— C'est pas ton maison, Chaïm, a craché Mme Shapiro. Quand ton père, il a mort, il me donne à moi.

— Alors, quel est votre plan ? ai-je demandé.

— Mon plan est de faire de grandes rénovations dans *ma* maison. (Autour de la table, tout le monde a suffoqué.) J'ai déjà acheté une trousse à outils.

— Chaïm chérrri, ta mère, elle abandonnait tout pour construire le nouveau Israël. Belle patrie pour les juifs. Pourquoi tu restes pas là-bas ? Pourquoi tu reviens maintenant et tu me jettes dans la rue ?

— Personne ne te jette à la rue, Ella. Tu te jettes toute seule à la rue en vivant avec ces Arabes.

— C'est mes assistants.

— Ella, tous les Arabes sont pareils – ils attendent juste l'occasion de pousser les juifs dans la mer.

— Personne me pousse dans la mer. La mer, elle est loin de ici, Chaïm. La mer, elle est à Douvres. (Mme Shapiro s'est penchée vers moi et m'a chuchoté :) Mais de quoi il parle, Georgine ?

— Je parle du terrorisme, Ella. Regarde mon œil aveuglé. Qu'est-ce que je faisais ? Rien. J'étais juste là à m'occuper de mon affaire.

Il faisait craquer ses articulations avec frénésie.

— On est à Londres maintenant, Chaïm, pas à Tel-Aviv.

— Et tu vois, ils ont commencé à lancer des bombes ici, à Londres.

M. Ali a traduit pour Ishmaïl, qui s'est penché pour chuchoter à l'oreille de Nabeel. Tous les trois fronçaient les sourcils.

— Chaïm chérrri, c'est le maison ici, pas l'avion. Un peu le calme, je te prie. Et là c'est mes assistants, pas les *suicideniks*.

Sur ce, M. Ali a parlé d'une voix brisée par la colère :

— Arabes, chrétiens, juifs vivaient côte à côte pendant des générations. Faisaient les affaires ensemble. Pas le broblème. Pas le bogrom. Pas le camp de concentration. Même on vous a vendu un partie de notre terre. Mais c'est pas assez. Vous voulez tout piquer.

Chaïm Shapiro s'est tourné vers moi et m'a expliqué :

— Tous les Palestiniens ont la même histoire. Ils viennent avec une vieille clef, en disant : « C'est la clef de ma maison. Vous devez partir immédiatement ! » Mais quand ma mère est arrivée en Israël, personne vivait là-bas. Tous les habitants avaient fichu le camp.

— Chassés sous la menace des armes ! a crié M. Ali.

— Si vous voulez vivre à côté de nous dans notre pays, tout ce que vous devez faire, c'est arrêter de nous attaquer. C'est bien normal, non ? a dit Chaïm en écartant les mains d'un geste théâtral.

— Écoutez, nous n'allons pas résoudre tous les problèmes du monde aujourd'hui, ai-je lancé d'un ton enjoué. Mais c'est une grande maison. Peut-être que tout le monde peut habiter ici.

Ils se sont tous tournés vers moi et je suis devenue cramoisie en sentant peser leurs regards. Wonder Boy fouettait de la queue.

— Je refuse de partager ma maison avec trois Arabes, a ronchonné Chaïm.

— Chaïm, lui a dit Mme Shapiro d'un ton apaisant, le Peki qu'il ne vit pas ici. Il fait juste la visite.

— Tu ne comprends pas la mentalité arabe, Ella. Tu crois qu'Israël existerait aujourd'hui si la moitié de sa population était arabe et essayait de nous détruire de l'intérieur?

J'ai été prise de colère en repensant aux bébés jumeaux aussi lourds que des pastèques et au soldat qui portait un numéro tatoué sur le bras.

— Mais vous ne pouvez tout de même pas espérer que les gens abandonnent leur maison et leur terre sans riposter!

M. Ali a traduit pour les assistants, qui ont hoché la tête avec ferveur. Chaïm avait le visage couvert de sueur.

— Ah! Alors nous avons le droit de l'autodéfense! À chaque fois que vous frappez Israël, nous frapperons encore plus fort. Vous nous donnez les lance-roquettes faits maison, nous vous donnons les hélicoptères de combat *made in USA*. Bam bam bam!

À ce bruit, Wonder Boy a sauté sur la table et s'est mis en position de combat, le dos arqué, la queue gonflée, et dans un feulement il s'est jeté à la figure de Chaïm toutes griffes dehors. Chaïm a essayé de se dégager de l'énorme matou, mais Wonder Boy s'accrochait, fouettant l'air de sa queue. Mme Shapiro s'est mise à hurler d'une voix hystérique en s'en prenant à tous les deux:

— *Halt!* Chaïm! Arrête de taper! Wonder Boy! *Raus!*

Le chat a filé en crachant, renversant au passage la carafe. Chaïm a sorti un mouchoir pour tamponner sa joue en sang. Quand il a relevé la tête, nous nous sommes aperçus que son œil de verre s'était retourné dans son orbite de façon grotesque.

Tout le monde s'est tu, comme impressionné par la vitesse à laquelle le conflit avait éclaté. Mme Shapiro a pris la parole en premier. Elle s'est penchée vers Chaïm en lui tapotant le bras.

— Chaïm chérrri, si tu as pas le maison, tu peux vivre *mit uns*. Tu peux prendre toute le chambre que tu veux – sauf le mienne, bien sûr. Tu peux faire tous tes beaux rénovations *mit* le trousse outils. Construire les éléments cuisine. Les lave-vaisselle. Les micro-andes. Nous ferons les dîners *mit* les conversations de culture. Les concerts le soir. Tu es le fils de mon Arti, Chaïm. C'est toujours ton maison quand tu veux. Mais mes assistants qu'il doit rester aussi *mit mir*.

Elle avait un ton si charmeur que, visiblement, Chaïm était déjà tombé sous le charme.

— Ella, je vois que tu es un petit pigeon de logis et j'accepte volontiers ton invitation à résider avec toi. Et si les Arabes doivent rester, peut-être on peut diviser la maison entre nous. Ils gardent le haut et nous restons dans notre partie à nous.

Il a regardé de l'autre côté de la table avec un sourire magnanime.

— Hum! Et après tu construis le mur! a lancé M. Ali d'un ton acerbe. Le poste de contrôle dans l'escalier. Et puis tu voles d'autres chambres pour les colonies.

— Auriez-vous un pansement, madame Shapiro? ai-je demandé pour évacuer la tension.

La joue de Chaïm pissait le sang. Mme Shapiro s'est précipitée pour aller en chercher.

M. Ali et les assistants tenaient une réunion dans la cuisine. Je me suis donc retrouvée seule quelques minutes avec Chaïm Shapiro. L'œil qui était fixé sur moi – l'œil valide – était sombre et triste, mais il me faisait penser au regard brun enflammé de la jeune femme des photos. Je pensais qu'il faudrait que quelqu'un le caresse derrière les oreilles, mais je me suis contentée de lui dire :

— Vous me rappelez votre mère.

Il s'est tourné vers moi, les traits subitement éclairés d'un sourire.

— Vous avez connu ma mère?

— Je ne l'ai pas connue. Je l'ai vue en photo. Vous lui ressemblez.

— Si seulement vous l'aviez connue! Tout le monde l'aimait.

— Et votre père...

— Oui, Artem Shapiro. Le musicien. Elle parlait toujours de lui.

— ... Pourquoi ne l'a-t-il pas rejointe en Israël?

— Il était trop malade. Les poumons *kaputt*. Ella s'occupait de lui. Ici, dans cette maison.

Sur l'acte de décès, il était mentionné cancer du poumon.

— Et votre mère n'est jamais revenue?

— Elle voulait construire un jardin dans le désert – à mains nues. Elle ne voulait pas partir avant que ce soit fini. Et puis elle est tombée malade. Elle est morte quand j'avais dix ans. Quelques mois après mon père.

Je me souvenais de la date que portait la lettre de Lydda. Chaïm était né en 1950, elle avait donc dû mourir en 1960.

— Je suis désolée. Perdre toute votre famille... Et puis votre blessure...

— Mais ma famille, c'était le *moshav* – père, mère, sœur, frère. Après sa mort, je suis resté avec eux.

Ce devait être le *moshav* dont elle parlait dans sa lettre.

— Elle était de Biélorussie, elle aussi ?

— Non, elle venait du Danemark. Mais ils se sont rencontrés en Suède. Ils se sont mariés à Londres. Et je suis né en Israël. (Il a souri de son sourire joufflu plissé de fossettes.) Naomi Shapiro. C'était une personne qui savait rêver.

— Elle rêvait de la Terre promise ?

— Notre patrie. Sion. *Home, sweet home.*

— Mais pourquoi voulez-vous refaire votre vie ici, Chaïm ?

— J'ai été professeur trente ans. Langue et littérature anglaises. Maintenant, j'ai pris la retraite. Jamais marié. Quelle femme veut épouser un homme borgne ?

Mme Shapiro était réapparue avec un pansement tout sale.

— Maintenant ton foyer est *mit uns*, hein ?

Elle lui a appliqué le pansement sur la joue.

— Merci, Ella. Ma mère me disait que tu étais pleine de sollicitude pour mon père dans sa maladie. Et que tu l'encourageais à aller en Israël quand il serait guéri. Elle m'a montré la lettre que tu as écrite.

J'ai jeté un œil à Mme Shapiro.

— C'était il y a très longtemps, a-t-elle répondu. Quelquefois, c'est mieux laisser le passé tranquille.

— Oui, il y a longtemps. (Il s'est renversé lourdement sur sa chaise.) Tu sais, Ella, ce pays, cet Israël, ce n'est pas le pays dont elle rêvait. Ils ont tout gâché avec leur fanatisme.

De la tête, il a indiqué la cuisine où M. Ali et les assistants discutaient encore en arabe.

— Alors quelle est la solution, à votre avis ? lui ai-je demandé.

— Il n'y a pas de solution. Je ne vois pas de possibilité de paix de mon vivant. Tant qu'ils continuent leurs attaques, nous continuerons nos défenses. Nous sommes piégés dans la « loi du talon ».

QUAND je suis rentrée à la maison en début de soirée, j'ai remarqué que les chatons argentés du saule avaient éclos et que leurs soies s'ornaient de particules de pollen dorées. Il faisait doux et humide. J'étais entourée de verdure. C'était un monde différent de celui de Chaïm Shapiro et Mustafa Al-Ali – et cependant c'était le même. Il fallait que nous apprenions tous à y vivre d'une manière ou d'une autre.

Je me suis rappelé que je n'avais pas demandé à Chaïm comment il avait perdu son œil. Avait-il été pris dans l'attaque de représailles de l'aéroport de Lydda? J'ai repensé à la conversation que j'avais eue avec Ben quelques jours plus tôt – l'antique prophétie de la bataille entre Jésus et l'Antéchrist aux portes de Lydda qui était censée précéder la fin du monde. L'aéroport est bien une sorte de porte de la ville, non? Mais les terroristes ne pouvaient pas connaître les paroles des prophètes. Comment le présent pouvait-il rejoindre le passé? Et Dajjal, le diable borgne? Mais Chaïm n'avait rien d'un diable; c'était une âme égarée qui avait perdu sa mère trop jeune. Pourtant j'ai frissonné comme si une voix d'un autre monde me chuchotait : « Armageddon ».

Quand je me suis trouvée en bas de chez moi, j'ai vu à la fenêtre de Ben que son ordinateur était allumé et que l'écran de veille clignotait. C'était curieux. Ben était censé être avec Rip. Peut-être était-il rentré plus tôt que prévu.

— Coucou, Ben! ai-je lancé dans l'escalier en entrant.

Il n'y a pas eu de réponse. Je suis montée frapper à la porte de sa chambre. Pas de réponse. Je l'ai poussée. L'écran de veille tournoyait dans la pénombre en projetant ses motifs étourdissants contre les murs. Blanc! Rouge! Noir! Blanc! Rouge! Noir! Puis j'ai vu Ben. Il gisait par terre entre le lit et le bureau, affaissé comme un tas de chiffons au milieu de ses vêtements éparpillés.

— Ben!

Il remuait, agité de mouvements convulsifs, la tête renversée en arrière, les yeux révulsés, des dégoulinures de bave au coin des lèvres. Je me suis précipitée vers lui en titubant, heurtant au passage la chaise qui s'était accrochée dans le fil de la souris, et subitement l'écran qu'il consultait s'est rallumé : Armageddon.

J'ai tendu la main pour arracher la prise. La chambre a été plongée dans le noir. J'ai allumé la lumière. Ben gémissait en gesticulant. Je me suis agenouillée à côté de lui et je l'ai pris dans mes bras en lui caressant les joues et le front, chuchotant son nom. Je l'ai tenu ainsi contre moi jusqu'à ce qu'il ne s'agite plus et que sa respiration se calme. Puis j'ai appelé une ambulance.

Après, tout est allé très vite dans un tourbillon de secouristes empressés et de gyrophares. J'ai essayé d'appeler Rip de l'ambulance, mais comme il n'y avait pas de réponse, je lui ai envoyé un texto. Au bout de quelques minutes, Ben est revenu à lui. Il a soulevé la tête du brancard et regardé autour de lui d'un air hébété.

— Je suis où ?

— En route pour l'hôpital.

— Oh !

Il avait l'air déçu.

Je lui ai tenu la main tandis que l'ambulance fonçait à travers les rues nocturnes, sirène hurlante.

Il a été admis dans le service où Mme Shapiro avait été hospitalisée la première fois. Le médecin avait l'air à peine plus âgé que Ben – en fait, il avait du gel dans les cheveux comme Damian.

— Apparemment, votre fils a eu une crise, a-t-il dit.

— De quoi ? D'épilepsie ?

— Peut-être. On en saura plus quand on lui aura fait une IRM. Pour ce soir, il faut le laisser dormir. Nous allons veiller sur lui, ne vous en faites pas.

Puis le rideau s'est ouvert et Stella est apparue en compagnie de Rip. Rip a fait comme si je n'étais pas là, et j'aurais bien été capable de filer en douce si Stella ne s'était pas jetée aussitôt dans mes bras.

— Qu'est-ce qui lui arrive, maman ?

Elle était si jolie, mais si maigre – trop maigre. Je l'ai serrée contre moi en lui caressant les cheveux. J'étais au bord des larmes, mais j'ai plaqué un grand sourire sur mes lèvres.

— Il a eu une espèce de crise.

Stella a serré la main de son frère.

— Espèce de patate !

Elle avait pris un fort accent de Leeds, l'accent de leurs jeux d'enfants. Il a ouvert les yeux et regardé autour de lui avec un sourire de béatitude.

— Salut, tout le monde !

Puis il s'est rendormi.

Rip se tenait dans l'embrasure des rideaux, sommant le médecin de parler, exigeant des explications que le jeune homme était manifestement incapable de lui donner, tout en évitant soigneusement de croiser mon regard. Quand le médecin est parti, il s'est installé de l'autre côté du lit et a pris l'autre main de Ben en lui parlant d'un ton bêtifiant absolument répugnant.

Je suis allée m'asseoir dans la salle de détente le temps de me calmer. Une minute plus tard, la porte s'est ouverte à la volée et Stella a surgi. Elle avait le visage marbré de rouge. J'ai tout d'abord cru qu'elle était bouleversée, puis je me suis aperçue qu'elle était furieuse.

— Tu es dingue, maman ! Papa aussi ! Il faut que vous arrêtiez de vous conduire comme des gamins. On en a marre, Ben et moi. On veut que vous deveniez adultes.

Je l'ai fixée. Elle avait vingt ans, et voilà qu'elle me disait à moi de devenir adulte.

— Et lui alors ? ai-je lancé d'une voix geignarde.

— Lui aussi. Je lui ai dit, à lui aussi. Il faut que vous arrêtiez. On en a marre. Et en plus, ce n'est pas bon pour Ben.

— Bon, d'accord. S'il le fait, je le fais. Mais je ne…

— Alors vas-y et souris-lui et… je sais pas… sois normale, quoi.

Et c'est ce que j'ai fait.

QUAND je songe au moment où tout a commencé à aller mieux, c'est à ce lundi de mars, à cette scène dans le box fermé par des rideaux que je repense, à Ben adossé à son oreiller essayant de se rappeler ce qui s'était passé, à Stella perchée au bord du lit chatouillant les orteils de son frère en le faisant rire. Ça me rappelait l'exposition sur la colle – Rip et moi posés maladroitement de part et d'autre du lit comme deux supports douteux tout bosselés, et Ben et Stella au milieu essayant de nous maintenir ensemble comme deux amas de colle.

Le lendemain, nous nous sommes retrouvés, Rip, Ben et moi, assis de la même façon dans le cabinet du neurologue, Ben au milieu. Le neurologue nous a posé une multitude de questions et nous a demandé dans quelles circonstances Ben avait eu cette crise.

Quand j'ai décrit l'écran de veille tournoyant et les flammes scintillantes du site de l'Armageddon, il nous a dit :

— Il arrive que la photosensibilité déclenche une crise d'épilepsie. Ce que nous ignorons à ce stade, c'est si cela se produira de nouveau. (Il s'est tourné vers Ben en souriant.) Essayez d'être plus sélectif dans le choix des sites que vous visitez, jeune homme. C'est totalement délirant dans le cyberespace.

— D'accord, a acquiescé Ben.

Il était gêné d'être ainsi au centre de l'attention.

— Je comprends que le clignotement de l'ordinateur puisse servir de déclencheur, ai-je dit. Mais tu disais que quelquefois tu te sentais bizarre quand tu rentrais du lycée, avant même d'avoir allumé l'ordinateur.

Il a cligné des yeux en fronçant les sourcils.

— Ah! oui. C'était dans le bus. On passait devant ces arbres. Je voyais le soleil à travers les branches.

Il a décrit un long trajet en bus sur une avenue bordée d'arbres avec le soleil rasant d'hiver qui clignotait entre les branches.

— C'est là que j'ai commencé à avoir des sensations.

Le neurologue a hoché la tête.

— Si vous vous retrouvez une autre fois dans cette situation, jeune homme, essayez de fermer un œil.

Ce n'était donc que ça – les générations de prophètes, le règne de l'Antéchrist, Armageddon, la terrible bataille de toutes les armées du monde, la reconstruction du Temple à Jérusalem, la fin des temps avec sonneries de trompettes et chariots de feu, le retour du Messie –, au bout du compte, ce n'était qu'une histoire de fréquence de lumières clignotantes, un court-circuit passager dans l'installation électrique du cerveau. Il suffisait de fermer un œil.

— Si je comprends bien, tout ce bazar religieux, c'est de la foutaise.

Le ton de Rip était d'une arrogance exaspérante. Mais Ben n'écoutait pas. Il étudiait une illustration du cerveau punaisée au mur.

En sortant de l'hôpital, Rip m'a annoncé qu'il avait dû quitter la maison de Pete et m'a demandé d'un ton penaud s'il pouvait revenir s'installer quelque temps à la maison, et je lui ai répondu en ronchonnant que je m'en fichais, mais que ça ferait sûrement plaisir à Ben. J'avais ma propre vie à présent, et je n'étais pas prête à y renoncer.

Plus tard, cet après-midi-là, Rip a rapporté ses affaires et s'est installé un lit de camp dans le petit bureau. Nous prenions des gants l'un avec l'autre, manifestant des excès de politesse et de prévenance.

À la fin du trimestre, Stella est revenue, et la maison si vide était désormais pleine. C'est Stella qui m'a raconté, un jour où nous prenions tranquillement le thé, qu'Ottoline avait mis Rip à la porte. C'est pour cela que Ben était rentré à l'improviste le lundi.

— Ben m'a dit qu'il les avait entendus se disputer. Apparemment, elle lui a lancé qu'il avait une attitude lamentable face à l'engagement, a-t-elle murmuré d'une voix grave.

Stella a bien profité de ses vacances, faisant la grasse matinée et prenant des douches interminables. Ben emplissait la maison de techno en tapant joyeusement du pied et n'était plus collé à l'ordinateur. Rip et moi, nous nous sommes arrangés pour partager le même espace sans nous gêner mutuellement. Chacun a appris à connaître les habitudes de l'autre et à éviter tout contact inutile. L'atmosphère n'était pas franchement amicale, mais elle n'était pas hostile non plus.

À Pâques, nous ne sommes allés ni à Kippax ni à Holtham. Rip et moi nous sommes timidement efforcés de collaborer en cachant des œufs en chocolat dans la maison pour Ben et Stella.

10

LE mardi juste après Pâques, je suis allée à Canaan House. C'était une belle journée fraîche éclaboussée d'un soleil qui perçait à travers les nuages effilochés. Quand j'ai sonné, personne n'a répondu. J'ai regardé à travers la fente de la boîte aux lettres. Il n'y avait aucune trace de vie, si ce n'est deux félins qui sommeillaient dans le landau parqué sous l'escalier. Puis j'ai remarqué quelque chose de très inquiétant : de l'eau gouttait d'une fissure au plafond et formait une flaque dans le hall d'entrée.

Soudain, Nabeel et M. Ali se sont matérialisés, dévalant l'escalier en se criant dessus. J'ai de nouveau sonné et M. Ali a ouvert la porte. J'ai cru qu'il venait m'ouvrir, mais il est sorti en trombe sous mon nez pour faire le tour de la maison. Sur ce, Mme Shapiro est apparue en trottinant sur ses talons hauts, agitant une cigarette.

— Ah, Georgine ! *Gott sei dank*, vous êtes venue !

Elle s'est jetée à mon cou.

— Que se passe-t-il ?

— *Wasserkrise !* Je vous téléphonais ! Ils essaient faire le dérivation de conduite *Wasser* dans l'appartement du haut.

L'eau se déversait maintenant à flots. Le hall d'entrée s'emplissait de vapeur. On se serait cru dans une salle de bains. Au-dessus de nos têtes, le plafond en plâtre commençait à gondoler. M. Ali est alors apparu sur le pas de la porte. Il a soupiré en voyant le torrent d'eau.

— Elle vient du ballon. Pas du général, a-t-il expliqué.

Puis il a crié quelque chose à Nabeel, qui a baissé la tête avant de monter en traînant la semelle. M. Ali a haussé les épaules, l'air de s'excuser.

— Complètement incapable.

J'en étais encore à m'interroger sur le statut de l'eau chaude quand Ishmaïl et Chaïm ont dévalé l'escalier quatre à quatre en manquant de percuter Nabeel.

— Le général est coupé, mais l'eau continue couler, a crié M. Ali.

Mᵐᵉ Shapiro a crié sur Chaïm :

— C'est tout ta faute. Tu veux faire le séparation du *Wasser*. *Wasser* juif, *Wasser* arabe. Maintenant tu as le *Wasser* qu'il pisse.

— Ce n'est pas ma faute, Ella. Ces incapables d'Arabes ont coupé la mauvaise canalisation.

Sur ce, on a sonné. J'ai ouvert. C'était Mark Diabello.

— Bonjour… (Il a contemplé la scène du hall, embrassant du regard les visages rougis qui émergeaient des nuages de vapeur.) Georgina, je voulais juste…

— Entre. Nous avons un petit souci avec l'eau…

— Qui c'est ? a demandé Mᵐᵉ Shapiro. Vous êtes le nouveau assistant ?

— Je vous présente l'associé de M. Wolfe, ai-je dit. Mark Diabello.

— L'associé de mon Nicky ? Charmant ! s'est-elle exclamée en battant des paupières.

Il s'est avancé en tendant la main, la fossette du menton aguicheuse, le sourire plissant les joues, les yeux vert, noir et or scintillant tant et plus.

— Enchanté, madame Shapiro. Vous permettez que je vous dérange une seconde… Le titre de propriété…

À cet instant, il y a eu un épouvantable bruit d'arrachement au-dessus de nos têtes. Tout le monde a levé les yeux. Une des corniches en plâtre de style dorique qui soutenaient la voûte d'où provenait la fuite avait commencé à se fissurer. La corniche a glissé de côté, puis elle est tombée. M. Diabello a fait un pas en arrière en chancelant. Ses genoux se sont dérobés. Puis il s'est affaissé lourdement par terre. Il venait d'être frappé par un détail d'époque.

Quand l'ambulance est arrivée, il était assis à même le sol humide, adossé au mur sous la marque grise de la photo de Lydda, pressant un mouchoir blanc sur la plaie qu'il avait à la tête.

Après cet incident, pourtant, une étrange paix empreinte de

lassitude s'est abattue sur la maison. L'eau a enfin cessé de couler une fois le chauffe-eau vide. Ishmaïl a sorti un balai et entrepris d'évacuer l'eau par la porte d'entrée – il devait y en avoir des dizaines de litres. Nabeel est allé faire du café à la cuisine.

Je suis restée avec Mark Diabello jusqu'à l'arrivée de l'ambulance.

— Je pensais bien que tu étais là. Je suis venu te voir, Georgina, a-t-il murmuré. Je n'avais pas réalisé que ton mari était de retour.

— Oui, j'aurais dû te prévenir. Désolée. Toi et moi, c'est fini, Mark. Mais on s'est bien amusés.

— MADAME SHAPIRO, ai-je dit d'un ton faussement détaché, vous sauriez où se trouve le titre de propriété de la maison, par hasard ?

Nous prenions le café en tête à tête au coin de la cheminée du bureau.

— Apparemment, la maison n'est pas enregistrée au cadastre.

— Sur ce maison, je payais l'impôt soixante ans, pas le problème.

— M. Diabello dit qu'il vaudrait mieux l'enregistrer au cas où vous voudriez la vendre à un moment ou un autre.

— Je le vends rien.

— Bien sûr, il n'y a aucune raison pour que vous vendiez. (Il était inutile de discuter avec elle.) Mais il vaudrait mieux pour vous que la maison soit enregistrée à votre nom. Comme ça, personne ne pourrait vous la prendre.

— Vous croyez que Chaïm qu'il veut me le prendre ?

— Tout le monde la veut. Chaïm. Mme Goodney. Même M. Wolfe et M. Diabello. C'est une propriété très convoitée.

— Quand je suis morte, vous pouvez l'avoir, Georgine.

J'ai ri.

— C'est gentil, mais elle est trop grande pour moi. Il y a trop de problèmes.

Elle m'a agrippée par la main. Elle était soudain très grave.

— Cette maison – elle appartient personne. Artem qu'il trouvait vide. Abandonnée. Les occupants ils enfuyaient. Artem venait de marier. Il avait besoin de l'endroit pour habiter.

— Avec Naomi ?

Elle a évité mon regard.

— C'était la guerre. Bombardements allemands. Partout les gens couraient.

— Alors, ils se sont installés là ?

— Que c'est le belle maison, hein ? Même le piano. Quelquefois, *mit Mutti*, on venait jouer. Il jouait le violon, on accompagnait *mit* le piano. Vous savez, Georgine, j'étais très jeune. Je savais rien – je savais juste que je suis amoureuse. Quand tu es amoureux, tu penses pas toujours à conséquence.

Je me suis remémoré ma conversation avec Bouche de salope.

— Vous pensiez que le seul fait d'être amoureuse justifiait tout ?

— Je pensais juste je peux pas vivre sans lui. Et elle était pas bon pour lui, celle-là. Toujours elle le harcelait pour partir chez Israël. Toujours là parler de Sion – de faire la patrie pour tous les juifs du monde. Mais lui qu'il voulait juste mourir en paix.

— Elle est donc partie seule. Vous ne vous êtes pas sentie… ?

L'air vague, elle a rejeté la tête en arrière.

— J'occupais de lui. Il disait il ira là-bas quand il va mieux.

Je voulais lui demander si elle s'était sentie coupable. D'avoir volé le mari de Naomi et le père de Chaïm.

— Elle lui a écrit d'Israël, non ?

Elle a hoché la tête.

— Oui. Ces lettres. J'ai toutes brûlées.

Elle avait le visage tourné vers le feu et je ne voyais pas son expression.

— Pas toutes.

— C'ÉTAIT qui, cet homme ? m'a demandé Stella pendant que nous débarrassions toutes les deux la table après un curry thaï.

Nous étions seules dans la cuisine qui se trouvait en sous-sol. Rip et Ben regardaient un match de foot en haut.

— Quel homme ?

— Ce type sinistre en Jaguar, genre mielleux, qui est venu cet après-midi quand tu n'étais pas là ?

Elle avait une moue désapprobatrice.

— Oh, ça doit être l'agent immobilier. Il veut acheter la maison d'une vieille dame que je connais, à Totley Place. Pourquoi ça ?

— C'est papa qui est allé ouvrir. Ils ont tous les deux été un peu surpris de tomber nez à nez. (Elle m'a lancé un regard noir.) Il avait un bouquet de roses blanches.

— Ah oui ? Elles devaient être pour une autre.

— Non, il les a laissées. Elles sont dans ma chambre. J'ai dit à papa qu'elles étaient pour moi.

— Merci, mon ange. Tu peux les garder. Je n'en veux pas.

Elle a esquissé un sourire fugace, un sourire lumineux.

Le lendemain, Rip m'a fait une bise sur la joue avant de partir au bureau, ce qui explique sans doute que j'ai eu autant de mal à écrire sur la vengeance de Gina. Malgré le retard que j'avais accumulé sur l'article de la colle, j'ai ouvert mon cahier.

Déguisée en ~~laveuse de carreaux chiffonnière~~ représentante en produits de beauté, elle se rendit à Holty Towers et au cœur de la nuit elle traversa sur la pointe des pieds la salle de bains ~~atenante atlante atelier~~ luxueuse, puis sortit la ~~ampoule flasque~~ fiole de son coffret Avon et étala une mince couche de colle ultra-forte sur le siège des ~~WC~~ toilettes. Puis elle fit couler un petit filet d'eau froide dans le lavabo…

Mais il y avait quelque chose qui clochait. J'éprouvais une vague pitié pour Rick. Bon, d'accord, il était un peu léger parfois, mais quels idiots tout de même, Rick et Gina ! Pourquoi ne pouvaient-ils pas s'accommoder de leurs différences et rester ensemble ? Je me suis aperçue que quelque chose avait changé en moi – la vengeance ne m'intéressait plus. J'étais prête à passer à autre chose.

J'ai refermé mon cahier et ouvert le document d'*Adhésifs* sur lequel j'étais censée travailler : « La chimie de l'assemblage par collage ». Le soir du Nouvel An, lorsque nous nous étions tous pris par la main comme des molécules s'agglomérant pour chanter « Ce n'est qu'un au revoir… », j'avais brusquement compris la polymérisation. Et là, j'ai trouvé encore mieux : la polymérisation dépend du partage. Un atome auquel il manque un électron cherche un autre atome qui possède précisément ledit électron, puis il saisit l'électron dont il a besoin. Mais il n'est question ni de vol ni de coup bas. Les deux atomes finissent par partager l'électron et c'est ce qui maintient tous les atomes ensemble en une longue et merveilleuse danse qui se répète à l'infini – c'est prodigieux, la colle !

Je me suis mise à songer aux deux Naomi essayant d'attraper Artem. Cela s'était-il déroulé dans le partage et la danse, ou était-ce plutôt une histoire de vol et de coups bas ? Artem aurait-il pris une autre décision s'il avait lu les lettres de Naomi ? Le cœur d'Ella aurait-il alors été brisé ? C'était d'une méchanceté monstrueuse d'avoir brûlé ces lettres, et cependant elle ne m'avait jamais paru méchante. À croire que l'amour autorise toutes les libertés. Et, au bout du compte, la mort, l'ultime ligne de fracture, avait séparé Ella et Artem. Et Canaan House avait été elle aussi partagée par un couple, puis par un autre. Mais à qui appartenait-elle réellement ? Il devait y avoir un moyen de le découvrir.

À LA bibliothèque de Fielding Street, les ouvrages de référence se trouvaient au dernier étage. Le temps humide avait attiré là tous les sans-abri, dont les relents moites de crasse se mêlaient à l'odeur de moisi des livres.

— Je cherche l'histoire d'une maison qui se trouve pas très loin de chez moi. Canaan House. À Totley Place.

La bibliothécaire a levé les yeux de son ordinateur.

— Nous avons une petite section d'histoire locale là-bas, à droite.

Sur la vingtaine de volumes, le seul ouvrage consacré au quartier s'intitulait *Walter Sickert's Highbury*. Page 79, il y avait une lithographie représentant une grande maison avec un arbre devant. La légende disait : « La maison de l'Araucaria, résidence de Mlle Lydia Hughes, dont Sickert a peint le portrait en 1929, quand il habitait près de Highbury Place. » Peut-être le nom de la maison avait-il été changé.

Puis je suis tombée sur un petit fascicule avec une couverture jaune cartonnée : une *Histoire du témoignage chrétien à Highbury*, manifestement publiée à compte d'auteur. Je l'ai emporté dans la salle de lecture et je me suis installée à une table. Vers la fin du livre, une note expliquait : « Une communauté thérésienne s'établit à la fin des années 1930 dans une maison située sur Totley Place. Elle fut évacuée à la suite d'un raid aérien en 1941 et la communauté fut dispersée. »

J'ai été saisie d'une bouffée d'excitation – j'y étais peut-être ! L'auteur était une certaine Mlle Sylvia Harvey. Le livre avait été publié en 1977. J'ai noté les détails sur un bout de papier. Un tel silence régnait dans la salle qu'on entendait le crissement de mon stylo. Il n'y avait aucun autre bruit, à part les reniflements et les craquements des pages, ponctués ici et là par le bruit de la fontaine à eau qui gargouillait comme un estomac dyspeptique. Ça m'a rappelé que l'opération de papa devait avoir lieu ce jour-là et je me suis demandé comment elle s'était passée.

Dans le fond, du côté des magazines et des journaux, un grand type costaud se débattait avec le *Financial Times*. Il me tournait le dos. Il avait les cheveux blonds avec des mèches grisonnantes. Il n'y avait aucun doute possible. C'était Rip. Par terre, à côté de lui, il y avait sa mallette et notre bouteille Thermos bleue. Il avait l'air vaincu. Il ne lisait même pas le journal, il passait juste le temps dans la bibliothèque parce qu'il ne voulait pas que l'on sache qu'il n'était pas au travail.

J'ai ramassé mes affaires et je suis sortie sur la pointe des pieds.

J'AVAIS déjà commencé à préparer le dîner quand Rip est rentré, peu avant 18 heures. Stella était sortie et Ben était affalé sur le canapé avec un livre. Depuis sa crise, il évitait l'ordinateur.

— Bonsoir, Ben! Bonsoir, Georgie! a lancé Rip en rentrant avant de monter directement dans le bureau.

Une demi-heure plus tard, j'ai passé la tête par la porte.

— Le dîner est prêt.

— C'est quoi, ça? (Il avait un sac du B & Q à la main.) Tu as l'intention de faire du bricolage?

Il me dévisageait. Je me suis sentie devenir cramoisie.

— Non, pas du bricolage. Du collage. Tu sais, coller des trucs – c'est une forme d'art.

Nos regards se sont croisés. Il a souri. J'ai souri. Nous sommes restés là à nous sourire par-delà le flot des mensonges. Je ne lui dirais jamais que je l'avais vu à la bibliothèque, que je m'étais aperçue de sa vulnérabilité. Je lui ai tendu les bras en avançant d'un pas hésitant. Il y a eu un léger grésillement et une odeur de brûlé, et Ben s'est écrié de la cuisine :

— Vous venez? Le riz est en train de brûler!

JE n'avais pas encore dit à maman que Rip était revenu – je ne voulais pas tenter le diable –, mais je l'ai appelée après le dîner pour savoir comment s'était passée l'opération de papa. Elle était d'humeur exubérante.

— Ils ont fait une biopic. Le docteur dit que c'est pas le cancer.

— Une biopsie. Ah, super! Comment va-t-il?

— Il pète la forme. On mange très bien à l'hôpital. Il s'est engueulé sur l'Irak avec le type dans le lit d'à côté. Au fait, Keir va rentrer.

— Ça aussi, c'est une bonne nouvelle.

Je serais contente de revoir mon frère. Depuis qu'il s'était engagé dans l'armée, nous vivions dans des mondes éloignés. Aujourd'hui, nous n'avions plus en commun que l'enfance que nous avions partagée, mais maman jouait le rôle du ciment familial en veillant à nous maintenir ensemble.

— Elle nous a envoyé de jolies fleurs, ta Mme Sinclair. Et une carte. Meilleurs vœux de prompt rétablissement.

— Je ne savais pas qu'elle était au courant pour papa.

— Oh! on se donne des nouvelles. Elle appelle de temps en temps. Ou alors c'est moi qui l'appelle.

— Ah bon?

Je l'ignorais totalement. Je me suis demandé ce que maman et Mme Sinclair pouvaient bien se raconter. Puis je me suis dit qu'elles devaient sans doute parler de nous.

Je me suis servi un verre de vin et me suis allongée, les pieds sur le canapé, pendant que Rip et Ben rangeaient la cuisine. Puis le téléphone a sonné.

— Georgine, venez vite! Nous avons l'invitation!

Mme Shapiro avait beau s'égosiller à l'autre bout du fil, il était hors de question que je bouge.

— Et nous sommes invités à quoi, au juste?

— Attendez, je regarde… Ah, voilà! Nous sont invités à l'obsèque!

Mon cœur a fait un bond.

— Oh! non… Qui est-ce?

— Attendez! C'est ici! Je réussis pas lire le nom. On dirait Mme Lily Brown, quatre-vingt-onze ans, a éteint en paix dans le sommeil à Nightmare House. C'est qui, cette Brown Lily?

— C'est la vieille dame avec qui vous êtes devenue amie à l'hôpital. Vous savez, celle qui demandait toujours des cigarettes?

— C'est pas mon amie – elle est frappée.

— Mais c'est bien d'être invitée à ses obsèques. Sa famille devait se souvenir de vous.

— Que c'est bien, l'obsèque?

— Vous ne voulez pas y aller?

— Bien sûr, il faut aller!

LE crématorium se trouvait à Golders Green. J'en ai parlé à Nathan, en ajoutant qu'il pouvait peut-être venir avec son père.

Nous avons réussi tant bien que mal à nous entasser à quatre dans la Morgan de Nathan, qui n'était en fait qu'une deux-places améliorée. Mme Shapiro s'est installée devant, à côté de Nathan. Elle portait un long manteau noir qui sentait bon la naphtaline, assorti d'un petit béret noir très chic orné d'une voilette et d'une plume. Le père de Nathan s'est faufilé à côté de moi à l'arrière. Il avait un imperméable et un feutre à la Bogart. J'avais mis ma veste grise avec un foulard noir. C'était un samedi matin d'avril, l'air était doux.

Le père de Nathan a pris la main de Mme Shapiro pour l'aider à gravir les marches du crématorium et elle l'a remercié d'un gracieux signe de tête. Quand nous sommes arrivés, il n'y avait que deux autres personnes dans la chapelle : une dame grisonnante toute frêle qui nous a dit qu'elle était la nièce de Mme Brown, Lucille Watkins, et son père, le frère de Mme Brown.

— Charlie Watkins, s'est-il présenté, le regard s'attardant sur les doigts au vernis écaillé que Mme Shapiro lui tendait élégamment. Je crois que nous nous sommes croisés à l'hôpital. Et vous connaissiez bien notre Lily ?

— Pas très bien, lui a répondu Mme Shapiro en battant des paupières. Seulement à cause de cigarette.

Je n'ai pas été étonnée de voir Mlle Baddiel arriver alors que le service allait commencer.

— C'est toujours teeeellement triste quand un client disparaît, a-t-elle murmuré en cherchant un paquet de mouchoirs dans son sac.

J'ai cherché un mouchoir dans ma veste et c'est là que je suis tombée sur un objet dur et long au fond de ma poche. C'était une clef. Je l'ai sortie. D'où venait-elle ? Quand avais-je mis cette veste pour la dernière fois ? Puis je me suis rappelé. C'était la première fois que j'avais rencontré Mme Goodney à Canaan House.

Nous nous sommes éparpillés sur les bancs pour donner l'impression que nous étions plus que sept. Un monsieur filiforme en costume noir a accompli un bref rituel liturgique en marmonnant d'une voix monocorde, puis il a disparu. Nous nous sommes tous regardés en nous demandant si c'était fini. Puis, soudain, il y a eu un bruissement derrière nous ; l'orgue s'est interrompu en plein milieu, cédant la place à un air entraînant de grand orchestre. Ba-doop-a-doop-a !

Tout le monde en a eu le souffle coupé. Charlie Watkins s'est levé, il a esquissé un déhanchement entre les bancs, s'est faufilé devant sa fille et a rejoint le lutrin en se trémoussant. La musique s'est estompée peu à peu, il a toussoté, puis s'est lancé :

— Mesdames, messieurs, nous sommes ici pour rendre hommage à une grande dame et une grande danseuse, Lily Brown, ma sœur, née Lillian Ellen Watkins en 1916, à Bow. C'était la benjamine d'une famille qui comptait trois sœurs et deux frères. Je suis le dernier qui reste, et voilà que toute cette vie passée est emportée par les vagues du temps.

Il s'est mis à chercher un mouchoir dans sa poche. Il y a eu de l'agitation sur les bancs. Ce n'était pas du tout ce à quoi nous nous attendions. Il s'est mouché, puis il a poursuivi :

— Toute jeune déjà, Lily dansait comme un ange.

Les Watkins étaient une famille de comédiens de music-hall. Charlie a raconté que Lily avait suivi des cours de danse du soir. Elle avait percé le jour où elle avait été engagée dans la troupe du Daly's. Il s'est interrompu en reniflant dans son mouchoir.

— Je l'ai vue sur scène, elle lançait la jambe si haut qu'elle aurait pu botter le cul d'une girafe. Mesdames, messieurs, je vous demande de prier pour l'âme de Lily Brown. Puisse-t-elle danser avec les anges.

Nous sommes sortis sous le soleil qui nous piquait les yeux et nous nous sommes dirigés d'un pas lourd vers le jardin du Souvenir. Je me suis promenée en regardant les noms gravés sur les plaques commémoratives. Ce n'est qu'en arrivant au parking que nous nous sommes rendu compte que Mme Shapiro avait disparu.

C'est le père de Nathan qui l'a retrouvée. Elle avait traversé Hoop Lane et rejoint le cimetière juif. Il l'avait découverte errant parmi les tombes et l'avait ramenée avec sollicitude en lui donnant le bras.

— Elle n'arrête pas de parler d'un artiste, m'a-t-il chuchoté. La pauvre !

11

C'EST Mme Shapiro qui a eu l'idée de pendre la crémaillère pour l'appartement du dernier étage. M. Ali et les Incapables avaient réussi à installer sans autre mésaventure une douche et des toilettes qui fonctionnaient, ainsi que trois Velux dans les pièces du grenier. Ils avaient mis là toutes leurs affaires.

Un matin, nous avons établi ensemble la liste des invités en prenant un café dans la cuisine. Mme Shapiro était d'humeur pétulante.

— Nous pouvons inviter ce charmant vieux monsieur de crématorium. Il chante très bien. Ça sera le soirée musicale. Ou peut-être le garden-party. À votre avis ?

— Il ne faut pas fixer de programme, je crois. On ne sait pas ce que le temps nous réserve.

— Vous êtes très sage, Georgine, a-t-elle acquiescé. Et cette fête va être une bonne occasion pour vous de trouver le nouveau mari. Nous inviterons mon Nicky et l'autre aussi, le bel homme. Peut-être plus beau encore que mon Nicky, non ?

— Oui, très beau, mais…

Je ne lui avais pas dit que je ne cherchais pas un nouveau mari.

— Il faut faire plus de l'effort, Georgine, si vous voulez attraper l'homme. Vous êtes la jolie femme, mais vous avez laissé aller. J'ai le joli robe, avec le pois rouge *mit* col blanc. Elle ira bien. Et le rouge à lèvres. Il faut le beau rouge à lèvres assorti.

J'ai souri d'un air évasif.

Après avoir établi la liste des invités, nous nous sommes réparti les tâches. Mme Shapiro a dit qu'elle appellerait Wolfe & Diabello et accepté avec réticence d'inviter également Mlle Baddiel. J'ai été chargée d'appeler Nathan et son père. J'ai pris mon téléphone dès que je suis arrivée à la maison.

— Ton père a fait une conquête, Nathan.

— Laisse-moi deviner. C'est ta vieille dame, Mme Shapiro ?

— Il t'a dit quelque chose ?

— Il a dit que c'est dommage qu'elle soit aussi vieille.

— Elle dit la même chose à propos de lui. En tout cas, vous êtes tous les deux invités à une fête.

Je lui ai précisé le jour : un samedi, vers 16 heures.

— Note-le dans ton agenda. Ce sera une soirée musicale ou une garden-party.

FINALEMENT, la fête n'a été ni une soirée musicale ni une garden-party, mais un barbecue. L'idée est venue d'Ishmaïl et Nabeel, et ils étaient si enthousiastes que personne n'a eu le courage d'argumenter. Ils ont construit un barbecue improvisé devant la maison et ont acheté un lot de côtelettes d'agneau et d'ailes de poulet chez un boucher halal.

À un moment, Chaïm, M. Ali, Ishmaïl et Nabeel étaient tous les quatre massés autour du barbecue qui fumait, soufflant et agitant des journaux pour qu'il s'allume bien. Ishmaïl et Nabeel arrosaient tour à tour les braises de gouttes d'essence avant de reculer d'un bond en éclatant de rire devant les flammes qui jaillissaient. Je les observais de la fenêtre de Mme Shapiro, où j'essayais la robe rouge et blanc.

Le soleil avait percé après le déjeuner et brillé tout l'après-midi. Perchée dans un arbre, une grive faisait bouffer ses plumes, tandis que les sept chats de Mme Shapiro tournaient en rond, attirés par l'odeur de viande. Avec Mme Shapiro, j'ai préparé des salades et coupé des pitas, puis disposé des assiettes et des verres sur la table blanche en PVC.

Nathan et son père ont été les premiers à arriver. Ce dernier avait apporté un bouquet d'iris bleus pour Mme Shapiro.

— Merci beaucoup ! (Ses paupières bleu vif se sont mises à papillonner avec extase.) Vous voulez boire un petite quelque chose ?

Elle portait le même pantalon marron assorti d'un pull rayé qu'elle avait mis le jour où elle avait reçu M. Wolfe, avec ses escarpins hauts talons qui s'enfonçaient dans la pelouse à chaque pas. Elle était très élégante, en fait.

Mlle Baddiel est arrivée dans une tenue en mousseline qui voletait dans la brise, lui donnant une allure délicate et éthérée malgré sa corpulence. J'ai remarqué que Mark Diabello la lorgnait d'un œil intéressé en remontant l'allée et éprouvé une pointe d'agacement, même si c'était moi qui l'avais plaqué.

— Jolie robe, Georgina. (Il m'a fait une bise sur la joue et m'a tendu un paquet de saucisses et une bouteille de champagne.) Ton mari vient ?

— Tout à l'heure, oui, ai-je menti.

En fait, je ne l'avais pas invité. Je voulais que Canaan House et ses occupants excentriques demeurent mon jardin secret.

— Nick va venir tout à l'heure, lui aussi. Il avait… euh… du travail à rattraper.

— Mark, il y a quelque chose qu'il faut que vous sachiez tous les deux, toi et Nick. (Si je n'avais pas bu deux ou trois verres de vin, je me serais peut-être tue, mais j'ai lâché :) Le titre de propriété de la maison… il n'y en a pas. Son mari s'est installé là. Elle avait été abandonnée. Après un bombardement. En fait, je crois que ce n'était même pas son mari.

Il a eu une drôle d'expression. Puis je me suis aperçue qu'il essayait de refréner un fou rire.

— Pas de titre! Quand je vais dire ça à Nick! Non, peut-être que je ne vais pas lui dire, finalement! Où est la vieille dame?

Mme Shapiro et le père de Nathan avaient disparu dans la maison. Ils avaient ouvert la fenêtre du bureau et approché le vieux Gramophone pour qu'on entende la musique dans le jardin. On les voyait discuter par la fenêtre.

— C'est qui, le type en costume brun?

Nathan s'était faufilé à côté de moi.

Du côté du barbecue, M. Ali et Chaïm s'affairaient en se disputant. À les voir ainsi côte à côte, j'étais frappée par leur ressemblance.

— Le problème avec vous, les Arabes, disait Chaïm, c'est que vous choisissez toujours de mauvais dirigeants.

— Vous, les juifs, vous mettez tous les bons en prison.

M. Ali a piqué une côtelette d'agneau sur une brochette et l'a brandie. Les ailes de poulet commençaient à fumer. Chaïm les a retournées.

— On met seulement les terroristes en prison.

— Monsieur Ali, Chaïm, je vous présente mon collègue Nathan Stein, suis-je intervenue.

— Venez! Mangez le morceau!

Chaïm lui a agité une aile de poulet sous le nez.

— On discute politique, a expliqué M. Ali.

Quand il s'est retourné, j'ai vu qu'il avait un grand sourire et de la sauce barbecue sur la barbe. Ils avaient tous les deux l'air de s'amuser.

Mark Diabello remplissait les verres.

— Je travaille essentiellement avec des personnes âgées, ai-je entendu Mlle Baddiel expliquer à Mark de sa voix veloutée. Je m'occupe de régler leurs problèmes de logement.

— Fascinant, a-t-il murmuré. Moi aussi, je suis dans le logement.

Ensuite, tout s'est passé si vite que je ne suis pas très sûre de l'ordre dans lequel se sont déroulés les événements, mais, en gros, voici ce qui est arrivé. C'est la grive qui a commencé. De son perchoir dans le frêne, elle a avisé un bout de *pita* tombé par terre. Wonder Boy était tapi dans les buissons, l'œil rivé sur l'oiseau. À l'instant où la grive plongeait en piqué, Wonder Boy a aplati le museau au ras du sol en se tortillant, prêt à bondir. J'ai attrapé ce qui me tombait sous la main – en l'occurrence une côtelette d'agneau – et je l'ai balancée sur Wonder Boy. La côtelette a dessiné un arc en tournoyant comme un boomerang. D'habitude, je suis incapable de viser, mais cette fois j'ai frappé en plein dans le mille. Wonder Boy a poussé un miaulement et fait un bond de côté, juste sous les pieds de Nabeel qui traversait le jardin avec une assiette d'ailes de poulet. Nabeel a percuté Ishmaïl qui a trébuché contre le barbecue, qui s'est renversé en éparpillant des braises dans tous les sens, enflammant l'essence qui s'était répandue sous la fenêtre ouverte du bureau, où un rideau claquait au vent. Les chats se sont jetés frénétiquement sur les ailes de poulet disséminées sur la pelouse. Wonder Boy a attrapé la plus grosse et filé dans l'allée. Il y a eu un coup de vent. Le rideau s'est embrasé. Dans la rue, il y a eu un crissement de freins et un choc sourd. Les flammes se sont engouffrées par la fenêtre. Nick Wolfe est apparu au portail, tenant le corps sans vie de Wonder Boy. Mme Shapiro a poussé un cri et s'est évanouie. Le feu s'est propagé dans le bureau et a gagné le hall d'entrée. Nathan a pris son portable pour appeler les pompiers. Et moi, je suis restée plantée là, en proie à un horrible sentiment de culpabilité.

PLUSIEURS heures plus tard, alors que les pompiers étaient repartis et que Mme Shapiro avait été emmenée dans un logement provisoire en compagnie de Mlle Baddiel, je suis rentrée chez moi dans le crépuscule embaumé. En arrivant devant la maison, je me suis aperçue que Violetta se trouvait à côté de moi.

Ben et Rip buvaient une bière en regardant la télévision.

— C'était bien, la fête ? m'a demandé Rip sans lever les yeux.

— Super.

Je me suis affalée sur le canapé. Violetta a sauté sur mes genoux en ronronnant.

— Regarde-moi ça, a dit Rip en montrant l'écran. Qui l'aurait cru ?

Deux hommes interviewés souriaient devant une forêt de caméras et de micros.

— C'est qui ?

— Ian Paisley et Martin McGuinness, a dit Ben. Ils ont conclu un accord en Irlande du Nord.

— Qui aurait cru que ce serait possible ? La paix est déclarée !

Rip s'est tourné vers moi. Il souriait, puis son sourire est devenu narquois.

— C'est quoi, cette tenue ? Tu as changé, Georgie. Tu n'es plus la même.

Il me dévisageait comme s'il me découvrait.

— Oh ! j'ai eu envie de me déguiser pour la fête.

Mon jean, mon pull et mon manteau de Batwoman avaient été avalés par les flammes.

— Ça te va bien, m'man, a dit Ben. Ça fait un peu rétro.

Plus tard dans la soirée, j'ai enfilé ma robe de chambre et mes pantoufles et je suis descendue jusqu'au bureau. Il y avait un filet de lumière sous la porte. J'ai frappé doucement.

— Entre.

Rip était devant l'ordinateur en caleçon, le regard rivé sur l'écran.

— Tu travailles tard.

— J'ai un rapport à finir, m'a-t-il répondu sans se retourner.

— Le Projet de développement ?

— Non. J'ai fini le Projet de développement.

J'ai jeté un œil à l'écran et vu clairement qu'il ne travaillait pas sur un rapport, mais sur son CV. Je lui ai passé le bras autour de l'épaule. À le voir penché ainsi sur sa chaise, presque affaissé, j'ai été soudain ébranlée par la pitié. Je lui ai caressé les cheveux.

— Tu es fatigué. Tu devrais aller te coucher.

— Il faut que je finisse ça. Je dois l'envoyer demain.

— Tu veux un café ?

— Je veux bien, oui.

Je suis descendue à la cuisine préparer deux cafés. Une heure plus tard, quand il s'est glissé dans le lit de camp en toile, je me suis faufilée à côté de lui.

12

CANAAN HOUSE est désormais un chantier de construction. Après le départ des pompiers, les experts venus constater les dégâts ont trouvé une bombe datant de la guerre, enfouie au milieu des racines de l'araucaria. Toute la rue a dû être évacuée pendant que les démineurs procédaient à une explosion contrôlée. Nous avons assisté à la scène derrière un cordon rouge et blanc. C'était une belle journée venteuse et la poussière a soufflé dans tous les sens – finalement, c'est tout ce qui est resté, de la poussière.

Mme Shapiro pleurait en silence.

— Georgine, vous avez raison, m'a-t-elle dit. Ce maison était trop grand pour moi. Trop les problèmes. Trop les souvenirs. Comme un piège. Maintenant il faut passer autre chose.

Heureusement, Mark Diabello avait réussi à faire enregistrer le titre de propriété au nom de Mme Shapiro en se servant des soixante années où elle s'était dûment acquittée de ses impôts locaux pour appuyer sa demande, si bien qu'elle avait pu vendre le terrain à un promoteur immobilier pour une somme substantielle. Elle s'est acheté un joli appartement à Golders Green, dans une résidence pour personnes âgées – malheureusement, les animaux domestiques n'y sont pas autorisés –, et a installé Chaïm et Moussorgski dans un appartement d'Islington. Violetta est restée avec moi. Le reliquat de la vente de Canaan House est allé, avec les autres occupants félins, à la Société protectrice des chats.

Il bruine encore quand je traverse Islington Green pour aller au Sainsbury's. J'ai donné rendez-vous à Rip dans le parking. Il est allé à une réunion de l'équipe de la maison de la justice de Finsbury Park, où il prend son nouveau poste la semaine prochaine.

La fille de BOYCOTTEZ LES PRODUITS D'ISRAËL est toujours là, ses pétitions à la main, si ce n'est qu'elle recueille des signatures pour sauver les baleines. Ben est avec elle – il vient souvent ici le samedi matin. Il a les cheveux coiffés en petites *dreadlocks* naissantes qu'il porte attachées dans la nuque avec son foulard de pirate.

— Salut, m'man !

Je m'arrête pour signer leur pétition, bien que je l'aie déjà signée plusieurs fois. La jeune fille a l'air vaguement piteux, pensant peut-être que je la méprise d'avoir lâché sa cause, mais je me contente de sourire, car je comprends désormais que tout – les baleines et les dauphins, les Palestiniens et les juifs, les chats de gouttière, les forêts tropicales –, tout est étroitement lié, maintenu par une force mystérieuse, que l'on peut appeler colle, si l'on veut.

Je prends des bières pour Rip, quand je remarque Mark Diabello et Cindy Baddiel qui flânent main dans la main au rayon des vins.

— Bonjour, Georgina !

Il me salue en m'embrassant sur les deux joues et Mlle Baddiel me serre entre ses bras grassouillets.

— Merci de t'être donné toute cette peine pour faire enregistrer la maison, dis-je à Mark.

Deux mois auparavant, Wolfe & Diabello a mystérieusement disparu de la rue pour céder la place à Wolfe & Lee. Mark m'explique qu'il dirige à présent une association de logement pour les anciens délinquants.

— C'est… Comment dire ?… Plus gratifiant.

— Je suis contente que tout se soit bien fini.

— À bientôt, me disent-ils.

Au rayon traiteur, je tombe sur Nathan et Raoul qui discutent gravement des mérites comparés de l'huile d'olive et de l'huile d'avocat. Nathan a le bras négligemment passé sur l'épaule de Raoul, avec la même spontanéité qu'il avait mise un jour à me consoler. Ils me saluent chaleureusement et me donnent des nouvelles de M. Ali, qui vient d'installer un nouveau jacuzzi dans leur appartement de Hoxton. Ishmaïl habite toujours chez les Al-Ali, du côté de Tottenham, et doit commencer ses études d'ingénieur en septembre, mais Nabeel est rentré en Palestine.

— Regarde si tu ne trouves pas mon père et Ella, dit Nathan. Ils sont dans les parages.

Effectivement, les voilà qui remontent une allée en poussant le landau, penchés l'un sur l'autre comme deux jeunes mariés. Je la vois qui lève la tête tandis qu'il se baisse pour lui donner un baiser moustachu en lui murmurant quelque chose à l'oreille. Elle se met à rire et appuie sa tête contre lui. À les voir contempler le landau, on croirait qu'il y a un bébé dedans, mais quand je jette un œil à l'intérieur, je ne vois qu'une cargaison de bonnes affaires.

« J'aime apprendre
tout en écrivant.
Je m'attaque à des sujets
qui me sont quasi inconnus.
Plus j'en découvre,
plus la démarche
est intéressante. »

Marina Lewycka

D'origine ukrainienne, Marina Lewycka est née à la fin de la Seconde Guerre mondiale dans un camp de réfugiés à Kiel, en Allemagne. Bientôt sa famille s'installe en Angleterre. Marina raconte qu'elle a commencé à écrire à l'âge de quatre ans ! « Un poème en anglais sur les lapins. Nous parlions ukrainien à la maison, je n'ai donc appris l'anglais qu'en entrant à l'école. Cela m'a ouvert les portes d'un nouvel univers. » Malgré ce goût précoce pour l'écriture, à laquelle elle s'est adonnée au fil de sa vie d'étudiante puis d'enseignante, elle ne publie son premier roman qu'à l'âge de cinquante-huit ans. Les nombreux refus d'éditeurs ne l'ont jamais découragée et l'immense succès de ce livre lui a prouvé combien elle a eu raison de persévérer dans ses efforts : *Une brève histoire du tracteur en Ukraine,* formidable best-seller en Angleterre, a reçu plusieurs prix littéraires. Sous ce titre loufoque (comme elle les aime), se cache un roman à la fois sensible et désopilant sur le thème de l'immigration. L'auteur confie qu'à l'époque où elle était professeur en sciences de la communication à l'université de Sheffield Hallam, la fréquentation d'un atelier d'écriture a été déterminante : « C'est une façon de s'avouer à soi-même qu'écrire est plus qu'un passe-temps. » Ses romans suivants, *Deux Caravanes* et *Des adhésifs dans le monde moderne,* viennent confirmer son talent si original alliant sujets sérieux et humour décapant. Autre point commun de tous ses livres : un gros travail de documentation, y compris lorsqu'il s'agit d'adhésifs ! « Un jour, un lecteur m'a confié : "Je travaille dans les adhésifs." Quel défi d'écrire sur ce thème ! ai-je pensé. Et je me suis lancée. Ce monsieur m'a d'ailleurs énormément aidée. » Quant à ses personnages, ils sont souvent inspirés de personnes réelles : « J'adore écouter les gens parler, je laisse constamment traîner mes oreilles. »

La baronn

Voltaire mène l'enquête

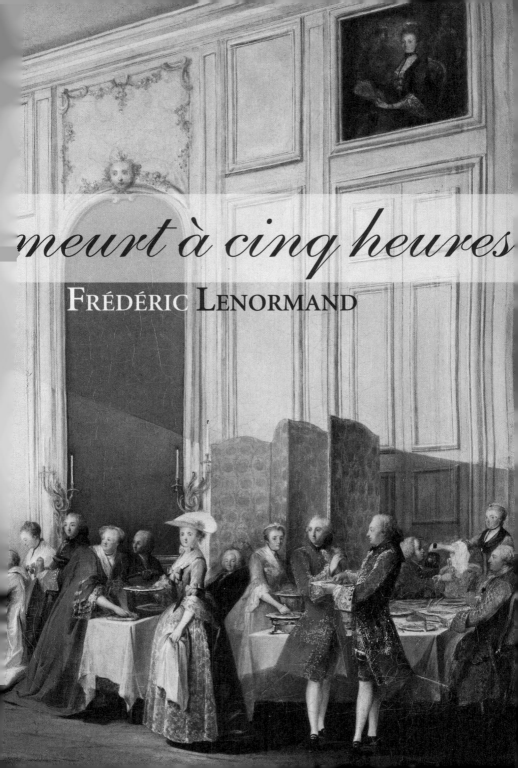

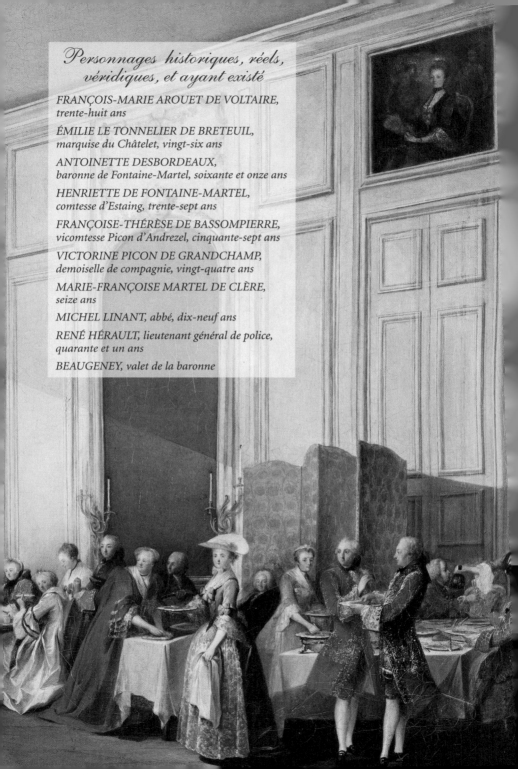

Personnages historiques, réels, véridiques, et ayant existé

FRANÇOIS-MARIE AROUET DE VOLTAIRE,
trente-huit ans

ÉMILIE LE TONNELIER DE BRETEUIL,
marquise du Châtelet, vingt-six ans

ANTOINETTE DESBORDEAUX,
baronne de Fontaine-Martel, soixante et onze ans

HENRIETTE DE FONTAINE-MARTEL,
comtesse d'Estaing, trente-sept ans

FRANÇOISE-THÉRÈSE DE BASSOMPIERRE,
vicomtesse Picon d'Andrezel, cinquante-sept ans

VICTORINE PICON DE GRANDCHAMP,
demoiselle de compagnie, vingt-quatre ans

MARIE-FRANÇOISE MARTEL DE CLÈRE,
seize ans

MICHEL LINANT, *abbé, dix-neuf ans*

RENÉ HÉRAULT, *lieutenant général de police,*
quarante et un ans

BEAUGENEY, *valet de la baronne*

PROLOGUE

À L'ÉTÉ 1731, René Hérault, lieutenant général de police, courait d'un bout à l'autre de Paris pour surveiller la pose de plaques au coin des rues, l'aspersion des chaussées couvertes de paille et de débris où couvaient les incendies, et le nettoyage des décharges remplies de rats.

Sa grande cause du moment était le déménagement d'un cimetière. Le sol débordait d'ossements et de dépouilles, au point qu'on se contentait de jeter un peu de terre sur les nouveaux arrivés ; à la première pluie, avec le ruissellement, c'était un spectacle d'horreur qui s'offrait aux yeux des passants.

Il s'inquiétait aussi du curetage des égouts, où se formaient des bulles de gaz mortel. Il y avait l'organisation des hôpitaux, véritables mouroirs où se préparaient les épidémies. Il devait gérer les prisons, tenir ses carnets à jour, discerner, du flot de filles de joie et d'escrocs en tout genre, les vrais nobles, les vrais riches, les vraies honnêtes gens, s'il y en avait encore.

On l'avait choisi pour son aptitude à garder son sang-froid en toutes circonstances, et on avait bien fait : il ne savait plus où donner de la tête. Le parlement de Paris, le prévôt des marchands qui faisait office de maire, le ministre de l'Intérieur, le cabinet du roi, aucun de ses supérieurs ne l'aidait en quoi que ce soit. Quand Hérault parlait d'assainissement de la voirie, on lui répondait sécurité et répression. Quand il parlait d'humanité, on lui répondait respect de l'ordre établi.

Le corps du haut serviteur de l'État percé d'un couteau qui gisait à ses pieds sous ces beaux lambris du faubourg Saint-Germain n'était pas là pour lui faciliter la vie. Un inconnu avait réussi à poignarder, chez lui, un officier du roi, et le seul fait curieux qu'avaient remarqué les domestiques était un étrange air de flûte qui s'était élevé quelques minutes avant qu'ils ne découvrent le drame.

Le lieutenant général de police savait trop bien ce qui allait arriver. S'il s'occupait de rechercher cet assassin, il n'aurait plus de temps pour organiser l'orphelinat des Enfants-Trouvés ou pour fermer les latrines méphitiques. Le ministre le harcèlerait ; tout serait suspendu jusqu'à ce qu'il eût réglé le problème marginal causé par l'assassinat d'un noble estimé de ses pairs.

Hérault ordonna à ses adjoints d'inscrire sur leur rapport que le défunt avait succombé à une fluxion de poitrine. Ce mensonge lui permettrait de gagner du temps ; mais si leur assassin récidivait, le secret ne résisterait pas. Ses fidèles subordonnés n'étaient que des exécutants sans initiative ni imagination. Pour mener cette enquête avec discrétion et efficacité, il avait besoin d'un homme neuf, de quelqu'un dont la façon de penser sorte des sentiers battus, de quelqu'un qui ne raisonnerait pas en policier ; de quelqu'un sur qui la lieutenance générale de police aurait prise.

C'était beaucoup demander. Un tel homme existait-il seulement ?

CHAPITRE PREMIER

Comment Voltaire perdit l'abri d'un beau château et prit ses quartiers dans une soupente

AUX derniers jours de l'été 1731 mourut M. de Maisons, âgé d'à peine trente ans. Lorsqu'elle entra dans l'église où avait lieu la messe de funérailles, sa veuve vit, parmi les magistrats, collègues de son mari, nombre de personnes qu'elle ne connaissait pas, et s'étonna de découvrir si tard combien le cher disparu avait eu d'amis. Il s'était acquis une certaine renommée pour avoir réussi à faire mûrir un caféier aux portes de Paris et pour avoir introduit en

France une nouvelle couleur, le bleu de Prusse. Aussi l'ordonnateur de la cérémonie avait-il entièrement décoré l'église dans cette nuance, qui conférait aux funérailles un caractère d'originalité.

L'ordonnateur se nommait Voltaire. En habit bleu vif assorti à ses installations, coiffé d'une perruque châtaine ébouriffée, écrasé de chagrin, il parcourut avec lenteur la travée centrale, soutenu par le comte d'Argental, pour aller déposer un rameau de l'arbuste à café sur le drap azuré qui enveloppait le cercueil. D'habitude si volubile, il eut du mal à prononcer quelques mots.

— Le meilleur des hommes… Mon fidèle ami… Il m'aimait ! C'est une perte irréparable !

On lui assura que non, qu'il était entouré de gens qui l'aimaient aussi. Celle qu'on oubliait un peu, c'était Mme de Maisons, assise au premier rang sur une chaise de paille.

Dans ce décor de ciel d'été qui faisait croire qu'on enterrait un prince du sang, l'écrivain humectait de ses larmes les pourpoints des âmes charitables.

— Quoi de plus triste que de perdre un ami !

On aurait pu lui répondre que c'était de perdre un mari.

— Où vais-je loger, maintenant ?

— Prenez un appartement, vous avez de quoi, répondit d'Argental.

— L'affreuse idée ! Il faut payer des termes, s'installer, compléter son mobilier, choisir des domestiques… On n'est jamais si bien chez soi que chez les autres.

La messe finie, on accompagna le corps à la chapelle familiale.

En vérité, il ne se montra guère de visages à l'enterrement de M. de Maisons. Le malheureux était mort de la variole. Chacun se tenait à distance et se voilait la bouche par peur de la contagion. Ce fut devant cette assemblée de masques que l'on procéda à l'inhumation.

Voltaire avait déjà eu la maladie et le défunt avait succombé dans ses bras. Il se pencha pour embrasser une dernière fois la caisse de bois, ce qui arracha aux masques des murmures horrifiés.

Dans son deuil même, le roi des salons parisiens se montrait éclatant. Il suffoquait, glapissait, hurlait, appelait la mort de ses vœux, on crut qu'on allait l'enterrer, lui aussi. Soudain, il ressuscita, un bon mot lui échappa, il força ses amis à étouffer un rire dans leurs manches de dentelles. Sa tristesse le reprit, ses yeux rougirent, il sanglotait, on était à la tragédie. Il alla jusqu'à réciter quelques vers fameux de son *Œdipe*, qui étaient de circonstance :

> *Esprits contagieux, tyrans de cet empire*
> *Qui soufflez dans ces murs la mort qu'on y respire,*
> *Frappez, dieux tout-puissants, vos victimes sont prêtes !*

On applaudit avec ravissement. Nul ne regrettait d'être venu, hormis peut-être la famille, mais aucun spectacle n'est à l'abri des grincheux.

L'extase éteinte, Voltaire frissonna.

— À près de quarante ans, je ressens le besoin d'une existence plus calme. Je suis las des auberges, des chambres d'amis, des châteaux en province... Je voudrais me fixer dans une maison agréable, bien située, avec un personnel nombreux.

Par chance, on était là moins pour enterrer M. de Maisons que pour s'offrir à recueillir Voltaire. Il n'avait qu'à choisir parmi ceux qui attendaient de lui présenter leurs condoléances.

— Je ne demande pas grand-chose... Un joli salon avec une cheminée qui tire bien, devant laquelle je pourrai réchauffer mes os glacés, avaler mes potions, emmitouflé dans mes fourrures, recevoir mes amis et leur parler de mes livres... Est-ce trop exiger ?

C'était en tout cas assez pour la grande femme, toute de satin vêtue, qui lui adressait des sourires entre deux tombes.

— Mme de La Rivaudaie vous propose ses vingt mille livres de rentes et le mariage, traduisit d'Argental.

Voltaire fit la moue.

— J'aimerais mieux trente mille sans.

— Prenez le chevalier d'Herbigny. Avec lui, point de mariage.

— Je n'irai pas chez un célibataire. Soit ils courent la donzelle, soit ils font naître de méchants soupçons.

— Le marquis de Bernières et sa femme vous ont réservé tout un étage dans leur hôtel.

— J'ai été trop lié avec madame pour l'être avec monsieur. Concentrons-nous sur les femmes seules.

Voltaire jeta un coup d'œil aux postulantes.

— Trop belle, trop libre, trop mariée, grevée de dettes...

Son regard s'arrêta sur une grosse personne très mûre, à la face rougeaude, encadrée d'un laquais en livrée et d'une jeune fille de compagnie. Laide et nantie, c'était la candidate idéale.

— Mme de Fontaine-Martel, dit d'Argental. Trop âgée pour le mariage, trop usée pour les médisances, assez fortunée pour soutenir vos dépenses.

— Où loge-t-elle ?

— Sur le jardin du Palais-Royal.

— Je la trouve charmante. A-t-elle de l'esprit ?

— Elle en a pour quarante mille livres. Seul hic : elle est avare.

Voltaire se sentait de taille à tirer du lait d'une descente de lit en peau de chèvre. L'avenir lui souriait à nouveau.

— Je suis la providence des vieilles dames riches !

Tandis que le carrosse roulait vers le Palais-Royal, Mme de Fontaine-Martel exprima l'espoir que le philosophe assis sur la banquette en face d'elle ne serait pas trop rebuté par ce qu'elle appelait son « peu d'esprit ».

— Comment donc ! s'exclama-t-il. J'adore le quartier !

La voiture s'arrêta dans la cour d'un petit hôtel à l'architecture dépourvue de fioritures, mais cossu et bien entretenu.

— Parfait, dit Voltaire, belle demeure. Je n'espérais pas que ce serait celle d'à côté, bien sûr, plaisanta-t-il en pointant le doigt en direction du palais des ducs d'Orléans.

La maison était aussi charmante que sa locataire l'était peu.

— C'est un petit paradis ! proclama-t-il. Vous êtes une fée !

La fée était une femme de soixante-dix ans. Sans être d'une hauteur supérieure, son intelligence n'était pas à mésestimer, sous peine de subir sa raillerie perçante et même cruelle. Elle pouvait être drôle avec ses pairs, tolérante pour les défauts qu'elle comprenait ; elle était dure pour les subalternes et sans pitié pour les gens sur qui elle avait prise. Heureusement, Voltaire était glissant comme un goujon.

On avait prévu pour l'hôte de marque un appartement sous les toits, plutôt bas de plafond, mais avec une vue sur les verdures du plus luxuriant jardin de Paris. Mme de Fontaine-Martel espéra que cela conviendrait. L'arrivée rapide du mobilier fournit la réponse.

On indiqua seulement au nouveau venu qu'il ne fallait pas pénétrer dans certain cabinet où Madame s'enfermait seule de temps en temps.

— Comme dans le conte de Perrault ! se réjouit l'écrivain. Toute maison devrait avoir un secret !

Il ignorait, à ce moment, jusqu'où le mènerait celui-là.

Voltaire passa son premier après-midi à ranger sagement ses livres sur leurs étagères et à superviser l'accrochage de ses tableaux : à petit homme, petit bagage, mais à grand esprit, grosse bibliothèque.

Il s'était persuadé que les charmes de la table seraient inversement proportionnels à ceux de la maîtresse. Le premier repas fut une surprise, le deuxième, une déception, le troisième, une faute à rectifier d'urgence. Le philosophe faisait triste mine, assis entre son hôtesse et la demoiselle de compagnie, une jolie rouquine de bonne famille que son employeuse tyrannisait.

Maigre comme il l'était, Mme de Fontaine-Martel avait cru qu'il ne se préoccupait guère de nourriture.

— Quelle erreur ! s'insurgea l'écrivain. Les soupers sont le pivot de la société ! Il ne s'agit pas de manger, mais de *donner* à manger !

Ils décidèrent d'un jour où Voltaire organiserait tout. Ce serait le jour de réception de la baronne.

— Prenez le dimanche : nous aurons tous ceux qui ne vont pas à la messe.

Il fit passer le mot à ses admirateurs : la table était ouverte et on acceptait, pour la garnir, les dons en nature qui se mangeaient. De ce moment, il fut en outre décrété que l'avarice ne s'appliquerait plus aux victuailles.

Au reste, l'écrivain ne volait pas le pain dont on le nourrissait. Faire de cet endroit un salon à la mode représentait du travail. Il fallait sans cesse combattre la pente naturelle de son hôtesse et la remettre sur la voie de la prodigalité. Les convives se firent de plus en plus nombreux et prestigieux. Quand Voltaire parvint à attirer chez elle deux princes du sang, sa protectrice crut s'étouffer de bonheur.

— Avant, j'étais une grosse baronne ridicule. À présent, je suis une grosse baronne ridicule qui a Voltaire !

Il lui jura que nul n'oserait employer devant lui pareils qualificatifs.

— C'est bien pourquoi je compte vous garder toute ma vie. Vous êtes le plus bel ornement d'une femme.

Elle ne sortait plus qu'avec son manteau, ses gants et son Voltaire.

L'écrivain voulut lui faire engager le jeune abbé Linant comme secrétaire. La baronne comprit très vite que le travail de l'abbé serait de faire le secrétariat de Voltaire. Elle refusa, au prétexte qu'elle ne voulait pas d'un jeune homme chez elle : ils étaient tous coureurs de jupons, cela lui rappelait trop de mauvais souvenirs et aussi, hélas ! quelques-uns de bons.

La baronne avait par ailleurs des saillies d'une férocité à la faire détester. Un jour qu'il promenait sa Fontaine-Martel dans les jardins du Palais-Royal, ils rencontrèrent quelques connaissances parmi lesquelles se trouvait une dame coiffée d'un énorme chapeau de paille en forme de pot de fleur renversé, orné d'un énorme ruban passé dans une énorme boucle.

— Quel drôle de couvre-chef ! dit tout haut la baronne.

On l'informa que cette femme était anglaise : il lui était permis de porter ce qui était à la mode dans son pays.

— Veuillez m'excuser, avait répondu la baronne. J'ignorais qu'il était permis d'être grotesque quand on est anglaise.

Voltaire décida qu'il valait mieux écrire pour elle tout ce qu'elle dirait. Les circonstances lui donnèrent bientôt l'occasion d'appliquer cette résolution.

Un incident se produisit au beau milieu de la nuit, alors que Voltaire faisait un rêve agréable. Des cris ramenèrent brutalement son attention vers les vicissitudes du monde réel. Il pleuvait. Voltaire perçut nettement les dernières notes d'une mélodie inconnue, qui s'interrompit bientôt. Son premier mouvement fut de chercher ses pantoufles pour aller dire son opinion à celui qui avait eu l'idée de faire de la musique sous la pluie, à cette heure-là.

Comme il y avait du bruit dans l'escalier et que l'attaque est la meilleure défense, une maxime qui lui servait beaucoup dans sa vie d'homme de lettres, l'écrivain saisit un chandelier éteint, se couvrit de son bonnet de fourrure, ouvrit sa porte avec circonspection et sortit voir ce que c'était.

La baronne errait dans les couloirs, l'œil hagard, pieds nus, sa charlotte sur la tête. Elle avait dû se déplacer dans le noir, car le seul éclairage venait des bougies que tenaient d'une main tremblante la servante et la demoiselle de compagnie, à l'autre bout du corridor.

Voltaire s'empara de la main de la vieille femme et la ramena dans sa chambre.

La fenêtre était béante, il y avait des traces humides sur le plancher. Un coup de vent avait dû l'ouvrir avec un fracas qui avait désorienté la dormeuse. Voltaire ordonna de coucher Madame et de ranimer le feu. Tandis que les domestiques s'affairaient, il ramassa un bout de papier chiffonné et mouillé où l'on avait griffonné une portée musicale. C'était inattendu, la baronne n'étant pas musicienne. Il le fourra dans son bonnet et n'y pensa plus.

Mme de Fontaine-Martel se laissa installer contre ses oreillers. Son regard avait toujours cette fixité épouvantée d'une femme qui a rencontré un loup au fond d'un bois.

— Ah! Mon ami! Je vais vous conter le plus horrible des rêves!

Le même cauchemar lui revenait de plus en plus souvent. Elle était poursuivie par un fantôme tout noir. Une ombre sépulcrale rôdait sur ses pas, où qu'elle aille. Réfugiée dans ses appartements, elle apercevait un visage à la fenêtre, alors qu'elle était à l'étage. Elle ne savait plus où fuir.

— Je sais pourquoi! assura-t-elle d'une voix pleine de mystère.

La baronne n'avait jamais eu la foi, la confession du commun des fidèles ne lui était d'aucun secours. Elle prit donc cette nuit-là pour confesseur le philosophe assis à son chevet.

— J'ai commis une faute, une grande faute, une faute impardonnable qui me poursuit aujourd'hui!

L'écrivain en déduisit que c'était son remords qui la hantait.

Épuisée, la baronne renonça à en dire plus. Comme il n'avait guère envie d'en savoir davantage, Voltaire vérifia qu'elle ne manquait de rien, la laissa à la garde de sa lectrice et lui souhaita un sommeil paisible.

CHAPITRE SECOND

Comment Voltaire vit une baronne mourir et ressusciter dans la même nuit.

QUOI qu'il en fût du fantôme et des cauchemars, Voltaire venait de découvrir le moyen d'empêcher sa baronne de proférer des sottises. Les dimanches de réception seraient désormais consacrés à des représentations théâtrales entre amis. Le temps du spectacle, son hôtesse réciterait son rôle; puis on dînerait, elle aurait la bouche pleine.

Pour emporter son accord, il choisit un beau sujet dans son recueil de mythologie grecque et composa en quelques jours une de ces petites tragédies dont il avait le secret.

— Je vais vous montrer mon *Eriphyle*, annonça-t-il.

— J'ai assez de mon eczéma ! se récria la baronne.

Déterminé à faire d'elle une actrice, Voltaire lui donna lecture de son œuvre.

Dans sa jeunesse, la reine Eriphyle avait laissé son amant assassiner son mari, puis son fils. Des années plus tard, elle se voyait hantée de visions sinistres. Un spectre la poursuivait, les murs du temple s'ébranlaient, une musique inquiétante s'en échappait, les passants croisaient dans les rues l'ombre de l'époux défunt. Eriphyle devait s'en choisir un nouveau et le couronner. L'amant assassin comptait bien occuper la place, mais un jeune étranger se présentait, auréolé par la gloire de ses exploits guerriers. Le dénouement plus ou moins incestueux que chacun pouvait voir venir était agrémenté d'une apparition fantomatique et d'un parricide, pour faire bonne mesure.

Mme de Fontaine-Martel fut époustouflée. Qu'on eût agrégé à ce drame antique ses hantises personnelles ne la frappa nullement : l'œuvre s'inspirait trop de sa vie pour que le modèle s'en aperçût.

— Je n'ai jamais entendu une pièce si magnifique !

On la joua et rejoua dans son salon, devant un parterre d'amis, entre les amuse-gueule et le plat de résistance. Tout ce que Paris comptait d'amateurs de belles-lettres et de bon vin défila sur ses coussins. Mme de Fontaine-Martel terminait ces soirées épuisée de fatigue et de contentement, affalée dans une bergère.

— Ah ! Mon cher petit Voltaire ! Vous me ferez mourir !

— À ce propos…, dit-il un soir.

À son avis, elle devait prévoir de laisser quelque chose à ses gens, notamment à sa demoiselle de compagnie – il avait trop de modestie pour se nommer lui-même. Où irait-elle, la pauvrette, si sa maîtresse venait à disparaître – et lui, où irait-il ?

— Soyez en repos, répondit-elle, il y a un testament.

— Oui, mais un vieux, un périmé. Ces sortes de plats se consomment frais. Il faut en donner une part à ceux qui font aujourd'hui votre bonheur. Vos serviteurs sont mal payés ; vous achèterez leurs sourires et leur patience avec des promesses. Le jour venu, ils vous pleureront comme s'ils avaient perdu leur mère.

L'idée de payer les gages avec de belles paroles séduisit son sens de l'économie. Elle annonça à sa demoiselle de compagnie, Victorine de Grandchamp, qu'elle pourvoirait à son établissement. La jeune fille montra une joie presque blessante, d'autant que ce fut au cou de Voltaire qu'elle se pendit avec gratitude, bien consciente que c'était à lui qu'elle devait ces bonnes grâces.

— Tempérez vos transports, lui recommanda l'écrivain. Madame est d'une nature à être centenaire. Nous aurons encore bien des occasions de jouer ici mes pièces avant de vous voir établie.

Au printemps, Voltaire échappa un moment à l'emprise de son égérie, fit un séjour à Arcueil, chez Mme de Guise, autre muse, et composa en vingt-deux jours une tragédie intitulée *Zaïre*. La Comédie-Française la mit à son répertoire ; ce fut le triomphe de l'été, puis de l'automne. La baronne en conçut un sentiment mitigé.

— Quand vous êtes chez moi, vous rédigez de vilains poèmes qui fâchent tout le monde. Quand vous êtes chez la de Guise, vous produisez le plus gros succès de ces dix ans !

La principale interprète de *Zaïre* à la Comédie-Française étant tombée malade, Voltaire reprit les représentations chez eux. Leurs amis se partageaient les rôles. La suivante de la baronne devint celle de Zaïre, et Voltaire interpréta son père d'une manière que tout le monde trouva admirable, à commencer par lui-même.

Le succès l'étourdissait. Quant à Mlle de Grandchamp, ses attraits lui valurent des applaudissements dont l'auteur fut ravi.

— Elle est parfaite, cette petite. Faites-lui du bien.

— Mais oui, c'est prévu, dit la baronne.

Et l'on en resta là, une fois de plus.

Voltaire recevait de ses admirateurs des hommages sous forme de victuailles. En janvier 1733, un jour qu'il rentrait d'avoir fait sa cour à Versailles, il trouva son hôtesse à table.

On soupait d'ordinaire moins tôt, mais la baronne, qui s'ennuyait, avait avancé l'heure pour profiter d'un plat dont les minces reliefs ne cachaient plus les motifs floraux de la faïence de Gien. La dîneuse se goinfrait des derniers reliquats.

Quand elle put parler, elle le chargea de remercier un M. Clément qui lui avait envoyé – à lui – un marcassin de cinq livres ; seuls les os du délicieux animal pouvaient encore en témoigner. L'ogresse en avait dévoré le meilleur, ses domestiques l'avaient débarrassée du reste, on avait laissé au destinataire le poème de circonstance et la lettre pleine d'amabilités qui accompagnaient l'offrande.

Après le marcassin, on eut envie d'une douceur. Un assortiment de confitures avait justement été déposé par un admirateur anonyme. L'écrivain prit une chaise pour relater sa visite à Versailles, tandis que son hôtesse engloutissait des cuillerées de fruits au sucre.

Après avoir mangé le repas de six personnes, elle égrena quelques méchancetés à propos de ceux qu'il attirait chez elle, toutes personnes de qualité qu'il convenait de ménager. Il la mit en garde :

— À force de dire ce que vous pensez de vos prochains, vous vous mettrez dans quelque mauvais cas.

— Bah ! Qui oserait s'en prendre à une femme de qualité protégée par Monsieur, frère du roi !

Elle dodelinait curieusement de la tête. Voltaire demeura perplexe.

— Monsieur est décédé il y a plus de trente ans, rappela-t-il.

Mme de Fontaine-Martel balaya l'objection d'un geste.

— Je suis dans les petits papiers du Régent.

Ce prince était mort depuis dix ans. Voltaire se demanda si elle avait bu, il chercha des yeux les alcools. Point de bouteille en vue.

De plus en plus erratique, elle lui révéla comme un grand secret, d'une voix pâteuse, l'existence d'une lettre à ouvrir avec son testament, qui était bien cachée et qui ferait grand bruit après sa mort.

Il eut la conviction qu'elle perdait l'esprit sous ses yeux. Le marcassin lui faisait tort. Elle finit par être malade dans son saladier de Gien, qu'un valet emporta avec une mine dégoûtée. Vaguement soulagée, la baronne reprit le cours de ses lubies.

— Il tourne autour de moi un essaim de guêpes dont je saurai me défaire. Mais elle n'a pas la preuve ! La preuve y est toujours !

Voltaire eut beau demander de quelle preuve elle parlait, la dîneuse refusa d'en dire davantage, ou de lui révéler qui était cette personne que ses secrets intéressaient.

Il sursauta. Elle venait d'éclater de rire.

— Ah ! Voltaire ! Vous me ferez mourir ! s'écria-t-elle avant de tomber à la renverse avec sa chaise.

Ces incohérences avaient coupé le peu d'appétit du poète. Il la laissa à ses ripailles, à son délire, à ses gens, et sortit se consoler d'un chocolat sous les ramures du parc.

LA cour du petit hôtel de Fontaine-Martel ouvrait sur le vaste jardin du Palais-Royal par une grille qu'on ne fermait qu'à la nuit tombée, quand on n'oubliait pas de le faire. Ce parc, ouvert à tous dans la journée, occupait un grand terrain oblong, planté d'arbres et bordé de maisons particulières sur trois côtés.

L'atmosphère était douce et légère en dépit de la saison. On entendait même un petit air de fifre venu d'on ne savait où, discret et mystérieux comme le chant d'un oiseau. Voltaire s'installa dans un kiosque chauffé par deux braseros. Il sirota son chocolat tout en jetant un œil sur la *Gazette de Hollande*, la seule qui donnât parfois de vraies nouvelles de France.

Après avoir savouré sa boisson, il repartit vers sa demeure sans se presser. Une voix le héla :

— Alors, joli lutin ! On cherche sa nymphe ?

La nymphe était outrageusement fardée et bombait le torse de manière à mettre en valeur deux arguments faits pour emporter la conviction. Peu amateur de plaisirs tarifés, joli lutin salua d'un hochement de tête et poursuivit sa promenade dans une autre direction.

Un peu plus loin, un monsieur embusqué derrière une haie lui fit à son tour des appels discrets. S'il n'aimait pas être abordé par les filles publiques, Voltaire ne raffolait pas non plus de l'être par un homme. Il allait modifier encore une fois son itinéraire quand il reconnut le commissaire au Châtelet en charge du quartier, un personnage à qui il avait eu affaire plus souvent qu'à son tour.

L'écrivain était à nouveau sous l'œil des autorités : un de ses ennemis avait exhumé un vieux libelle de sa façon dont la Cour était irritée. Le commissaire n'était pas là pour recueillir son témoignage : un protecteur haut placé l'avait chargé de le mettre en garde. Le conseil qu'on lui donnait était de ne pas faire parler de lui dans les mois à venir.

Voltaire s'éloigna en remâchant son ressentiment envers ceux qui s'en prenaient à de malheureux vers un peu caustiques.

Il se fit un mouvement de groupe dans les allées. On avait cru apercevoir, dans le jour finissant, une ombre qui bondissait de toit en toit. Les promeneurs se montraient les façades les plus proches, au-dessus desquelles avait eu lieu l'inquiétante apparition.

L'écrivain franchit la grille de la cour et toqua à la porte de l'hôtel. La servante qui lui ouvrit était catastrophée.

— C'est Madame !

— Qu'a-t-elle encore fait ?

— Elle est morte !

Voltaire demanda où elle était ; elle était au lit, s'étant couchée au sortir de la table. L'information le rassura.

— Elle a le sommeil lourd, vous vous serez trompée.

— Je ne crois pas, répondit la servante.

Il monta au premier. Un valet nommé Beaugeney lui barra le chemin.

— N'entrez pas ! C'est horrible !

Il entra.

C'était horrible.

La dormeuse portait d'affreuses cornettes de nuit dont les piques en désordre faisaient de sa tête un oursin géant. Elle avait la bouche grande ouverte, tel un poisson hors de l'eau. Sa chemise bâillait, elle était dépoitraillée. Son visage dépourvu de fards était déformé par une grimace de douleur ou de frayeur, à moins qu'il ne s'agît d'un vilain rictus morbide. Le sang qui s'échappait de sa poitrine avait maculé le torse, le vêtement et les draps.

Pis encore, des traces sanglantes partaient de la descente de lit, s'en allaient vers le palier et jusque dans l'escalier qui menait à l'appartement de l'écrivain. L'accès au toit pouvait se faire par là. Il eut des sueurs froides : il aurait pu se trouver chez lui, sur le passage de l'assassin, et connaître un sort aussi funeste que celui de sa protectrice !

Il interdit que l'on prévînt quiconque. Il s'agissait de gagner du temps pour veiller à sa sauvegarde. À aucun prix des yeux étrangers ne devaient se poser sur ses manuscrits. Il importait de cacher ses papiers, puis ceux de la baronne, certainement remplis d'impiétés qu'on ne manquerait pas de lui imputer, à lui, bien qu'elle ne l'eût pas attendu pour rejeter en vrac religion, morale et conventions.

Il n'en était qu'au début de son tri quand il perçut un brouhaha. Il fourra une pile de feuillets dans la cheminée, une autre sous son matelas, se composa une expression de sérénité philosophique et descendit voir ce que c'était.

Dans la chambre du meurtre, le commissaire au Châtelet rencontré dans le jardin était penché sur la victime.

— Quel massacre !

Il se redressa, découvrit Voltaire et lui présenta ses condoléances.

L'écrivain précisa qu'il n'avait pas le bonheur d'être apparenté à sa logeuse, qu'il vivait au-dessus et la connaissait à peine.

— Mais c'est vous qui subirez les conséquences de son décès, dit le commissaire. Mes condoléances sont pour la perte de votre tranquillité.

Tandis que l'officier public se livrait à un rapide examen des lieux, Voltaire s'interrogea sur la génération spontanée des forces de police dans les maisons où se commettent des crimes. Il fallait que le Châtelet eût son informateur dans la domesticité.

Il se rendit compte avec horreur qu'un des serviteurs avait dû répéter aux indiscrets tout ce qu'il racontait à sa baronne. Voilà ce qui arrivait quand on rabiotait sur les gages ! Il fallait bien que quelqu'un nourrisse le personnel ; c'était le lieutenant général de Paris qui s'en chargeait.

Le commissaire demanda quels avaient été les derniers mots de la défunte. Le valet Beaugeney affecta l'embarras.

— Elle a dit que monsieur Voltaire la ferait mourir.

L'écrivain s'étouffa et rougit.

— Va-t'en, faquin ! cria-t-il.

Une silhouette massive apparut dans l'encadrement de la porte.

— C'est moi qui décide de qui va où, déclara le lieutenant général Hérault en pénétrant dans la pièce sens dessus dessous.

Il y avait une promesse de Bastille dans ces mots-là.

René Hérault était un homme assez grand, sec et mince. Son habit rouge, ou plus exactement « fraise écrasée », renforçait le sentiment d'inquiétude que suscitait déjà l'expression sévère et suspicieuse de son visage. Il approcha du lit.

— On la dirait saignée par un vampire, marmonna-t-il.

— Je ne le pense pas, dit Voltaire. Ces créatures quittent rarement leurs montagnes des Carpates.

Hérault posa sur le philosophe un regard étonné.

— Vous croyez aux vampires, vous, l'ennemi de la superstition ?

Il frappa dans ses mains. Un bonhomme impassible, qui avait dû se tenir dans le couloir, entra à l'instant, muni d'une caisse recouverte de cuir écarlate.

— La défunte était-elle dévote ? demanda le lieutenant général. La voyait-on à l'église de la paroisse ?

Voltaire avait cru que la question s'adressait aux gens de maison, mais il vit l'assistant ouvrir sa boîte, en sortir une fiche et répondre à leur place :

— Pas depuis la Noël d'il y a trois ans, monsieur.

— Certaines personnes s'offrent tous les luxes, y compris celui de ne pas croire en Dieu, conclut le chef de la police. Passons à l'enquête de moralité. Courrier !

L'assistant à la boîte en cuir lui tendit un papier.

— Je vous cite : « Elle a toujours peur *qu'on ne l'égorge* pour donner son argent à une fille d'opéra. Jugez, avec cela, si Linant, qui a dix-neuf ans, est homme à lui plaire ! »

L'écrivain exigea de voir le document. Ce n'était pas son écriture. Il nia avoir écrit ces mots.

— Bien sûr que non, confirma Hérault. Je fais toujours copier vos lettres avant de les transmettre à leurs destinataires.

Certes, l'allusion à l'égorgement était troublante. Le lieutenant général demanda où l'on pouvait trouver ce monsieur Linant. Voltaire dut expliquer qu'il n'y avait là qu'une figure de style et que le Linant en question était abbé.

— Alors ? fit Hérault de l'air d'un chasseur qui a coincé une perdrix dans un fourré. On s'installe chez des vieilles dames riches qui ne tardent pas à mourir ?

Voltaire protesta qu'il n'était pas son héritier ; cela pouvait être n'importe qui.

— Vous avez de la chance qu'il s'agisse d'une mort naturelle, Arouet.

La sentence stupéfia les personnes présentes. Le lieutenant général reconstitua brièvement les faits tels qu'il les voyait : victime d'un malaise, Mme de Fontaine-Martel s'était blessée en tentant de saisir son crucifix et son missel.

Même l'imagination d'un tragédien invétéré se refusait à accepter cette version.

— Personne n'y croira, elle était aussi libertine qu'on peut l'être.

— Vous êtes donc tout indiqué pour inventer une autre histoire, grinça Hérault. Je vous abandonne cette tâche. Pensez-y bien. Il n'est pas question que cette affaire s'ébruite, j'ai assez de problèmes.

Comme Voltaire n'avait pas l'air de comprendre, le lieutenant général tira de sa poche une lettre de cachet qui ordonnait son incarcération à la Bastille. Le roi l'avait signée, mais Sa Majesté se souciait peu de vérifier l'exécution de ses ordres : que le suspect livrât l'assassin, et la lettre resterait dans cette poche, qui était profonde.

— Pour la galerie, ce sera une fluxion de poitrine, conclut Hérault. Le meurtre restera entre vous et moi. Comme tant de choses que vous faites... et que vous écrivez.

Voltaire n'eut guère le temps de se demander pour quelle raison la police voulait cacher un meurtre aussi abominable. Beaugeney les informa qu'un prêtre venait d'arriver.

Il y avait beau temps qu'un homme d'Église n'avait franchi ce seuil. Hérault avait réquisitionné celui de Saint-Eustache, qui avait l'habitude de rendre service. Il devait certifier que la baronne était morte en bonne croyante, ce qui permettrait une inhumation dans les formes.

Le curé, un homme replet en habit noir, jeta un coup d'œil à la malheureuse.

— La défunte était-elle bien chrétienne ? demanda-t-il en constatant qu'aucun signe de religion ne décorait la chambre.

— Sûrement, cette dame n'est pas morte mahométane, dit René Hérault.

Il expliqua au curé ce qu'il devrait prétendre : M. de Voltaire, ici présent, était allé le chercher pour l'exhorter à administrer sa chère amie, qui se sentait mal. M. l'abbé jaugea le mécréant notoire debout en face de lui.

— Voltaire ? Les derniers sacrements ? Vous êtes sûr ?

— Ne vous inquiétez pas, dit Hérault. Monsieur relatera la fin édifiante de cette dame à quelques amis, avec force détails, sous le sceau du secret, et tout Paris en sera averti.

Il restait à faire disparaître toute trace suspecte avant l'arrivée du lieutenant civil, dont dépendaient les morts naturelles, les testaments et l'acquittement des taxes sur les successions. Un groupe d'hommes armés de sacs en cuir investit la chambre mortuaire comme un bataillon de croque-morts.

— Messieurs, à vos instruments, dit Hérault.

Ils rhabillèrent la morte et la fardèrent si bien qu'elle devint toute pimpante ; on aurait cru qu'elle allait se lever pour aller danser. Voltaire s'inquiéta :

— Et si le lieutenant civil allait la dévêtir ?

— Croyez-moi, dit Hérault, il ne la touchera même pas du bout du doigt.

La police partie, les gens de maison contemplèrent avec effarement la chambre redevenue parfaitement nette et ordonnée où reposait un corps presque souriant, comme si Madame terminait sa nuit par un rêve agréable. Certains restèrent pour la veiller, les autres allèrent se coucher et Voltaire les imita.

CHAPITRE TROISIÈME

Où l'on assiste à l'affreuse bataille de Voltaire et d'un ours habillé en comtesse.

AU petit matin, Voltaire fut réveillé par les exempts venus prendre le corps. Ils laissèrent un billet sévère et estampillé par la lieutenance qui conviait l'écrivain à l'ouverture de la baronne, prévue pour la mi-journée. Voltaire avait pour principe de ne jamais manquer un spectacle donné à guichets fermés.

Il avait neigé à petits flocons, juste assez longtemps pour recouvrir les trottoirs d'une surface aussi traîtresse qu'immaculée. C'était un temps à ne pas mettre un macchabée dehors.

L'écrivain fit prévenir Linant qu'il avait besoin de lui. Ses formes rondouillardes engoncées dans son habit de religieux, le jeune abbé se présenta discrètement côté jardin, ainsi qu'on le lui demandait, bien qu'il s'étonnât de ces précautions. Voltaire affirma qu'elles étaient nécessaires puisqu'il était, lui, Linant, recherché pour meurtre, ce qui étonna plus encore l'abbé. L'écrivain gémit dans son mouchoir, qui absorbait ses larmes.

— J'ai besoin des secours de vos jambes et de vos bras pour fouiller la maison !

Allait-on attendre l'arrivée de la famille pour lancer la chasse au testament, ainsi que l'imposaient les convenances ? Ils se concertèrent, puis se ruèrent sur les clés et ouvrirent tous les meubles.

Si rapides qu'ils fussent, ils ne l'étaient pas autant que le vent qui porte les bonnes nouvelles aux oreilles des héritiers. Le son de la cloche les fit sursauter alors qu'ils brassaient la correspondance de la baronne, à la recherche de ses dernières volontés.

La personne qui tintinnabulait était la comtesse d'Estaing, la fille de la baronne, plantée sur le perron et armée d'un avoué. En grand deuil depuis plusieurs années, car elle avait successivement enterré père, mari et beau-père dans une série de malchances qui témoignait d'un destin tourmenté, elle avait au moins la consolation de poursuivre sur cette lancée sans avoir eu à se changer.

Mme d'Estaing venait se recueillir sur le corps de sa chère mère, ce qui nécessitait, selon elle, la présence d'un homme de loi.

— Vous l'avez manquée, lui annonça la servante. Elle vient de sortir.

— Pour aller où ? demanda la comtesse, fort surprise que ses informations se révèlent erronées.

Madame était partie à la morgue pour son autopsie.

— Et vous l'avez laissé emmener ! s'horrifia sa fille.

Janséniste acharnée, elle fut scandalisée qu'on se permît pareil outrage sur un corps donné par Dieu, à conserver dans le meilleur état possible en attendant la Résurrection. Son premier mouvement fut de courir au Châtelet pour réclamer la dépouille. Elle hésita cependant à abandonner la maison. Bien qu'elle ne fût plus la bienvenue entre ces murs depuis longtemps, la présence d'un écrivain libre-penseur, donc diabolique, ne lui avait pas échappé. Le choix était cornélien. D'un côté, elle pouvait sauver une vieille carcasse à laquelle elle tenait déjà peu du temps où une âme y séjournait encore ; de l'autre gisaient des trésors convoités par une bande de hyènes.

Elle hésita une trentaine de secondes et, finalement, resta.

— Nous allons chasser d'ici les rats, les cafards et Voltaire ! décréta-t-elle du ton d'un croisé sous les murs de Jérusalem.

Justement, une perruque en bataille et des bas mal agrafés avaient fait leur apparition en haut des marches. L'écrivain profita de cette heureuse rencontre pour rendre à l'orpheline les condoléances qu'il avait reçues de la police.

— Depuis quand êtes-vous chez ma mère ? interrogea l'affligée.

— Depuis le mois d'octobre, chère madame.

La comtesse trouva que c'était beaucoup.

— Le mois d'octobre 1731, précisa le valet Beaugeney, qui saisit cette occasion de faire sa cour à la nouvelle patronne.

On était en janvier 1733. La comtesse rougit à l'idée de cette cohabitation d'un an entre sa mère et le propagateur d'idées impies. Voltaire fut averti qu'il devait sortir de céans.

— Pour aller où ? s'offusqua l'exilé. Dehors ? Là où il fait froid ?

La comtesse ordonna à son homme de loi de poser des scellés sur les tiroirs, les commodes, les coffres, les placards, les armoires et sur la moindre boîte.

Mme d'Estaing partit de pièce en pièce, jusqu'au toit, à la conquête d'un héritage qui, à l'évidence, avait été très attendu. Tout en haut logeait l'écrivain. La comtesse rechignait à pénétrer dans la chambre d'un célibataire, mais elle se fit violence.

— Ah! fit l'avoué, qui avait craint que la maison ne contînt que des croûtes et du mobilier usagé. Mme de Fontaine-Martel investissait dans l'art! Je vois là de très jolis petits tableaux.

— Ce sont *mes* très jolis petits tableaux! protesta le locataire. C'est moi qui investis dans l'art!

Une seule porte résistait aux appétits triomphants de l'héritière : c'était celle de la chambre secrète, où même Voltaire n'avait jamais pu mettre son nez. À quelque chose malheur est bon, il guetta avec satisfaction l'arrivée de la clé, qu'une servante alla chercher dans la cassette de sa maîtresse pour obéir à la descendante d'Attila le Hun.

La pièce était plongée dans l'obscurité. Les domestiques ôtèrent les volets qui obturaient les fenêtres. On était dans la caverne d'Ali Baba, ou dans une foire aux trésors tenue par un brocanteur peu méticuleux. Ils virent une grosse lanterne métallique, une momie de chat dans son petit sarcophage en bois peint, des terres cuites non identifiées, des bêtes empaillées à plumes, à fourrure, à écailles, une collection de papillons, des coquillages et, sur l'un des murs, une estampe orientale où des personnages courbés couraient sous la pluie.

Ce fourbi sans le moindre début de cohérence confirma à la comtesse que sa mécréante de mère avait perdu l'esprit.

— Vous me jetterez tout cela aux immondices, ordonna-t-elle.

Voltaire objecta qu'on ne connaissait pas encore avec exactitude les dernières dispositions de la défunte et qu'il fallait séparer ce qui était à elle de ce qui était à lui. Le notaire abonda dans son sens : il tenait peu à se voir citer dans un procès intenté par des héritiers dont les biens auraient fini à la décharge.

Voltaire décida de laisser ses tableaux, ses livres et ses papiers à la garde de l'abbé Linant, et de courir au Châtelet signaler des manigances dont il s'estimait la victime.

Il ne neigeait plus, mais il faisait presque aussi sombre que si la nuit était tombée au beau milieu du jour. La rue des Bons-Enfants avait été désertée par ses riches habitants, rebutés par le froid et les risques de chute. Voltaire regretta que ses concitoyens ne fussent pas plus téméraires : il aurait préféré voir la rue moins vide, en ces temps de meurtres et de persécutions contre les esprits libres.

Un bruit léger suffit à le faire sursauter. On piétinait la neige, non loin de là, dans son dos. Il s'arrêta. Le crissement s'interrompit. Reprenait-il, le son étouffé faisait de même. Le phénomène n'était pas de bon augure. Au mieux, il était suivi par des vide-goussets qui attendaient le premier recoin pour l'assaillir.

Il se vit assassiné, le monde des belles-lettres en deuil d'une plume irremplaçable.

UN fiacre providentiel approcha au pas fatigué de son cheval. Voltaire discerna la grosse plaque numérotée que le lieutenant de police avait imposée aux cochers pour les dissuader d'écraser les piétons. L'écrivain leva sa canne.

— Êtes-vous libre ?

Il voulut voir un acquiescement dans la réponse indistincte et grimpa dans la carriole. Une fois à l'intérieur, il jeta un coup d'œil par la portière et aperçut des silhouettes qui se rencognaient sous un porche, à trois maisons de là.

Sa vie était menacée.

Il décida d'aller se plaindre au lieutenant général et demanda qu'on le conduisît au Châtelet.

Alors seulement il découvrit combien l'intérieur de cette voiture était dégoûtant. L'absence de nettoyage était regrettable, car ces endroits servaient aux rendez-vous galants ou crapuleux, autant dire que l'on roulait dans des bouges ambulants. Il se demanda ce qui était le plus malsain, de la rue pleine d'assassins ou de cette banquette crasseuse. Il convenait d'abréger le séjour.

— Sans lambiner, je vous prie ! cria-t-il.

Mieux eût valu s'abstenir de cette recommandation. Les cochers de Paris étaient connus pour s'enivrer avant midi, les gens prudents faisaient leurs visites le matin. Plus ils étaient pris de boisson, plus ils fouettaient les chevaux, plus on allait vite. L'ennui, c'était qu'on allait n'importe comment et sans ressorts de suspension. Voltaire s'accrocha comme il pouvait, secoué et touchant le plafond à chaque cahot. Il donna de la canne contre la paroi.

— Vous allez me tuer !

— Si cela arrive, la course est pour moi ! lui répondit l'ivrogne, qui fouetta de plus belle.

Par bonheur, on s'arrêta au bout de quelques instants. Voltaire jaillit hors de cette boîte comme un diable de chiffon.

— Vous devez réparer ce véhicule, dit-il en fouillant dans sa bourse.

— Dame ! fit son guide. Entre l'impôt et le prix du fourrage !

Ce ne fut qu'après avoir payé que le passager jeta un coup d'œil autour de lui.

— Mais où sommes-nous ?

Devant lui se dressait la façade d'un petit hôtel de la rue Traversière. Le cocher expliqua qu'il l'avait mené chez le marquis du Châtelet, de l'autre côté du jardin.

— Je vous ai demandé de me conduire au Châtelet, au siège de la police ! protesta l'écrivain.

— Personne ne demande jamais d'aller là-bas ! se défendit le cocher. Vous êtes aussi bien là !

Il lança son cheval et s'éloigna sans plus de discussion.

L'inconvénient d'avoir parcouru si peu de chemin, c'était que les bandits avaient fort bien pu le suivre. Des formes trop vagues pour n'être pas inquiétantes tournèrent le coin de la rue, qui était plongée dans une semi-obscurité.

La neige reprenait. Le Châtelet était loin. Au moins dans cette maison-là y avait-il de la lumière.

Voltaire tira le cordon.

La marquise du Châtelet, dont le mari vivait pour ainsi dire à l'armée, était à son secrétaire et tentait de résoudre un difficile exercice de calcul imposé par son professeur. Une servante l'avertit qu'il y avait en bas un monsieur dépenaillé.

La première vision qu'Émilie eut de Voltaire, du haut de l'escalier, fut celle d'un petit homme en perruque trop crêpée, qui guettait à travers le carreau du vestibule pour tâcher de voir si on ne l'avait pas suivi jusque dans la cour.

— Monsieur ?

Le visiteur leva la tête. Il découvrit une grande dame brune aux longs cheveux bouclés comme ceux d'une enfant. Elle était enceinte comme une femme de vingt-six ans qui a passé l'été avec son mari six mois plus tôt. Il se présenta et la pria de l'excuser d'être venu sans se faire annoncer :

— Un butor de cocher m'a conduit chez vous au lieu du Châtelet !

La conversation d'un Voltaire, même couvert de neige, était un cadeau du ciel pour une marquise enceinte qui s'ennuyait un jour d'hiver.

— Je ne suis pas le lieutenant général de police, mais je peux vous offrir les secours d'un fauteuil, d'un feu, d'un chocolat chaud et d'une oreille attentive.

— Vous valez donc mille fois M. Hérault ! répondit l'écrivain.

Ils passèrent dans un petit salon où son hôtesse fit allumer du feu. Une fois la conversation engagée, il apparut que la marquise avait déjà rencontré Voltaire dans son enfance, alors qu'elle s'appelait encore Mlle de Breteuil :

— Vous êtes venu chez mon père quand j'avais douze ans ; vous sortiez de la Bastille. Vous êtes revenu chez nous quand j'en avais dix-huit ; vous vous releviez de la vérole.

La lumière se fit dans l'esprit de l'écrivain.

— La petite Émilie ! La *grande* Émilie ! rectifia-t-il à la vue du ventre. Aujourd'hui, je suis poursuivi par la peste ! Sauvez-moi !

— Pourrais-je refuser de perpétuer la tradition familiale ?

Il avait des raisons de croire qu'on en voulait à sa vie.

— Ces jours-ci, une ombre rôde sur mes talons.

L'assertion appelait vérification. Émilie pria la servante d'aller lui chercher l'étui oblong qui était dans son cabinet. Elle en retira une lunette d'observation et la pointa sur la rue Traversière.

Voltaire réclama l'instrument : il voulait voir ses assassins. Ceux-ci avaient des faciès peu engageants. Il demanda si les gens de Mme la marquise ne pouvaient pas les disperser à coups de bâton. Émilie estima qu'il valait mieux ne pas se mettre à dos de telles personnes.

— Pourquoi ? Qui croyez-vous qu'ils sont ? Une société secrète ? Des tueurs à louer ? Des espions du Grand Turc ?

— Pis que cela. Je crois qu'il s'agit de policiers en service.

— La police ! s'écria Voltaire. Je suis perdu !

Elle lui fit servir un alcool fort en plus du chocolat et s'efforça de le consoler. Quel honnête sujet de Sa Majesté pouvait avoir peur des forces de sécurité ?

— Vraiment, vous êtes cruelle de vous moquer, se plaignit-il. On brûle chaque année « d'honnêtes sujets de Sa Majesté ». Et, franchement, avec ce que j'ai publié, il y a de quoi allumer des fagots. Non, non, j'aimais mieux les malfrats !

— Par chance, nous avons une entrée sur l'autre rue, indiqua la marquise.

Tandis qu'on préparait sa sortie, elle pria Voltaire de lui exposer ses malheurs, qui seraient toujours plus divertissants que la grossesse et les algorithmes.

— Un fourbe sans scrupule m'a dérobé quarante mille livres en la personne d'une brave amie qui m'adorait et qu'on ouvrira tout à l'heure, un policier me soupçonne de moins aimer la plume que le poignard, une comtesse janséniste veut me spolier de mon matelas et de mes paysages, et voilà comment les philosophes se retrouvent à la rue !

« Ou dans mon salon », pensa Émilie, qui sortait de ce récit plus étourdie que si un tourbillon eût traversé la pièce.

— Mais je vous ennuie avec mes déboires, dit Voltaire. Vous avez un mari, des enfants, une vie passionnante…

Le mari qu'on la félicitait d'avoir était toujours à la guerre, ses enfants, en bas âge et bruyants, sa vie, moins passionnante que plate, et elle ne voyait rien de plus ennuyeux que d'être enceinte en hiver.

Un quart d'heure plus tard, le carrosse de la marquise quittait l'hôtel du Châtelet par la rue Traversière. Il ne transportait aucun passager, aussi les guetteurs restèrent-ils où ils étaient. Le cocher fit le tour du pâté de maisons, vint s'arrêter devant l'entrée de service, et les fugitifs s'empressèrent de monter. Émilie ordonna de les conduire au quartier général de la police :

— Ne vous arrêtez nulle part, nous sommes poursuivis par des meurtriers.

— Bien, madame.

Pour passer le temps, Voltaire lui raconta les derniers événements de sa vie : la mort de M. de Maisons, la mort de la baronne et celle de quelques autres bons amis avant eux.

— Ne trouvez-vous pas que l'on meurt beaucoup, autour de vous ? s'inquiéta son auditrice.

Elle espéra que cette existence de philosophe n'était pas si morbide qu'elle le paraissait.

— À quel spectacle m'emmenez-vous ? demanda-t-elle.

C'était à une autopsie.

CHAPITRE QUATRIÈME

Comment Voltaire observa l'intérieur d'une baronne philosophe et y trouva davantage d'entrailles que de philosophie.

VOLTAIRE ne doutait pas que l'ouverture de Mme de Fontaine-Martel fût un divertissement recherché par toutes les femmes d'esprit. Il n'était pas sûr, néanmoins, que les autorités le laisseraient inviter du monde. M. Hérault se ferait sûrement tirer l'oreille pour accepter des spectateurs à une autopsie dont la conclusion relèverait forcément du mensonge.

La voiture de la marquise les déposa devant la basse-geôle du Grand Châtelet, une affreuse et grosse bâtisse pleine de tours à toit pointu. Avec sa silhouette qui désespérait les malandrins et inquiétait les honnêtes gens, cette forteresse aurait été à sa place en Dordogne, sur une éminence, au-dessus d'un torrent. En plein Paris, c'était une verrue médiévale aussi sinistre que la Bastille.

— Voilà un donjon où l'on aime moins entrer que d'en sortir. Allons ! Courage ! C'est pour la cause philosophique !

Le lieutenant général apparut au bas des marches qui menaient à ses bureaux.

— Tenez, Arouet ! Puisque vous êtes là, j'ai une pile de poèmes interdits dont nous recherchons les auteurs. Voulez-vous voir avec moi lesquels sont les vôtres ?

— Gageons que notre police attraperait davantage de voleurs si elle s'intéressait moins à la poésie, répondit l'intéressé.

Hérault jaugea la représentante du beau sexe qu'on lui amenait sans prévenir.

— Madame aussi est philosophe, sans doute ?

Il la pria de s'en retourner. Il n'était pas question de répandre le bruit que des personnes de qualité étaient assassinées dans leur lit en plein Paris.

— « Des » personnes de qualité ? releva Voltaire. Il y en a donc eu d'autres ?

— Oh ! vous n'imaginez pas ce qui se passe en réalité dans cette ville, dit Hérault. Et ne comptez pas sur moi pour vous l'apprendre.

La marquise devina pourquoi Hérault s'entêtait à faire passer ce décès pour naturel. S'il y avait crime, le parlement de Paris s'en saisirait, crierait au scandale, et la lieutenance serait blâmée pour son échec. Le lieutenant général et ses supérieurs préféraient mener une enquête discrète sur un meurtre qui, officiellement, n'avait jamais été commis.

— Et quid des assassins, quand vous les tiendrez? s'enquit Voltaire.

— Ce ne sera pas la première fois qu'un gêneur disparaît, répondit le policier, d'une voix que l'écrivain aurait aimée moins sépulcrale.

Émilie expliqua au lieutenant général pourquoi elle devait assister à l'autopsie :

— Si vous la laissez voir à notre ami, c'est que vous attendez de lui une aide dans laquelle je ne lui serai pas inutile.

Hérault souleva le sourcil droit, signe d'une intense surprise.

— Ah! Un Voltaire en jupon. Eh bien, madame, recevez le prix de votre raisonnement, puisqu'il paraît que la chirurgie est le délassement des dames nobles.

Quatre hommes apportèrent le corps enveloppé dans un linceul. Leur patron ouvrit la marche, Voltaire et la marquise suivirent. On s'apprêtait à descendre dans la cave quand le lieutenant civil traversa la cour pour demander ce que c'était que ce cadavre.

— Il s'agit d'examiner une femme soupçonnée d'avoir eu la peste, dit Hérault.

M. d'Argouges eut un mouvement de recul qui n'excluait pas la méfiance.

— Et vous y emmenez Voltaire?

Hérault se rapprocha pour lui confier un secret.

— Entre nous, si quelqu'un doit attraper la peste…

M. d'Argouges admit la pertinence de cette initiative. Il laissa ces téméraires descendre dans leur sous-sol malsain. Voltaire pouvait désormais s'attendre à se voir convier à toutes les autopsies pour suspicion de choléra ou de petite vérole.

Un escalier étroit ouvrait sur une salle éclairée par de grands candélabres. On avait aussi allumé deux braseros qui répandaient une chaleur douce. Deux messieurs en tablier de boucher préparaient des instruments dont la seule vue aurait fait avouer les accusés les plus récalcitrants. Hérault avait recruté un chirurgien de l'Hôtel-Dieu qui présentait l'avantage d'avoir beaucoup vu de dépouilles en tout genre. Il était assisté d'un garçon d'hôpital dont l'habileté dans le maniement de la scie et des ciseaux pouvait le faire prendre pour un charpentier.

Ayant ôté le drap, le chirurgien découvrit avec surprise les fards appliqués sur le visage et sur le cou de la victime. Sa première remarque fut que l'assassin avait pris soin de maquiller son forfait pour le rendre invisible au néophyte.

— Non, c'est nous, l'informa le lieutenant de police. Le crime est sous les apprêts.

L'assistant ôta la charlotte et la chemise de nuit dont la défunte était vêtue. Il souleva aussi le pansement à l'aide duquel les exempts avaient bouché la plaie béante de sa poitrine. L'homme de l'art examina à la loupe la bouche et les narines, dont il retira, à l'aide d'une pince minuscule, des objets trop petits pour que les observateurs pussent voir ce que c'était. Il mesura la largeur et la profondeur de la plaie, retourna le corps à la recherche d'autres traces, puis procéda à l'ouverture de la cage thoracique à l'aide d'une grosse lame, avant de laisser l'assistant scier les côtes. Une fois le buste ouvert en grand, ils en retirèrent les organes un à un.

Voltaire était au bord de l'écœurement. La marquise, en revanche, suivait tout cela d'un œil serein.

— N'êtes-vous pas indisposée de voir les entrailles de cette dame ? demanda-t-il.

— Je n'ai pas eu l'occasion de lui être présentée, elle me fait le même effet qu'un quartier de bœuf.

Elle flancha néanmoins à la vue du foie, que deux mains écarlates retiraient de la carcasse et déposaient dans une écuelle vernie.

— Je viens de me souvenir que nous nous sommes saluées, il y a un an, à l'opéra, murmura-t-elle en détournant les yeux.

Le chirurgien annonça que la victime avait été empoisonnée, poignardée, étranglée et étouffée, dans cet ordre précis.

— Nous savons que cette dame a dîné, d'où la présence du poison. À cause de cette ingestion, elle se sera sentie mal et aura gagné son lit. Nous voyons qu'elle a été poignardée, mais aucun organe vital n'a été atteint. Il y a des traces de sang sur la nuque, ce qui signifie qu'on s'est avisé de l'étrangler *après* l'avoir fait saigner. C'est cependant la paralysie des voies respiratoires qui a entraîné la mort, comme nous le montrent l'état de ces organes et l'éclatement des veinules. La gorge contenait des fibres qui m'ont tout l'air de venir de taies en coton. J'en déduis qu'on l'a finalement étouffée avec son oreiller. C'est là ce qui lui a été fatal. On peut dire que quelqu'un voulait vraiment empêcher la baronne de terminer sa nuit !

Pour la version officielle, on s'en tint à l'étouffement, et le rapport conclut à une fluxion de poitrine foudroyante.

Les visiteurs laissèrent M. Hérault ratifier cette œuvre de fiction et se dirigèrent à grands pas vers la sortie. L'écrivain donna la main à Émilie pour monter en voiture et la rejoignit sur la banquette. Ils étaient aussi éreintés que s'ils rentraient d'avoir gravi le coteau de Montmartre. Quoique la vue d'un mort soit un bon moyen de se rappeler qu'on est vivant, dans le cas présent le rappel ne s'était pas opéré dans la douceur. Il convenait de chasser au plus vite ces images morbides.

— Eh bien ? dit l'écrivain. Que ferons-nous, maintenant que ma pauvre vieille amie n'a plus rien à nous cacher ?

Mme du Châtelet frappa à la cloison et pria son cocher de les mener au Palais-Royal.

— Je n'ai jamais vu la maison d'une baronne morte.

Ils trouvèrent Linant dans la salle à manger, occupé à se goinfrer de biscuits.

— Hé, malheureux ! s'écria Voltaire. Vous mangez les indices !

L'origine de l'empoisonnement n'avait pas été tirée au clair. Au moins savait-on désormais que les biscuits n'étaient pas en cause. L'écrivain présenta à Émilie ce gros abbé de dix-neuf ans dont la baronne n'avait pas voulu, mais qu'il avait fait venir dès qu'elle avait poussé le dernier soupir. Puis il appela une servante.

— Monsieur va résider avec vous ? demanda celle-ci avec un geste en direction de l'abbé qui s'empiffrait.

Le nouveau maître de maison répondit que oui, il ordonna qu'on préparât une chambre et ajouta à l'intention de la marquise :

— Parasite chez les autres, j'aime en avoir chez moi.

L'écrivain entreprit de lui faire visiter la demeure sous l'œil ahuri des domestiques, mais s'interrompit, horrifié, en constatant que ceux-ci étaient en train de piller ce qu'ils pouvaient. Principalement, ils se remplissaient les poches avec l'argenterie. Mme de Fontaine-Martel leur devait trois mois de gages, et s'ils devaient rester pour servir monsieur, il allait falloir les dédommager.

Voltaire les menaça de sa canne :

— Méfiez-vous ! Ce bâton est de nature à terrasser de plus fortes têtes que les vôtres !

Émilie reconnut le modèle : une canne à secret, généralement dotée d'une épée dissimulée dans un bois creux. Les messieurs qui ne désiraient pas porter l'épée, instrument encombrant et apanage de la noblesse, mais qui ne souhaitaient pas rentrer chez eux sans défense à la nuit tombée, se munissaient d'un tel accessoire.

Émilie avait, quant à elle, une autre manière de se concilier le personnel. Elle distribua des subsides.

La visite lui avait ouvert l'appétit, elle émit le souhait de se faire servir à manger. Voltaire prévint la cuisinière qu'il fallait éviter certains mets : la baronne avait été empoisonnée.

— Mais… Je pensais qu'elle avait été poignardée ! balbutia la pauvre femme, qui avait fort bien vu la plaie dans la poitrine de sa maîtresse.

— Cela aussi. C'est un assassin qui ne fait pas les choses à moitié.

Comme elle s'inquiétait de savoir ce qu'elle pouvait cuisiner, on l'accompagna dans les communs afin d'examiner les réserves. On fit une liste des denrées consommées par Mᵐᵉ de Fontaine-Martel le jour de sa mort et l'on chercha leur origine. Il y avait principalement les confitures normandes et le marcassin de M. Clément, receveur des tailles à Dreux. Pour le marcassin, l'analyse était compromise : il n'en restait pas même les os. Cela dit, toute la maisonnée y avait goûté.

La marquise se fit indiquer la composition exacte des agapes solitaires. Bien sûr, il y avait aussi la petite tisane du coucher, pour faciliter la digestion. Il s'agissait, ce soir-là, d'une camomille qui aidait à jouir d'un bon sommeil. La baronne la mêlait de miel, de fleur d'oranger, et y trempait un ou deux biscuits.

Ils poursuivirent leurs recherches dans la chambre de la défunte. Personne n'avait pris la peine de préparer le feu. Mis à mal par ces émotions, Voltaire grelottait sous son épaisse pelisse.

Comme nul ne venait les aider, bien qu'on eût fait tinter la clochette posée sur la table de nuit, Émilie se résigna à déposer elle-même du petit bois dans la cheminée, tandis que Voltaire s'emparait d'une bûche. Elle l'arrêta et se pencha pour saisir quelque chose.

— Il semble qu'on allume ici les feux avec la fortune des autres, dit-elle.

Elle tenait entre deux doigts un morceau de papier presque entièrement consumé.

— Ce sont sans doute de vieux brouillons, dit Voltaire, pressé de fourrer sa bûche dans la cheminée.

— De vieux brouillons qui portent le cachet d'un notaire, fit observer Émilie en plaçant sous son nez un fragment de texte où un tampon à l'encre rouge était encore visible.

Voilà qui n'annonçait rien de bon quant aux recherches testamentaires.

CHAPITRE CINQUIÈME

*Où l'on découvre que des messieurs
très sérieux peuvent s'adonner
à des loisirs totalement stupides.*

ILS en étaient là de leurs réflexions quand la lectrice, Mlle de Grandchamp, parut sur le seuil de la pièce. Elle avait sa capeline. Ses boucles rousses et la vivacité de ses yeux bleus étaient de nature à attendrir tous les philosophes du monde.

— Vous sortez, mon enfant ? demanda Voltaire.

Elle allait chez le notaire de Madame, consulter le testament par lequel elle accéderait enfin au statut de fille à marier. Toute la famille s'y était donné rendez-vous. Les enquêteurs décidèrent d'y aller comme les autres. En personnes de bon ton, ils avaient coutume de se présenter partout sans y avoir été invités, persuadés qu'on serait content de les y voir.

L'étude notariale n'était pas bien loin, on pouvait marcher jusquelà ; une petite promenade de funérailles, en quelque sorte. Place des Victoires, trois carrosses déversaient leurs cargaisons d'héritiers putatifs. Émilie reconnut les armes peintes sur les portières. Il y avait celles des Martel de Clère, cousins par alliance de la baronne, celles de Mme d'Estaing, sa fille, et celles de la vicomtesse d'Andrezel, tante de Victorine de Grandchamp, cette jeune personne à qui l'on avait beaucoup promis.

On se saluait avec froideur, on se guettait, mais on s'entendait sur un point : il importait de faire toute la lumière sur les dernières volontés de la chère défunte, et au plus vite.

Les héritiers bousculèrent le portier et montèrent s'enquérir de la réalité de leurs espérances. Le notaire accepta volontiers de leur donner lecture du document, bien qu'une personne au moins, précisa-t-il, n'eût rien à faire là.

Voltaire se sentit visé. Ce fut cependant sur la belle Victorine que se braqua le regard de leur hôte. Celui-ci n'avait pas souvenir que la défunte eût avantagé cette demoiselle dans la dernière mouture de son testament. Cette idée scandalisa Mme d'Andrezel.

— Comment ! On prend chez soi ma nièce, on la loge, on la nourrit, on la vêt, et on refuse de faire sa fortune ? Nous prend-on pour des domestiques ?

Ayant ouvert son coffre, le notaire pâlit.

D'une voix nerveuse, il demanda à son premier clerc s'il avait déplacé le dépôt de Mme de Fontaine-Martel. Il fallut se rendre à l'évidence : on avait pléthore d'héritiers, mais, de testament, point.

Ces dames bondirent de leurs fauteuils.

Leur seconde réaction fut de menacer l'avoué d'un procès : la perte d'un document confié à sa garde était une faute grave, on l'accusait de concussion.

La menace fut loin de faire trembler l'homme de loi. Accoutumé à ces sortes de propos, il leur rétorqua que seule une personne ayant intérêt à cette disparition avait pu l'organiser et que le procès pourrait fort mal se terminer pour certains d'entre eux.

Au reste, tout n'était pas perdu : la testatrice possédait une copie certifiée de ses dernières volontés. Le plus simple était de retrouver cette pièce, qu'elle conservait certainement chez elle.

Les héritières avaient leurs voitures, aussi Voltaire et Émilie arrivèrent-ils les derniers rue des Bons-Enfants, alors que la foire aux vieux papiers avait déjà commencé. Une petite foule avait investi la maison de la baronne pour vider ses tiroirs, ses armoires, retourner ses matelas, en prenant garde, toutefois, de ne rien endommager, car tout était potentiellement à chacun d'eux. Ce saccage de bonne tenue avait lieu sous les yeux du gros Linant, qui avait lancé de son côté un nouvel assaut contre les biscuits, au cas où ces excités délaisseraient les commodes pour le jeter dehors le ventre vide.

Entre deux tiroirs, on s'invectivait sans retenue. La vicomtesse d'Andrezel défendait vigoureusement la cause de sa nièce. Elle s'opposait à Mme de Clère mère, qui avait elle aussi une demoiselle à caser, et à la comtesse d'Estaing, qui était de taille à se défendre toute seule.

Fort énervée, Mme de Clère s'en prit à Voltaire, qui contemplait ce spectacle en prenant mentalement des notes pour sa prochaine tragédie, un drame intime chez les Atrides.

— Que faites-vous ici, vous ? Vous n'espérez pas figurer sur le testament, je pense ?

Voltaire se drapa dans une invisible toge socratique.

— J'habite ici, madame. D'ailleurs, je monte chez moi.

Il leur abandonna le rez-de-chaussée et emmena Émilie vers le cabinet de curiosités.

— Ma défunte Barbe-Bleue tenait une pièce fermée à clé où nul ne pouvait pénétrer, expliqua-t-il en désignant la porte close.

La situation avait changé, aucune porte n'était capable de résister à la vague tourbillonnante qui venait de submerger la maison. Ils furent aussitôt rejoints par les héritières, l'une entraînant l'autre, aucune n'acceptant de se laisser distancer.

Elles aperçurent, dans la pénombre, des animaux empaillés, un buste d'homme en cire dont on découvrait les organes internes – heureusement, il ne descendait pas plus bas que la taille –, de petites bonnes femmes en terre cuite qui paraissaient grecques, un galion en réduction qui semblait voguer sur la table toutes voiles dehors ; enfin, tout un fatras couvert de poussière. Elles furent convaincues d'avoir sous les yeux le côté philosophique, obscur et même pouilleux de la défunte. On s'en alla fouiller dans ce qui était propre et sain.

Puisque la rapacité avait entraîné les chasseurs d'héritage vers d'autres régions, nos héros purent enfin se consacrer au cabinet de curiosités. Ils y débusquèrent une sorte de vieille pomme brunâtre, parcourue de coutures inquiétantes, dont l'étiquette assurait qu'il s'agissait d'une tête réduite en provenance des Indes de l'ouest.

— Voilà qui est fort intéressant, dit Voltaire en examinant une mâchoire d'apparence minérale, trop large pour avoir outillé un crocodile. Je ne m'explique pas que ma vieille amie m'ait caché cet endroit. J'ai l'esprit assez ouvert pour apprécier l'éclectisme.

C'était la cour de récréation de la baronne, un jardin secret peuplé d'aimables monstruosités. Émilie pouvait comprendre qu'elle n'ait pas eu envie de le voir piétiné par des étrangers, fussent-ils aussi discrets et respectueux d'autrui que leur cher philosophe. Elle le comprenait d'autant mieux qu'elle possédait elle-même une telle pièce, à cette différence près que la sienne n'était pas consacrée aux infinies petites horreurs créées par la nature et par les hommes, mais aux splendeurs mathématiques, à l'étude de la physique et des sciences en général, toutes sortes de matières qui lui permettaient de se sentir exister sans qu'elle eût de comptes à rendre à quiconque.

Il y avait là une collection complète du *Journal des sçavans*, mensuel consacré aux événements scientifiques contemporains.

— Ma lecture favorite ! dit Émilie.

Voltaire s'étonna qu'elle connût un périodique aussi austère.

— Où prendrais-je des renseignements sur les monstres à deux têtes, les habitants de la Lune, ou même sur des questions un peu farfelues, telles que la vitesse de la lumière ?

La marquise du Châtelet identifia sans difficulté la plupart des instruments disposés sur les tables et les étagères du cabinet de curiosités, compulsa hardiment les ouvrages d'entomologie, et ainsi de suite. Son savoir se heurta à un objet incongru, massif et assez laid, qui trônait sur un coffre en bois.

— Elle gardait quand même des cochonneries. Voyez cette vilaine boîte en fer-blanc !

Voltaire, à qui aucun art de société n'était inconnu, lui apprit qu'elle avait sous les yeux une lanterne magique. On s'en servait pour projeter sur un écran, pour les enfants, des scènes magiques, pour leurs mères, des paysages pleins de couleurs, et, pour les messieurs, des distractions d'alcôve qui se regardaient porte fermée.

Linant les rejoignit à ce moment. Il avisa la lanterne que Voltaire était en train de détailler.

— Où sont les plaques ? demanda-t-il.

Il manquait les vitres sur lesquelles étaient peintes les scènes à projeter. On trouva en revanche dans la lampe un papier avec un alexandrin de l'écriture de la baronne : « C'est d'avoir des regrets qu'il nous vient du remords. »

Leur curiosité fut piquée. Il leur fallait ces plaques. Ils s'informèrent de leur sort auprès du personnel.

Les servantes n'en savaient rien, mais Mlle de Grandchamp avait entendu Mme d'Estaing ordonner la veille à Beaugeney de les céder au premier colporteur venu, au prétexte qu'elle ne saurait souffrir qu'on trouvât chez sa mère des illustrations salaces. La remarque était déjà un indice de ce qu'il y avait à voir.

Consulté à son tour, Beaugeney expliqua de mauvaise grâce qu'il avait vendu les plaques à un petit Savoyard qui faisait le métier de montreur ambulant, comme il y en avait tant.

Voltaire se réjouit peu à l'idée d'aller encore vagabonder dans l'obscurité, poursuivi par des ombres très matérielles et très hostiles. Quant à Émilie, elle s'écria :

— Nous n'allons pas courir après tous les ramoneurs du quartier !

— Non, non, c'est lui qui va s'en charger, dit Voltaire en désignant Linant.

On le lesta de biscuits et de bonnes paroles et on le jeta dehors dans le froid. Le nez baissé contre le vent, une main tenant sa cape fermée et l'autre plaquant son chapeau sur sa tête, le gros abbé fit le tour des Savoyards. Dans la journée, ces gamins ramonaient les cheminées. Le soir, après s'être nettoyés, ils sortaient offrir le divertissement de leur lampe magique. Linant en avisa un qui déambulait dans la rue des Bons-Enfants.

Le gamin admit de bonne grâce qu'il avait acheté les plaques pour trois fois rien. Il n'aurait pas payé davantage, elles ne correspondaient pas au modèle de lampe hollandaise qu'il transportait. Il comptait les placer auprès d'un collègue, dès qu'il en aurait trouvé un muni du bon format.

L'abbé se dit que si ce garçon les avait eues pour rien, il les lui vendrait pour pas grand-chose. À sa grande surprise, les plaques connurent une inflation brutale.

— Depuis quand de vulgaires vitres peintes valent-elles leur pesant d'or ? s'offusqua-t-il.

— Dame ! Depuis qu'on me les réclame ! rétorqua le gamin.

— Qui te les réclame ?

— Vous !

VOLTAIRE et la marquise profitèrent du départ des héritières, qui s'étaient lassées de retourner les coussins sans rien dénicher de décisif. Ils se firent servir une collation dans un salon à présent désert.

Il sembla à la marquise que Victorine de Grandchamp, qui leur versa le chocolat, faisait des mines au philosophe.

— Que vous veut-elle, cette petite fille ? demanda-t-elle quand la jeune femme se fut retirée.

— Elle veut ce que veulent les demoiselles, répondit Voltaire. Dans tous les cas, cela passera par un beau mariage avec un bon mari.

Ils savouraient le chocolat de la baronne quand Linant se présenta avec les plaques. On envoya Beaugeney prendre la lampe dans le cabinet de curiosités. Hélas ! le valet revint bredouille : c'était à présent la lanterne qui avait disparu. On chercha avec tout le soin imaginable, on retourna livres et bibelots. Elle n'était plus là.

Malgré la subtilité de l'enquête conduite auprès des domestiques, que Voltaire menaça d'anathème philosophique et à qui la marquise fit les gros yeux, on ne put établir qui l'avait escamotée.

Il fallait donc s'en procurer une autre. Par chance, la marquise, qui potassait le *Journal des sçavans*, trouva mention d'une réunion hebdomadaire entre amateurs de projections mystérieuses, et c'était précisément ce soir-là qu'elle avait lieu. Elle voulut y aller tout de suite.

— Dans votre état, madame ? s'étonna Linant, qui la voyait se mouvoir sans arrêt malgré son gros bedon.

— Quoi, mon état ? On peut accoucher n'importe où !

On s'en fut accoucher rue Saint-Dominique.

JOSEPH DE LA MOSSON avait rassemblé chez lui le musée de curiosités le plus riche de France. Les autres amateurs de raretés réunis ce soir-là se nommaient Gaspard de Servière, qui possédait un cabinet de raretés hérité de grand-papa, et Antoine d'Argenville, célèbre naturaliste et historien de l'art. Dès qu'on sut que trois visiteurs apportaient de nouvelles plaques, on les accueillit comme Michel-Ange à la chapelle Sixtine. La vogue de ce divertissement ne s'était pas répandue au point que les collectionneurs fussent rassasiés de nouveautés.

Les trois honorables savants leur firent une présentation de leurs propres vues, qu'ils étaient sur le point de projeter.

— Que la lumière soit ! dit M. de La Mosson.

Et la lumière fut. Elle s'accompagna d'un beau paysage, puis d'une apparition fantastique inspirée de Dante, de bestioles animées qui couraient dans une prairie, et d'une scène de genre – des paysans des Flandres attablés dans leur chaumière.

Après les scènes bourgeoises vinrent les scènes intimes. Les personnages se firent moins vêtus.

— Qu'est-ce que c'est que ces saletés ? dit Émilie.

— Ce sont des illustrations pour les *Ragionamenti* de l'Arétin, dit Gaspard de Servière. Ne confondez pas avec des vues gaillardes ordinaires.

— Je vois, dit la marquise. Ce sont des vues gaillardes culturelles.

Il était grand temps de passer au sujet de leur visite. Linant sortit les plaques. Ces messieurs y jetèrent un premier coup d'œil à la lueur d'une bougie. Ils hésitèrent à les projeter devant la marquise, qui paraissait si à cheval sur les bonnes mœurs.

— Nous ne sommes pas sûrs que ces vues soient convenables pour une dame, ni pour un abbé, dit M. de La Mosson.

Linant répondit qu'en tant qu'homme d'Église il devait identifier le péché s'il voulait le bien combattre. Quant à Émilie, elle avait étudié l'anatomie humaine et la vie des insectes, elle promit de regarder tout cela d'un point de vue de naturaliste.

Les élytres et les antennes de ces insectes-là étaient fort turgescents.

— Eh bien ! Ce ne sont pas les vitraux de Notre-Dame ! dit Gaspard de Servière.

À vrai dire, l'étrangeté venait surtout du fait que les scènes n'avaient pas vraiment de signification. On ne voyait chaque fois qu'un personnage tout seul, dans un décor semblable, mais tracé à grands traits, comme si certaines parties manquaient. Rien ne retenait l'attention, hormis le fait que les sujets étaient très dévêtus. Quel artiste avait pu représenter pareille absurdité, qui avait pu acheter ces stupidités, et pourquoi la baronne les conservait-elle avec soin dans des pochettes de soie, comme si ces morceaux de verre avaient présenté un quelconque intérêt ?

La marquise déposa ses compagnons chez Mme de Fontaine-Martel et rentra chez elle se coucher. Ils tirèrent le cordon. Pas de réponse. Pourtant, de la lumière brillait à l'intérieur.

S'étant lassés de sonner en vain, ils firent le tour par le jardin du Palais-Royal, qui s'ouvrait facilement si l'on glissait la pièce au gardien. Cet homme était habitué aux frasques des Parisiens de tout acabit, dont les fourrés étaient l'un des lieux de rendez-vous favoris.

Une fois à l'arrière de la maison, Voltaire repéra la fenêtre d'un cagibi dont il savait que le verrou était cassé. Il pria Linant de bien vouloir lui faire une échelle de son dos.

Au prix d'acrobaties et de contorsions, le philosophe parvint à se faufiler dans l'ouverture et se laissa tomber de l'autre côté. Il atterrit sur une partie de son individu qui, heureusement, ne lui était pas d'une utilité primordiale pour ses travaux littéraires.

À peine sorti du cagibi, il rencontra dans le corridor une servante qui venait voir quel rat était assez audacieux pour faire un tel tapage.

— Pardonnez-moi, dit la brave femme, mais Mme d'Estaing affirme qu'elle est désormais chez elle, et elle m'a interdit de vous ouvrir.

Voltaire prit l'injonction avec détachement. Il n'aurait qu'à commander deux nouvelles clés. Ces clés de portes d'entrée étaient lourdes, encombrantes, on ne savait où les ranger, on les perdait, elles déformaient les poches, c'est pourquoi on préférait généralement réveiller son portier. Ces petits inconvénients vaudraient toutefois mieux que de coucher dans le froid et la neige, en compagnie d'un abbé idiot qui, à présent, hurlait parce qu'on l'avait oublié dehors.

CHAPITRE SIXIÈME

Comment gagner de l'argent quand on est mort.

L<small>E</small> lendemain, fort éprouvé par ses acrobaties nocturnes, Voltaire était mourant.

Mme du Châtelet se présenta sur les onze heures. Elle qui ne dormait presque jamais eut la surprise de le trouver au lit, en compagnie de l'abbé Linant qui lui touillait ses bouillons.

Comme elle s'alarmait à l'idée que le malheureux eût été assailli par ses poursuivants, on lui raconta sa rencontre d'une fenêtre et d'un cagibi. Le récit n'arracha pas à la marquise les paroles de commisération qu'on espérait. Quelques sourires, même, aussi cuisants que les meurtrissures de son postérieur, renvoyèrent l'écrivain sous les couvertures où, au moins, nul ne tirait plaisir de ses tourments.

— Ce bon Linant m'aide autant qu'il peut! dit-il tout haut.

— Vous avez pris un abbé pour vous tendre la soupe? s'étonna Émilie.

— Pourquoi pas ? Il est mieux là qu'à débiter aux fidèles des bêtises sur la religion. Assister Voltaire est ce qu'un homme de foi peut faire de plus utile. Je suis sûr qu'il me soignera bien : s'il se montre paresseux ou négligent, il sait qu'il ira en enfer !

La servante annonça que le « monsieur pour soigner Monsieur attendait en bas ». Émilie voulut le laisser avec son médecin.

— Un médecin ! Jamais de la vie ! Ils vous prescrivent des saignées qui vous tuent rien qu'avec leur facture !

Le visiteur était un fabricant de matériel prophylactique, il apportait un clystère. Linant ouvrit une armoire où Voltaire en conservait de différentes tailles, y compris un tout petit, pour le voyage, afin de n'être jamais pris au dépourvu. Il pouvait sauter en carrosse, filer vers la frontière et se faire un lavement sans ralentir l'allure.

Le fabricant tira d'un étui un monstre à piston de cuivre et réservoir de verre.

— C'est pour consommer tout de suite ? demanda-t-il.

Voltaire était très excité à l'idée d'expérimenter son nouveau jouet. La marquise battit en retraite vers une autre pièce.

Le lavement pris, l'abbé Linant remonta avec une tisane.

— Il y a en bas un monsieur qui prétend vous emprunter de l'argent, annonça-t-il. Je lui ai répondu que nous n'étions pas une maison de banque, mais il insiste.

— C'est sans doute une erreur, dit Voltaire. Faites entrer.

Le solliciteur était un gentilhomme court sur pattes, d'une quarantaine d'années, vêtu d'un beau pourpoint brodé. Voltaire toussa, s'excusa de le recevoir au lit, le pria d'approcher, car il avait la vue basse, et de parler haut : son ouïe était mauvaise. C'était un vieillard de trente-neuf ans qui faisait ses affaires.

Jean-Baptiste Angot de La Motte-Lézeau déclara qu'il était envoyé par un ami commun. Ses rentrées avaient du retard, il était à sec.

— On me dit, monsieur, que vous prêtez.

— Je ne sais, dit le malade. Habitez-vous Paris ?

— Je vis à Rouen.

— Alors il se peut.

Pour les Parisiens, il usait d'un homme de paille, Dumoulin, afin de préserver sa réputation.

— Combien faudrait-il pour vous accommoder ?

En venant, M. de Lézeau avait calculé qu'il avait besoin de quatre mille livres. Vu la décrépitude du créancier, il se dit qu'il aurait été fou de ne pas monter à six mille : les remboursements ne dureraient pas longtemps, il pouvait s'en voir délivrer dans le courant de l'hiver par le décès du souscripteur, c'était pratiquement du vol à l'étalage.

Voltaire s'informa des qualités de l'emprunteur. Lézeau était marquis et occupait la charge très confortable de conseiller au parlement de Normandie. Provincial, noble et parlementaire, c'était le client idéal.

La même idée vint à M. le marquis du Parlement. Au fil de la conversation, ses yeux se posèrent sur une infinité de remèdes, seringues, fioles et potions qui traînaient sur tous les meubles. La maîtresse des lieux venait de trépasser, l'endroit était malsain, nul doute que son locataire suivrait le même chemin.

Très contents l'un de l'autre, les deux hommes se mirent d'accord sur huit mille livres, au taux outrancier de dix pour cent, sur la seule tête du souffreteux.

VOLTAIRE venait de conclure une excellente affaire, il se sentit mieux. Du coup, il se leva comme Lazare et rejoignit Émilie dans le cabinet de la baronne. Aidée d'une bonne et d'un plumeau, la marquise procédait à un examen approfondi.

Il avisa une poupée mécanique qui dansait au son d'une musique métallique quand on tournait sa clé ; un perroquet empaillé ; un boulier peint de caractères chinois ; des coquillages multicolores aux formes improbables.

— Tout le fatras d'un homme de science ou d'une femme qui s'ennuie, dit Voltaire.

Émilie tiqua.

— Ne pensez-vous pas qu'il puisse y avoir des femmes de science et des hommes qui s'ennuient ?

— Pas en votre compagnie, répondit l'écrivain avant de lui baiser la main.

Un papier glissa de son bonnet de nuit. C'était ce billet couvert de notes musicales qu'il avait ramassé dans la chambre de la baronne, la nuit où elle avait eu son terrible cauchemar.

Émilie s'intéressa au fragment de partition. Elle avait exhumé – c'était le mot juste – une flûte en os qui ressemblait furieusement à un tibia humain, contre laquelle Voltaire n'aurait collé ses lèvres pour rien au monde. Elle joua ce qui était écrit, ce qui ne donna rien de cohérent. Sa pratique des mathématiques lui fit soupçonner qu'un message était dissimulé dans ces notes de musique. Sa connaissance du solfège était hélas! limitée, il leur fallait un spécialiste.

Le meilleur théoricien de la musique se nommait Jean-Philippe Rameau. Il fréquentait chez Mme de Tencin. Cette dame recevait le mercredi. On était mercredi. Ils n'avaient pas été invités, mais la marquise connaissait bien l'hôtesse et nul ne fermait sa porte à Voltaire.

— Si vous n'étiez pas mourant…, dit-elle.

Le parfum de l'argent était un baume, Voltaire courut s'habiller. Il aurait sauté avec moins d'empressement dans ses bas de soie s'il avait su que la dupe n'était pas celle qu'il croyait.

DANS la voiture, Voltaire resta curieusement silencieux. Il appréhendait cette soirée. De tous les salons de Paris, Jean-Philippe Rameau avait choisi celui où l'écrivain n'était pas le bienvenu. Voltaire avait croisé Mme de Tencin lors de sa dernière incarcération à la Bastille : l'amant de cette dame s'était tué chez elle en laissant un testament en sa faveur, dans lequel il l'accusait d'avoir causé sa mort. On l'avait mise au frais le temps d'éclaircir l'affaire. Ces circonstances ne s'étaient pas prêtées à un rapprochement, aucune des deux victimes de l'arbitraire n'ayant un caractère à fraterniser entre réprouvés. Peut-être se ressemblaient-ils trop. Elle ne l'aimait pas et sa maison était remplie de gens qui le méprisaient.

Émilie devina son inquiétude. Elle lui promit qu'il ne verrait ce soir-là que des gens de la première distinction. Non seulement elle s'était initiée à toutes les sciences, mais elle connaissait tout le monde.

La reine de Sabbat et son djinn bougon firent leur entrée sous les lambris de Mme de Tencin. Voltaire avisa d'emblée quelques perruques qui ne lui souriaient guère.

— Oh, mais c'est rempli d'académiciens, ici!

Il avait été refusé plusieurs fois, certains des messieurs présents avaient voté contre lui, d'autres occupaient les fauteuils qu'il avait convoités. Émilie, heureusement, avait le don de voir le bon côté des catastrophes :

— Vous allez pouvoir préparer votre prochaine candidature.

Il en aurait plus volontiers étranglé un ou deux pour libérer de la place.

Ils allèrent présenter leurs hommages à la maîtresse de maison, une belle femme de cinquante ans dont les charmes n'étaient pas trop usés, quoiqu'ils eussent beaucoup servi.

— Nous ne nous sommes guère vus depuis la Bastille, dit Voltaire avant de lui baiser la main.

— Je vous promets de vous rendre visite à votre prochain séjour, répondit Mme de Tencin.

Voltaire était fâché d'être venu.

— Que vous avais-je dit ! glissa-t-il à Mme du Châtelet tandis qu'ils s'éloignaient.

— Ce n'était pas très gentil de lui rappeler son passage en prison, plaida Émilie.

— Elle a tout de même gardé l'argent de l'homme qu'on l'accusait d'avoir poussé à se tuer ! répliqua l'écrivain.

Ils avisèrent le célèbre musicien. La ressemblance physique entre les deux hommes était frappante. Maigre, doté d'un long nez, Rameau était le vivant portrait de Voltaire, en plus grand, avec le même goût pour les vêtements à la mode de la Régence, c'est-à-dire qu'ils s'habillaient l'un et l'autre avec dix ans de retard.

— Quelle tige ! murmura Voltaire. C'est dommage, il aurait assez bonne mine s'il avait poussé moins haut.

Rameau était connu pour être brillant et aussi pour en avoir pleinement conscience. Il était imbu de son intelligence et de son savoir. Mme de Tencin l'invitait pour le voir remettre les pédants à sa place ; peu de gens étaient assez vifs, cultivés et dépourvus de scrupules pour lui procurer ce plaisir avec une régularité de métronome.

Émilie le jugeait odieux, Voltaire, pesant. Il prit néanmoins sur lui de le flatter, et la marquise fit mine d'approuver avec enthousiasme, dans le seul but de lui placer leur énigme musicale.

Rameau se fit montrer le document. Intrigué, il joua sur le clavecin cette suite de noires toutes bêtes.

— Cela n'est pas harmonieux.

Il réclama de quoi écrire et s'absorba dans son analyse. Comme il ne disait plus rien et que cela avait l'air parti pour durer, Voltaire et Émilie le laissèrent à ses déchiffrements.

La marquise abandonna son philosophe devant un groupe d'académiciens assis dans des bergères qui avaient tout d'un banc d'oursins sur leurs rochers.

— Oh ! Mais regardez qui est là ! dit l'un d'eux.

— Vous êtes en avance pour vos visites, dit un autre. Aucun d'entre nous n'est mort, cette année.

— Cela ne fait rien, j'attendrai, répondit Voltaire.

La moutarde leur monta au nez. On n'entrait pas à l'Académie pour se faire oindre de piment, mais de pommade.

— Mesurez vos paroles, Voltaire ! C'est la fine fleur des arts et des lettres qui se réunit ici !

— Je suis ravi de l'apprendre, répondit l'écrivain. Quel jour faut-il venir pour les y voir ?

Il s'éloigna sans attendre de réponse, un coup de tasse de thé est vite donné.

Un peu plus tard, une dame qui se présenta comme une intime de Mme du Châtelet lui glissa en confidence :

— Empêchez Émilie de toucher une carte à jouer.

— Pourquoi ? Elle a une allergie au papier verni ?

On lui répliqua qu'il était inutile de feindre : il savait bien de quoi l'on voulait parler et, s'il l'ignorait, il s'exposait à faire de pénibles découvertes.

Voltaire s'attendait aux médisances – le monde est si cruel –, mais l'informatrice l'avait tout de même inquiété. Il se mit en quête d'Émilie. Elle était au buffet, où elle tâchait de saisir des beignets recouverts de sucre glace.

— Il paraît qu'il faut vous faire promettre de ne pas jouer aux cartes, dit-il en lui tendant une assiette.

La marquise avala ce qu'elle avait en bouche.

— Oh ! c'est une méchanceté qui court sur mon compte. Je vous le promets volontiers, cela ne me coûtera guère.

Rameau n'avait toujours pas fini ses devoirs et l'ambiance était morose. Voltaire reprocha à la marquise de l'avoir conduit en un lieu où tout le monde lui faisait mauvais accueil.

— C'est parce que vous êtes grincheux, répondit-elle avec gaieté. Moi, tout le monde m'adore ! Tenez : prêtez-moi votre bourse, je vais vous faire adorer aussi.

Elle disparut dans un réduit où diverses personnes entouraient une table couverte d'un tapis. À son entrée, quelqu'un cria :

— Champagne !

Voltaire aurait bien voulu aller voir ce que c'était que ce petit comité, mais il fut retenu par une de ses connaissances qui s'enquit de ses derniers écrits, une conversation à laquelle aucun écrivain ne saurait résister. L'attrait hypnotique de la littérature dura environ une demi-heure, jusqu'à ce que son interlocuteur se mette à évoquer ses propres productions, ramenant brusquement Voltaire aux pénibles réalités de ce monde.

Il partit en quête de sa marquise et la trouva accrochée au fameux tapis, sur lequel elle lançait trois dés en priant saint Léonard de lui accorder la chance, ce qui, de la part d'une agnostique, n'était pas bon signe. Le secrétaire de Mme de Tencin tenait la banque au nom de sa maîtresse : les pertes des invités payaient les gâteaux et la chandelle. Au vu de ce que misait Émilie, on allait pouvoir servir du foie gras la prochaine fois. Voltaire comprit d'où venait ce que la marquise appelait sa « popularité ». Elle n'avait aucune mesure et perdait des sommes folles. Il lui arracha les dés et l'enleva à ce réduit de perdition.

— Lâchez-moi ou je jette votre perruque par la fenêtre ! lui souffla-t-elle comme une alcoolique assoiffée.

Par bonheur, Rameau avait déchiffré le message. La valeur de chaque note de musique correspondait à une lettre de l'alphabet, de un à vingt-six. On le pria d'en livrer la signification.

— Eh bien, si la partition est en *do* majeur, on devra lire : « Tuez la baronne. » Si c'est en *si* bémol, il faut lire : « Zata xo tapilaud. » En *ré* mineur, on lira : « Bowu na rigoturm. »

On s'en tint à la première hypothèse.

Ils laissèrent Rameau et s'en furent prendre congé de leur hôtesse.

— Mon cher Voltaire, répondit Mme de Tencin, vous avez eu l'effronterie de venir sans être invité, vous n'aurez pas celle de partir avant tout le monde.

Il comprit qu'elle ne voudrait pas le lâcher avant qu'il n'eût été verbalement étrillé par les académiciens, qui méditaient leur coup en le foudroyant d'un œil mauvais depuis l'autre bout du salon. À défaut de se mettre d'accord pour lui accorder un fauteuil, ils l'étaient pour lui appliquer la bastonnade, au propre comme au figuré.

— Connaissez-vous la nouvelle ? dit un monsieur que l'écrivain ne connaissait pas. Voltaire est à l'article de la mort !

Mme de Tencin afficha son premier vrai sourire de la soirée.

— Dites-le-lui en personne, répondit-elle en désignant l'intéressé. Vous seriez donc mort, cher ami ?

— Je suis mourant par intermittence, répondit Voltaire.

Il demanda qui se permettait de répandre une information qui lui semblait très anticipée. On lui désigna un provincial vêtu d'un habit neuf, coiffé d'une perruque du dernier cri. Voltaire reconnut le marquis de Lézeau, son emprunteur normand, mais un Lézeau beaucoup mieux mis qu'à leur première rencontre. Il s'inquiéta de le croiser dans un salon où l'on jouait des fortunes, alors que son client aurait dû être dans son parlement de Normandie, occupé à gagner de quoi lui verser ses dix pour cent. Le monsieur qui venait de lui annoncer son propre décès connaissait un peu le propagateur de fausses nouvelles. Si Lézeau était venu emprunter dans la capitale, c'était parce qu'il ne pouvait le faire à Rouen.

— Et pourquoi donc? s'enquit le prêteur.

— Dame! Un homme qui a déjà hypothéqué tout son bien!

Un affreux pressentiment s'empara du philosophe.

— Mais il a des rentrées?

— Il en aurait s'il ne les perdait pas au jeu avant de les avoir touchées!

Il fallut appeler à l'aide : Voltaire se sentait mal.

— Ce sont ses intermittences qui le reprennent, dit Mme de Tencin qui, décidément, passait une bonne soirée.

Le bénéficiaire du prêt se déclara fort surpris de constater que le mort bougeait encore, et même qu'il venait agoniser dans les salons à la mode. La vue de son banquier, que deux valets emmenaient en le tenant par les pieds et par les bras, le rassura cependant sur l'avenir de ses traites.

Émilie rejoignit Voltaire dans le vestibule. On l'avait assis sur une banquette, on lui avait passé un linge humide sur la figure, il était parvenu à avaler deux doigts de liqueur et s'était suffisamment remis pour monter en voiture.

Alors que leur carrosse quittait la rue Saint-Honoré, la marquise fit un compte peu optimiste de leur situation.

— Tout ce que nous avons appris, c'est que l'assassin qui rôde autour de vous connaît la musique, alors que nous, non. Nous savons maintenant que nous vivons dans les dangers, mais nous ignorons d'où ils viennent! Le beau progrès!

Il lui objecta que la connaissance des périls est le premier pas nécessaire vers la sauvegarde.

CHAPITRE SEPTIÈME
Effets comparés des courses effrénées et des bains de minuit.

LA voiture de Mme du Châtelet avançait au pas tranquille de ses deux chevaux. À cette heure tardive, son cocher somnolait à moitié sur son siège. Assis face à face à l'intérieur, Émilie et Voltaire discutaient des derniers événements. La marquise leva la main.

— Entendez-vous ?

Voltaire tendit l'oreille et perçut un son lointain, étrange, qui se rapprochait. Douze notes formaient une mélopée sans queue ni tête, mais répétitive. Émilie mit le nez à la fenêtre au moment où ils passaient à la hauteur du bruit. Elle aperçut douze petites plaques argentées suspendues à une poutre. Elle crut d'abord que c'était le vent qui les faisait tinter, mais les notes étaient toujours égrenées dans le même ordre, aussi supposa-t-elle qu'une main les frappait à tour de rôle à l'aide d'un petit marteau.

— Voilà un carillon qui a besoin d'être accordé, dit-elle en reprenant sa place sur la banquette.

Voltaire ne disait rien. Il venait de se souvenir à quelle occasion il avait entendu ce genre de mélodie. L'appréhension le paralysait.

Il y eut presque aussitôt un choc, puis un « han ! » violent, suivi du bruit mat d'une chute. Alors qu'ils s'apprêtaient à s'informer de ce que c'était, ils furent jetés en arrière sur la banquette. Le cocher venait de lancer ses animaux au galop. Émilie parvint à se redresser et passa la tête par la fenêtre pour admonester le malotru.

— Picard ! Es-tu fou ? Veux-tu nous tuer ?

Elle ne reconnut pas la livrée de Picard. Celui qui menait ses chevaux était tout en noir. Il se tourna vers elle. Elle entrevit, à la lueur de la lune, une face grimaçante aux yeux égarés. Elle se laissa tomber sur son siège, blafarde.

— Ce n'est pas Picard !

La voiture roulait de plus en plus vite à travers la ville déserte. L'heure tardive et le froid hivernal avaient vidé les rues. Deux pauvres victimes couraient seules à leur perte dans un carrosse happé par une bouche de l'enfer.

— Nous sommes faits comme des harengs dans un tonneau ! dit Voltaire.

— Assommez le pousse-cul ! ordonna Émilie.

Voltaire la contempla avec des yeux ronds. Elle devait le prendre pour quelqu'un d'autre. En fait d'aller « assommer le pousse-cul », il était déjà fort occupé à coincer sa perruque d'une main et à se tenir à la cloison de l'autre.

On passa devant la colonnade du Louvre, on obliqua vers la Seine. Alors qu'on approchait de la berge qui descendait en pente douce vers le fleuve, leur ravisseur sauta de son siège.

La voiture folle dévala la piste boueuse. Emportés par leur élan, les quadrupèdes entrèrent dans l'eau. Le courant hivernal renversa immédiatement le carrosse, les harnais se rompirent, et chacun s'en fut de son côté, les animaux vers la terre ferme, l'épave, lentement, vers la mer. L'eau qui s'engouffra à l'intérieur était glaciale. Les naufragés n'avaient aucune chance d'en réchapper. Leurs deux têtes affleurèrent à la surface. Ils étaient empêtrés dans leurs vêtements alourdis, dont le poids ne tarderait pas à les entraîner par le fond.

Tout en cherchant à quoi se raccrocher, Émilie ne put s'empêcher de calculer la masse de sa robe mouillée, la poussée d'Archimède, la vitesse de refroidissement d'un corps depuis sa température naturelle. Ces calculs, mieux à leur place dans une communication à l'Institut, eurent le mérite de l'empêcher de perdre le nord.

— Rappelez-moi la racine carrée de vingt-huit ! cria-t-elle à Voltaire.

Ce dernier se débattait des pieds et des mains avec l'espoir de conserver au monde un esprit irremplaçable. Un câble atterrit sur sa perruque. Un cocher de fiacre qui passait par là avait eu la charité de s'arrêter pour leur lancer ce filin depuis la rive. Autant dire qu'il les attrapa au lasso, comme des taureaux dans un élevage. Des bateliers qui dormaient dans leurs barques accoururent et une petite foule se rassembla.

Une fois qu'il les eut tirés sur la berge boueuse, leur sauveur les hissa dans son véhicule comme deux paquets de linge au retour du lavoir et les ramena rue Traversière aussi vite que son cheval pouvait aller.

À l'hôtel du Châtelet, les serviteurs poussèrent des exclamations horrifiées. Avec sa robe trempée qui lui collait au corps, Madame ressemblait à une chenille géante et gluante. Comme on se précipitait pour les secourir, ses premiers mots furent :

— Une si belle robe !

On emporta Madame dans ses appartements. Voltaire fut conduit dans une alcôve où l'on avait préparé du feu en prévision d'un retour moins cataclysmique.

Les survivants du naufrage s'y réunirent au bout d'une demi-heure, rhabillés de sec, frictionnés, pour boire un chocolat devant la cheminée. Le rescapé portait les vêtements du marquis, dont les manches lui tombaient sur les mains et dont les culottes de velours lui descendaient aux chevilles. Il ne suffisait pas d'avoir été noyé, il fallait encore être ridicule.

Il se souvint qu'il n'était pas sorti du fleuve par ses propres moyens et voulut récompenser le brave homme. On lui répondit que celui-ci s'en était allé sans rien réclamer. Le philosophe en conclut qu'ils avaient été arrachés à une mort certaine par quelque incarnation de la divine Providence qui trouvait sa satisfaction dans l'accomplissement du bien.

De son côté, Émilie s'inquiéta de son cocher. On lui apprit que Picard était rentré fort mal en point, blessé à la tête et l'épaule démise. La marquise ordonna d'aller chercher un chirurgien pour lui donner des soins.

— Madame veut-elle aussi qu'on prévienne la force ? demanda son intendant.

Les émules de Moïse sauvé du Nil repoussèrent cette idée avec vigueur. Ils avaient assez souffert, ce soir, pour n'avoir pas à supporter, au surplus, les questions d'une police acharnée à les tourmenter.

Une chose intriguait Voltaire : comment l'homme au fiacre avait-il su à quelle adresse les conduire ?

Émilie balaya cette interrogation : elle était très connue dans Paris.

— La célébrité n'a pas que des désagréments, savez-vous. Tout le monde n'est pas aussi décrié que vous.

L'écrivain était trop perclus pour riposter. Il voulut bien croire que la marquise jouissait d'une grande renommée chez les conducteurs de fiacres ; après tout, il était, pour sa part, très apprécié des marchands de clystères.

Bien que dotée d'une bonne mémoire, Émilie ne s'était jamais beaucoup intéressée au solfège. Elle joua les douze notes au clavecin pour vérifier qu'elle se les rappelait bien, puis réclama la gouvernante de ses enfants, qui leur enseignait les rudiments de la musique.

La gouvernante parut en robe de nuit, un châle en tricot sur les épaules. On lui fit noter ce que sa maîtresse interprétait. Il ne leur restait plus qu'à déchiffrer le message de la manière indiquée par Rameau.

Le texte était dépourvu d'ambiguïté. « Tuez Voltaire », avait-on joué dans Paris ce soir-là.

— Quel soulagement ! s'exclama Émilie.

Elle avait craint d'être visée.

LE lendemain matin, ils se rendirent chez Mme de Fontaine-Martel à pied – la marquise n'avait plus de carrosse et leur confiance dans les voitures de louage était fort émoussée. Malgré la brièveté du trajet, ils se firent escorter par de solides serviteurs.

Voltaire avait dû retrousser les manches et la culotte empruntées à M. du Châtelet. Fâché de n'être pas si propret qu'à son ordinaire, il ne cessa de pester intérieurement contre cette drôle d'idée qu'avaient les femmes d'épouser des hommes de haute taille.

La proximité d'un assassin pervers renforçait leur détermination à résoudre l'énigme posée par le meurtre de la baronne. Alors qu'ils longeaient le Palais-Royal, Émilie récapitula leur situation :

— Nous devons trouver qui l'a empoisonnée…

— Pauvre Fontaine-Martel ! gémit Voltaire.

— … qui l'a poignardée, qui l'a étouffée…

— Pauvre Fontaine-Martel !

— … et qui s'en prend à vous.

— Pauvre de moi !

Mlle de Grandchamp avait eu la gentillesse de faire allumer du feu dans le cabinet de curiosités. Comme c'était à ce moment la pièce la plus chaude de la maison, la lectrice demanda la permission de faire sécher un peu de linge devant la cheminée, ce qu'ils acceptèrent de bon gré.

Un instant plus tard, Voltaire, éberlué, contemplait un lot d'articles de toilette qu'une demoiselle n'était pas censée exposer à la vue d'un célibataire. Victorine portait sous ses robes un déluge de dentelles et de rubans, signes d'une nature plus passionnée qu'il n'y paraissait.

— Cette petite vous jette ses culottes à la figure, remarqua Émilie.

C'est alors qu'ils virent une suite de lettres sans signification inscrites sur le trumeau. Elles avaient dû être tracées avec un doigt gras ; la vapeur d'eau qui se déposait tout autour sur la vitre froide révélait leur présence. On pouvait lire : E LD KJIIM HL GLIBTM LT UCLS.

— Un dernier poulet[1] de la baronne ! s'écria Voltaire.

— Vous pouvez remercier le dieu des petites culottes, dit Émilie.

Cela avait tout l'air d'un poulet d'outre-tombe. Ils le copièrent sur un bout de papier pour l'examiner après qu'il aurait disparu. Ces lettres n'avaient aucun sens. Voltaire devina qu'il y avait derrière ce charabia une phrase chiffrée.

Ils avaient besoin, pour le décrypter, de spécialistes, de savants habitués à résoudre des énigmes. L'écrivain pensait n'avoir que l'embarras du choix :

— J'en ai assez qui m'aiment !

Il apparut que non. On énuméra les candidats possibles. Il y avait ceux qui ne voudraient pas rendre service à Voltaire et ceux dont Voltaire ne souhaitait pas devenir l'obligé.

— J'irai voir ceux à qui j'ai prêté de l'argent ! déclara-t-il, conscient que la richesse, souvent, ouvre plus grandes les portes que ne le fait le mérite.

Il courut au Louvre, où siégeait l'Académie des sciences.

DÉSERTÉ par le roi, le Louvre était une sorte de gros immeuble d'habitation destiné au logement des artistes bien en cour. Voltaire détestait cet enchevêtrement de constructions hétéroclites à l'extérieur, ce découpage anarchique d'appartements privés à l'intérieur.

Il avisa dans le corridor une poignée de savants dont deux au moins étaient en affaire avec lui. Il brandit son papier, se déclara leur banquier et pria ses débiteurs de bien vouloir déchiffrer le message.

L'un des hommes de science assura qu'il s'agissait de sumérien, langue qu'on ne savait pas encore traduire. Un autre prétendit que c'était une transcription de l'arabe, où l'on n'écrit pas les voyelles. Après avoir retourné la suite dans tous les sens, un autre y vit l'annonce du retour de la comète. Ils se lassèrent bientôt et abandonnèrent l'énigme.

Le plus intrigué du lot était un ancien diplomate. Il attendit le départ de ses confrères, y regarda de plus près et laissa échapper une exclamation.

1. Un dernier billet.

— Mais c'est le chiffre d'Istanbul !

Il regretta aussitôt d'en avoir trop dit et jeta un coup d'œil circulaire pour vérifier qu'il n'avait alerté personne.

L'ancien diplomate rappela au propagateur de codes administratifs que ceux qui répandaient la correspondance de l'État dans des galeries pleines de monde s'exposaient à finir leurs jours très petitement logés. Ce n'était pas le savant qui parlait, c'était l'ambassadeur.

Voltaire était habitué à s'entendre menacer du cachot. Pour accomplir tous les séjours en forteresse qu'on lui avait promis, il lui aurait fallu plusieurs vies ou engager du monde.

— Ainsi donc, monsieur, vous connaissez le moyen de déchiffrer ce texte ? Vous allez pouvoir m'en donner la clé !

— Jamais. L'homme qui vous donnerait satisfaction commettrait un attentat contre la sûreté de notre pays. Je vous engage à détruire ce papier et à oublier que vous l'avez jamais tenu entre vos mains, auxquelles, de toute évidence, il n'était pas destiné.

Comme Voltaire insistait pour connaître au moins l'origine de ce qualificatif d'« Istanbul », l'ancien représentant de la couronne l'engagea à se rendre en personne dans cette ville, d'y mener son enquête et, même, d'y rester.

Le cachottier parti, Voltaire chercha quelles étaient ses relations au sein du corps diplomatique. On lui avait parlé d'Istanbul tout récemment... Qui était-ce ?

La mémoire lui revint. Il sut à qui il allait s'adresser.

De son côté, Émilie s'était attelée au décodage. Elle procéda par recoupements successifs, s'arma de statistiques lexicales contenues dans le *Dictionnaire de l'Académie* et se livra à des calculs de probabilités sur les récurrences des consonnes et voyelles dans la langue française. Cela lui permit de faire tomber quelques pans du message. Ces doubles I, par exemple, avaient de grandes chances d'être des doubles N, des doubles L ou des doubles T. Devant un redoublement, il fallait obligatoirement une voyelle. Ces L, qui revenaient si souvent, devaient être des E ou des A, les lettres les plus utilisées en français. Elle supposa que le message était écrit à la première personne. Le E du début pouvait donc se changer en J, ce qui donnait AI pour les deux lettres suivantes : « J'ai ». Petit à petit, elle démaillotait le mystère comme Pénélope sa tapisserie.

TANDIS qu'Émilie triait consonnes et voyelles, Voltaire se présentait chez Mᵐᵉ Picon, vicomtesse d'Andrezel, veuve d'un ambassadeur. Françoise-Thérèse avait passé sa vie à regarder son mari aller administrer des provinces de plus en plus lointaines : l'Alsace, le Roussillon, nos armées en Espagne et, pour finir, notre représentation à Constantinople, où l'exotisme suprême d'une maladie inconnue en France l'avait définitivement ravi à l'affection des siens.

La sœur de la vicomtesse avait elle aussi épousé un Picon, qui n'était pas un brillant diplomate de la couronne mais un simple capitaine. Le peu de fortune de M. Picon de Grandchamp était pour ses deux fils. Quant à sa fille, elle était devenue demoiselle de compagnie chez Mᵐᵉ de Fontaine-Martel.

Le prétexte de la visite était précisément de parler de l'avenir de cette demoiselle, que Voltaire qualifia de « si intéressante personne ». Il se fit confirmer au passage que feu le vicomte d'Andrezel avait représenté les intérêts de la France près la Grande Porte juste avant son décès. Il n'eut pas grand mal à se faire retracer le magnifique parcours du mari à travers bureaux, conseils et charges publiques. Il proposa de composer une notice biographique susceptible d'être imprimée et répandue à grande échelle. Il lui fallait du matériel, c'est-à-dire les papiers du défunt.

La vicomtesse hésita. Deux ou trois flatteries ouvrirent à l'écrivain la porte du cabinet particulier de Son Excellence, où l'on crut devoir l'ensevelir sous une montagne de documents déjà bien poussiéreux.

À force de tout remuer, Voltaire trouva un petit aide-mémoire dissimulé dans la doublure du sous-main de monsieur l'ambassadeur. Il venait de rendre un fier service à la couronne. Sans lui, ce code aurait pu tomber en de mauvaises mains. Dieu sait ce qu'un esprit malintentionné aurait pu tirer de cette grille. Le mot clé dont s'aidait Son Excellence pour décoder son courrier secret était « loukoum ».

DE retour rue des Bons-Enfants, Voltaire rejoignit la marquise dans le cabinet de curiosités et brandit la clé du code.

Émilie brandit, quant à elle, le texte décrypté.

— J'ai donné ma langue au chat, annonça-t-elle.

— Mais, grâce à ceci, nous allons savoir ce que c'est !

— Non, reprit Émilie. « J'ai donné ma langue au chat. » Tel est le sens du message !

Elle lui expliqua comment elle avait cherché des récurrences et les avait comparées à celles de la langue française. Elle lui montra la grille qu'elle s'était offert le luxe de reconstituer, et dont la clé de chiffrement était le mot « loukoum ».

— Et vous avez fait cela dans la journée ? s'étonna Voltaire. Vous avez cassé un code fait pour résister aux esprits les plus fins ?

— Aux plus fins esprits masculins, peut-être, mais non à celui d'une femme.

Le regard que Voltaire posait sur elle commença à changer. Se pouvait-il que sous ces dehors de charmante marquise se cachât un cerveau supérieur ?

Ils savaient où était la langue ; restait à trouver le chat.

Voltaire ne tarda pas à se décourager. Cette inscription enfantine était un jeu de gamin, une plaisanterie. Qui penserait à rien écrire de sérieux sur un miroir, avec son doigt ?

Émilie était d'un avis opposé. Il n'y avait pas d'enfant dans la maison, l'inscription était trop haute pour avoir été tracée par l'un d'eux, et les sentences les plus anodines peuvent avoir les implications les plus terribles.

Émilie finit par débusquer une statuette égyptienne en bois, d'une coudée de haut, qui représentait un félin à la tête vaguement triangulaire. En frappant de l'ongle, elle constata que l'objet sonnait creux. Elle le retourna et découvrit, à l'emplacement d'un orifice que l'on ne mentionne jamais chez les gens bien élevés, un trou oblong dans lequel une main facétieuse avait enfoncé un feuillet enroulé sur lui-même. Émilie lut à haute voix :

— « Conformément à ma promesse de pourvoir à l'établissement de celle qui fut l'unique rayon de soleil de mes vieux jours, qui soulagea les mille petits maux d'une femme d'âge, et que je n'ai jamais regretté d'avoir attachée à ma personne, je lègue l'ensemble de mes biens, terres, domaines, propriétés, rentes et fermages, ma maison de Paris avec son mobilier, enfin tout ce qui se trouvera m'appartenir au jour de mon décès, à ma chère Victorine Picon de Grandchamp, pour la remercier de ses bons et fidèles services. Dans ce but, je déshérite par la présente tout parent, enfant, collatéral, ascendant ou descendant qui prétendrait contester mes dernières volontés. Je remets à ma bonne Victorine de Grandchamp la charge de récompenser à sa convenance ceux qui m'ont entourée de leurs soins et de leur affection jusqu'à mes derniers instants. Libre à elle de répartir telle part de mes biens qu'elle estimera juste entre mes amis les plus proches, pour les faire souvenir de moi quand je n'y serai plus. Le présent testament annule et remplace toutes mes dispositions antérieures. Fait en mon hôtel près le Palais-Royal, ce 10 janvier de l'année 1733, et signé par moi, Antoinette-Madeleine Desbordeaux, veuve de Fontaine-Martel. »

S'ils étaient contents et fiers d'avoir trouvé, il ne leur échappa nullement qu'ils tenaient une bombe entre leurs mains. Ils tombèrent d'accord sur la nécessité de garder ce document secret jusqu'à plus ample informé.

Une sorte de coassement étouffé attira leur attention vers la porte du couloir. La servante debout dans l'encadrement annonça en bredouillant que Mademoiselle l'avait envoyée voir si on avait besoin de quelque chose. Puis elle s'évanouit sur le plancher avec fracas.

Penché sur cette malheureuse, Voltaire réclama un cordial.

La brûlure de l'alcool lui rendit à peu près ses esprits. Elle ouvrit les yeux et son regard se posa sur Mlle de Grandchamp, qui l'éventait à l'aide d'un mouchoir de batiste.

— C'est vous ! C'est vous ! glapit la servante.

L'intéressée la contempla à son tour sans comprendre.

— C'est vous l'héritière ! parvint à articuler la moribonde.

Voltaire et Émilie lâchèrent la servante et entraînèrent Victorine à part, pour lui annoncer la bonne nouvelle et lui montrer le testament. Ils en profitèrent pour lui faire jurer le secret, ce qu'elle accepta volontiers, toute au choc de ces révélations.

À peine sortie de la pièce, elle tomba sur le personnel massé dans le couloir.

— C'est moi ! s'écria-t-elle, le visage aussi illuminé qu'un gagnant de la loterie de Saint-Sulpice.

Elle leur développa les dernières volontés de la baronne dans tous les détails. Aucune subtilité du testament ne lui avait échappé : elle était en charge des bonnes actions, il y aurait de l'argent pour tout le monde, ils étaient riches. La joie éclata, du corridor à l'escalier.

Voltaire et Émilie prévirent des soucis. Ces réjouissances ne feraient pas les affaires de tout le monde. Il allait y avoir de l'orage chez les héritières déçues.

La marquise se retira. Cette jubilation générale la fatiguait, elle se rappela qu'elle attendait un enfant et qu'elle devait se reposer. Elle laissa Voltaire profiter seul du bruit des libations. On fit un sort à quelques bonnes bouteilles de la baronne, qu'on ne s'était guère attendu à découvrir si généreuse une fois enterrée, après qu'elle l'avait si peu été quand elle tenait sur ses deux pieds.

À bien le considérer, Voltaire aurait dû s'en féliciter. L'article sur « les amis proches » le concernait au premier chef. Mlle de Grand-champ n'oublia pas de lui en toucher un mot censé le dérider :

— Soyez rassuré, cher artisan de mon bonheur : tant que je serai la propriétaire de ces murs, vous y trouverez l'asile que mérite un penseur tel que vous.

Voltaire ne fut pas dupe. Sous le compliment un peu déplacé perçait la menace d'expulsion au cas où le « mérite » du « penseur » eût soudain baissé. Autrement dit, on le priait de filer doux s'il voulait conserver le gîte et le couvert.

La petite Victorine qui lisait des fables à sa maîtresse le soir au coin du feu se révélait moins niaise qu'il ne l'avait crue. Une rente de quarante mille livres avait-elle le pouvoir de changer une délicieuse demoiselle en un mélange d'Harpagon et de Machiavel ?

CHAPITRE HUITIÈME

Où il n'est question que de saintes, d'anges et de papillons.

L A porte du petit hôtel de Fontaine-Martel s'ouvrit avec fracas devant l'orpheline inconsolable, qui investit la maison comme une tornade. La rapidité avec laquelle Mme d'Estaing avait été avertie de la trouvaille confirma que ces murs avaient des oreilles.

— Vous tenez quelque chose ! s'écria-t-elle. Qu'est-ce que c'est ? Je veux savoir ! Ne me cachez rien ! Vous mentez !

Dans le sillage du cyclone marchait l'homme de loi rondouillard qu'elle avait déjà traîné à sa suite la première fois. Au premier éclat de voix, les servantes calfeutrèrent Mlle de Grandchamp dans sa chambre de façon à la rendre invisible.

Voltaire tira de son portefeuille le papier qu'on réclamait et le montra à la déesse des vents et des orages.

Son inquiétude se mua en une profonde perplexité. Elle s'était attendue de longue date à se voir privée des biens de sa mère. Leurs rapports, difficiles depuis toujours, s'étaient distendus au fil des ans. En revanche, elle n'avait pas imaginé un instant que les propriétés pussent tomber dans le giron d'une étrangère.

— Je me méfiais d'une autre sorte de péronnelle…, dit Mme d'Estaing.

— Mlle de Clère va être bien déçue, elle aussi, traduisit Voltaire.

D'une voix bien trop douce pour n'être pas inquiétante, la comtesse demanda où se trouvait « le petit serpent rouquin ». Les domestiques répondirent que la lectrice était sortie annoncer à sa tante cette heureuse conclusion. Ils faisaient corps autour de leur bienfaitrice, prêts à protéger leurs futurs legs d'un rempart vivant s'il en était besoin.

La comtesse donna un coup sec sur le bras de son avoué.

— Dites quelque chose, vous !

Selon lui, la contestation s'annonçait ardue. Me Momet se chargerait de l'expertise légale en sa qualité de notaire ordinaire de la défunte. Si la signature était authentique, on pourrait toujours intenter une action en détournement d'héritage, ou faire déclarer la testatrice irresponsable à titre posthume. Cependant, les Picon n'étaient pas n'importe quelle famille, ils comptaient nombre de hauts fonctionnaires qui possédaient des appuis dans la robe et à la Cour, ils sauraient faire valoir les droits de leur parente sur cette manne providentielle. On obtiendrait, au mieux, un accommodement, en les menaçant d'une procédure coûteuse qui pouvait durer dix ans.

Après qu'on lui eut prédit son avenir juridique, Mme d'Estaing émit deux ou trois grognements, signe qu'elle réfléchissait, puis elle empoigna son conseil par la manche et quitta la maison pour conférer de ses projets en des lieux plus sûrs.

Voltaire resta seul avec ses pensées. La question de l'héritage réglée, un dernier détail subsistait : qui avait tué sa baronne ? Il importait de débusquer l'assassin et de faire plaisir au lieutenant Hérault.

Les trois héritières présomptives étaient suspectes, et, parmi celles-ci, la plus jeune lui était presque inconnue. Qui était cette demoiselle de Clère ? Que faisait-elle de ses journées ? Pouvait-elle avoir trempé dans le meurtre ?

Trois héritières en puissance, cela voulait dire trois suspectes, donc trois enquêtes de moralité à conduire simultanément et le plus vite possible : la première autour de Mlle de Clère, dont on savait trois fois rien, la deuxième sur Mme d'Estaing, dont on savait davantage qu'on ne l'aurait voulu.

— Je choisis la jeune fille ! s'empressa de déclarer Voltaire.

Il laissait la surveillance de l'illuminée à ceux que les fantaisies jansénistes ne rebutaient pas.

Émilie accepta de filer Mme d'Estaing dans ses bonnes œuvres. Cette dame irait sûrement dans des lieux où une femme de bon ton pouvait se montrer. Quant à Voltaire, suivre une gamine quand on a quarante ans présentait certains périls qu'il ne mesurait pas.

Linant se chargea de la petite chanceuse rouquine, une tâche qu'on s'accordait à considérer comme sans danger ni surprises.

ÉMILIE savait que les indiscrétions les plus sûres s'obtiennent auprès des domestiques. Elle commença par faire porter deux écus à l'une des bonnes de Mme d'Estaing, afin d'être avisée du programme et des horaires de sa maîtresse. Il apparut que l'enquêtrice allait devoir se divertir d'une messe et d'une visite aux malheureux des hôpitaux, et que ces plaisirs commenceraient dès prime, c'est-à-dire à l'aube.

Elle se rendit donc chez la comtesse avant le lever du jour et patienta dans sa voiture, tout juste sèche de son immersion dans la Seine, jusqu'à l'apparition de la dévote.

Avec la messe de Mme d'Estaing, on était loin des frous-frous d'un dimanche à Versailles. La comtesse disparut dans une petite église terne et retirée, presque un lieu caché, un recoin pour initiés. Aurait-on dit à Émilie qu'on s'y réunissait pour trafiquer du sel de contrebande, elle l'aurait cru sans hésitation.

Elle pénétra à regret dans cette sombre chapelle où tout respirait l'austérité la plus sinistre, autant dire un trou peuplé de chauves-souris humaines. On devait s'amuser davantage dans les cryptes romaines où les premiers chrétiens célébraient leur culte en cachette de la chiourme païenne qui les traquait pour les livrer aux lions. Les compagnons de la comtesse montraient une dévotion acharnée et anxieuse, comme si les fauves des arènes les avaient guettés à deux pas de la porte.

Il ne fallut pas longtemps à Émilie pour comprendre que les accusations du philosophe n'étaient pas sans fondement. C'était bien à une messe janséniste qu'on l'avait menée, sous un Christ dont les bras à la verticale exprimaient l'idée que les élus seraient très peu nombreux. Si le culte catholique était ennuyeux par nature pour ceux qui ne croyaient pas à la présence réelle, celui que pratiquaient les admirateurs de Jansenius était une épreuve. Dans son sermon, le curé dressa une liste de mécréants voués aux flammes éternelles : les philistins, les sodomites, les adultères, les athées, les ministres du roi qui soutenaient la répression de la vraie foi. Quand il se mit à citer des noms, la marquise constata que celui de Voltaire suscitait des signes de croix nerveux.

Ce fut sentencieux, moralisateur et surtout interminable. La marquise eut l'impression d'être un démon coincé au milieu d'un exorcisme. Elle n'aurait pas hésité à plonger dans les entrailles brûlantes de la terre pour mettre fin à ce supplice. Si le diable était aussi cultivé que Voltaire, sa conversation devait être préférable aux litanies endurées dans ce saint lieu.

Mme d'Estaing suivait la messe en compagnie de son cocher, ce qui prouvait qu'elle n'était pas bégueule. La marquise en conclut que cette dame n'hésitait pas à enrôler ses domestiques dans sa secte ou à les y choisir. Quant à elle, si tolérante et philanthrope qu'elle fût, on ne l'aurait pas fait asseoir à côté de sa femme de chambre.

La communion terminée, on passa à la seconde partie des réjouissances : la comtesse s'en fut répandre des secours à l'hôpital. Émilie poussa un soupir de soulagement en remontant en carrosse : tout lui serait plus agréable que les rites jansénistes.

On s'arrêta rue de Sèvres, devant l'asile des Petites Maisons, établissement dédié au séjour des insensés, faibles d'esprit, vieillards séniles, enfin de tout ce qui avait été déclaré incurablement fou par l'Hôtel-Dieu. C'était un ensemble de pavillons bas disposés autour de cours. On y logeait plus de quatre cents personnes à la charge du Grand Bureau des Pauvres.

La comtesse parcourut les lieux comme Jésus dans le désert, en répandant la bonne parole et des brioches. Elle était en territoire conquis, il y avait même là quelques anciens convulsionnaires de sa chapelle, que le lieutenant de police Hérault avait fait déclarer hallucinés pour éviter à leurs familles la honte d'une réclusion à la Bastille.

Mme d'Estaing passa de fou en fou, assistée d'une religieuse qui lui décrivait les progrès de chacun. Elle aurait eu des allures de sainteté, même aux yeux de la marquise, si celle-ci n'avait su à quoi s'en tenir sur les opinions de la bienfaitrice. Son amour de l'humanité ne l'empêchait pas de souhaiter la mort des philosophes et du gouvernement dans les pires tourments prévus par le tribunal céleste.

Les déments de tout poil lui faisaient fête. Si la comtesse n'était pas aimée dans les salons, elle l'était dans les asiles. Les pauvres lui baisaient les mains, les démunis la portaient aux nues. Il était difficile de soupçonner une personne si occupée de piété et de bonnes œuvres d'avoir empoisonné, poignardé ou étouffé sa propre mère.

Quand elle sortit de ses réflexions, Émilie vit qu'elle avait été repérée. La comtesse la félicita de secourir, elle aussi, les miséreux et les malades. Elle avait noté sa présence dans « notre église ». Elle la complimenta sur sa grossesse et lui offrit son bras pour continuer la promenade dans le jardin.

Ses pauvres étaient surtout des pauvres d'esprit. Entre deux galettes, elle leur distribuait des images pieuses. C'était des portraits du fondateur de sa foi, Cornélius Jansen, ou du diacre Pâris, sur la tombe de qui s'accomplissaient tant de miracles. Elle accompagnait le cadeau d'un « priez pour notre cause car nous prions pour vous » ou d'un « Dieu guérit ceux qui entrent dans Sa grâce ».

Émilie, qui n'avait pas d'images pieuses à distribuer, se crut obligée de vider sa bourse entre les mains de la bonne sœur, afin qu'on ne se demandât pas ce qu'elle faisait là.

Elle s'offrit à raccompagner Mme d'Estaing chez elle dans sa voiture. La comtesse, très satisfaite d'avoir fait une convertie, l'engagea à réitérer ces exercices au plus tôt pour le salut de son âme.

Avant de refermer la porte, la bonne qui avait instruit la marquise lui souffla discrètement :

— Revenez demain matin : on ira à l'hospice de Bicêtre.

« Un autre asile, merci bien », songea Émilie.

Sa journée du lendemain serait consacrée à entendre un opéra chanté par des sopranos à la cuisse légère et des castrats bien dodus, tous recouverts de plumes, de verroterie et de dentelles.

De son côté, Voltaire sauta dans un fiacre et se fit conduire dans la rue où habitaient les Martel de Clère.

Mlle de Clère ne tarda pas à paraître, en robe abricot et petit chapeau assorti, des mitaines blanches aux mains et une écharpe rose autour du cou. Elle était accompagnée de son précepteur, un religieux à petit collet plutôt revêche. Ils montèrent en voiture et prirent la direction de la Seine.

— Suivez ce carrosse ! cria Voltaire à son cocher.

Plusieurs fois, l'écrivain craignit de perdre sa trace.

La voiture s'arrêta devant les grilles du Jardin des Plantes. Voltaire régla sa course et se hâta vers le parc. Le voyant emboîter le pas à la demoiselle, le postillon en tira des conclusions qui n'auraient pas fait de bien à la réputation du philosophe.

Celui-ci crut d'abord qu'on menait l'adolescente au jardin zoologique pour donner du pain aux antilopes. C'était rabaisser les ambitions de la demoiselle. Elle se dirigea vers le bâtiment où les professeurs prodiguaient des leçons ouvertes au public, en français, non en latin comme dans les facultés. Mlle de Clère et son précepteur rejoignirent les visiteurs pour qui l'on détaillait les curiosités en exposition. Le maître et son élève étaient visiblement habitués de ces séances.

Marie-Françoise de Clère était une petite brune aux yeux marron en qui se devinait une grande détermination. Voltaire eut la conviction qu'elle appartenait à ce genre de personnes dont rien n'entrave les desseins ; ces femmes à qui une alchimie innée permet de renverser tous les obstacles et d'obtenir toujours ce qu'elles désirent, peut-être grâce à une absence totale de scrupules ou à un manque de compassion qui sont, dans nos sociétés complexes, un atout pour les ambitieux comme pour les criminels.

La matinée se passa entre zoologie et botanique. Lorsqu'on leur présenta le datura, plante d'Amérique dont on tire divers médicaments, Mlle de Clère répondit brillamment à toutes les questions qu'on leur posait : elle connaissait déjà. Elle aurait mieux aimé discuter de la cantharide, ce scarabée dont, apprirent-ils du professeur, on tirait un poison et un stimulant tout aussi efficaces l'un que l'autre.

Voltaire était en extase. Une jeune fille apothicaire et herboriste ! C'était l'épouse qu'il lui aurait fallu ! S'il avait appris qu'elle savait préparer un lavement et user d'un clystère, il aurait demandé sa main dans ces allées, entre les rhododendrons et les cèdres du Liban.

Il ne connaissait rien de plus séduisant qu'une belle femme intelligente et ferrée sur les matières les plus diverses. Il ne croyait pas aux anges, il croyait aux jeunes filles instruites. Il fut ravi de voir sa suspecte s'intéresser aux oignons et aux tubéreuses, promener ses doigts fins sur les tiges effilées, toucher les insectes carnivores du bout de son fusain. Il se félicita d'avoir choisi de suivre ce papillon plutôt que l'affreux scorpion noir dont avait hérité la marquise du Châtelet.

Lors de la pause, il l'entendit discuter confitures avec les autres dames. Elle expliqua que sa mère recevait des produits de leurs terres normandes, avec lesquels elle s'essayait à la conservation des fruits par cuisson et adjonction de sucre. Botanique et confiture, le tableau était charmant.

L'écrivain fit soudain un rapprochement : plantes bizarres chez le botaniste, produits toxiques chez l'entomologiste, confiture de pommes chez les Martel de Clère… Une affreuse intuition se fit jour : son papillon était vénéneux.

Il en était là de ses inquiétudes quand le précepteur, qui l'avait repéré depuis un moment, vint le prier discrètement de cesser de suivre les jeunes filles innocentes, sans quoi on n'hésiterait pas à l'envoyer s'expliquer au poste de police.

Voltaire décida que la surveillance avait assez duré, il quitta le jardin à la recherche d'un fiacre. Curieusement, le premier qui se présenta fut le même qui l'avait amené. À vrai dire, le cocher était parvenu aux mêmes conclusions que le précepteur, qui fusillait Voltaire du regard depuis l'entrée du parc :

— Monsieur me pardonnera, mais ce n'est pas très correct de tourmenter les petites filles, à l'âge qu'a Monsieur.

Satisfait de s'être fait le propagandiste des bonnes mœurs, le cocher emmena le vieux cochon, qui boudait sur sa banquette.

LES trois comploteurs se retrouvèrent chez Mme de Fontaine-Martel pour échanger leurs impressions. Linant leur fit le récit de sa journée sur les traces de la lectrice. Si les deux autres avaient eu à suivre des démons, quoique dans des genres différents, il n'avait suivi, lui, que les évolutions célestes d'un ange. Victorine était allée faire une visite, sans doute à quelque vieille parente fortunée, car elle était entrée dans un hôtel cossu de la rue de Richelieu dont la façade était ornée d'une sculpture de bois de cerf.

L'évocation plongea son auditoire dans la perplexité.

Elle y était restée un peu plus d'une heure, après quoi elle était passée chez un petit bijoutier du cul-de-sac Saint-Pierre, sûrement pour y regarder les bagues de fiançailles, plaisir bien anodin.

Voltaire se fit préciser l'adresse. C'était une échoppe discrète, située au fond d'un passage, et dont la porte était ornée d'un candélabre à sept branches.

Puis elle avait rejoint un jeune homme vêtu comme un clerc

d'étude notariale, sans doute un sien cousin, car ils s'étaient promenés bras dessus bras dessous et avaient disparu à l'intérieur d'une maison ; le bon abbé les avait attendus dans un café.

— Elle est ressortie seule, je présume, dit l'écrivain, la mine lasse, tandis que la marquise hésitait entre le rire et l'embarras.

Il avait deviné juste. Voltaire et Émilie échangèrent un regard affligé. Mlle de Grandchamp avait pris de l'avance sur les bienfaits que la vie offre à une femme mariée. La naïveté du gros abbé était consternante. L'écrivain se chargea de lui ouvrir les yeux.

— Si je vous entends bien, Victorine est d'abord allée à l'hôtel de Gesvres, où l'on joue de l'argent quelle que soit l'heure du jour ou de la nuit. Après quoi votre parangon de pureté a déposé un bijou en gage chez le Juif du cul-de-sac Saint-Pierre, ce qui signifie qu'elle a des dettes à rembourser. Puis elle a rejoint son amoureux, je n'ose dire son fiancé, car on épouse peu les demoiselles qui vous ont déjà tout accordé, comme en témoigne le fait qu'elle soit montée chez lui pour en ressortir seule.

Le gros abbé tomba des nues. Il leur demanda comment ils étaient au fait de toutes ces turpitudes. On lui répondit que c'était des choses que l'on savait quand on ne sortait pas d'un séminaire normand.

En résumé, Mme d'Estaing était une thaumaturge qui visitait les hôpitaux pour y porter la bonne parole auprès des fous, certainement les personnes les mieux habilitées à la comprendre. Victorine de Grandchamp était une sainte-nitouche qui cachait son jeu derrière ses mèches rousses. Mlle de Clère nourrissait une inquiétante passion pour les confitures et les substances néfastes, deux domaines qu'il est périlleux d'associer.

CHAPITRE NEUVIÈME

Où l'on découvre que les images projetées sur un écran sont un divertissement sans avenir.

Le jour suivant, Voltaire tâchait d'avancer la préparation de ses *Lettres philosophiques anglaises*, attendues avec tant d'impatience par l'élite du bel esprit, quand Mme du Châtelet se présenta.

Ils étaient las des saintes, des petites menteuses et des abbés idiots. Ils décidèrent de manger dehors, pour changer d'air. Comme il n'était pas question de mettre les pieds dans une auberge crasseuse et que l'on n'avait pas encore inventé d'endroit où l'on vous servît ce que vous désirez sur une nappe blanche et repassée, il s'agissait moins de dîner dehors que de dîner dans le dedans de quelqu'un d'autre. Les bonnes tables chargées de mets raffinés étaient chez les particuliers. Ils choisirent une connaissance assez intime pour les recevoir à l'improviste, dotée d'un cuisinier habile et d'un intérêt pour la philosophie, et l'on fit porter un billet ainsi rédigé :

> La marquise du Châtelet et monsieur de Voltaire
> aimeraient prendre des nouvelles du duc de Richelieu.

À cette heure-là, cela voulait dire qu'ils étaient disponibles pour déjeuner. Le valet leur rapporta au bout d'une heure leur propre message, au dos duquel on avait écrit :

> Le duc de Richelieu a bon pied, bon œil et bon appétit.
> Il vous prie de venir vous en assurer.

Émilie ajouta quelques fanfreluches à sa toilette et l'on se mit en route.

GRAND dépensier, galant notoire, Louis-François-Armand de Vignerot du Plessis, arrière-petit-neveu du célèbre ministre de Louis XIII, était un ami commun au philosophe et à la marquise ; plus exactement, il était client de l'un, à qui il avait emprunté sans le savoir par l'entremise de Dumoulin, et avait été très proche de l'autre, comme de toutes les dames de bonne mine et de mœurs élastiques qui passaient à sa portée. Mme du Châtelet le précisa quand Voltaire lui demanda de quelle façon ils avaient été liés :

— Nos maris nous épousent pour leur plaisir. Si nous voulons en avoir nous aussi, nous devons prendre des amants.

Voltaire avait prévu de payer leur repas en donnant à la compagnie un aperçu de ses *Lettres philosophiques*. C'était une monnaie dont il usait volontiers, elle était acceptée chez tous les gens instruits.

— Ainsi notre hôte sera enchanté de nous avoir chez lui.

— Ou bien on nous jettera dehors, s'inquiéta la marquise. Qu'ont-elles de si choquant, vos *Lettres* ?

— J'y défends la liberté de penser.

— Allons donc ! Vous n'avez peur de rien !

Il avait peur de tout, mais la défense de la liberté était chez lui une impulsion irrésistible :

— J'aimerais mieux mourir que de n'écrire point.

Le carrosse les déposa devant l'hôtel de brique et de pierre de la place Royale, propriété des Richelieu depuis près d'un siècle. Le maître de maison les accueillit dans son salon du premier, où quelques invités étaient déjà réunis. Les deux hommes étaient à peu près du même âge et avaient reçu la même éducation, ils s'entendaient à merveille. Voltaire appelait le duc « mon héros », monseigneur le nommait « notre génie ».

— Vous connaissez mon mari, la marquise du Châtelet…, dit l'écrivain en s'effaçant devant Émilie.

— Ma femme s'appelle Voltaire, enchaîna aussitôt celle-ci.

Le duc affichait une surprise ravie.

— Voltaire ! Cher ami ! On m'avait dit que vous étiez mort !

— Oui, mais j'ai ressuscité.

Le duc de Richelieu se tourna vers ses invités pour leur annoncer le clou de son dîner : Voltaire.

— Voltaire ? s'écria un admirateur. L'auteur de *Zaïre* ?

— Et d'*Eriphyle* ! ajouta l'écrivain.

On dîna en devisant de choses et d'autres. C'était un repas intime, on ne servit que quatre potages, six entrées, dix hors-d'œuvre, huit rôtis, six entremets et une quinzaine de desserts pour moins de vingt convives. Voltaire était toujours excellent dans ces réunions de beaux esprits. Nul n'avait plus de culture, de mémoire ni d'à-propos, surtout pour ce qui touchait à son sujet favori : la vie et l'œuvre de Voltaire.

Vint le moment d'une bonne lecture. On prit place dans les bergères, de part et d'autre de la cheminée, et le duc fit servir le moka tandis que l'on prisait ou que l'on chiquait. Le philosophe réclama son portefeuille, dont il tira une liasse de pages manuscrites.

— J'avais d'abord pensé vous montrer mon *Eriphyle*.

On s'attendit à le voir baisser sa culotte pour exhiber quelque affreux bubon.

Soucieux de récompenser leur hôte à la hauteur de sa générosité, il voulait leur donner la primeur d'une œuvre qui, dit-il, venait tout juste de recevoir l'agrément de l'Académie, à défaut d'avoir encore celui de la censure.

La lecture faite, on se dit qu'il avait raison de la diffuser avant que les censeurs ne se prononcent. La puissance de son raisonnement et la finesse de son observation étaient devenues des lames dont il lardait l'absolutisme royal, le système féodal, les préjugés et l'omnipotence de l'Église catholique.

— C'est… bouleversifiant! déclara l'un des auditeurs, qui en perdait son vocabulaire.

Émilie proposa une partie de cavagnole, au grand dam de l'auteur, qui aurait bien lu quelque chose d'autre. Ce qui le vexa le plus fut de voir ses admirateurs se jeter dans le jeu comme s'ils fuyaient un pensum. Le temps de la réflexion était passé, nulle philosophie ne pouvait concourir contre un jeu entièrement fondé sur le hasard, vrai repos pour l'intelligence de ceux qui en avaient et seul dérivatif pour ceux qui n'en avaient pas.

Il fallut patienter trois bonnes heures avant d'espérer arracher la marquise à l'enfer des jetons et de la fortune aux yeux bandés.

Ils roulaient vers la rue des Bons-Enfants, la nuit d'hiver était déjà tombée, il avait neigé. Émilie vit bien que le grand homme boudait. Revenue de ses égarements et un peu honteuse d'y avoir cédé, elle le félicita du bon accueil qu'avaient reçu ses *Lettres* dans le salon des Richelieu. Quant à lui, il était déçu. C'était des perles jetées aux cochons, il s'était attendu à des applaudissements plus fournis.

— Je ferais mieux de garder mes écrits pour moi et d'en priver le monde, mais je n'ai pas cette cruauté.

Émilie ne se sentait pas de taille à lutter contre une vanité d'auteur blessée. Mieux valait discuter de leur enquête.

Ce qui la frappait le plus, dans cette affaire de meurtre, c'était qu'on n'y rencontrait que des personnes du beau sexe. Ils recherchaient une criminelle en jupon.

Parvenus dans le quartier du Palais-Royal, où l'on tenait tant de tripots, ils aperçurent une silhouette familière qui sortait de l'hôtel de Gesvres, connu pour abriter des salons où l'on jouait et d'autres où l'on se livrait à des activités encore pires. Une fille pendue à chacun de ses bras, Beaugeney, le valet de Mme de Fontaine-Martel, avait la figure rougeaude d'un homme qui a bu.

— Moi, je ne garde pas les domestiques sans moralité, dit Émilie.

— J'ignorais que vous étiez à cheval sur les bonnes mœurs, ma chère.

— Il appartient aux subalternes de montrer le bon exemple, pour le bien de la société. On ne peut pas demander la même chose aux riches, cette cause-là est perdue depuis Saint Louis.

UNE fois arrivé chez Mme de Fontaine-Martel, Voltaire laissa la marquise se mettre au chaud et resta donner ses ordres au cocher. Il s'apprêtait à la rejoindre quand une ombre sinistre lui barra le passage. L'écrivain poussa un cri, brandit sa canne, prêt à frapper le malfrat qui oserait s'en prendre à la conscience de ce siècle. Une poigne de fer saisit le bâton et l'immobilisa aussi facilement qu'un fétu de paille.

Cette poigne était celle de René Hérault, le riant lieutenant général de police, avec sa mine de pourvoyeur de chair fraîche pour les cachots moisis de la Bastille. Le premier soulagement passé, Voltaire regretta de n'avoir pas affaire à un bandit. S'attendant à être incriminé, il se posa d'emblée en victime.

— Monsieur le lieutenant général ! Je fais appel à votre compassion ! On a essayé de me tuer !

La compassion n'était pas le sentiment qui dominait chez ce haut serviteur de la couronne.

— Vraiment ? fit celui-ci sans même lever un sourcil.

Voltaire lui résuma l'attentat qui l'avait jeté dans les eaux bourbeuses de la Seine, bien que le premier policier de Paris sût probablement l'aventure dans ses moindres détails.

— Voilà un bien grand effort pour écraser une mouche.

— Qu'allez-vous faire à l'encontre de ce barbare ? s'enquit la victime.

— Lui adresser mes félicitations. Et mon assassin à moi ? Des nouvelles ?

— C'est probablement le même homme.

— Très bien. Nous le cueillerons sur votre cadavre, cela nous fera une affaire de résolue.

Hérault avait lui aussi ses doléances. Un murmure de scandale commençait à s'élever dans le sillage des *Lettres philosophiques*, depuis l'Académie jusqu'à la place Royale. Il était temps que les autorités s'entretinssent avec leur auteur. Mimant la surprise avec un art consommé, Voltaire se défendit d'avoir rien fait de répréhensible :

— Je couche sur le papier de petites pensées sans conséquences, elles tombent sous les yeux de quelques amis, cela plaît, le public s'en empare, les répand, et voilà que les ennuis pleuvent sur moi, qui n'ai rien fait qu'écrire !

— C'est déjà trop, dit Hérault de sa voix de Pluton sur le Styx.

— Une nation qui écrit est une nation qui progresse !

La Cour eût préféré que l'on fît du surplace ; de même l'Église, les parlements et le corps des officiers de Sa Majesté dans son ensemble. Cela faisait un grand nombre de pieds pour freiner quelques rares cerveaux déterminés à avancer.

Hérault avait heureusement des préoccupations plus urgentes, comme celle de mettre des bâtons dans les roues du lieutenant civil d'Argouges, à qui il avait de plus en plus de mal à cacher les meurtres dont la noblesse, et notamment la baronne, avait été la cible. Il exigea de savoir si l'enquête discrète confiée à l'éminent penseur avait progressé. Dans la négative, c'était la lettre de cachet signée du roi qui risquait de se déplacer vers la Bastille.

Peu désireux de retourner coucher dans cette forteresse, Voltaire se vit contraint de donner du grain à moudre à ce protecteur exigeant. Il lui livra ses dernières conclusions : les principales suspectes étaient une réunion de saintes femmes, d'anges de bonté et d'amateurs de botanique.

— Qui d'entre elles est la meurtrière, à votre avis ?

Voltaire n'avait aucune raison de faire du tort aux deux plus jeunes. Son choix fut bientôt arrêté.

— Mme d'Estaing, sans aucun doute !

Hérault lui conseilla de lui en apporter la preuve au plus vite. Tandis que ce fantôme de policier s'enfonçait dans la nuit, Voltaire se demanda si sa santé n'allait pas lui imposer un voyage en terre étrangère.

De retour chez la baronne, Voltaire intercepta un cordial qu'on avait préparé pour Émilie. Le verre à la main, il rejoignit la marquise dans le petit salon et lui fit part de ses soucis. Peut-être Linant avait-il du nouveau. Où était-il ? On l'ignorait.

Interrogée, la servante qui apportait le cordial de remplacement expliqua que M. l'abbé avait été tout content de remettre la main sur certaine vilaine boîte en fer-blanc dont il s'était emparé pour disparaître dans les étages.

— Quelle vilaine boîte? demanda Voltaire.

On lui apprit que la cuisinière avait découvert un objet bizarre dont la description ressemblait fort à leur lanterne magique. Elle l'avait dénichée en vidant un placard à provisions de la cuisine.

Nos héros montèrent l'escalier et poussèrent la porte du cabinet de curiosités. Une vive lueur brillait au centre de la pièce. Surpris, Linant souffla la bougie de la lampe magique. Il expliqua qu'il avait profité de cette réapparition miraculeuse pour se projeter des images de la Bible exhumées des affaires de la baronne.

Une fois la lanterne rallumée, on constata que l'abbé avait une drôle de conception des images saintes.

— Croyez-vous que ces personnes toutes nues soient le roi David ou Abraham? demanda Voltaire. Et cette dame bien en chair qui n'a sur elle que des colliers : Bethsabée? La reine de Saba?

Émilie se dit que les hommes étaient décidément fort occupés de leurs sens. Elle aurait volontiers fait une remarque acerbe à ce sujet s'il n'avait été patent qu'elle avait eu elle-même un certain nombre de soupirants. Du moins les avait-elle tous aimés, chacun à son tour, ce qui n'était pas toujours le cas de ces messieurs, capables de se passionner pour des figures en couleur tracées sur une stupide plaque de verre. Voilà donc ce qu'était la maîtresse idéale de l'humanité mâle : une image plate et artificielle projetée sur un drap blanc, une ombre de femme aux formes parfaites, dépourvue de caractère.

Troublé, Linant voulut remplacer la scène érotique par d'autres plus innocentes. Il saisit un paquet de plaques, en enfonça plusieurs en même temps dans l'appareil et les coinça toutes. Émilie fronça le sourcil.

— Que vous êtes maladroit, mon pauvre ami! renchérit Voltaire.

La maladresse a ses coups de génie. Ils avisèrent le tableau que la lumière inscrivait à présent sur l'écran. Si la première plaque montrait un homme qui prenait le thé, si la deuxième montrait une femme qui prenait le thé, une fois réunies en une même image, ces personnes ne prenaient plus du tout le thé.

— Encore une chose que vous ne devriez pas voir! dit Voltaire à sa compagne.

Il s'interposa entre le projecteur et le mur, si bien que ce fut sur son habit qu'apparut l'image indécente. On avait l'impression qu'il avait fait couper son pourpoint dans un lot de gravures licencieuses.

— Vous voilà bien accommodé ! dit la marquise.

Chaque personnage avait été peint séparément, si bien que la scène n'était complète qu'à la condition de projeter les plaques ensemble. Dans un angle, certains éléments du décor se combinaient pour former un blason. Par une fenêtre, on apercevait la cour du Palais-Royal. Enfin, on discernait, tracée sur le sol, une suite de chiffres : 050996.

Alors qu'on s'interrogeait sur l'origine des armoiries, Voltaire se moucha. Émilie remarqua que ce mouchoir était brodé d'un emblème identique.

— Ce sont vos armes ! dit-elle.

L'enrhumé répondit qu'il n'en possédait pas, n'ayant pas la chance d'appartenir à cette élite incontestée que l'on nomme la noblesse, contrairement à ce que laissaient supposer son port de tête altier, l'élégance de sa perruque ébouriffée et le galbe de ses mollets. Le morceau de tissu appartenait à la baronne, et sans doute aussi le blason qui était dessus.

On en déduisit que la dame bien en chair sur la plaque licencieuse représentait la défunte, dans son jeune temps. Elle était coiffée à la Fontanges : un grand amas de cheveux postiches était maintenu sur le haut du crâne, des fils métalliques discrets permettaient d'y accrocher un agencement de dentelles, de rubans et de perles. La mode en était totalement finie depuis plus de quinze ans.

Cette scène incongrue, située dans une chambre du Palais-Royal, leur fit supposer que Mme de Fontaine-Martel était détentrice d'un secret qui impliquait les Orléans, dont elle avait longtemps fréquenté la cour. Les sujets de scandale ne manquaient pas dans cette famille : du temps de Monsieur, frère de Louis XIV, ils étaient aussi nombreux que les favoris dont s'entourait le prince. Par la suite, son fils, le Régent, avait élevé le scandale au niveau d'un des beaux arts. À tel point qu'on pouvait se demander s'il restait encore quelque chose qui fût ignoré de tout Paris et qui pût gêner ces cousins du roi.

Il était tard. Voltaire demanda à la marquise si elle ne souhaitait pas aller se coucher.

— Pour quoi faire ? Je ne dors jamais.

Il n'y avait pas de meilleur moment qu'une nuit paisible pour réfléchir en paix. Ils firent préparer du feu dans le petit salon et s'y installèrent pour un petit souper tête à tête.

Tandis qu'on les servait, la marquise nota du changement dans le vêtement des domestiques.

— Avez-vous remarqué combien tout le monde paraît nanti, dans cette maison, depuis la mort de votre vieille amie ? Le valet fréquente les filles du mauvais ton, la demoiselle de compagnie délaisse la broderie pour les cartes à jouer… Je ne serais pas surprise de voir la cuisinière rouler carrosse ou le laquais investir dans la Compagnie des Indes.

— Il n'y a que moi qui ai tout perdu, se plaignit Voltaire, calé dans les coussins du bel hôtel qu'il continuait d'occuper en attendant le règlement de la succession.

Émilie était d'avis de chercher l'assassin parmi les gens à qui le crime avait profité.

— Bonne idée, approuva l'écrivain en resserrant autour de lui les pans d'une pelisse empruntée à la baronne. Les profiteurs sont des gens méprisables.

On sonna. C'était Mlle de Grandchamp qui rentrait. Elle aussi s'était changée : elle était parée comme une rentière. Ils supposèrent que c'était elle qui distribuait ses grâces aux domestiques. Mais avec quel argent, puisqu'elle n'avait pas encore touché un sou ? Sans doute avait-elle mis en gage le crédit que lui apportait le testament : on lui prêtait sur ses espérances.

Les modifications qui s'étaient produites en Victorine ne se limitaient pas à ses atours. Émilie ne put s'empêcher d'ironiser sur l'émancipation des jeunes filles par l'effet merveilleux des louis d'or ; elle lui conseilla de se trouver une passion, comme elle en avait une elle-même : l'astronomie, les mathématiques, la physique, la chimie ; tout vaudrait mieux que le jeu et les galants.

C'était le mot de trop. Alors seulement ils perçurent le véritable changement. Le regard que leur jeta la jolie rouquine tenait davantage de la princesse outragée que de la lectrice qui vient de recevoir une leçon de vie. Elle leur fit une remarque acide sur *ses* alcools qu'ils étaient en train de siffler et *ses* serviteurs qu'ils faisaient veiller.

Ils en restèrent pantois.

Après les avoir remis à leur place, Victorine convoqua le personnel devant eux et distribua des gratifications pour avoir soin de M. de Voltaire, à qui elle devait son bonheur. Elle donna des bagues dont on ignorait la provenance, des manchons de fourrure venus de chez les meilleurs faiseurs, et de petits présents achetés au fil de ses promenades. S'il était un art que Victorine maîtrisait à la perfection pour l'avoir subi, c'était celui de manier la carotte et le bâton.

— La petite impertinente ! s'écria Émilie quand la demoiselle se fut retirée. On ne devrait pas hériter avant quarante ans !

Pour la calmer, Voltaire lui rappela que l'insolente était peut-être la meurtrière. Dans ce cas, elle aurait peu de chances de profiter long-temps d'un bien mal acquis. Émilie se promit d'aller la voir décapiter sur l'échafaud pour crime de lèse-marquise.

Un instant plus tard, on sonnait de nouveau à la porte.

Mlle de Grandchamp se tenait dans le salon voisin. Ils entendirent une servante annoncer à l'élue des dieux qu'un monsieur voulait abso-lument la voir. Il y eut un silence, durant lequel la jeune femme dut lire la carte qu'on lui présentait. Ayant lu, elle refusa tout net de le recevoir.

Sans laisser à la servante le temps de lui fermer la porte au nez, l'intrus traversa le vestibule et se précipita au-devant de la demoiselle. Émilie et Voltaire échangèrent un regard ébahi et se pressèrent contre l'entrebâillement pour entendre et, si possible, voir.

La riche héritière avait perdu de sa superbe. L'intrusion l'avait désarçonnée. Ils étaient au spectacle.

L'importun devait avoir environ trente ans et se comportait bizar-rement, comme un homme mi-séduit, mi-intéressé : il avait, disait-il, des échéances, il était pris à la gorge, c'était, à l'entendre, une question de vie ou de mort.

Émilie croyait l'avoir vu quelque part, il n'y avait pas longtemps de cela, mais ne se rappelait pas où.

Soudain, alors qu'elle avait écouté sans broncher lamentations et exigences, Victorine explosa de colère. Ils comprirent qu'elle s'était reprise. Elle passa du registre de l'honneur blessé à celui de la séduc-tion insidieuse. Après avoir fait preuve d'un talent certain dans le domaine du marivaudage, elle confia au solliciteur le premier objet qui lui tomba sous la main, un vase chinois que la baronne avait plu-sieurs fois recommandé à l'attention des serviteurs et qui était peut-être ancien. Elle conseilla à cet homme d'aller le vendre ou de le mettre en dépôt pour en tirer une avance. Enfin, enrobé de promesses et de soupirs, le visiteur se retira, non sans jurer de revenir bientôt.

Les indiscrets retournèrent à pas de loup vers leurs fauteuils et firent semblant de n'avoir pas prêté attention à ce qui venait de se produire. Soucieuse de vérifier que ses secrets n'avaient pas été surpris, Mlle de Grandchamp vint leur jeter un coup d'œil soupçonneux. Ils attendirent qu'elle fût montée à l'étage pour échanger leurs conclusions.

La marquise penchait pour des dettes de jeu. Voltaire eut l'affreuse impression que son amie savait de quoi elle parlait. Il estimait pour sa part que ce monsieur avait bien plus l'allure du vague sous-fifre d'une étude poussiéreuse que d'un demi-escroc ou d'un usurier.

Émilie désirait savoir dans quelle ornière s'était jetée la péronnelle, afin de lui tendre une main secourable, ainsi que la commisération l'y obligeait. Elle décida qu'on la ferait filer par l'imbécile de service, ce Linant dont l'utilité échappait jusqu'à présent à toute démonstration scientifique.

L'écrivain constata une fois encore que la plus fine intelligence va toujours de pair avec la plus grande bonté.

CHAPITRE DIXIÈME

Certains caractères réservent de grandes surprises quand d'autres sont, hélas ! fidèles à l'image que l'on s'en fait.

LES pensées se bousculaient en Linant, livré au souffle sibérien de ce petit matin de février. Il avait accepté de surveiller Mlle de Grandchamp pour réparer la fâcheuse impression causée par sa naïveté de l'autre jour.

Ses doigts gantés serraient la canne de Voltaire, qu'il avait réussi à emprunter malgré les jérémiades de son propriétaire, afin de disposer d'une arme au cas où quelque malappris du genre de celui qui avait estourbi la baronne s'attaquerait à la belle lectrice.

Le décor des façades environnantes se fit de moins en moins huppé. Qu'est-ce qu'une demoiselle comme elle allait donc faire, seule, dans un coin perdu ? Visiter un foyer en détresse ? Le gros abbé imagina les miséreux, le cœur gonflé de gratitude, recevant des secours de la blanche main de cet ange de bonté. Il eut du mal à retenir une larme. Comme pour confirmer ces suppositions, Victorine disparut à l'intérieur d'une maison étroite qui ne payait pas de mine.

Malgré sa grande patience, Linant ne la vit plus reparaître. À moitié transi, il entra à son tour, avec l'idée de se réchauffer dans le vestibule. Quand elle prendrait congé de ses protégés, il l'entendrait toujours assez tôt pour s'esquiver sans qu'elle le voie.

Il y eut un son bizarre, suivi d'autres semblables. On geignait. Linant conçut de l'inquiétude pour la demoiselle. Il s'engagea dans l'escalier, monta d'étage en étage sans cesser de tendre l'oreille. Un reste d'esprit chevaleresque issu de ses lectures le poussait à secourir l'adorable et fragile héroïne. Tout en haut, la porte d'un logement était ouverte. Il faisait noir, on n'y voyait rien.

— Il y a quelqu'un ? demanda-t-il d'une voix peu rassurée.

Un filet de lumière lui indiqua l'emplacement de la fenêtre, obturée par un rideau. Il se dirigea de ce côté et trébucha sur un tabouret malencontreusement abandonné sur son chemin. Le gros abbé tomba en avant sur quelque chose de mou et de chaud. L'affreuse certitude qu'il s'agissait d'un corps humain le gagna. Il poussa un cri, se releva comme il put. Sa main rencontra un objet effilé. Il s'en saisit sans réfléchir, sortit en titubant et se retrouva sur le palier, son vêtement maculé de sang, un couteau à la main. Horrifié, il dévala l'escalier. Tout juste aperçut-il le visage d'une petite vieille qui avait entrouvert sa porte et dont le regard bleu délavé croisa le sien.

C'est tout sanglant et hébété qu'il reparut à l'hôtel de Fontaine-Martel, rue des Bons-Enfants. La cuisinière, devant les taches rouges sur son col et sur ses manches, lui conseilla d'enfiler un tablier la prochaine fois qu'il écorcherait un lapin.

Ce ne fut pas une explication culinaire qui vint à l'esprit des deux enquêteurs quand ils virent le gros abbé surgir dans le cabinet de curiosités. Comme il était pratiquement bleu de froid et de terreur, on lui fit ingurgiter un fond de bouteille de la baronne. Avec le temps, on s'était aperçu qu'elle conservait des flacons dans à peu près toutes les pièces. Ils mirent la main sur un ratafia bien vieux, d'origine bien lointaine, qui arracha à Linant un cri plus sonore que celui qu'il avait poussé en s'effondrant sur le corps de la malheureuse.

Il annonça que la chère demoiselle de Grandchamp était morte à l'heure qu'il était et battit sa coulpe, non seulement pour n'avoir pas su lui éviter ce triste sort, mais pour l'avoir abandonnée dans son agonie au lieu de la secourir.

Ils entendirent la cuisinière saluer quelqu'un au rez-de-chaussée. Penchés par-dessus la rambarde, ils aperçurent le chapeau et le manteau verts que s'était offerts l'assassinée deux jours plus tôt. Ayant ôté ces deux vêtements, le spectre remit de l'ordre dans sa crinière flamboyante, fouina dans ses paquets et tendit un petit cadeau à celle qui lui avait ouvert.

Les deux enquêteurs se tournèrent vers Linant, qui écarquillait les yeux, convaincu d'avoir contemplé une scène irréelle.

La jeune femme et la cuisinière traversèrent le hall d'entrée en direction de la cuisine. Victorine voulut savoir qui était là. Comme on lui répondait que Voltaire et Mme du Châtelet travaillaient en haut, elle demanda si l'on avait vu le bon abbé. On lui apprit qu'il venait tout juste de rentrer de la chasse ou de la halle ; en tout cas, il avait dépecé une bête, il y aurait sûrement du gibier au souper.

— Sûrement…, répéta Mlle de Grandchamp d'une voix rêveuse.

Voltaire et Émilie furent d'avis qu'il y avait bien eu un lapin d'attrapé : ils l'avaient devant eux, vêtu en abbé.

— Elle vous a eu, dit la marquise avec un hochement de tête désabusé.

Le plus ennuyeux était qu'il s'était trouvé taché de sang, le couteau à la main, dans la maison du crime, et que, bien sûr, il s'y était fait remarquer.

— Juste par une vieille dame, précisa-t-il en se frottant les mains dans un torchon. Avec de la chance, elle sera myope.

Voltaire examina son secrétaire de la tête aux pieds.

— Et ma canne ? Où est-elle, ma canne ?

La figure ahurie du gros abbé ne constitua pas une réponse satisfaisante. La marquise dut s'interposer pour empêcher le philosophe d'étrangler Linant, qui se confondit en excuses. Des adjectifs désobligeants fusèrent. Étant donné la liste impressionnante d'injures pleines d'invention dont disposait Voltaire, il aurait été intéressant de l'élire à l'Académie rien que pour enrichir le *Dictionnaire*.

Émilie en appela à toute la philosophie de leur ami. Au prix d'un immense effort sur lui-même, il déclara qu'il pardonnait à la bêtise et à l'inconséquence, qui, après tout, n'étaient rien au regard de la méchanceté et des mauvais penchants. Il décida de pousser la mansuétude jusqu'à vouloir aller lui-même récupérer sa canne, afin d'éviter à l'imbécile de finir ses jours en prison – quoique il eût été juste de dire que cette canne était à lui, que tout le monde l'avait vue entre ses mains et qu'ils risquaient d'être deux à se partager le cachot.

Linant fut donc prié de les conduire sur les lieux. Une fois devant la maison du crime, ils le laissèrent faire le guet sur le trottoir d'en face et montèrent bravement examiner la chose.

La vieille voisine du dessous, si elle avait soupçonné quelque chose dans ce curieux remue-ménage, n'avait pas alerté la police. Nul doute que l'alerte finirait par être donnée, notamment à cause de cette porte ouverte à tout vent. La brave dame se souviendrait alors du furieux qui s'était enfui avec des traces rouges sur son col blanc et Linant aurait du souci à se faire.

Pas Voltaire, qui ramassa sa canne sur le parquet, non loin de la masse sombre étendue conformément au récit du secrétaire. Ils firent un écart pour atteindre la fenêtre et ouvrirent les rideaux. Il y avait en effet un corps au milieu de ce petit logement défraîchi.

— C'est bien triste, dit Émilie. Au moins, c'est une personne que nous ne connaissions pas.

Voltaire n'en était pas si sûr. Il regardait avec stupeur un vase chinois dont l'élégance tranchait sur la modestie de la décoration. C'était celui de la baronne, qu'il avait vu trôner dans le petit salon bleu et que Victorine avait confié à son visiteur.

Voltaire s'aida de sa canne pour retourner non sans dégoût le corps étendu sur le sol. Ils reconnurent l'importun de la veille au soir.

Le pensionnaire de la baronne s'empressa de récupérer le vase. Cet objet était trop particulier pour ne pas attirer l'attention d'un policier un peu sagace, qu'il conduirait tout droit à l'hôtel de Fontaine-Martel, ce nid douillet autour duquel pleuvaient les cadavres.

Le gratte-papier avait bien été poignardé. Voltaire tira de sa poche le couteau malencontreusement emporté par Linant et le déposa par terre. Il convenait de laisser les choses dans l'état où les hommes de M. Hérault désireraient les trouver.

Pendant que l'écrivain préparait le lieu du crime pour les exempts de police, Émilie procéda à une fouille rapide. Quelques tampons et documents lui apprirent qu'ils étaient chez un clerc de notaire. Voilà qui ouvrait des perspectives. Notaire et testament sont deux choses qui s'accordent naturellement. Or la charmante Victorine venait précisément d'hériter grâce à un legs providentiel.

Émilie était de méchante humeur. Une voix intérieure lui criait qu'elle s'était fait manipuler par une gamine. C'était elle qui avait retrouvé la trace du fameux papier grâce auquel Victorine comptait chausser les pantoufles de la baronne. Elle se chargea immédiatement d'une nouvelle mission : prouver que le testament qui instituait la jeune femme légataire universelle était un faux. Cela n'allait pas être du gâteau : ils s'y connaissaient beaucoup moins bien en écritures que le faussaire qui gisait à leurs pieds.

Avant de s'en aller, ils claquèrent la porte derrière eux pour retarder la découverte du meurtre. Eux aussi aperçurent, sur le palier du dessous, un museau de vieille dame et deux yeux bleus dans l'entrebâillement du battant retenu par une chaîne. La marquise se tourna vers son complice.

— Mon cher René Hérault, dépêchons-nous de filer ! dit-elle très haut.

Ils poursuivirent leur chemin sans s'attarder.

— C'est un petit cadeau pour notre bon lieutenant général, souffla-t-elle à Voltaire, quelques marches plus bas.

Ils jetèrent un coup d'œil dans la rue avant de s'y risquer. Les signes que leur adressait Linant pour leur indiquer que la voie était libre avaient de quoi inquiéter tous les bourgeois du quartier. Ils s'éloignèrent à grands pas, en se demandant s'ils ne feraient pas mieux de livrer l'imbécile à la justice pour s'en délivrer.

Le trio d'enquêteurs rejoignit la rue des Bons-Enfants, où les attendait désormais une pénible cohabitation avec une meurtrière.

— Je savais bien que cette coquine faisait preuve d'un comportement douteux, dit la marquise.

Voltaire restait pensif. Il y avait fort à parier que la baronne n'était pas à l'origine de la manne qui allait pleuvoir sur sa demoiselle de compagnie. Voilà qui cadrait mieux avec la personnalité de la vieille dame, dont le côté « après moi le déluge » était très prononcé.

Alors qu'il s'apprêtait à déposer parmi le fatras du cabinet de curiosités le vase chinois rapporté de chez le mort, Voltaire remarqua qu'on avait coincé un papier à l'intérieur.

Il s'agissait d'une lettre de la baronne ni datée, ni signée. Sans doute était-ce un brouillon qu'elle avait recopié, ou bien avait-elle changé d'avis, ou encore, supposition atroce, l'avait-on poignardée avant qu'elle ne l'eût donnée à la poste. Il était possible aussi, vu le mal que la baronne y disait de sa lectrice, que cette dernière, l'ayant décachetée et lue, se fût abstenue de la porter au bureau de poste.

Voltaire ne vit rien de particulier dans le message ; la chère disparue y épanchait son fiel habituel. Émilie, en revanche, fut frappée par une similitude d'expressions avec le testament découvert dans le chat en bois creux, un document qui était à présent chez le notaire, Me Momet. Elle entrevit l'entourloupe.

ÉTANT les auteurs de la découverte qui allait permettre de régler la succession, ils furent conviés chez le notaire. Voltaire adorait la place des Victoires, l'une des plus belles de Paris, dont même les irrégularités étaient plaisantes à l'œil : moins prétentieuse que la place Vendôme, plus moderne que la place Royale, moins fantomatique que celle qu'on bâtirait peut-être un jour à l'emplacement de la Bastille, quand on se déciderait enfin à raser cet affreux château fort qui gâtait le paysage et désespérait les gens de plume.

Il y avait là la Grandchamp, la d'Estaing, la de Clère et sa mère. Me Momet venait d'authentifier le testament retrouvé par Mme du Châtelet. Il en donna lecture, puis demanda si quelqu'un souhaitait le contester, ce qui signifiait de porter l'affaire en justice. Curieusement, Mme d'Estaing ne broncha pas, elle paraissait résignée à se voir dépouiller.

Rayonnante, Victorine distribuait les sourires modestes et les mots aimables avec la condescendance d'une châtelaine en visite chez ses paysans. Bien qu'elle parût horripilée, Mme d'Estaing n'explosa pas. Voltaire en vint à se demander si elle n'avait pas craint quelque chose de pire. Mais qu'y avait-il de pire que de se voir entièrement déshéritée ?

Émilie demanda à revoir le document. Elle échangea avec Voltaire un regard entendu.

— C'est bien ce qu'il nous semblait, dit-elle.

— Et que vous semblait-il ? s'enquit le notaire.

On les pressa d'en dire davantage.

Voltaire tira de son portefeuille le brouillon découvert dans le vase. Le sourire de Mlle de Grandchamp se raidit. Me Momet demanda d'où ils tenaient ce nouveau papier.

— Oh! nous avons aidé à faire un peu de ménage chez Mᵐᵉ de Fontaine-Martel, dit Voltaire. C'est là que j'habite, vous savez.

Émilie demanda de quoi écrire et prit quelques instants pour recopier des mots piochés ici et là. La plupart de ceux contenus dans la lettre de la baronne figuraient dans le prétendu testament. Elle déclara que celui-ci était controuvé.

Les héritières s'exclamèrent. Le notaire protesta : il venait de le déclarer authentique! Émilie précisa sa pensée : c'était un faux, et le problème du faussaire, c'était qu'il manquait d'imagination.

— Voici les grandes lignes du testament en faveur de mademoiselle, découvert par moi-même dans la statuette de chat : « Conformément à ma promesse de pourvoir à l'établissement de celle qui fut l'unique rayon de soleil de mes vieux jours, celle qui soulagea les mille petits maux d'une femme d'âge et que je n'ai jamais regretté d'avoir attachée à ma personne, je lègue à ma chère Victorine Picon de Grandchamp, pour la remercier de ses bons et fidèles services […]. Je remets à ma bonne Victorine de Grandchamp la charge de récompenser à sa convenance ceux qui m'ont entourée de leurs soins et de leur affection jusqu'à mes derniers instants. Libre à elle de répartir telle part de mes biens qu'elle estimera juste entre mes amis les plus proches, pour les faire souvenir de moi quand je n'y serai plus. »

Ayant terminé sa lecture, elle rendit le document au notaire et prit la lettre cachée dans le vase.

— Vous remarquerez la similitude des expressions et la différence du sens, annonça-t-elle : « Victorine de Grandchamp *m'a arraché la* promesse de pourvoir à son établissement pour la remercier de ses bons et fidèles services. *Son insistance à se croire* l'unique rayon de soleil de mes vieux jours *et à prétendre* soulager les mille petits maux d'une femme d'âge *me fera* regretter *de me l'être* attachée. Personne *ne m'imposera, pas même* à mes derniers instants, la charge de récompenser ceux qui ne m'ont entourée *ni* de leurs soins *ni* de leur affection. *Autant disperser* mes biens entre mes amis les plus proches pour les faire souvenir de moi quand je n'y serai plus. Libre à elle de repartir *chez les* Picon *quand elle* l'estimera juste, *ou de faire la* bonne, conformément à sa convenance. »

L'étude notariale devint aussi caquetante qu'un poulailler.

— Les deux textes contiennent les mêmes mots, expliqua Émilie, mais dans un ordre différent. En mettant ensemble ce qui ne figure pas dans la lettre, on obtient ce que contenait vraisemblablement le véritable testament de la défunte : « Je lègue l'ensemble de mes biens, terres, domaines, propriétés, rentes et fermages, ma maison de Paris avec son mobilier, enfin tout ce qui se trouvera m'appartenir au jour de mon décès, à ma chère (unetelle). Dans ce but, je déshérite par la présente tout parent, enfant, collatéral, ascendant ou descendant qui prétendrait contester mes dernières volontés. Le présent testament annule et remplace toutes mes dispositions antérieures. Fait en mon hôtel près le Palais-Royal, ce 10 janvier de l'année 1733, et signé par moi Antoinette-Madeleine Desbordeaux, veuve de Fontaine-Martel. »

Mlle de Grandchamp se sentit mal, ce qui est toujours très à propos quand il se produit une catastrophe humiliante. Les clercs accoururent avec de l'eau et des sels – il importait d'en tenir toujours de prêts, dans une étude où les mauvaises nouvelles étaient aussi fréquentes que les bonnes. Le notaire avait les yeux rivés sur les deux papiers, qu'il ne cessait de relire l'un après l'autre.

Force lui fut d'admettre qu'il existait, ou qu'il avait existé une pièce authentique, dont le contenu avait été mélangé à la lettre de la baronne pour donner le beau résultat par lequel une jeune fille qui ne lui était rien héritait tout son bien.

Bien qu'il refusât encore de reconnaître qu'il s'était laissé berner par de fausses écritures, Me Momet ne pouvait plus envisager de clore la succession dans l'état où elle se trouvait. Ce qui l'agaçait le plus, c'était que ce faux et la disparition de l'exemplaire conservé dans son coffre feraient peser les soupçons sur son étude. Quelqu'un avait trahi, quelqu'un avait rompu le serment des notaires.

Il demanda où était son clerc Martin. Il ne s'était pas présenté de la journée. Me Momet envoya quelqu'un chez lui, il avait des éclaircissements à lui demander. Voltaire se dit que le cadavre n'allait pas croupir longtemps sur son parquet.

On parvint enfin à ranimer la jeune femme – ou bien celle-ci jugea-t-elle que sa démonstration de faiblesse et d'innocence avait assez duré.

— Où suis-je ? Que s'est-il passé ?

Son regard tomba sur la marquise et sur Voltaire.

— Ah ! Les méchantes gens ! s'écria Victorine, à qui la mémoire était revenue d'un coup.

Elle eut beau se poser en victime d'une conjuration, l'opinion à son sujet avait changé pendant son évanouissement. Me Momet lui annonça « avec regret » que ces informations l'obligeaient à suspendre à nouveau la succession.

— Vous aurez la bonté de rester à Paris. Messieurs de la lieutenance auront des questions à vous poser.

Certes Mme d'Estaing jubilait en silence, assise avec raideur sur sa chaise. Mais Voltaire eut l'impression que c'était davantage de voir la petite voleuse prise au piège que d'avoir recouvré ses prétentions sur la fortune maternelle.

— Vous trouvez peut-être à présent de l'intérêt à la philosophie, chère madame, lui dit-il avec une amabilité qui avait des accents de triomphe.

— Je me suis laissé dire que vous vous y connaissiez en faux et en publications anonymes, répondit la comtesse, que la gratitude n'étouffait pas.

Seule Mlle de Clère était demeurée muette, perdue dans ses pensées. Peut-être rêvait-elle d'envoyer ici et là des confitures pour accélérer le règlement de ces questions.

ALORS qu'ils quittaient le cabinet du notaire, Émilie avisa un clerc, lui demanda où était le petit coin et disparut de ce côté. Voltaire alla faire les cent pas sur la place des Victoires.

Au sortir de l'étude, Mlle de Grandchamp tomba sur sa tante, qui arrivait après la fête. La bouche en cœur, Mme d'Andrezel annonça à sa nièce que la nouvelle de son bonheur s'était répandue dans tout Paris. Déjà, les premières demandes en mariage affluaient. Il y avait là des fils de ducs et des conseillers d'État pleins d'avenir que quarante mille livres de rente rendaient éperdus d'amour.

— Alors ? À combien se monte votre bonheur ? s'informa la vicomtesse. À quel parti pouvons-nous prétendre ?

Mme d'Estaing, qui sortait à ce moment, répondit à la place de la jeune femme :

— Vous pouvez prétendre à de gros ennuis, à une nuit de noces dans un cachot, et à une belle cérémonie avec un prêtre sur l'échafaud. Mais votre chère nièce vous exposera elle-même ces brillantes perspectives.

Si les yeux des rouquines avaient lancé des poignards, la comtesse aurait été plus percée qu'une pelote d'épingles.

CHAPITRE ONZIÈME

*Où l'on apprend avec surprise que les philosophes
ne savent pas voler.*

MLLE DE GRANDCHAMP était furieuse. Sa tante avait été effrayée par le résumé, même atténué, de la séance chez le notaire. On ne savait si elles se parleraient à nouveau. La vicomtesse cherchait sans doute déjà dans quel obscur couvent les Picon allaient devoir enfermer la délinquante pour étouffer le scandale avant qu'il n'éclabousse le reste de la famille.

En attendant de savoir à quelle sauce on allait la manger, Victorine claquait les portes et hantait la maison sans adresser la parole à ceux qu'elle croisait. Le temps des gentillesses était révolu.

Voltaire prit la résolution de se barricader avant d'aller se coucher. Celle qui avait commandité la fabrication d'un faux, et peut-être estourbi son auteur, pouvait bien aussi avoir expédié la baronne. Il s'attendait par ailleurs à voir le lieutenant Hérault exiger qu'on lui livre le meurtrier du clerc. Linant comprit qu'il était en première ligne. Il se jeta aux pieds de son protecteur.

— Sauvez-moi ! Ayez pitié !

Après tout, c'était sur ses ordres qu'il s'était trouvé au mauvais endroit au mauvais moment.

— Vous aurez au moins appris une leçon : méfions-nous toujours des faux-semblants, dit Voltaire.

La leçon qu'en tirait l'abbé, c'était plutôt de se méfier des philosophes. Il était persuadé de n'avoir plus de paix tant que Victorine serait en liberté. Il suggéra de dénoncer au plus vite celle qu'il appelait désormais « la vipère rouge ».

Le mot même de dénonciation faisait frémir Voltaire. Il ne se passait pas une saison sans qu'il en fût lui-même victime. Il se voyait mal dénoncer à son tour et s'engager dans une procédure qu'on aurait tôt fait de retourner contre lui. Que pèseraient ses raisonnements dans une salle d'audience face aux beaux yeux noyés de larmes de la douce et noble Victorine soutenue par tous les Picon de la terre ? Les juges étaient plus sensibles aux charmes féminins qu'à ceux des philosophes maigrichons et mal-pensants.

On décida de ne pas s'occuper de la Grandchamp tant qu'on n'y serait pas contraint par les événements, et on envoya Linant noyer son chagrin dans les brioches dont le fumet s'échappait des cuisines.

Au moment où l'abbé allait quitter la pièce, une mélopée les figea tous trois. Chacun s'attendait à voir surgir un assassin, poignard à la main. Voltaire se lamentait intérieurement : mourir au son d'une chanson populaire, quelle ironie !

C'est alors que l'incongruité le frappa. C'était un air connu qui montait de la rue. Quelqu'un était en train d'interpréter une chansonnette sur un pipeau. Seule la musique sans queue ni tête était dangereuse.

Ils se laissèrent tomber sur le sofa. Alors que Voltaire s'apprêtait à décréter une séance de réflexion générale, Émilie se dirigea vers la sortie d'un pas pesant.

— Où allez-vous, chère amie ?

— Je ne sais pas… Me reposer… Accoucher, peut-être…

Sur le perron, la marquise croisa le lieutenant général de police, qui ôta son chapeau et s'effaça. Elle répondit de la tête à son salut et lui adressa un sourire qui tenait surtout à ce qu'elle imaginait de la séance à venir avec Voltaire.

Il n'avait pas fallu longtemps aux employés de l'étude Momet pour découvrir le cadavre de leur collègue, ni au lieutenant général pour surgir rue des Bons-Enfants. L'unique témoin du crime, la vieille dame de l'étage en dessous, avait déclaré que les meurtriers étaient une dame grosse d'enfant et un petit monsieur gesticulant qui répondait à l'affreux nom de René Hérault.

— Qu'en concluez-vous, Arouet ? demanda le chef de la police sur un ton tranchant comme le fil d'une hache sur la place de Grève.

— Que vous n'avez plus qu'à vous arrêter vous-même ? suggéra l'écrivain.

— Je vous avais chargé d'élucider un meurtre, pas de les multiplier ! Cette fois, c'en est trop ! Allez ! Au dépôt !

— Ah, non ! glapit Voltaire. Pas le dépôt !

Le dépôt était une cave de la Conciergerie où l'on enfermait tout ce qu'on ramassait à travers Paris en attendant de savoir qu'en faire. L'endroit était humide, sale, puant et terriblement mal fréquenté. Tout le contraire de la Bastille, où le gouverneur était aux petits soins avec les célébrités : on y était correctement logé, on dînait à la table du maître des lieux, dont le cuisinier était excellent, et tous les luxes étaient autorisés, pourvu qu'on pût se les payer.

Heureusement, l'écrivain put annoncer qu'il avait avancé dans son enquête. Il avait une idée sur l'identité de celui – ou plutôt de celle – qui s'était permis de trucider une baronne et un clerc.

— Voyez-vous, votre M. Martin travaillait chez Me Momet. Quand ce dernier a ouvert son armoire pour y prendre la copie du testament de Mme de Fontaine-Martel, le document avait disparu. Je crois que nous savons à présent qui l'a escamoté : l'homme qui possédait la pratique requise pour en rédiger un faux en faveur de sa complice.

Il estima avoir démontré, de causes indiscutables en conséquences naturelles, que c'était la bénéficiaire, et non lui, qu'il fallait arrêter.

Ni ces causes ni leurs conséquences ne faisaient les affaires de Hérault. Ce n'était pas un faussaire qu'il réclamait, mais un assassin.

Le philosophe poussa un soupir. Puisqu'il lui fallait accomplir le travail de la police, en plus de sauver l'humanité, il se résigna à proposer de tendre un piège à son persécuteur. On répandrait le bruit que le brillant penseur, grâce aux étonnantes facultés de raisonnement bien connues de ses lecteurs, avait deviné qui avait tué Martin et « d'autres personnes », sans préciser lesquelles.

— Cette révélation l'attirera à moi comme un pot de miel une mouche. Je ferai le pot de miel.

Le projet de faire assassiner Voltaire avait tout pour séduire Hérault.

— Je ne peux pas m'occuper de tous les meurtres qui se commettent à Paris, expliqua-t-il, j'ai déjà fort à faire avec les crimes commis par l'administration. Ce matin, par exemple, on m'a refusé trois sous pour installer des planches et un parapet qui suffiraient à sauver des vies humaines. Les abords de la Seine sont gelés, les porteurs d'eau lancent leurs seaux dans les trous de la glace, ils tombent dedans, nous en perdons chaque jour. Je dois choisir entre améliorer la vie du plus grand nombre et arrêter l'assassin de deux ou trois nobles. C'est inextricable.

— Pourquoi ne rentrez-vous pas chez vous profiter de la douceur du foyer ? suggéra Voltaire.

René Hérault soupira.

— Pour embrasser ma femme trop jeune qui me trompe avec un marquis ? Ou pour regarder grandir mon fils qui n'est pas de moi ?

J'aime mieux m'occuper de nettoyer la ville, c'est plus facile que de mettre en ordre ma vie privée. Je vous ai prié de m'aider, Arouet, parce que je vous estime.

Le compliment flatta modérément l'intéressé. Si le lieutenant traitait ainsi ceux qu'il estimait, qu'arrivait-il à ceux qu'il méprisait ? Voltaire avait raison de se méfier, le coup de cravache suivit de près la caresse.

— C'est l'assassin ou vous : l'un des deux finira au cachot. Ne vous plaignez pas : de nous deux, vous êtes celui qui a le plus à gagner dans cette affaire.

L'heureux bénéficiaire se serait volontiers passé du cadeau.

DEUX jours s'écoulèrent dans l'attente de nouveaux événements, ce qui permit à Voltaire de se consacrer à ses travaux les plus urgents : réviser ses *Lettres philosophiques* de manière à faire prendre aux censeurs des vessies pour des lanternes. Au matin du troisième jour, on gratta à la porte de la chambre où dormait l'écrivain, qui la fermait désormais à clé, poussait une commode devant et posait un bougeoir en équilibre pour être sûr de se réveiller en cas d'attaque. Il dut donc se lever pour aller ouvrir, ce qu'il fit après s'être assuré que la personne qui frappait était bien la cuisinière, seule habilitée à lui porter sa collation.

— Est-ce que mes poireaux sont arrivés ? demanda-t-il.

— Oui, monsieur, vos gazettes sont là, répondit-on en lui servant sa brioche et son bouillon.

Il recevait, deux fois la semaine, les périodiques hollandais interdits qui contrariaient tant M. Hérault. Ils arrivaient cachés parmi les provisions.

Rarement loin quand arrivaient les vivres, Linant avait suivi jusqu'en haut de l'escalier l'odeur de pâtisserie toute chaude.

— Vous ne devriez pas lire cela, c'est dangereux, dit l'abbé en avisant la gazette.

— Ce qui est dangereux, ce n'est pas de les lire, c'est de les recevoir, répondit l'écrivain sans lever le nez. C'est pourquoi je les fais adresser à votre nom.

— C'est moi qui devrai bientôt m'installer en Hollande, se lamenta Linant.

— Bonne idée ! Prévenez-moi quand vous partirez !

UNE fois le charme des potins épuisé, il lui restait celui des enterrements. Il se prépara à conduire le clerc Martin à sa dernière demeure. Sur le chemin de l'église, il fit un crochet par l'hôtel du Châtelet pour prendre des nouvelles de la marquise. Il apportait un sachet en dentelle de Tulle rempli de sucreries.

Émilie surgit dans le vestibule et s'en empara avec gourmandise. Elle n'avait pas dégonflé d'un pouce.

— La maternité vous sied à ravir ! dit poliment le philosophe. Vous avez presque retrouvé votre taille de jeune fille.

— C'est parce que je n'ai pas encore accouché, articula la marquise. Un peu de repos, des tisanes, des lectures, et me voilà repartie pour un mois de grossesse supplémentaire !

Elle connaissait assez Voltaire pour deviner qu'il n'était pas venu admirer un éventuel bébé et s'enquit du but de sa promenade. Il s'en allait enterrer M. Martin. Comme son ennui était en proportion de son embonpoint, Émilie décida de l'accompagner.

Ils se firent déposer à l'église Saint-Paul-Saint-Louis, dans le Marais. Un mendiant se tenait sur les marches. Quoique d'apparence solide, il s'appuyait sur un bâton qui devait lui rendre bien des services en cas de rixe. Voltaire laissa tomber une piécette dans le chapeau qu'on lui tendait : il aimait à montrer que les religieux, les intolérants, les illuminés et les fanatiques n'avaient pas le privilège de la charité.

— Merci, monsieur Arouet, répondit le malheureux.

— C'est adorable, dit Émilie. Ces miséreux vous connaissent par votre nom. J'ignorais que vous aviez vos habitudes dans cette église.

Il n'y avait jamais mis les pieds. Depuis la parution de l'article dans la *Gazette de France*, deux exempts le suivaient discrètement pour sa protection. Un déguisement de vagabond passait plus facilement inaperçu que celui de prince du sang.

Au premier rang des fidèles était assis le notaire, dont la figure sinistre laissait deviner les lourds soupçons qu'il nourrissait à l'encontre de son employé défunt. Voltaire vit avec surprise qu'il y avait aussi les trois héritières potentielles de la baronne. Il s'en fut les saluer, un peu par politesse, mais surtout pour s'informer de ce qu'elles faisaient là. L'une prétendit qu'elle venait pour l'éloquence du prêcheur, l'autre, qu'elle ne manquait jamais une occasion de prier pour le salut de son prochain, la troisième, qu'elle cherchait à rencontrer

Mᵉ Momet, qui prit d'ailleurs grand soin de l'éviter dans ce sanctuaire ainsi qu'il le faisait à son étude.

L'organiste fit retentir les premiers accords de toute la puissance de son instrument. On leva les yeux vers la tribune. Quel morceau était-ce là ? Une nouveauté de M. Rameau ? Un essai à l'esthétique inusitée ? Les délires d'un musicien pris de boisson ?

Le fait que le service eût commencé n'avait pas semblé à nos enquêteurs un motif suffisant pour interrompre leur conversation. Ils finirent par se rendre compte que quelque chose clochait. Leurs voisins avaient le nez en l'air et la mine réprobatrice. Alors seulement ils prêtèrent attention au galimatias sonore qui heurtait leurs tympans. Quelqu'un était en train de jouer le code musical qui leur avait déjà coûté un plongeon dans la Seine. L'étrange mélopée résonnait entre les piliers de Saint-Paul. Ils surent qu'ils allaient être victimes d'un attentat.

Voltaire bondit dans l'étroit escalier en bois verni qui menait à la tribune. Il sauta sur l'organiste avec autant de vivacité que si cet homme avait été un critique littéraire.

La confusion s'empara des personnes venues pour la messe d'enterrement. On entendait des éclats de voix peu amènes, des braillements, des injures, le vacarme d'une lutte, des notes plus curieuses encore que les précédentes, frappées par des bras et des jambes tout entiers. La cérémonie se déroulait aux cris d'« assassin ! » lancés par l'agresseur, auxquels répondaient ceux, comparables, de l'agressé.

Le mendiant affecté à la sauvegarde de l'écrivain monta assurer celle de l'organiste. Le plus difficile fut d'arracher le malheureux à la juste colère du philosophe. Établir son innocence prit moins de temps : l'effarement du pauvre homme était évident. Quelqu'un avait remplacé une page du *Dies Irae*.

Émilie, à qui son état ne permettait guère de gravir cet escalier malcommode, se fit apporter la partition, dont elle effectua l'analyse à l'aide d'un papier et d'un fusain, selon les règles indiquées par Rameau.

— Eh bien ! Que dit-il ? demanda Voltaire, dont la tête dépassait du parapet, à côté des grandes orgues.

La marquise était ébahie.

— Le message dit : « Étranglez Voltaire. »

La tête disparut de la rambarde, le reste de l'anatomie étant tombée à la renverse entre les bras des exempts. Il fallut porter le penseur pour lui faire regagner le dallage de marbre. Nulle philosophie n'était capable de lui faire endurer un tel coup en si peu de temps.

On étendit la cible sur quatre chaises de paille que les habituées de la paroisse lui abandonnèrent de bon gré. La première chose que vit l'écrivain en revenant à lui fut le visage d'Émilie, qui l'éventait avec la partition maudite. Une douleur diffuse le prit au ventre.

— Il y a quelque chose, dans ce pays, que je ne digère pas, dit-il comme on l'aidait à s'asseoir.

On le ramena à l'hôtel de Fontaine-Martel déjà à moitié trépassé ; on l'aida à rallier sa chambre, on le mit au lit, on laissa les rideaux du baldaquin ouverts pour qu'il ne fût pas dans le noir, et on se retira afin de le laisser reposer en paix. Émilie annonça qu'elle allait lui préparer un chocolat aux épices dont elle avait le secret. Les exempts descendirent surveiller les abords de la maison.

Les lieux étaient sous bonne garde, il y avait du monde, Voltaire ferma les yeux et se répéta qu'il ne risquait rien : il était en sûreté, tout était pour le mieux dans le meilleur des mondes.

Il y eut un fracas de verre brisé. Une main gantée venait de traverser le carreau et tournait la poignée de la croisée. Une ferme poussée finit d'ouvrir la fenêtre, un inconnu botté sauta dans la pièce. Il était tout en noir, le visage à demi couvert par un foulard. C'était bien ce qu'avait pensé Voltaire, le soir du meurtre de sa baronne : la mort était venue des toits. La sienne, peut-être, aussi.

Il repoussa violemment les couvertures. À l'exception de ses souliers, il était tout habillé et tenait fermement sa canne, qu'il brandit de manière à tenir l'assassin éloigné de deux toises.

— Vous ne comptez pas sur cet objet pour sauver votre vie ? railla le spectre.

— Non ! répondit l'écrivain. Je compte sur eux ! Saint-Barthélemy ! Saint-Barthélemy !

C'était l'appel convenu pour alerter les exempts postés en bas. On les entendit se ruer dans l'escalier.

L'assassin eut une réaction imprévue. Sous les yeux horrifiés du philosophe, il courut à la porte, tira de sa poche une clé dont il donna un tour dans la serrure.

Voltaire comprit que l'intrus aurait tout loisir de l'assassiner tandis que les séides de M. Hérault tambourineraient contre le battant.

Il ne perdit pas de temps à réfléchir. Puisque l'assassin était arrivé par la fenêtre, c'était un chemin que l'on pouvait emprunter en sens inverse. Il enjamba le garde-fou et se retrouva sur le toit, dans le vent glacé de cette fin février, pieds nus dans ses bas de soie. Il progressait à quatre pattes, en s'écorchant les genoux, et se cramponnait à ce qui se présentait, sans arrêter de faire des réflexions sur les dangers inattendus de la philosophie.

Pus agile, son poursuivant le rejoignit en quelques enjambées et brandit sur lui une lame dont l'écrivain songea avec horreur qu'elle avait dû être plongée dans le sein de sa baronne. Il tenta de l'arrêter au cri de :

— Vous commettez une terrible erreur !

Convaincu du contraire, l'assassin s'apprêtait à en finir quand une pierre venue de nulle part le frappa à la tempe. Il poussa un cri et se tourna vers la rue. En bas, juché sur le toit d'un fiacre, un homme qui portait le lourd manteau de cuir des cochers rechargeait la fronde avec laquelle il venait de le blesser.

Le tueur tenait sa tête douloureuse d'où s'échappait un filet de sang. Un autre caillou le rata de peu. Il ne pouvait plus rester sur ce versant du toit. L'écrivain en profita pour ramper du côté où les pierres le protégeaient et s'accrocha fermement à une souche de cheminée.

Les exempts avaient enfin pris pied sur ces hauteurs malgré le vertige et leur hésitation à risquer leur vie pour celle de Voltaire. Le tueur se vit cerné et s'élança. Il parvint à atteindre l'hôtel d'à côté. Seulement, il perdit l'équilibre en touchant les ardoises, qui éclatèrent sous son poids, il roula dans la pente sans réussir à s'accrocher et tomba dans le vide.

Les policiers furent plus pressés d'aller jeter un coup d'œil en bas que de secourir Voltaire, malgré les appels désespérés du survivant.

Enfin parvenu à se détacher de sa cheminée et à crapahuter jusqu'à sa fenêtre, celui dont l'adresse et la présence d'esprit avaient une nouvelle fois assuré le triomphe du Bien descendit dans la rue constater l'état du Vice. Tout un tas de monde s'était réuni autour du corps désarticulé : policiers, serviteurs de l'hôtel et des maisons voisines, et même Mlle de Grandchamp, dont les traits n'exprimaient qu'une vague curiosité pour cette chose morte.

Hérault avait rejoint ses sbires.

— Qui est cet homme ? demanda-t-il au rescapé.

— Comment voulez-vous que je le sache? C'est vous qui êtes censé tenir des carnets sur tout le monde!

En attendant d'exposer l'inconnu à la morgue, où défileraient les personnes susceptibles de l'identifier et les curieux en mal d'émotions, on devait se contenter de vider ses poches.

Il n'avait sur lui qu'un poignard effilé qui pouvait bien avoir servi à tuer une baronne.

CHAPITRE DOUZIÈME
Où l'on voit notre héros s'acoquiner avec une éleveuse de cochons.

LEUR poursuivant mort, on allait être tranquille. On le serait plus encore quand on aurait démontré à Hérault que l'homme tombé du toit était bien l'assassin de la baronne. Le mieux aurait été de perquisitionner à son domicile, et pour cela il fallait savoir qui il était.

Voltaire songea que les enquêtes sont comme la philosophie : la découverte d'une certitude amène cent nouvelles interrogations. Autant dire que c'était là l'occupation de toute une vie et une tâche trop délicate pour la laisser aux mains de la police.

— Un policier est pire qu'un jésuite : non seulement il est borné, mais il ne parle même pas latin.

À ce propos, il était persuadé que ce saut désespéré était un suicide détourné. D'après cette façon de composer avec le bon Dieu, il déduisit que cet homme était aussi religieux que fourbe.

— Voilà bien une attitude de jésuite!

Voltaire en tenait pour les jésuites, ils étaient ses ennemis.

— La chose est claire : il y a un complot dans Paris pour éteindre la voix de la liberté. D'abord ma chère baronne, qui avait le courage de penser par elle-même, puis moi, le flambeau de la résistance à l'obscurantisme! Les fanatiques veulent ma mort!

La marquise le félicita d'avoir survécu à cette épreuve.

— Je résisterai à tout jusqu'au jour où quelque chose me résistera, répondit-il.

Il convenait d'appliquer à leur problème ces facultés qui faisaient l'envie de toute l'humanité pensante.

— Imaginons que le clerc Martin n'ait pas détruit le testament dont il s'est servi pour enrichir Mlle de Grandchamp, proposa-t-il comme point de départ.

Il estimait fort possible que le faussaire eût voulu conserver par-devers lui un atout qui lui permettrait de faire chanter sa commanditaire sans se compromettre : il lui aurait suffi de rendre le vrai document au notaire sans se nommer, ou même de le vendre à la véritable bénéficiaire ; sa complice aurait tout perdu sans qu'il eût pris grand risque. Si le faux testament faisait sa fortune à elle, le testament volé était la clé de sa fortune à lui.

Émilie objecta que la chère demoiselle avait sûrement récupéré ce papier après avoir poignardé son compère. La pièce authentique ne devait plus être, à l'heure actuelle, qu'un petit tas de cendres au fond d'un brasero.

Voltaire voyait là une éventualité, non une certitude.

— Supposons que notre meurtrière préférée n'ait pas trouvé le testament chez Martin, le jour du meurtre. Par exemple parce qu'il n'y était pas. Voyons, ma chère : à la place d'un clerc de notaire qui a commis une faute susceptible de l'envoyer finir ses jours aux galères, conserveriez-vous à domicile la preuve de votre forfait ?

Émilie répondit qu'elle n'en avait pas la moindre idée. Si altruiste et généreuse fût-elle, elle avait du mal à se mettre à la place d'un modeste employé à vingt sous la journée. Un abîme séparait, à ses yeux, une marquise du premier rang, reçue à Versailles, dans l'intimité de la reine, et un rien du tout capable d'infamie.

Voltaire s'agaçait d'autant plus de ces préjugés qu'il y voyait quelque chose de méprisant envers sa personne. Il était né au sein d'une bourgeoisie certes ambitieuse, mais que les nobles de cour peinaient à discerner de la crotte environnante. L'élite autoproclamée avait du mal à faire cas de quiconque n'affichait pas un ou deux siècles de chevalerie, même si l'examen de leurs arbres généalogiques révélait la plupart du temps des alliances réitérées avec des fortunes tout à fait roturières.

Voltaire était à deux doigts de rappeler à Émilie que son père, le baron de Breteuil, avait été le tout premier de sa famille à accéder à la noblesse grâce à une modeste place de lecteur auprès de Louis XIV, et que leur nom, Le Tonnelier, suggérait un genre de métier fort éloigné du service nobiliaire. Il fut coupé dans son élan, car elle s'écria :

— Si j'étais lui, je placerais ce papier dans un écrin précieux que je déposerais chez un usurier.

L'écrivain lui fut redevable de cet effort surhumain, mais la solution n'était pas satisfaisante. L'usurier était susceptible de reconnaître le clerc devant un tribunal et ces sortes de gens étaient de fidèles indicateurs de la police. Par ailleurs, cela imposait de posséder un écrin précieux, article plus commun chez les marquises de la rue Traversière que chez les clercs aux fins de mois difficiles.

À vrai dire, il avait son idée. La question s'était déjà posée à lui. Combien de fois avait-il été écartelé entre des manuscrits remplis de pensées trop élevées pour son temps et les menaces de perquisition proférées par ses ennemis ?

— Vous les avez cachés derrière vos vilains tableaux ! s'exclama Émilie en examinant avec admiration les paysages flamands suspendus à des cordons rouges ornés de gros nœuds.

— Mais non ! dit Voltaire. Le dos de ces chefs-d'œuvre est le premier endroit où Hérault viendrait regarder – après mon matelas, mes fonds de culottes et mon pot de chambre. Allons, chère amie ! N'existe-t-il pas une institution accessible à tous, peu coûteuse, qui se charge de prendre vos écrits dans un parfait anonymat ?

— Un concours de l'Académie ? supposa-t-elle.

Il leva les yeux au ciel. La description qu'il venait de faire résumait parfaitement le service des postes de Sa Majesté.

Restait à savoir, dans le cas où Martin s'était fait le même raisonnement, à quelle adresse il avait pu envoyer le vrai testament pour le mettre en sûreté.

— Chez lui ! dit Émilie. Il se l'est envoyé à lui-même !

Voltaire commençait à avoir la migraine.

— De Paris à Paris, on le lui aurait rapporté le lendemain, peut-être le jour même. Autant se tirer une balle dans le pied.

Il fallait une destination qui permît de voir revenir la lettre au bout d'un certain temps, huit jours au moins.

Ce fut cette fois Émilie qui eut l'idée.

— Voyons, cher ami, comment utilise-t-on la poste royale ? On remet sa lettre cachetée au bureau de départ de la région où vit la personne à qui l'on a écrit. La malle l'achemine et réclame le paiement au destinataire.

— Bien sûr, dit Voltaire. Il ne manquerait plus qu'il faille payer pour donner son courrier. Notre monde a encore une certaine logique. On ne doit jamais payer que ce que l'on reçoit.

— Ainsi donc, reprit la marquise, si on envoie une lettre à une personne qui ne nous connaît pas et qui vit loin, il y a toutes les chances que celle-ci refusera d'acquitter le transport coûteux d'un message écrit par un inconnu. La lettre repartira vers l'envoyeur, à qui on la présentera, et on le priera de s'acquitter des deux courses, l'aller et le retour. Si Martin a choisi d'expédier le testament à l'autre bout du royaume, il pourra s'écouler plus d'une semaine avant qu'il ne lui revienne.

Ils calculèrent le délai maximal, en fonction de l'éloignement et de la rapidité des différents services, tous bien connus des épistoliers. Ils en déduisirent que le retour de la missive était pour ce jour-là.

Il convenait d'aller prendre pension chez le clerc pour attendre le courrier.

Il n'était pas question d'être reconnus par la voisine ou par la police, aussi se procurèrent-ils les déguisements adéquats. Émilie enfila une capeline fortement défraîchie qui avait appartenu à l'économe baronne. Quant à Voltaire, son principal artifice consista à retourner sa veste. Autant l'extérieur était chatoyant et brodé, autant l'intérieur était aussi noir et simple que les pensées d'un janséniste. Avec quelques accessoires tels qu'un petit col blanc et une calotte, sans oublier une expression pateline que cet illusionniste habile jugea de circonstance, il eut tout à fait la mine d'un curé de province. On le prendrait aisément pour le chapelain de madame, leur duo avait tout pour inspirer confiance.

Ils surent qu'ils avaient bien fait lorsqu'ils notèrent la présence, devant la maison, d'un mouchard à moitié gelé.

Ouvrir la porte de M. Martin ne présenta pas de difficulté : un artisan avait démonté la serrure. Émilie fit rapidement le tour du propriétaire, Voltaire alluma le feu, épousseta les sièges les moins branlants, et ils s'assirent pour discuter de sujets élevés.

L'homme qui faisait le pied de grue devant la maison pour mettre la main au collet d'un éventuel complice laissa passer le porteur de la missive sans se douter de rien : le froid lui engourdissait le jugement. Voltaire et Émilie, en revanche, étaient au chaud. Ils avaient brisé deux chaises pour alimenter la cheminée. Ils envisageaient de sacrifier un guéridon quand on gratta au battant qu'ils avaient refermé derrière eux pour éviter les courants d'air.

— Entrez! dit Voltaire.

Ils virent paraître un de ces garçons que l'administration employait pour acheminer les plis chez les Parisiens. Martin avait eu l'idée d'adresser son précieux document « à Monsieur le Secrétaire de l'Académie poétique de Toulon », sûr que cet homme ne débourserait pas un sou pour lire les fadaises d'un inconnu.

Nos héros attendirent d'être seuls pour décacheter le pli qu'ils tenaient entre leurs mains.

— Alors? Alors? fit la marquise.

L'écrivain lui montra le papier déplié. Pour quelques sous, ils s'étaient offert un testament qui valait de l'or. C'est bien le texte qu'Émilie avait reconstitué chez Mᵉ Momet, mais cette version-là était complète. Elle la lui arracha pour la parcourir.

— « Je lègue l'ensemble de mes biens, *blablabla*, enfin tout ce qui se trouvera m'appartenir au jour de mon décès, à ma chère Marie-Françoise de Clère, fille de mon cousin par alliance, François Martel, comte de Clère, dont elle a le malheur d'être orpheline depuis l'année 1721. Je désire de cette manière faire la fortune d'une personne méritante qui tienne des Martel. »

La révélation de l'identité de l'héritière suscita surprise et accablement.

— Je suis assez contente de mon raisonnement, il se vérifie en tout point, conclut Émilie. En revanche, votre baronne était d'une indéfectible méchanceté.

Elle avait ruiné sa propre fille et sa demoiselle de compagnie pour laisser sa fortune à celle des trois qui en avait le moins besoin.

Qu'avait voulu dire la baronne par « une personne méritante qui tienne des Martel »? Sa propre fille n'était-elle pas méritante à ses yeux, et en quoi? N'était-elle pas du sang des Martel aussi bien que sa cousine? Il fallait que Mᵐᵉ de Fontaine-Martel eût été fort dégoûtée de la rigueur religieuse ou fort entichée de sa jeune parente.

On frappa à la porte. Voltaire alla voir ce que c'était. Il se trouva nez à nez avec la voisine du dessous, curieuse de savoir pourquoi elle entendait du monde chez M. Martin, qu'elle avait enterré le matin même.

C'était une vraie fouine. René Hérault aurait dû l'engager pour mener ses enquêtes à la place des bras cassés dont il s'entourait. Ils avaient bien fait de se travestir, l'importune ne les reconnut pas. Évidemment, ce déguisement avait ses limites.

— C'est fou ce qu'il y a de femmes enceintes, cet hiver, dit la voisine devant le ventre rebondi de la marquise.

C'était la seconde fois qu'elle en voyait une dans la maison en quelques jours.

Voltaire expliqua qu'ils étaient des parents de M. Martin venus de province pour expédier les formalités et recueillir l'héritage. Voltaire se présenta comme le cousin Abel, curé à Angoulême.

— Et madame est la cousine Zelda, elle a épousé un éleveur de porcs dans le Poitou.

La cousine du Poitou fronça les sourcils.

— Un éleveur de porcs de la première distinction, précisa Voltaire.

— Ah ! je me disais, aussi, dit la vieille dame en hochant la tête.

Ils n'avaient d'autre pensée que de la renvoyer à son étage et de s'en aller au plus vite avec leur précieuse trouvaille, mais l'intruse s'assit dans un fauteuil et entama l'éloge du disparu avec la mine satisfaite d'une personne en mal de conversation. Il allait falloir un treuil pour soulever ce postérieur-là.

Condamnés à se montrer polis, ils lui demandèrent si elle avait été très proche de leur malheureux cousin. Il apparut qu'elle était moins attachée à ce viveur invétéré qu'à ses alcools de canne en provenance des colonies. Entre deux sous-entendus sur la vie déréglée du clerc, elle les informa qu'elle accepterait volontiers un petit verre de ratafia pour supporter sa tristesse.

— Hélas ! nous n'en tenons pas, je le déplore, répondit l'écrivain.

— Oh ! mais si, c'est la partie de votre héritage qui est dans l'armoire du bas, dit la dame en désignant l'emplacement des réserves.

La dame était étonnée que la fiancée du clerc ne se fût pas chargée des questions matérielles. Elle faisait allusion à une demoiselle aux cheveux roux, bien comme il faut, qu'elle avait vue monter chez lui à plusieurs reprises.

On lui répondit que la pauvre jeune femme était trop submergée par le désespoir pour être bonne à quoi que ce soit. Elle avait déjà beaucoup fait pour le défunt, elle s'était dévouée pour lui corps et âme jusqu'à son dernier souffle.

— Oh, ça oui ! leur confirma la dame avec un hochement de tête complice, en vidant son deuxième verre de liqueur exotique.

La cloche de l'église voisine sonna. Ils avaient déjà trop forcé leur chance, il fallait s'en aller. On incita la visiteuse à finir son verre et on lui offrit le reste de la bouteille pour s'en débarrasser.

— Vous devriez aérer, c'est confiné, ici, dit la dame. Je suis sûre que personne n'a ouvert la fenêtre depuis le décès. Ce n'est pas sain de respirer une atmosphère corrompue par un cadavre.

Les vapeurs d'esprit de canne lui donnaient envie d'air frais. Il fut impossible de l'empêcher d'aller ouvrir la croisée.

Ses supérieurs avaient ordonné au policier posté en bas de surveiller ce qui pourrait se passer de bizarre chez la victime. Or il se passait quelque chose de bizarre : il y avait du monde à la fenêtre. On le vit débouler dans la minute.

La vision des trois suspects le remplit de stupéfaction.

— Qu'est-ce que c'est que cette réunion ? s'exclama-t-il.

De toute évidence, on trinquait chez le mort.

La voisine lui présenta le cousin Abel et la cousine Zelda, « éleveuse de porcs dans le Poitou » – sourire contraint de la marquise –, venus rendre leurs devoirs à ce pauvre M. Martin. Le policier lui demanda si elle les connaissait. Après une demi-bouteille de ratafia, elle aurait reconnu le roi, le Grand Turc et saint Nicolas.

— Bien sûr, voyons ! Me croyez-vous femme à boire avec n'importe qui ? répondit-elle en levant son verre.

Voltaire se hâta de le lui remplir. Il proposa au policier de les rejoindre dans leurs libations en l'honneur du cher disparu. Il apparut que l'interdiction de s'enivrer pendant le service n'était pas un obstacle infranchissable quand il s'agissait de profiter d'une aubaine.

— Pardonnez-nous de ne rien vous offrir à grignoter, dit Voltaire. La cousine Zelda a oublié d'apporter des saucissons de son commerce. L'émoi de cette nouvelle tragique nous a déboussolés…

Après avoir bien bu aux frais du mort, l'exempt se plaignit de ses supérieurs, qui le forçaient à piétiner dans le froid, devant une maison où il n'y avait sûrement rien à apprendre d'intéressant.

Voltaire sentait, dans sa poche, l'épaisseur du testament susceptible de renverser des fortunes, de changer des destins, ce document pour lequel deux meurtres avaient déjà été commis. Il proposa de boire à la santé des forces de police zélées que dirigeait René Hérault.

Lᴇ ratafia aidant, les cousins de province parvinrent enfin à se défaire de l'idiot et de la poivrote. La vigilance de l'exempt s'annonçait d'autant moins efficace qu'il était pris de boisson. Heureusement, grâce à eux, il n'y avait plus rien à surveiller. Les fouineurs et lui se quittèrent copains comme cochons poitevins.

Ils étaient en possession d'un titre d'une grande importance qui ne leur appartenait pas. La seule personne habilitée à le détenir était le notaire Momet, à qui cette pièce avait été dérobée. L'honnêteté la plus élémentaire les obligeait à la lui restituer au plus vite.

Voltaire résolut donc de la lui rapporter personnellement après un petit détour chez Mˡˡᵉ de Clère : il avait un détail à régler avant de se départir du document. Une fois que l'on serait en mesure de clore la succession, on risquait fort de mettre dehors un écrivain méritant qui craignait la solitude, les logis exigus et les frimas. Il n'avait pas œuvré en faveur de la jeune orpheline pour se voir jeter à la rue du jour au lendemain. Il importait d'aller rendre visite à la petite millionnaire tant qu'elle ignorait encore sa bonne fortune.

Avant de se présenter chez ces dames de Clère, il quitta son déguisement d'abbé – c'est-à-dire qu'il ôta son col blanc, sa calotte, retourna son pourpoint et troqua son expression bonasse de curé repu contre celle de l'écrivain génial, du chantre de la liberté. La transformation achevée en un tournemain, il se présenta chez la comtesse. Cette dame, veuve depuis bientôt douze ans, qui avait élevé ses enfants avec courage, avait consenti tous les sacrifices pour leur faire donner une bonne éducation et devait à présent marier sa fille.

Après avoir offert une tasse de thé au visiteur, on s'excusa de le recevoir si mal. On n'avait pas de brioche, mais on avait des tartines.

— Voulez-vous des confitures ? proposa l'affreuse gamine.

— Non, merci, dit Voltaire avec autant de vivacité que si on lui avait tendu la ciguë.

Il se lamenta intérieurement. Toutes leurs recherches testamentaires n'avaient servi qu'à ruiner la peste pour enrichir le choléra.

La conversation roula sur le sujet des belles-lettres, dont il était, depuis *Zaïre*, l'un des représentants les plus en vue. Hélas ! la condition d'homme de plume était un pari de l'intelligence contre la détresse. Il dressa le tableau d'un auteur voué à périr de faim, de froid et de solitude par suite d'une scandaleuse injustice.

— Le pauvre ! compatit Mᵐᵉ de Clère. Qui est-ce donc ?

— C'est moi, dit Voltaire avec son regard de chien battu.

La rue, la misère, la maladie, c'était là le sort que lui avait promis « la Grandchamp », cette intrigante qui leur avait déjà fait tant de mal, à elles, en les spoliant d'un héritage qui aurait pu leur revenir. Elles eurent la politesse de s'indigner :

— Vous chasser de votre chambre en plein hiver ! Quelle honte ! La personne qui héritera cette maison devra respecter les volontés de la baronne, c'est bien le moins qu'elle pourra faire !

Voltaire déclara que leur compassion était un baume. Il demanda si elles pouvaient lui confirmer cela par un petit écrit dressé entre eux pour la forme.

CHAPITRE TREIZIÈME

Comment Voltaire œuvra pour le triomphe de la morale chrétienne.

LA vie auprès de Mlle de Grandchamp avait franchi les limites du supportable. La cohabitation avec des meurtrières nuit à la tranquillité dont un penseur a besoin pour réformer la société.

Un honnête homme a grand intérêt à s'aider lui-même sans attendre les secours de la Providence, aussi Voltaire se résolut-il à prendre des mesures. Il fit une visite à la maison d'à côté, dont il revint fort satisfait.

Il ne s'était pas trompé sur les mauvaises intentions de Victorine, elle avait bien une dent contre lui. À peine eut-il tourné le dos qu'elle profita de son absence et du sommeil de Linant, qui ronflait sur un sofa, pour fouiller les affaires de l'écrivain.

Comme tous les malfaisants qui mettent leur nez dans les secrets des autres, elle ignorait de combien de temps elle disposait, il fallait aller au plus pressé. Elle avait entendu dire à l'importun que sa canne était une arme puissante. Pour une fois, il était sorti sans cet objet, posé près de la porte. Victorine voulut voir l'épée ou le couteau cachés à l'intérieur. Elle fut toute surprise, ayant dévissé la poignée en argent, d'avoir entre les mains un rouleau de papier couvert d'une écriture serrée, le manuscrit original des *Lettres philosophiques*.

Elle délaissa les pages et leur curieux support et chercha quelque chose d'utile. Elle en était à essayer de forcer le tiroir du secrétaire à l'aide d'un coupe-papier quand Voltaire entra. L'instrument tranchant que la jeune femme tenait entre ses doigts crispés n'annonçait rien de bon. L'écrivain saisit sa canne et la mit en garde :

— Méfiez-vous : cette arme est capable de faire tomber bien des têtes !

— Ne vous fatiguez pas, rétorqua-t-elle avec une moue, je sais qu'elle est pleine de vieux papiers sans intérêt.

— Comment, sans intérêt ! couina l'auteur.

Il était temps d'avoir avec l'insolente une explication décisive. Voltaire s'assit dans son cher fauteuil d'époque Régence, dont la bourre bien épaisse compensait le peu de volume de son fessier. On lui avait donné, dans la maison d'à côté, des bonbons qui étaient tout à fait de circonstance.

— Un loukoum, ma chère ? C'est une sucrerie d'Istanbul.

Victorine refusa.

— Merci. Je surveille ma taille. Je n'ai pas envie de ressembler à la Fontaine-Martel.

— Je crains en effet que ces douceurs exotiques ne vous soient indigestes, dit Voltaire.

Il avait lui-même un certain code d'Istanbul qui lui était resté sur l'estomac.

En premier lieu, il la plaignit d'avoir été trompée par la baronne. La vieille dame n'aurait pas dû l'ôter à ses parents, ni lui faire miroiter un legs qu'elle n'avait aucune intention de lui faire. Victorine de Grandchamp avait ceci de philosophique qu'elle croyait, elle aussi, à la nécessité de prendre son destin en main. Il était dommage que ces mains soient à présent tachées de sang.

L'accusée protesta : ce n'était pas elle qui avait poignardé la baronne, elle était prête à le jurer. Voltaire lui conseilla de rester dans ces dispositions en prévision du jour où elle comparaîtrait devant ses juges.

Il était convaincu qu'elle avait hâté la fin de sa maîtresse afin de profiter de l'indépendance promise. Sa patience envers la vieille dame exigeante s'était tarie le jour où celle-ci avait évoqué le legs posthume. Victorine possédait de la ressource, de l'imagination, une totale absence de scrupules ; la baronne n'avait aucune chance de s'en tirer.

Voltaire voulut bien lui accorder qu'elle ne l'avait ni poignardée ni empoisonnée : il penchait pour l'étouffement à l'aide de l'oreiller.

La baronne expédiée, Victorine avait dû vider les tiroirs, une activité qu'elle pratiquait volontiers, comme il venait de le vérifier. À la lecture du testament, elle avait pu constater qu'elle n'héritait rien. Aussi avait-elle brûlé ce terrible papier annonciateur de tristes nouvelles, celui-là même dont Émilie du Châtelet avait ramassé un petit morceau dans la cheminée.

Le seul espoir de Victorine consistait à récupérer le double conservé par le notaire. Sans doute avait-elle fait la connaissance du clerc Martin en accompagnant sa maîtresse chez Mᵉ Momet. On pouvait supposer qu'elle avait proposé à Martin d'éponger ses dettes, en plus de s'être jetée dans ses bras ; l'argent corrompt plus vite que les sentiments, c'est pour cela qu'on l'a inventé. La perspective de se partager quarante mille livres de rentes est de nature à ébranler le caractère d'un amateur de cartes et de jolies filles.

Juste avant l'arrivée des héritières, Martin avait escamoté le testament conservé dans le coffre-fort de son patron. De retour chez lui, il avait mélangé ce texte avec une lettre de la baronne, de manière à donner à ces mots un sens favorable.

Venait la partie du complot que Voltaire reprochait le plus à l'inconsciente.

— Votre problème était de faire découvrir votre testament trafiqué, alors que la maison avait été fouillée de fond en comble après le décès. Comment nous mettre sur sa piste ? C'est alors que vous vous êtes souvenue du code d'Istanbul. Je suis sûr que vous avez appris l'existence de ce système en fouinant chez votre oncle, feu l'ambassadeur Picon d'Andrezel.

Elle sourit et jeta un coup d'œil circulaire. La porte était close, il n'y avait aucun témoin. La tentation de se vanter la submergea.

— Vous vous trompez sur un point, répondit-elle, ce qui sousentendait qu'il avait raison sur tous les autres.

Elle raconta comment, réveillée par les râles de la baronne, elle l'avait trouvée qui se tordait de douleur dans son lit – Voltaire supposa que c'était à cause des confitures à la cantharide et au datura. Sur le moment, elle n'avait songé qu'à la secourir. Elle était descendue à la cuisine lui chercher de l'eau de mélisse. À son retour, elle avait eu la surprise de la trouver poignardée. Le plus horrible, c'était que la malheureuse n'était pas morte. Elle avait la respiration sifflante. Qui sait combien de temps elle aurait pu traîner ainsi ? Victorine jura qu'elle n'avait fait qu'abréger ses souffrances en lui plaquant un oreiller sur la figure.

Il lui fit remarquer qu'on avait relevé, à l'autopsie, des traces de strangulation.

— Je me suis peut-être laissé emporter, concéda-t-elle.

L'horreur glaça Voltaire. Si grandes ses ressources d'ironie fussent-elles, le cynisme continuait de le choquer. S'il lui concédait le bénéfice du doute pour ce qui était de sa patronne, il ne pouvait l'absoudre du meurtre de Martin.

Victorine se posa en victime des événements. Le clerc était assoiffé d'argent, il perdait l'esprit, il devenait dangereux. Elle avait pris la résolution de le faire taire.

L'idée d'un guet-apens lui était venue le lendemain, quand elle s'était aperçue que Linant la suivait. Ce gros abbé naïf au service d'un impie notoire faisait un coupable idéal. Elle était montée chez Martin, l'avait poignardé, avait attendu dans le noir que l'idiot arrive à son tour. Dans la pénombre, il n'avait pas manqué de trébucher sur le tabouret, de choir sur le cadavre, et s'était enfui couvert de sang, comme elle l'avait prévu.

— Tout aurait réussi sans un grain de sable, dit Voltaire.

— Vous voulez parler de votre manie de vous mêler de ce qui ne vous regarde pas? supposa Mlle de Grandchamp.

— Je veux parler de mon aptitude à réfléchir, à déceler la présence du mal, à lutter contre les mauvais instincts! Je veux parler de la philosophie!

On frappa à la porte. Le valet Beaugeney venait prévenir Mademoiselle qu'un groupe de personnes la demandaient en bas.

Victorine attendit qu'il eût refermé pour plonger ses grands yeux bleus pleins de courroux dans ceux du philosophe.

— Vous avez eu grand tort de me dénoncer à la police! s'écria-t-elle. Vous n'avez pas de preuve! Je dirai que j'ai agi sur votre ordre!

Un sourire étira légèrement les lèvres de l'écrivain.

— Ma jeune amie, « dénoncer » et « police » sont deux mots qui n'appartiennent pas à mon vocabulaire. Pourquoi s'en remettre à de si vilains expédients quand on peut obtenir le même résultat en faisant une bonne action?

Elle le regarda sans comprendre. Elle s'attendait au pire, et elle avait raison.

Voltaire et Victorine rejoignirent une poignée de bonnes âmes, animées par la piété et par un ardent désir de faire le bien. Il y avait là quelques révérends pères, l'aumônier de la duchesse d'Orléans et deux religieuses qui portaient le voile de leur congrégation ; des gens beaucoup plus à craindre que la police, de l'avis du philosophe.

L'aumônier ouvrit les paumes vers le ciel en apercevant la jeune femme.

— Mademoiselle ! Réjouissez-vous ! Vous êtes sauvée !

Ému par le désespoir de l'infortunée, que la disparition de sa protectrice jetait dans le dénuement et tous ces dangers qui guettent les demoiselles sans avenir, Voltaire avait eu un geste de pure bonté : il avait touché un mot de ses misères à la duchesse d'Orléans, leur voisine du Palais-Royal. On ne pouvait abandonner une fille noble qui venait de perdre l'ultime espoir de se voir établie. La duchesse, que son âge et un long veuvage avaient rapprochée de l'Église, avait accepté de la doter pour lui permettre d'entrer dans un couvent de campagne pas trop exigeant.

Mlle de Grandchamp ouvrit des yeux épouvantés. Au lieu de courir remercier sa bonne fée, elle s'en prit à son bienfaiteur, l'accusa d'avoir fomenté un complot et l'assura que sa tante la défendrait.

L'aumônier la détrompa sur ce point. Mme d'Andrezel avait transmis une lettre aux personnes chargées de l'emmener : elle y remerciait vivement la duchesse d'Orléans d'avoir rendu possible cette excellente solution, « la seule digne de cette malheureuse enfant et de sa famille ». Il y avait là un sens caché qui n'échappa nullement à Victorine. De toute évidence, sa tante la soupçonnait d'avoir commandé la fabrication du faux testament, peut-être aussi d'avoir assassiné le clerc qui s'était chargé de ce travail. Elle regardait à présent sa nièce comme un objet d'horreur. La relégation au couvent n'avait d'autre but que de préserver l'honneur des Picon.

La nouvelle nonne se changea en granite tandis que les bons pères félicitaient l'écrivain de s'être entremis pour sa protégée.

— C'est à monsieur que vous devez votre bonheur, dit l'aumônier en désignant Voltaire.

Aussi modeste que généreux, son ange gardien la dispensa volontiers de lui exprimer la profondeur de sa gratitude :

— Je vous en prie, vous avoir rendu service remplit mon cœur de joie.

Seule la présence de témoins empêcha la future religieuse de lui arracher les yeux.

Ses malles bientôt faites, elle monta en carrosse avec la sobre dignité d'un condamné en route pour l'échafaud. Il était douteux qu'on la revît jamais. Il s'écoulerait peu de temps avant qu'on ne lui fît prononcer ses vœux, l'Église refusait d'en relever quiconque, et leur fuite condamnait les défroqués à errer aux marges de la société. Voltaire espéra seulement que la supérieure était d'une nature méfiante : on ne pouvait exclure l'éventualité que de fausses écritures et un oreiller ne finissent un jour par faire de la jeune recrue une abbesse.

Tout était enfin pour le mieux dans le meilleur des mondes. Le persécuteur de la baronne était au cimetière, l'étouffeuse sous la garde de Jésus-Christ. On ignorait seulement pour quelle raison le monte-en-l'air s'en était pris à Mme de Fontaine-Martel, ou qui lui donnait des ordres à travers les morceaux de musique. Ils avaient mis un frein à l'expression du mal, non à sa source.

Ils purent enfin se détendre un peu. Linant avait envie d'aller voir le succès du moment, une tragédie intitulée *Gustave Wasa*, d'Alexis Piron, l'un des principaux concurrents du maître. Émilie appuya vivement cette proposition.

— Vous voulez aller au théâtre ? s'étonna Voltaire. On n'y joue rien de moi. Vous allez vous ennuyer.

On était le 7 mars 1733. Le thème de la tragédie avait été suggéré à son auteur par le *Charles XII* de Voltaire, ouvrage historique qui contait le destin lamentable du roi de Suède. *Gustave Wasa* n'était certes pas le chef-d'œuvre du siècle, mais les Comédiens-Français étaient au point. La représentation aurait été plus plaisante si le lutin grognon assis à côté de la marquise avait évité de scander chaque tirade d'un soupir d'exaspération. Au quatrième acte, il murmura à l'oreille d'Émilie :

— Vous avez eu la représentation de Piron, vous allez avoir la mienne.

En plein milieu du monologue d'un roi Gustave sur le point de succomber aux aléas de la vie de monarque, il se leva et demeura immobile derrière la rambarde. Une rumeur ne tarda pas à bruire dans la salle. Au bout de quelques instants, plus personne ne prêtait attention aux malheurs de la Suède : tous les regards s'étaient tournés vers le célèbre auteur debout. Et tout le public le vit quitter la salle, suivi de la dame et de l'abbé qui l'accompagnaient. Piron avait commis un crime impardonnable, il avait traité le même sujet que Voltaire, autant dire qu'il le lui avait volé, et les applaudissements aggravaient l'offense.

Ils firent quelques pas dans la rue des Fossés-Saint-Germain-des-Prés avec l'espoir que l'air froid contribuerait à calmer Voltaire. Ce qui le calma plus vite encore, ce fut de tomber sur le lieutenant général de police, qui avait le don de surgir dans les endroits les plus incongrus, aux pires moments possibles.

Le bras armé de la Justice empoigna Voltaire par le biceps comme un vulgaire voleur de montres.

— Allez, Arouet ! À la Bastille !

Le philosophe s'indigna.

— Mais ! Comment ! Je vous ai attrapé votre assassin ! Je vous ai même épargné la peine d'avoir à le juger et à le rouer ! J'ai fait assez pour mon pays, je crois !

On lui fit observer qu'il avait attrapé un cadavre sur qui pesaient des présomptions et non des preuves.

— Je ne peux pas aller en prison ! J'ai mon *Eriphyle* !

— L'apothicaire du gouverneur vous soignera ça, il a des pommades contre toutes sortes d'eczéma.

— Ce n'est pas une sorte d'eczéma, c'est une sorte de tragédie !

— Dites-moi, Arouet, dit Hérault. Je me demande si vous ne suscitez pas tout ce scandale autour de vous pour cacher autre chose. Pour masquer un insidieux travail de sape de la royauté, par exemple.

Émilie s'interposa. Avec sa robe couverte de pompons, on aurait dit une belette mécontente passant la tête à travers un buisson de roses.

— Monsieur Hérault, j'espère que vous laisserez M. de Voltaire en repos.

— Chère madame du Châtelet, c'est moi qui décide qui je dois laisser en repos.

Le philosophe s'étant éloigné pour s'asseoir sur une borne, car il était sur le point de défaillir, la marquise mit son interlocuteur en garde. Elle n'aimait pas se livrer au chantage, mais il faut parfois faire une entorse à ses principes pour la bonne cause. On lui avait confié, sous le sceau du secret, la triste aventure d'une dame mariée qu'on avait arrêtée et sévèrement condamnée, il y avait trois ans de cela. Elle savait de bonne source que cette femme était la maîtresse d'un certain lieutenant général. Non seulement celui-ci avait eu une liaison avec une criminelle, mais il l'avait laissé enfermer sans sourciller ; qu'en dirait le public s'il l'apprenait ? Les bien-pensants lui reprocheraient l'adultère, les autres l'abandon.

René Hérault frémit comme s'il avait reçu un coup de badine dans les mollets. Mme du Châtelet venait de le cingler moralement, la souris avait mordu le lion. Son adjoint s'attendit à le voir rugir.

— Vous avez jusqu'à demain soir, articula le lieutenant général d'une voix blanche.

Ils avaient donc vingt-quatre heures pour disculper Voltaire. S'ils y parvenaient, on promettait de ne plus importuner le philosophe.

Le trio eut du mal à s'éloigner du tourmenteur. Voltaire avait ses vapeurs. Linant l'adossa à une encoignure de porte et tâcha de l'éventer avec son programme de *Gustave Wasa*. Émilie se permit quelques remontrances envers le cher philosophe :

— Vous êtes sympathique, on vous aime bien, et puis voilà : vous écrivez un livre, vous gâchez tout !

— Vous m'en voyez navré, glapit l'écrivain.

Il se sentait mal. L'injustice lui tordait l'estomac. Il vacilla, Linant dut le soutenir.

— Je me meurs, je suis mort, portez-moi dans ma tombe !

Émilie secoua vigoureusement le moribond par son bras libre, ce qui ne correspondait pas du tout à la sollicitude espérée.

— Ce n'est pas le moment de mourir ! Vous ne voulez pas croupir sur un grabat à la Bastille !

Il poussa un râle.

— Allez ! reprit la marquise. Au travail !

— Je n'aime pas recevoir des ordres, même de moi-même, parvint à prononcer le martyr.

On le traîna jusqu'à l'hôtel de Fontaine-Martel, où il fallut le porter à son étage comme un paquet inerte. L'abbé le fit asseoir dans son fauteuil. Voltaire parut vouloir y installer son agonie. Mme du Châtelet fulminait.

— Levez-vous donc ! Vous finirez par laisser votre nom à ce meuble !

— Quelqu'un me veut du mal.
— Oui. Cessez d'écrire.
— Souhaiteriez-vous ma mort ?
— Je laisse cela à vos lecteurs.

Prêt à toutes les flatteries pour ne pas avoir à préparer une nouvelle cohorte de tisanes et de lavements, Linant se lança dans un éloge de la marquise et engagea l'écrivain à suivre ses recommandations : elle était d'un caractère volontaire, était passée maître dans plusieurs sciences et techniques, férue de latin, capable de garder les plus grands secrets… Autant dire qu'il voyait en elle un mélange de conquérant viking, de vénérable du Grand Orient et d'académicien chenu. Voltaire en fut un peu rasséréné.

— Je suis content d'avoir rencontré un homme tel que vous, dit-il à la marquise, dont il baisa le bout des doigts.

Il en tenait toujours pour le complot religieux. Parmi tous ceux qui lui voulaient du mal, les jansénistes étaient les pires. Pour tirer cela au clair, il leur fallait un émissaire susceptible d'aller fourrer son nez dans le camp adverse ; quelqu'un d'assez ferré sur les choses pieuses, mais qu'on ne reconnaîtrait pas ; quelqu'un dont la figure innocente, insoupçonnable, lui permettrait de s'infiltrer chez ces illuminés que leur furie portait à l'assassinat.

Un silence se fit.

— Je ne vois pas du tout qui vous pourrez trouver, dit l'abbé Linant.

CHAPITRE QUATORZIÈME

*Tandis que des abbés se font fesser,
Voltaire fait le bonheur du monde
au nom de Socrate.*

L'ABBÉ LINANT se dirigeait vers l'enclos Sainte-Marguerite en bénissant le nom de l'écrivain qui l'envoyait espionner ses frères en confession, mais seulement parce qu'on avait bien ancré dans son esprit que maudire les gens était un grave péché. Cela valait toujours mieux que de réfléchir au risque qu'il prenait en se livrant pieds et poings liés à une communauté d'excommuniés capables de tout.

Il s'arrêta à vingt pas d'une maison discrète située devant le cimetière. Des gens entraient les uns après les autres en dissimulant leur visage derrière leur col. Comme ils avaient pris l'habitude d'envahir les lieux d'inhumation pour se rouler sur les tombes en invoquant le Seigneur, le lieutenant général de police avait fait dissoudre leur confrérie.

Il n'y avait pas de secret capable de nuire à ses ennemis dont Voltaire ne pût s'informer. Il lui avait fallu une heure à peine pour se procurer l'adresse de la conférence et le mot de passe exigé à l'entrée. Le gros Linant toqua, le volet s'ouvrit.

— Pour le retour du prophète Élie, murmura-t-il, aussi honteux que s'il disait un gros mot.

— Entrez, mon frère.

Linant pénétra dans une vaste salle très dépouillée, dont la principale décoration célébrait le diacre Pâris, le dernier saint de leur mouvement. Il reconnut Mme d'Estaing, debout au premier rang. Quand l'heure eut sonné, quelques fidèles vinrent raconter les visions divines qu'ils avaient eues en rêve.

Le clou de la soirée consista en une longue séance de convulsions et de bastonnade. Les convulsionnaires se tordaient sur le sol en suppliant les témoins de les secourir, ce dont ceux-ci s'acquittaient en tirant sur leurs membres de toutes leurs forces, en leur appliquant des coups de bûche ou en leur enfonçant des pointes dans le corps jusqu'à les faire saigner. D'autres se faisaient lier à des croix, la tête en bas, comme l'apôtre saint Pierre, afin de commémorer les souffrances des vrais chrétiens.

La comtesse d'Estaing, « notre sœur Henriette », n'était pas la moins enthousiaste. Elle qui n'aurait pas laissé un valet lui frôler la main se faisait fesser à qui mieux mieux au nom de l'Église idéale définie par Jansénius.

Horrifié, Linant passa dans une pièce attenante, à l'atmosphère plus calme. On s'y reposait sur des tabourets, et l'on se passait des linges humides sur les jambes, le cou, les bras et la figure. Dans un angle, certains se faisaient tatouer des dessins issus de leurs visions : des figures géométriques, des points, des traits mystérieux.

Un monsieur venu soigner son postérieur se mit à dévisager Linant, qui se crut découvert. Il se voyait déjà fessé à mort, puis livré aux chiens parmi les tombes de Sainte-Marguerite.

— Vous êtes nouveau, n'est-ce pas ? dit l'homme.

Linant répondit qu'il avait l'habitude de se faire fesser en province. On parla de « sœur Henriette » ; l'abbé fit observer qu'elle se donnait à fond pour le Seigneur.

— Et encore ! dit le monsieur à l'arrière-train écarlate. Aujourd'hui, elle est un peu déboussolée. D'habitude, son secrétaire et elle font l'animation de la soirée.

Linant s'étonna qu'elle fût seule. Son employé avait-il quitté la communauté ?

— Dieu ne permet pas qu'aucun d'entre nous s'éloigne de la Lumière ! Il aimerait mieux nous ôter de ce bas monde !

L'abbé déglutit péniblement. Son nouvel ami lui expliqua que le serviteur de sœur Henriette était un personnage exceptionnel. Tout le monde ici connaissait son destin extraordinaire : elle avait recueilli ce malheureux alors qu'il était dans la plus grande détresse, tant d'esprit que de chair. Elle l'avait retiré des griffes du diable. Depuis lors, il lui servait de cocher, de factotum, et se serait laissé tuer pour elle.

Linant se demanda si ce n'était pas précisément ce qui était arrivé. Restait à savoir si ces élus de Dieu méditaient d'assassiner Voltaire. Il tâta son interlocuteur sur le terrain des philosophes et de l'éventualité d'en débarrasser le royaume manu militari. On lui parut bien mou sur la question. Les tenants de la vraie foi et des coups de bâton citaient le nom de Voltaire comme celui de Satan et de Lucifer, mais Linant connaissait maints curés très respectueux de la doctrine romaine qui en usaient de même, et il était de moins en moins éloigné de penser comme eux.

Il décida de gagner discrètement la sortie avant qu'on ne s'étonnât de ne pas le voir se tortiller par terre entre deux rangées de fouetteurs à la face rougeaude. Il avait beau être rembourré de bonne graisse de tous les côtés de son anatomie, il n'était pas sûr que son embonpoint suffît à amortir les coups de trique et n'avait aucune envie de le vérifier.

Nos enquêteurs attendirent le lendemain pour débattre, autour d'une tasse de thé, des renseignements glanés à si grands risques par ce bon Linant. Ils n'avaient plus que cette seule journée pour fournir à René Hérault la preuve qu'il réclamait. L'ombre de la Bastille recouvrait de plus en plus l'hôtel de Fontaine-Martel.

Mme du Châtelet était maintenant si ostensiblement enceinte qu'on s'étonnait, chaque fois qu'on la voyait, qu'elle n'eût pas accouché pendant qu'on avait le dos tourné. Elle regretta de n'être pas allée enquêter chez les jansénistes, dont les coups de martinet auraient peut-être accéléré le processus. La remarque suscita en M. l'abbé l'affreux soupçon que cette femme pouvait n'avoir pas la maternité chevillée au corps.

On mit en liste les renseignements dont on disposait : Mme d'Estaing avait perdu son homme à tout faire, c'était un malheureux qu'elle avait recueilli par charité et il avait l'air bizarre. Où pouvait-on obtenir des informations sur ce genre de personnage ?

— Aux Petites Maisons ! s'écria Voltaire. La comtesse y répand ses bontés à un rythme hebdomadaire !

La piste de l'assassin les conduisait décidément dans les lieux les plus agréables de la capitale. Voltaire vit bien que Linant était sur le point de rendre son tablier, quitte à postuler pour une place de frère marmiton dans un monastère. On ne pouvait pas non plus, en toute décence, demander à la marquise, dans son état, de retourner frotter ses semelles dans un hôpital probablement fréquenté par tout un tas de gens malsains. L'écrivain se chargea donc d'aller visiter l'asile en personne. Après tout, en tant qu'expert de la raison, il était tout indiqué pour enquêter chez ceux qui l'avaient perdue.

Au guichet des Petites Maisons, le concierge fut prié de prévenir la direction qu'un grand personnage était là. Survint un administrateur très ému, qui se préparait à multiplier les courbettes devant un prince du sang ou monseigneur l'évêque en personne.

Le sous-directeur de service tomba sur un petit bonhomme dont la longue perruque brune encadrait un sourire ravi. Le célèbre auteur dramatique avait l'amabilité de s'intéresser à leur établissement de charité. On supposa que c'était dans le cadre de quelque pièce nouvelle sur une folle de l'Antiquité ou du Moyen Âge, afin de composer un équivalent français de lady Macbeth ou d'Ophélie.

— Point du tout ! Le ciel me préserve d'écrire des atrocités aussi calamiteuses que ce pauvre Shakespeare ! s'écria l'écrivain, blessé de la comparaison. Et pourquoi pas *Le Roi Lear*, tant qu'on y est ? Un vieillard sénile qui se fait crever les yeux sur scène !

La folle qui l'intéressait, c'était Mme d'Estaing. Il s'abstint d'employer ce terme à son propos, et il fit bien, car la comtesse avait en ces lieux une réputation équivalente à celle de saint Hermès, patron des déséquilibrés.

On lui confirma volontiers que cette bienheureuse avait poussé la charité jusqu'à recueillir, quatre ans plus tôt, un pensionnaire qui l'idolâtrait. Cet homme avait eu l'habitude de la suivre à travers l'établissement, à genoux, en baisant le bas de sa robe.

Depuis qu'elle l'avait pris à son service, il allait beaucoup mieux. Il revenait régulièrement ici dans son sillage, car il ne la quittait guère. Il était propre à tout. C'était, aux yeux du sous-directeur, une étrange reconversion pour un musicien d'église.

— Un musicien d'église ! répéta Voltaire.

Les Feuillants de Paris l'avaient chassé de leur communauté parce qu'ils le jugeaient trop exalté. Il avait erré de par les rues pendant une année, jusqu'à ce que l'évêché le fasse conduire aux Petites Maisons par charité envers un ancien moine. Depuis plusieurs jours, cependant, la comtesse venait seule.

Voltaire fut enchanté de ces nouvelles. Il tenait son assassin.

De son côté, le sous-directeur fut touché de voir que des gens à la mode tels que ce brillant auteur, qui vivaient sûrement dans les mondanités et la frivolité, étaient susceptibles de se pencher sur les infirmités de personnes moins bien loties qu'eux.

— Pauvre homme, dit-il en songeant à son ancien pensionnaire. J'espère qu'il n'a pas rechuté dans ses erreurs.

— Rassurez-vous, tout va bien, dit Voltaire, il est mort.

Alors qu'on le reconduisait à travers la cour, il jeta des poignées de piécettes aux miséreux en criant :

— Vive Socrate ! Vive Platon !

Il importait de montrer que les philosophes savaient être généreux aussi bien que les comtesses illuminées.

Avant de quitter le guichet de l'établissement, il se fit donner de quoi écrire et rédigea un mot à l'intention de M. Hérault. Il lui annonçait qu'il connaissait le nom et l'adresse de son assassin : un fou, chez une folle.

PENDANT ce temps, Émilie cherchait à découvrir la signification des chiffres 050996 inscrits sur la plaque de verre de la lanterne magique. Cette suite numérique l'obsédait. Ayant décrypté avec brio un code alphabétique, elle acceptait mal l'idée de voir une numération lui résister. Après l'avoir retournée dans tous les sens une heure durant, elle dut bien admettre qu'elle s'y cassait les dents.

Elle était d'accord avec les philosophes péripatéticiens : si la solution se refuse à vous quand vous êtes assis, réfléchissez debout. Elle enfila manteau, chapeau, gants, et quitta l'hôtel de Fontaine-Martel pour aller consulter quelques spécialistes.

Une heure plus tard, elle avait promené ses chiffres dans tous les couloirs du Louvre, là où siégeait l'Institut, sans résultat. Voltaire était déjà passé le mois précédent avec ses lettres à faire analyser.

Elle rencontra le mathématicien Maupertuis. Il avait trente-quatre ans, était brillant, bien fait, avait un petit air canaille de fils de corsaire malouin anobli par Louis XIV. Il lui plut immédiatement. C'était contrariant. Elle n'était pas encore devenue la maîtresse de Voltaire qu'elle le trompait déjà en idée avec un savant. Sa passion pour les grands esprits ne lui rendait pas la vie commode.

Maupertuis était occupé à refaire les calculs par lesquels Newton avait démontré que la Terre est un globe aplati aux deux pôles. Elle le tira de ses équations pour lui soumettre sa petite devinette. La première solution qu'il lui proposa fut : « Soupez avec moi. »

Bien qu'elle le trouvât fort à son goût, elle estima l'invitation prématurée et ne prit pas de chiffres pour le lui signifier. Il existait apparemment des hommes que l'état de grossesse avancée ne rebutait pas. Elle ne s'en serait pas doutée, n'ayant pas vu reparaître son époux depuis qu'il avait appris la bonne nouvelle ; les batailles polonaises du roi de France l'avaient subitement absorbé plus que jamais.

La marquise réorienta Maupertuis vers un mystère qui, ces jours-ci, l'occupait davantage que la bagatelle. L'homme de science, qui était dans des dispositions exactement inverses, y mit tant de mauvaise volonté qu'il ne trouva rien du tout. Elle le quitta fort déçue par l'efficacité des mathématiques modernes.

Un fiacre attendait à deux pas de là. Elle venait de faire signe au cocher quand son regard tomba sur la plaque d'immatriculation. Elle se figea en découvrant la suite de chiffres. Puis elle leva les yeux vers le cocher et vit qu'il la contemplait sous son vieux tricorne élimé. Ses traits lui rappelèrent vaguement quelqu'un. Lui-même la regardait avec une fixité inconvenante qui la mit mal à l'aise.

La mémoire revint à la marquise, une fois assise à l'intérieur, alors qu'il levait son fouet. Hélas ! il était trop tard.

DE son côté, plutôt que de suivre des pistes criminelles, Linant avait suivi celle des sucreries, un chemin bien plus tranquille. Il découvrit une boîte remplie de vieux biscuits tout secs que personne, sinon un affamé insatiable, n'aurait songé à aller remuer. Alors qu'il fouillait à l'intérieur pour voir si ceux du fond n'avaient pas conservé un reste de fraîcheur, il trouva, tout en bas, quelque chose d'encore plus sec et de moins digeste. C'était un nouvel extrait de la correspondance de la baronne qui ne semblait pas destiné à des yeux étrangers.

Le sujet de la lettre était mal choisi, sa lecture lui coupa l'appétit.

— Par saint Joseph! répéta-t-il comme il reprenait au début pour s'assurer qu'il avait bien compris.

Ses exclamations attirèrent le valet Beaugeney, dont l'activité favorite consistait à rôder dans les corridors. Beaugeney glissa un œil par l'entrebâillement de la porte et vit le gros abbé, blême d'horreur, penché sur un papier couvert de miettes.

— Rendez-moi ça! s'écria-t-il. Ce n'est pas à vous!

Linant sauta de sa chaise, cacha d'une main la lettre dans son dos et, de l'autre, empoigna la boîte aux biscuits.

— Ce document n'est pas pour vous! déclara-t-il. Je vais le remettre à M. de Voltaire!

Le valet aurait pu rétorquer que l'écrivain n'était pas plus concerné que lui, mais il préféra se saisir d'un objet contondant.

VOLTAIRE longeait à pied la rue des Bons-Enfants tout en réfléchissant au brio avec lequel il avait résolu cette sinistre affaire. De sa visite aux Petites Maisons, il concluait que c'était la comtesse d'Estaing qui jouait du pipeau et des timbales pour le faire tuer – et qu'elle avait donc fait mourir sa propre mère par ce moyen! Restait à savoir quel motif l'avait poussée au matricide. L'envie d'hériter avait-elle été trop forte? La soif de vengeance? Un différend d'ordre privé? Mme d'Estaing avait paru prendre ses déconvenues avec trop de tranquillité pour qu'il vît là le moteur de semblables fureurs.

De retour à l'hôtel de Fontaine-Martel, il se débarrassa de son manteau, de ses gants fourrés et de sa canne, sans prêter attention au vacarme environnant, sans quoi il aurait certainement conservé ce dernier objet.

— Linant? lança-t-il à la cantonade. Je rentre des Petites Maisons!

Par la porte du salon, il vit passer deux énergumènes qui se poursuivaient à travers les pièces, chacun armé d'une louche en métal. Au deuxième passage, Linant l'appela à l'aide et courut se poster derrière lui, ce que l'écrivain eût préféré qu'il ne fît pas. La vivante muraille se trouva face à Beaugeney, qui brandissait son ustensile avec toute l'aménité d'un Turc au siège de Jérusalem, celui de 1187, dont la chrétienté ne s'était pas remise.

— Allons, messieurs, nous n'allons pas nous disputer comme de vulgaires aristotéliciens ! plaida l'écrivain.

— Il ne veut pas que je vous donne la lettre de la baronne ! s'écria le gros abbé en désignant d'un doigt tremblant le furieux à la face congestionnée qui les menaçait.

Voltaire s'empourpra à son tour.

— Monsieur, dit-il à l'apprenti censeur, sachez que même la police du roi n'a jamais réussi à m'empêcher de lire mon courrier !

Beaugeney rétorqua que cette lettre n'était pas pour lui, qu'elle était pour une personne très comme il faut, que cette personne avait déjà versé un acompte pour s'en assurer la possession exclusive.

Voltaire fouilla dans sa poche, dont il tira un petit porte-monnaie.

— Si cette personne s'est montrée généreuse, je peux l'être aussi. Combien vous a-t-on promis ? Cent sous ? Un écu ?

— Dix mille livres tournoi, répondit le valet, la mine assassine.

Voltaire suspendit son geste, referma sa petite bourse et pria Linant de bien vouloir assommer le larron.

Dix mille livres tournoi n'étaient pas une somme à laquelle un valet allait renoncer pour faire plaisir à un penseur, celui-ci se nommât-il Voltaire. Puisque ceux qui prétendaient l'en priver ne cédaient pas et que l'argument de la louche s'émoussait, Beaugeney posa l'instrument sur une commode et ouvrit un tiroir dont il sortit une boîte oblongue.

— Joli coffret, dit Voltaire.

Le valet dégagea de leur étui les pistolets de la baronne.

C'était le moment de mesurer de quel poids pesait la philosophie contre une paire de pistolets chargés. Beaugeney avait tout à fait l'air d'être sur le point de tirer quand un grand gaillard vêtu d'un ample manteau de pluie ouvrit la porte à la volée et lui sauta sur le poil. Émilie suivait en soufflant un peu, elle parvint dans le vestibule tandis que le valet s'effondrait sans connaissance sur le carrelage blanc et noir.

Le cocher venait de sauver Voltaire. Cette moustache touffue n'était pas inconnue au philosophe.

La servante et la cuisinière, qui s'étaient cachées dans les communs pendant tout ce remue-ménage, quittèrent leur abri pour venir voir s'il restait quelqu'un de vivant.

— Que lui est-il donc arrivé? dit l'une d'elles en découvrant Beaugeney étendu sur le sol.

— Il a manqué de repartie devant les arguments nécessaires et suffisants de deux poings sur son crâne, expliqua Voltaire.

Le personnel aida Linant à transporter le blessé sur un sofa, tandis que Voltaire et la marquise entraînaient le héros dans un salon pour une petite explication. L'écrivain et sa muse prirent place dans les bergères, le cocher resta debout, le chapeau à la main.

C'était un homme d'un peu moins de soixante ans, mais bâti comme un portefaix. Il expliqua qu'il surveillait Mme d'Estaing depuis des mois. Émilie se souvenait l'avoir vu sur le siège de tous les fiacres qu'ils avaient empruntés ces dernières semaines, y compris celui qui les avait ramenés à la civilisation après leur bain forcé dans la Seine. C'était cet homme qui les avait retirés du fleuve avant de disparaître sans réclamer de récompense, une attitude si philosophique qu'elle arrachait encore à Voltaire des larmes d'admiration.

Émilie n'avait pas eu le temps d'éclaircir les détails de l'intrigue avant de le conduire chez la Fontaine-Martel. Elle supposait que ce cocher appartenait à la police, ou peut-être à quelque mouvement charitable qui s'était donné pour mission de protéger d'eux-mêmes les imbéciles, une sorte de milice philosophique.

Voltaire était en train de parcourir la lettre de la baronne que Linant lui avait remise.

— M. Chapit, je présume? dit-il au cocher.

Celui-ci opina du chef.

Émilie n'y comprenait plus rien.

— Quand vous aurez lu ce papier, vous comprendrez, dit Voltaire.

Une fois la lettre lue, Émilie posa sur leur sauveur un regard neuf, presque amusé, tandis que le grand bonhomme tortillait son tricorne entre ses gros doigts d'un air gêné. Elle se leva et annonça qu'elle était au regret de devoir les quitter : elle désirait rentrer chez elle, et, cette fois, elle espérait bien que ce serait pour accoucher.

Pour se remettre de ses émotions, Linant s'était laissé tomber sur les alcools. Il trinqua avec le cocher, à la santé des valets brutaux et des comtesses fourbes. Voltaire, pour sa part, était en plein exercice de récapitulation.

Tout s'éclairait. Il restait un peu de temps pour conclure cette journée en beauté. Il écrivit un mot à porter chez sa destinataire et remit de l'ordre à sa toilette, ainsi qu'il convenait pour recevoir une dame de qualité.

CHAPITRE QUINZIÈME
*Où un marquis gagne un enfant
et perd sa femme.*

L A cloche tinta et Mme d'Estaing fit une apparition d'impératrice douairière en grand deuil, robe, calot et voilette noirs. La servante la débarrassait d'une partie de ce matériel lorsque Voltaire vint à sa rencontre.

— Vous me parliez, dans votre message, d'un document qu'on aurait retrouvé ? dit-elle en guise de salutations.

Le protégé de sa mère lui annonça avec gaieté que la succession serait bientôt close : on savait enfin avec certitude qui était l'héritière.

La vivante image de la douleur filiale garda un silence indifférent. Voltaire déclara qu'il s'agissait de sa cousine éloignée, la jeune demoiselle de Clère.

— Je vous remercie de cette communication, finit par répondre la comtesse avant de faire signe à la servante qu'on pouvait lui rendre son chapeau.

— Il y a aussi la question de la lettre, bien sûr, ajouta le philosophe.

Mme d'Estaing s'immobilisa et fixa sur lui ses yeux de panthère agacée par une mouche.

— Cette lettre que vous convoitiez bien plus qu'un testament vrai ou faux.

— Je ne vois pas du tout de quoi vous parlez, dit la d'Estaing.

— Vous comprendrez mieux devant une tasse de thé, dit Voltaire en l'invitant à le précéder dans le salon.

Une fois installé dans un confortable fauteuil de la baronne, l'écrivain énuméra les indices qui l'avaient conduit à cette conclusion.

Certains figuraient sur les plaques de verre de la lanterne magique découverte dans le cabinet de curiosités.

— Découverte en mettant à sac les possessions de ma défunte mère, commenta la comtesse.

— Découverte en tâchant de servir la mémoire de votre chère maman, oui, rectifia l'écrivain.

De l'étude minutieuse des plaques – blason des Martel, façade du Palais-Royal –, il avait déduit qu'elles montraient les ébats de la baronne à la cour du duc d'Orléans, frère de Louis XIV. Ce qui était gênant, c'était les chiffres : 050996. Il savait à présent qu'ils indiquaient une date, le 5 septembre 1696. À cette époque, Henri de Fontaine-Martel, déjà âgé, vivait retiré sur ses terres de Normandie. Ce n'était donc pas en sa compagnie que la baronne prenait du bon temps.

— Vous êtes outrecuidant, lâcha la comtesse.

— Aussi ne pousserai-je pas l'outrecuidance jusqu'à vous demander votre date de naissance, dit Voltaire.

En fait, il venait de la lui dire. En septembre 1696, la baronne avait donné naissance à sa fille unique. M. de Fontaine-Martel avait eu la bonté d'endosser la paternité, d'autant que c'était sa femme qui faisait vivre le ménage. Il était mort dix ans plus tard, peut-être sans avoir jamais vu l'enfant.

La comtesse tâchait de mesurer l'étendue du désastre. Sans montrer aucune émotion, elle gravissait intérieurement son Golgotha.

— Et puis il y avait la lettre, dit Voltaire en indiquant l'extrémité d'un feuillet qui dépassait d'une de ses poches. La lettre de la baronne, cette confession dans laquelle elle évoque son aventure avec un homme plus jeune qu'elle. Un homme dont la présence au Palais-Royal avait de quoi provoquer le scandale ou, pis, la raillerie.

— Je jure que si vous dites ce qu'il y faisait, je vous défigure de mes propres mains ! le menaça la comtesse.

De la part d'une femme qui avait fait poignarder sa mère, l'avertissement n'était pas à sous-estimer. Voltaire se garda donc bien de mentionner la profession du géniteur, bien qu'il eût le mot sur le bout de la langue. Il se concentra sur son identité.

Les chiffres, encore eux, les avaient conduits jusqu'à un postillon qui semblait beaucoup s'intéresser à la visiteuse. Les numéros peints sur sa plaque professionnelle étaient les mêmes que ceux de la lanterne magique ; des numéros fétiches, en quelque sorte.

— C'était cela, le remords qui hantait votre mère, conclut Voltaire.

La baronne avait conçu son seul enfant avec un rien du tout. Un homme sans nom, dont la meilleure action avait été de si bien disparaître qu'on n'avait jamais entendu parler de lui.

Voltaire vit bien que, sous son vernis d'impassibilité, la comtesse était dévastée. Il eut pitié d'elle et changea de sujet.

— Votre homme à tout faire était un dément sanguinaire! déclara-t-il.

— Vraiment? À qui se fier, je vous le demande.

Voltaire admit qu'il était de plus en plus difficile de trouver du personnel. Ils avaient eux-mêmes, dans cette maison, un valet à la moralité douteuse : cet homme avait subtilisé une lettre et la cachait dans un pot de biscuits rassis en attendant de la vendre.

Un voile passa sur les yeux de la comtesse.

— Je savais que vous étiez le diable, dit-elle.

— Du moins n'ai-je pas tué ma mère.

Elle bondit hors de son fauteuil.

— Je n'ai pas tué ma mère! C'est mal, de tuer!

— C'est pourquoi vous avez poussé quelqu'un à le faire à votre place.

La comtesse jura que jamais l'ordre fatal n'avait franchi ses lèvres : il flottait en l'air, descendait du ciel avec cette musique céleste que son cocher exalté révérait presque autant que Jésus. Peut-être n'aurait-il pas accepté de commettre de telles horreurs si le Ciel ne le lui avait ordonné.

— Vous avez poussé un dément à poignarder des gens! dit Voltaire. Vous avez condamné d'innocentes personnes à une fin sinistre!

La comtesse se laissa tomber dans la bergère.

— Je me repens d'avoir fait tuer ma mère! dit-elle. Même si elle s'est très mal conduite à mon égard!

L'écrivain nourrissait un dernier soupçon, non moins inquiétant que les précédents.

— Dites-moi, chère madame, qu'est-il arrivé à votre époux, il y a trois ans, et à votre beau-père, l'an dernier?

— Une fâcheuse série d'accidents qui m'ont laissée hébétée de tristesse.

Il aurait fallu beaucoup d'imagination pour lire la moindre trace d'hébétude sur ce visage, dont seuls la colère et le mépris semblaient pouvoir s'emparer.

Voltaire s'était livré à un petit calcul. La comtesse avait perdu son mari en 1729, précisément l'année où elle avait recueilli le musicien fou ; puis cela avait été le tour du beau-père, l'an passé. Il était persuadé que ces malheureux avaient péri de mort violente. Sans doute le lieutenant Hérault avait-il caché ces meurtres pour ne pas avoir à en répondre devant ses supérieurs, comme il l'avait fait au décès de Mme de Fontaine-Martel. Il fallait espérer que la liste n'était pas plus longue. Combien de cadavres Mme d'Estaing avait-elle semés dans son sillage depuis qu'elle s'était mis en tête de supprimer tous ceux qui découvraient son secret d'une manière ou d'une autre ?

Il avait de la chance que le factotum ne fût plus de ce monde. Sa visiteuse avait une irrésistible envie de pianoter un air de sa façon.

Voltaire fut pris d'un accès de compassion.

— Chère, chère comtesse. Il doit falloir être dans une souffrance extrême pour vouloir me tuer.

— Voyez-vous, monsieur le roturier Voltaire, il y a quelque chose de plus primordial que la fortune : c'est l'honneur, c'est la réputation, c'est de pouvoir se montrer sans que l'on dise de vous : « C'est la fille du cocher, la fille du... »

Elle s'interrompit, incapable de prononcer le mot, ce mot qui avait fait tant de morts.

Chez Voltaire, la pitié avait fait place à l'irritation. Il n'était pas devenu un auteur célèbre pour s'entendre traiter de roturier. L'arrogance de ces nobles était intolérable, elle finirait par faire détester leur caste tout entière.

La perspicacité de la comtesse lui évita de se montrer grossier.

— La noblesse est un état d'esprit, énonça-t-elle sur son ton le plus froid. C'est une chose que ceux qui n'en sont pas ne comprendront jamais.

Une soudaine agitation épargna à Voltaire de subir une leçon sur le sens profond de l'élitisme. C'était à nouveau la panique à l'hôtel de Fontaine-Martel. Beaugeney, qui s'était réveillé, était reparti à la chasse aux lettres. Le philosophe eut à peine le temps de tourner la tête dans la direction du bruit, une main glissa dans sa poche et en retira le précieux feuillet. Muni de son papier, mais poursuivi par Linant et par le cocher, le valet se réfugia sur une commode.

— Je l'ai, madame, je l'ai! piailla-t-il en brandissant la confession.

Le ciel sembla s'ouvrir au-dessus de la comtesse dans un concert d'anges aux voix d'or.

— Mangez-la! cria-t-elle.

Cet ordre inattendu désarçonna le valet. Ses poursuivants bousculèrent le meuble, il perdit l'équilibre et lâcha l'objet de tant de convoitise.

Ce fut à ce moment que le fantôme de la baronne crut nécessaire de s'en mêler. Les deux hautes fenêtres du salon s'ouvrirent toutes seules. Un courant d'air digne d'une tempête en mer d'Aral s'engouffra dans la pièce, emportant le témoignage dans son souffle glacé. La lettre voleta vers sa destinataire comme si la main invisible et immatérielle de son auteur tâchait de la conduire à bon port.

Hélas! incapable de se départir de ses habitudes, Mme d'Estaing fit signe au valet de s'en saisir pour elle; sans doute n'était-il pas de sa dignité de lever le bras pour intercepter le courrier.

Au lieu de se laisser sagement cueillir par le valet corrompu, la lettre reprit son vol, fit deux ou trois pirouettes pour saluer la compagnie et sortit par la fenêtre. Décidée peut-être à contempler Paris, elle se posa sur la corniche de la façade, à cinq coudées de là.

La comtesse engagea Beaugeney à la récupérer coûte que coûte. La prime monta à vingt mille livres. Après avoir hésité un instant à cause de la hauteur, le valet laissa l'appât du gain étouffer ses préventions. Il monta sur l'appui de la fenêtre et entreprit de glisser vers le cher papier, le dos collé à la paroi.

Soudain, il bascula vers la rue avec un hurlement relayé par une exclamation générale dans le salon. Certains plaquèrent leurs mains sur leur bouche. Celles de la comtesse se tendirent vers le vide avec désespoir.

Le malheureux gisait sur le trottoir, aux pieds du lieutenant général de police et de ses subordonnés, venus entendre le fin mot de l'affaire des lèvres de Voltaire ou conduire celui-ci à la Bastille. René Hérault leva le nez et son regard rencontra celui du philosophe.

— Il tombe décidément de curieux pigeons, dans votre quartier, Arouet!

Le lieutenant général fut rejoint au pas de course par son concurrent, le lieutenant civil d'Argouges, qui l'avait suivi avec l'intention de mettre au jour ses petits mensonges.

— Je savais que vous me cachiez des faits bizarres ! s'écria d'Argouges. Voilà qu'il pleut des cadavres !

La lettre volante se détacha de la corniche et reprit son vol en direction des pavés, qu'elle atteignit à quelques dizaines de pas de la maison.

Après avoir adressé à son collègue un sourire satisfait, le lieutenant civil en donna lecture à voix haute.

— « Ma fille, au moment où je rédige mes dernières volontés, j'éprouve la nécessité de vous demander pardon de toutes les fautes que vous me reprochez, de ma froideur à votre égard, des années que vous avez passées au couvent sans que je vinsse une seule fois vous visiter, enfin de tous ces devoirs de mère que je n'ai guère remplis comme je l'aurais dû. Sans doute en eussé-je mieux usé si votre vue ne m'eût rappelé toujours ma grande faute, cette faute dont vous êtes la conséquence, en un mot, si vous eussiez été la fille de mon époux, et non celle de M. Chapit, favori de Son Altesse le duc d'Orléans, dont je m'épris du temps où je vivais dans l'entourage de ce prince. J'eusse aimé obtenir votre pardon dès le jour où, dans un mouvement de colère, je vous en fis l'aveu. Ma seule espérance est que vous me pardonnerez après ma mort, au nom de cette charité que vous pratiquez avec tant de zèle. J'ai fait pour vous ce que je devais, je vous ai fait élever, je vous ai mariée dans une famille très honorable, vous comprendrez que je lègue à présent mon bien à une demoiselle qui a sur vous le triple avantage de tenir des Martel, d'avoir besoin de cette fortune pour conclure un mariage digne de son nom, et de ne pas me haïr comme vous le faites. »

L'outrage arracha des cris au spectre noir posté à sa fenêtre.

— Vous n'avez pas le droit de lire cela ! hurla-t-elle. C'est une correspondance privée ! Je vous ferai casser !

— Madame, répondit M. d'Argouges, j'ai le droit et le devoir de lire tout ce qui s'écrit en France.

Et il fourra le papier dans sa poche.

— J'en mourrai ! glapit la comtesse.

RENÉ HÉRAULT se promit d'avoir une conversation avec Mme d'Estaing au sujet de révélations qui ressemblaient fort à un mobile pour le meurtre de sa mère, voire de son mari et de son beau-père. Il la pria de ne pas quitter Paris et la laissa rentrer chez elle en attendant d'en avoir conféré avec le ministre, qui lui-même en rendrait compte au roi.

— Voilà une grande dame que je reverrai bientôt à la Bastille, dit Hérault, tandis que la voiture quittait la rue des Bons-Enfants.

Voltaire en doutait. Il avait éprouvé assez de commisération pour remettre à la malheureuse le dernier pot de confiture de la cousine de Clère, qu'il avait conservé à tout hasard, et lui avait glissé un mot sur son contenu. À voir l'effet qu'avaient eu quelques cuillerées sur la baronne, on pouvait se demander ce qu'il adviendrait d'une personne qui ingurgiterait le tout.

Hérault s'occupa de faire enlever le nouveau cadavre, sous l'œil du lieutenant civil, curieux d'apprendre quels secrets on lui cachait encore.

Mlle de Clère et le notaire arrivèrent sur ces entrefaites.

— Voici l'homme qui a fait votre bonheur, dit Me Momet en désignant l'écrivain.

Voltaire était décidément la providence des jeunes filles.

L'avoué venait de rendre à l'héritière le testament véritable. Il lui répéta que c'était ce généreux homme de lettres qui avait remis la main dessus. Le lieutenant général voulut savoir comment.

— Mais en allant le chercher là où il était, cher monsieur Hérault, répondit Voltaire.

Mlle de Clère prit grand plaisir à faire le tour de l'hôtel légué par sa parente éloignée.

— C'est à moi, tout ça. C'est ma maison. Je suis chez moi.

— Charmante enfant, murmura le locataire à l'intention de Linant. Rappelez-moi de n'en faire jamais.

En fin de compte, toute cette affaire découlait d'une faute de la baronne commise trente-sept ans plus tôt.

— Tout cela tenait à peu de chose, en réalité, conclut-il. Nos moindres actes ont des conséquences que nous ne soupçonnons pas.

QUAND la marquise du Châtelet revint à l'hôtel de Fontaine-Martel, au début d'avril, l'écrivain vit avec étonnement qu'elle n'avait toujours pas accouché. Cet enfant était une pendule qui retardait.

Les baronnes vengées, les comtesses confondues, les héritières pourvues, Voltaire était enfin retourné en toute sérénité à ses travaux littéraires.

La marquise semblait avoir ce jour-là des préoccupations très matérielles.

— J'observe votre train de vie, vous me paraissez à l'aise, remarqua-t-elle. Vos publications doivent être d'un bon rapport.

— Je ne gagne pas d'argent avec mes livres : j'écris pour les gens instruits, ils formeront toujours le plus petit nombre.

Il gagnait sa vie en prêtant à des clients dont il n'exigeait pas qu'ils sachent lire.

— Que cherchent les gens ? demanda-t-il pour revenir aux sujets de haute portée qui l'intéressaient vraiment.

— L'amour ? supposa Mme du Châtelet.

— Oui, bon. Et encore ?

— Le bonheur ?

Il fit la grimace.

— Les gens cherchent la vérité ! La vérité, que seules la science et la philosophie peuvent leur apporter !

— Ah bon ?

— Ils me cherchent, moi ! Ils cherchent Voltaire !

— Je comprends mieux vos ennuis, dit-elle.

Une fois défini que Voltaire était la quête universelle, elle lui exposa le motif de sa visite. Elle avait encore joué, encore perdu et, cette fois, sur parole. Il lui fallait un prêt, de préférence sans intérêts, au nom de leur amitié. Elle aurait certes pu se séparer d'un de ses diamants, mais elle les aimait trop.

— J'aurais mieux fait de me laisser trucider par l'assassin de la comtesse, grogna l'écrivain en ouvrant sa cassette, cela m'aurait coûté moins cher. On a voulu me poignarder, mais vous, vous m'écorchez.

— Mieux vaut être écorché par moi que poignardé par un autre, admettez-le.

Sans doute l'admit-il, puisqu'il paya.

En guise d'intérêts, il s'apprêta à lui lire les passages revus et corrigés des *Lettres philosophiques*. Il se disposait à livrer son ouvrage à ses deux imprimeurs : l'officiel surveillé par la police et l'officieux qui ne l'était pas. Fût-ce la perspective d'une séance littéraire de grande tenue, Émilie sentit qu'elle venait de perdre les eaux.

— Je vais avoir mon bébé, annonça-t-elle d'une voix blanche.

— En êtes-vous bien sûre ?

— C'est mon troisième : je sais quand je vais avoir un bébé !

— Oui, bon, admettez que ce n'est pas le meilleur moment.

C'était d'autant plus contrariant qu'elle risquait d'en avoir pour la soirée.

— Et vous, quand il vous vient l'idée d'une tragédie, croyez-vous que ce soit jamais le bon moment ? rétorqua-t-elle.

Ce rapprochement lui donna une idée.

— Avez-vous songé à un prénom, ma chère ?

Elle se jura de l'assommer s'il lui proposait Eriphyle.

Le marquis du Châtelet jugea nécessaire de rentrer du front à l'occasion des couches. Il avait reçu une lettre : « Madame votre épouse est heureusement accouchée d'un garçon. Voltaire. »

Il y avait de quoi être troublé. M. du Châtelet ne connaissait qu'un seul Voltaire et ignorait que celui-ci arrondissait ses fins de mois comme sage-femme.

Il roula sans faire de halte et se présenta rue Traversière à trois heures du matin. Il y avait de la lumière dans les appartements de la nouvelle accouchée. Les domestiques parurent gênés de le voir surgir à l'impromptu.

Malgré tous les adoucissements qu'on lui ménagea, M. le marquis apprit successivement que Madame ne dormait pas, qu'elle n'était pas seule et qu'il y avait un homme avec elle.

Il monta les marches quatre à quatre, l'épée au côté, traversa le corridor et pénétra chez sa femme sans se faire annoncer. Ce fut pour la trouver habillée d'une robe d'intérieur et chaussée de mules, penchée sur une table recouverte d'exercices de mathématiques, d'expériences de physique et de traductions latines, en compagnie d'une sorte de diablotin curieusement attifé d'un manteau fourré et d'un bonnet mou en velours cramoisi.

Petits dormeurs l'un et l'autre, ils perdaient la notion du temps quand ils étaient à leur science. Trois heures de l'après-midi ou du matin étaient également propices à l'étude, et même davantage la nuit que le jour, car on y recevait, en principe, moins de visites.

Ayant vu cela, le marquis, qui venait de parcourir vingt lieues d'une seule traite et que les théories de Newton n'empêchaient pas de dormir, alla se coucher.

Le lendemain matin, lorsqu'il pénétra dans sa salle à manger, il fut accueilli par ce même inconnu qui lui déclara :

— Ah! Monsieur! Nous avons un beau garçon! Notre Émilie se porte bien!

Le marquis le remercia de cette communication. Un peu plus tard, il trouva de nouveau sa femme en train de mathématiser, au lit, cette fois. Bien qu'il ne bénéficiât pas de lumières similaires à celles de ces esprits supérieurs, il comprit que son épouse avait changé de vie. Il comptait moins, dans cette nouvelle existence, qu'un signe « plus » ou qu'un « égale »; comme elle comptait moins dans la sienne qu'un mouvement de troupes sur un champ de bataille, il ne se formalisa pas trop de cette évolution et s'en fut embrasser le futur vicomte du Châtelet, son fils, leur principal trait d'union dorénavant.

Il ne fallut pas longtemps pour que lui reviennent aux oreilles certaines pérégrinations parisiennes en compagnie d'un philosophe.

— Nous combattons le crime pour la gloire de la logique et du savoir! expliqua son épouse.

Le marquis demeura perplexe.

— On va vous le reprocher, prédit-il.

Peu soucieuse du qu'en-dira-t-on, la marquise était résolue à ne plus se consacrer qu'à l'étude des sciences, les voltairiennes et les autres.

Puisque tout allait bien chez lui sans lui, son époux ne tarda pas à retourner faire ce qui lui plaisait le plus au monde et qui n'avait rien à voir avec la philosophie, c'est-à-dire lancer ses soldats à l'assaut de quelque position ennemie pour la plus grande gloire du royaume de France. Les Polonais reçurent maints coups d'estoc cette saison-là.

ÉMILIE ET VOLTAIRE regardèrent la voiture du marquis s'éloigner dans la rue Traversière. Il les abandonnait l'un à l'autre. La marquise poussa un soupir.

— J'ai eu dans ma vie un homme bon, un homme beau et un homme aimable. Il me manque quelque chose.

— Un homme brillant? suggéra Voltaire.

Pour l'homme modeste, elle allait devoir attendre encore.

Elle lui proposa de s'installer chez elle pour être plus à même de passer leurs nuits à étudier de concert. Voltaire fit la liste de tout ce qui les empêchait de vivre ensemble.

— Je dors rarement plus de cinq heures.

— Et moi deux, dit la marquise.

— Je suis toujours occupé de quelque chose.

— Je ne sais ce que c'est de ne rien faire.

— Les conventions, les bonnes mœurs, votre réputation…

— C'est trop tard. Les femmes n'ont pas accès au savoir, mais moi j'ai accès à Voltaire. Vous serez mon vieux grimoire.

— Je serai votre grimoire de trente-neuf ans, rectifia l'écrivain.

Elle l'ignorait, mais il avait d'autres raisons de vouloir habiter ailleurs. Sa raison principale se présenta sous la forme d'un bourgeois d'âge moyen, à la mine pateline, vêtu aussi tristement qu'il seyait à un financier et dont la face rubiconde proclamait la réussite.

— Je vous présente M. Dumoulin, mon autre moi-même !

— Monsieur écrit, peut-être ? supposa la marquise.

— Grand Dieu non ! s'exclama le philosophe. Dumoulin investit mon argent sans que mon nom paraisse.

La marquise retira sa main.

— C'est donc qu'il y aurait de la honte à être cité dans ces placements ?

— Chère amie, ne poussez pas la philosophie jusqu'à tirer des conclusions de choses qui vous dépassent, répondit Voltaire, qui n'avait pas eu, pour sa part, la chance d'épouser un marquis peu regardant sur la dépense.

Le prête-nom habitait tout près du port aux grains, derrière l'Hôtel de Ville, et Voltaire voulait être en mesure de surveiller certains investissements en blé qu'il venait de faire. Il souhaitait aussi développer une idée qu'il avait eue en visitant ses imprimeurs : fabriquer du papier avec de vieux chiffons.

— Rendez-vous compte ! On pourrait imprimer mes œuvres sublimes sur vos vieilles nippes !

La marquise s'imagina dans le monde avec une robe recouverte des *Lettres philosophiques*, et M. Hérault courant après les dames pour leur arracher ces vêtements subversifs.

Elle eut la conviction qu'ils se reverraient bientôt.

« Je pratique une écriture jubilatoire : tout ce que j'écris doit m'amuser, me distraire, me changer les idées. [...] C'est cela que je cherche à partager avec mes lecteurs : de la bonne humeur, et une vision caustique de l'existence. »

Frédéric Lenormand

Frédéric Lenormand a déjà une longue carrière littéraire derrière lui. En 1988, alors qu'il n'a que vingt-deux ans, il écrit cinq romans successifs et obtient le prix Del Duca du jeune romancier pour *Le Songe d'Ursule*. Ce n'est que la première des nombreuses distinctions littéraires décernées à cet auteur talentueux (bourse du Jeune Romancier de la Fondation Hachette, prix Thyde-Monnier de la Société des Gens de Lettres, bourse de la Villa Médicis Hors les Murs…). En 1991, il publie *Les Fous de Guernesey ou les Amateurs de littérature*, dans lequel il raconte l'exil de Victor Hugo dans les îles Anglo-Normandes. Puis il se lance dans une série de romans historiques, avec une prédilection pour le XVIIIᵉ siècle (*Mᶫᶫᵉ Chon Du Barry*, *Les Princesses vagabondes* – prix François-Mauriac de l'Académie française –, *La Jeune Fille et le Philosophe*, *Un beau captif*). Il se passionne pour la Révolution française, écrit deux essais très spécialisés sur les prisons de la Terreur. Mais, dit-il, cela « n'intéressait à part moi qu'un nombre restreint de lecteurs, et en plus, à force, cela devenait mortifère ». D'où l'idée de changer totalement d'univers et de se lancer un défi : se tourner vers le VIIᵉ siècle chinois et faire revivre, sans le trahir, le célèbre juge Ti, personnage né sous la plume de Robert Van Gulik (décédé en 1967). Pari audacieux mais gagné à en juger par le succès des *Nouvelles Enquêtes du juge Ti*. Sans renoncer au polar historique, et toujours en s'appuyant sur un gros travail de documentation, Frédéric Lenormand décide de renouer avec le Siècle des Lumières : il entame la série « Voltaire mène l'enquête » qui met en scène le philosophe reconverti en détective amateur. Premier épisode de cette série, *La baronne meurt à cinq heures* a reçu le prix Arsène Lupin 2011, prix récompensant chaque année une œuvre de fiction qui « perpétue l'esprit de Maurice Leblanc ».

Le texte intégral des ouvrages
présentés a été publié par
les éditeurs suivants :

ÉDITIONS ALBIN MICHEL

Patricia MacDonald
Une nuit, sur la mer

ÉDITIONS GALLIMARD

Sylvain Tesson
Dans les forêts de Sibérie

ÉDITIONS DES DEUX TERRES

Marina Lewycka
Des adhésifs dans le monde moderne

ÉDITIONS JEAN-CLAUDE LATTÈS

Frédéric Lenormand
La baronne meurt à cinq heures

Crédits photographiques :

Couverture :
hg : Gettyimages/Daniel Stein ; hd : RMN (Château de Versailles)
Gérard Blot Thé à l'anglaise servi dans le salon des Quatre-
Glaces, au palais du Temple à Paris en 1764 Olivier Michel
Barthélémy (1712-1784) château de Versailles et de Trianon ;
bg : Illustration Richard Merritt@The Organisation ;
bd : Figarophoto.com/Thomas Qoisque.
4e de couverture :
hg : Albin-Michel/Denis Félix ; hd : Isabelle Echo-Éditions des
Deux Terres ; bg : Agence Opale/Catherine Helie ; bd : Agence
Opale/Francesca Mantouvani.
Pages :
5 : The Bridgeman Art Library/Jeune fille lisant Henri Lebasque
(1865-1937) Musée Marmottan, Paris ;
7 g : Gettyimages/Daniel Stein ; cg : Figarophoto.com/Thomas
Qoisque ; cd : Illustration Richard Merritt@The Organisation ;
d : RMN (Château de Versailles) Gérard Blot Thé à l'anglaise servi
dans le salon des Quatre-Glaces, au palais du Temple à Paris
en 1764 Olivier Michel Barthélémy (1712-1784) Château
de Versailles et de Trianon. 8/9/10 : Gettyimages/Daniel Stein ;
153 : Albin-Michel/Denis Félix. 154/155/156 : Figarophoto.
com/Thomas Qoisque ; 281 : Agence Opale/Catherine Helie.
282/283/284 : Illustration Richard Merritt@The Organisation ;
465 : Isabelle Echo-Éditions des Deux Terres ; 466/467/468 :
RMN (Château de Versailles) Gérard Blot Thé à l'anglaise servi
dans le salon des Quatre-Glaces, au palais du Temple à Paris en
1764 Olivier Michel Barthélémy (1712-1784) château de Versailles
et de Trianon ; 466 en médaillon : Leemage/Aisa Portrait
de Voltaire (détail), pastel anonyme d'après Maurice Quentin
de La Tour ; 591 : Agence Opale/Francesca Mantouvani.

IMPRESSION ET RELIURE : GGP Media GmbH, Pößneck, Allemagne.